LA MERE.

Enfans soyez recors des ditz de vostre pere
Fille ne mesprisez la voix de vostre mere.
Ioygnez vous a celluy qui derien vous a faitz
Luy rādant de franc cœur grace de ses biēs faitz.

LES
ENFANS.

Viuons ensemblement d'vne sainte concorde
Et qu'vn chascun de nous les parolles recorde
De nos progeniteurs nous instruisant à Dieu,
Afin que dans nos cœurs son Esprit trouue lieu.

Illustration figurant en couverture :

ASSEMBLÉE DU DÉSERT AU MAS DE GUINET EN 1890

MM. les pasteurs Couve, de Paris, et Camille Soulier, de Bordeaux, célèbrent l'office devant un public composé surtout de notables.

Aquarelle conservée à la Bibliothèque de la Société d'Histoire du Protestantisme Français.
Photo Jenny Ecoiffier.

Illustration figurant en pages de garde :

BÉNÉDICTION DE LA TABLE DANS UNE FAMILLE PROTESTANTE VERS 1655

Gravure due à Abraham Bosse.

Bibliothèque de la Société d'Histoire du Protestantisme Français.
Photo Giraudon.

Histoire des Protestants en France

ROBERT MANDROU

Professeur à l'Université de Paris X.

JANINE ESTEBE

Maître-assistant à l'Université de Toulouse-Le Mirail.

DANIEL LIGOU

Professeur à l'Université de Dijon.

BERNARD VOGLER

Maître de Conférences à l'Université de Strasbourg II.

PHILIPPE JOUTARD

Professeur à l'Université de Provence (Aix-Marseille I).

DANIEL ROBERT

Docteur ès lettres, Directeur d'Etudes à l'Ecole pratique des Hautes-Etudes (5ᵉ section).

ANDRÉ ENCREVÉ

Assistant à l'Université de Reims.

JEAN BAUBÉROT

Assistant de recherche spécialisée à l'Ecole pratique des Hautes-Etudes (5ᵉ section).

PIERRE BOLLE

Maître-assistant à l'Université des Sciences sociales de Grenoble.

Histoire des Protestants en France

Privat

———— I.S.B.N. 2.7089-2341-2 ————
© 1977, Edouard Privat, Editeur
14, rue des Arts, 31000 Toulouse

Avant-propos

Le présent volume est une histoire des protestants — et pas exactement du protestantisme — en France. C'est dire que l'intérêt s'y porte avant tout sur ces hommes et ces communautés qui, dans notre pays, depuis le XVIᵉ siècle, s'efforcèrent de vivre et d'incarner, dans l'épaisseur de leurs situations concrètes, leur christianisme. La distinction n'est évidemment pas absolue. Il s'agit surtout d'une direction des recherches et, par suite, d'un éclairage différent dans l'exposé.

Ainsi défini, et couvrant la totalité du destin des protestants, du XVIᵉ siècle à nos jours, il s'efforce de combler une réelle lacune. Bien entendu, il n'aurait pu être écrit sans l'existence de multiples travaux et synthèses antérieurs, qui sont signalés dans l'orientation bibliographique placée en fin de volume, et vis-à-vis desquels, au long du texte, les auteurs proclament plus d'une fois leur dette. Tous sont eux-mêmes des spécialistes de cette histoire dont ils présentent ici les grandes lignes, et qu'ils s'efforcent par ailleurs, par leurs publications comme par leur participation à de fréquents colloques, de faire progresser, chacun dans son secteur propre. C'est dire aussi que l'actuel volume s'attache à être au courant du travail le plus actuel.

Un problème particulier s'est trouvé posé du fait, au sein du « corps protestant » français, d'un ensemble de communautés dont l'histoire a été longtemps distincte : celles de l'Alsace, partie du Saint Empire romain germanique jusqu'au XVIIᵉ siècle — et dont le statut officiel est resté depuis lors différent. Le risque de disparité, que cette situation faisait courir au volume, ne pouvait évidemment être esquivé. Bien plutôt, la diversité des destins — religieux autant que politique — donnait une possibilité de comparaisons et de rapprochements d'autant plus grande que, d'une part, les rapports ont été nombreux entre Alsace et reste de la France dans les siècles passés, et que, d'autre part, l'auteur chargé plus particulièrement de ce secteur a l'habitude de travailler en commun avec ceux qui, au sein de la présente équipe, sont ses collaborateurs.

Cet ouvrage est donc essentiellement l'œuvre d'historiens dont tous ne sont pas protestants, mais qui se sont efforcés de sympathiser profondément avec leur sujet comme d'éviter l'hagiographie. Voici quelque temps déjà, certes, que nous autres historiens savons que nous aussi sommes dans l'Histoire, que nous appartenons à cette réalité du flux humain, et donc que nous ne pouvons nous targuer de la contempler d'un œil indifférent et lointain. Nos problématiques, nos perceptions, nos points de vue sont influencés par des forces dont nous n'arrivons même pas toujours à prendre pleinement conscience. Mais, d'être devenue réaliste, la quête de la Vérité n'a rien perdu de son exigence, bien au contraire. Elle s'appelle simplement : honnêteté intellectuelle. De leur mieux, les auteurs de ce livre se sont efforcés de rester fidèles à cet idéal. Et le destin humain qu'ils dépeignent garde toute son impressionnante grandeur, sa force d'émotion, son caractère exemplaire.

En terminant, il m'est agréable de remercier tous ceux qui nous ont aidés à établir le texte et composer l'illustration de ce volume. S'il m'est impossible de donner une liste de noms, qui serait à la fois longue et certainement incomplète, je veux signaler le précieux appui que nous avons trouvé auprès de la Bibliothèque de la Société d'Histoire du Protestantisme français, et de son dévoué conservateur, M. le pasteur Vatinel.

Philippe WOLFF,
de l'Institut.

Pourquoi se réformer ?

Voici bientôt un demi-siècle, Lucien Febvre, dans un article capital qui n'a pas pris une ride, disait son fait aux exégètes de la Réforme, attachés à découvrir les « origines de la réforme française » à travers crises et abus, complaisamment énumérés, jaugés à l'aune de leur malfaisance et des impatiences qu'ils pouvaient susciter. Le débat était clos qui n'a point été ouvert à nouveau, si ce n'est dans des manuels rétrogrades et plus soucieux de distiller des vérités dogmatiques qu'un savoir historique. Pour les historiens cherchant à comprendre un passé complexe qui pèse toujours sur notre présent, la cause était entendue. Lucien Febvre avait apporté, au prix d'une érudition sans failles, la démonstration que sollicitait le trait de Michelet s'exclamant un beau jour pour balayer en une phrase cette démarche inféconde : « Trois cents ans de plaisanteries sur le pape, les mœurs des moines, la gouvernante du curé ; c'est de quoi lasser à la fin » : cela ne suffit certainement pas à expliquer le profond désir de réforme qui se retrouve diffus à travers toute l'Europe dès le xv⁰ siècle et qui explose par vagues successives pendant les premières décennies du xvi⁰ siècle. Dans leur exigence de religion, les Français contemporains de François I⁰ʳ et de Charles Quint, comme tant d'autres, recherchent de nouvelles voies pour assurer leur salut et pour dépasser les médiocres pratiques qui leur sont proposées par l'Eglise romaine. Comment celle-ci, qui a réussi dans les siècles antérieurs à assumer tant de tâches essentielles à la vie quotidienne, en est-elle arrivée là, est sans doute la première question qu'il convient de se poser. Institution contestée, l'Eglise s'est raidie dans la défense de son orthodoxie. La vigueur agressive qu'elle a déployée dans cette tâche n'a pas peu contribué à forger, en partie a contrario, une sensibilité religieuse nouvelle qui a cherché et trouvé sa voie par l'effort commun et dispersé à la fois des laïcs et des clercs, et par l'apparition de toute une littérature qui a balisé les voies de ce renouveau avec une singulière persévérance, malgré tous les interdits et toutes les précautions prises par les autorités séculières et spirituelles. Les cheminements réformateurs ne sont pas plus faciles à reconstituer en France qu'ailleurs en Europe : il faut s'en tenir aux données immédiates que le travail des historiens a reconstituées avec quelque sûreté ; et laisser dans l'ombre ce qui relève encore de l'hypothèse hasardeuse. Le chantier est encore, et pour longtemps, ouvert.

L'Eglise romaine, institution contestée

Ne chaussons pas dès l'abord les bottes éculées de l'histoire politico-religieuse traditionnelle pour opposer gallicanisme et ultramontanisme : s'il est vrai que l'Eglise de France ait manifesté depuis longtemps, avec l'aide de la monarchie, son désir d'indépendance à l'égard de la Curie romaine, et ce jusque dans la négociation qui a immédiatement précédé la signature du Concordat de Bologne en 1516, il faut bien reconnaître que là n'est pas l'essentiel, même s'il est vrai que ces débats politiques autant que religieux nous sont mieux connus que d'autres réalités de la vie spirituelle. En ce domaine, comme en beaucoup d'autres, les historiens ont été, consciemment ou non, victimes de la pauvreté ou de l'abondance documentaires. Quitte à faire dire le maximum à des textes trop rares et à des confidences chuchotées, l'historien se doit de chercher dans d'autres directions qui sont plus directement explicatives des difficultés et des insatisfactions qui tourmentaient les fidèles et les clercs, voire les fidèles plus que les clercs.

Le premier élément qui ne peut manquer de frapper celui qui cherche à reconstituer ce que pouvait être la place de l'Eglise dans le corps social, est la multiplicité et le poids des fonctions assumées par un corps qui n'a cessé de croître depuis les premiers siècles jusqu'à la fin de ce que nous appelons le Moyen Age. Présente dans la vie des hommes, selon la formule classique, de la naissance à la mort, l'Eglise n'a pas assuré seulement cet encadrement qui représentait à tout prendre déjà une énorme tâche. La prédication dominicale et exceptionnelle (de l'Avent et du Carême), la distribution des sacrements, la gestion et l'entretien des lieux de culte, la direction morale et spirituelle des fidèles, la surveillance des mœurs, tout ce pain quotidien du clergé séculier constituait un lourd labeur, qui aurait impliqué, pour être assumé avec sécurité et sérénité, une formation poussée des clercs, à laquelle l'épiscopat et le Saint Siège n'avaient pas consacré beaucoup de temps ni de ressources : la déréliction du bas clergé rural a été maintes fois décrite et ne pose pas de vrais problèmes, si ce n'est de savoir comment les fidèles s'accommodaient de curés qui n'étaient point à la hauteur de leurs tâches. Certes, pour l'essentiel qui était, en fin de compte, la distribution des sacrements, l'Eglise avait pris quelques précautions doctrinales : ne serait-ce qu'en affirmant la validité de tout sacrement distribué par un prêtre, en quelque état qu'il soit ; en instituant en outre une justice ecclésiale, l'officialité diocésaine, où se trouvaient automatiquement déférées toutes les causes qui mettaient en question un sacrement, ou la vie ecclésiale ; et où se trouvaient chapitrés, admonestés, voire condamnés les prêtres dont la vie quotidienne finissait par faire un scandale qui remontait jusqu'à l'évêque. Mais ces précautions ne pouvaient pallier toutes les insuffisances. A mesure que la population urbaine s'accroît, ces charges se sont faites plus lourdes ; et les exigences des fidèles se sont modifiées. L'Eglise romaine s'est accoutumée à tenir un discours urbain plus nuancé, plus élaboré que celui réservé aux rustres campagnards. Souvent, les cures urbaines, au demeurant mieux dotées et plus confortables matériellement, sont tenues par des docteurs en théologie qui sont capables de faire face aux revendications des laïcs. Parfois, des évêques résidant dans leurs diocèses prennent soin d'envoyer dans les campagnes pour le Carême et l'Avent des moines prêchants, qui viennent renouveler la monotonie des prédications dominicales assumées par le desservant. Mais le palliatif est alors pire que le mal, dans la mesure où il fait entrevoir à un peuple laïc des ressources qui ne lui sont jamais offertes qu'une ou deux fois l'an. Ainsi, depuis au moins trois siècles, le clergé romain se trouve aux prises avec une difficulté majeure : assurer sa fonction principale, alors qu'aucune institution ne permet de former, au sens fort du mot, les prêtres dont elle a besoin, et qui devraient répondre à une demande différente, de la campagne à la ville, pour ne prendre que cette distinction. La fondation des ordres mendiants, qui constitue certes un élément de réponse à cette question, a été vite détournée de son objet premier : s'il est vrai que les familles franciscaines sont restées prédicantes pour l'essentiel, les Dominicains se sont spécialisés assez rapidement dans l'enseignement universitaire et dans la chasse aux hérétiques. Le clergé séculier, surtout dans les campagnes, ne s'est pas trouvé tellement aidé par cette nouvelle génération de religieux.

Cependant, l'Eglise romaine avait encore bien d'autres fonctions

à assumer ; si nous passons sous silence, non sans scrupules, les services rendus par l'épiscopat dans les conseils de gouvernement, et par
le bas clergé dans la diffusion des ordonnances royales, il reste encore
deux tâches énormes : d'une part, l'Eglise a toujours prétendu assurer
l'éducation des enfants et organiser les études que nous qualifions
aujourd'hui de supérieures. Dans le cas de l'éducation élémentaire,
tout était entre les mains du curé (et de la fabrique) qui pouvait
recruter un maître d'école ou assurer lui-même l'essentiel, c'est-à-dire
le catéchisme. Dans les villes, à mesure qu'elles se développent, à
l'ombre des cathédrales et des collégiales, cet enseignement élémentaire
a pris forme et consistance sans trop de peine, sous la pression des
laïcs ; dans les campagnes, tout reposait sur l'initiative du curé que
ses ouailles ne sollicitaient pas avec beaucoup d'insistance. Les plus
grandes réalisations en ce domaine ont été les Universités que l'Eglise
a disséminées à travers l'Europe pendant tout le bas Moyen Age ; les
Facultés des Arts, de Théologie, de Droits et de Médecine ont offert
aux futurs clercs et aux autres un cursus très rapidement et savamment
codifié qui absorbait une part importante des ressources intellectuelles
de l'Eglise : tant de bonnets consacrés à répéter Galien et Hippocrate,
Justinien, saint Jérôme et saint Thomas, représentaient un investissement d'intelligence certainement considérable, dont les fruits sont difficiles à jauger, comme toujours en ce domaine. Du moins est-il assez
évident que, là encore, une sclérose est rapidement intervenue dont
les échos se sont perpétués jusqu'aux XVIIᵉ et XVIIIᵉ siècles : Galien et
Hippocrate se sont trouvés finalement faire obstacle à une progression
du savoir médical ; et la même constatation peut être faite pour la
théologie et pour les deux Droits. La désertion des Universités, les
lassitudes des étudiants et le mécontentement des autorités civiles sont
patents à la fin du xvᵉ siècle.

Mais l'Eglise assumait encore une énorme fonction d'assistance :
Hôtels Dieu dans les villes, maladreries, voire léproseries dans les
campagnes, infirmeries d'accueil dans les couvents au long des routes,
tout cet appareil hospitalier qui est encore impressionnant — au moins
sur le papier — au XVIᵉ siècle a coûté fort cher aux fidèles et ne vit
que par le dévouement de religieux et de religieuses qui se consacrent
à panser les plaies du corps et à fournir aux miséreux le gîte et le
couvert : dans la mesure où leurs ressources le leur permettent, ce qui
devient de moins en moins assuré, à mesure que le temps passe.
L'inflation, la guerre, les conflits entre séculiers et réguliers ont contribué à diminuer l'efficacité de cet équipement hospitalier auquel le
XVIᵉ siècle va porter les plus rudes coups, et qui ne s'en remettra pas.

Déjà, dans les dernières décennies du xv° siècle, l'essoufflement est patent : les petits établissements ruraux sont désertés, ferment peu à peu faute de revenus et de desservants ; les grands établissements hospitaliers urbains se défendent mieux, parce que les donations nouvelles viennent reconstituer leur capital foncier et rétablir l'équilibre financier élémentaire dont ils ont besoin. Mais dans ce domaine encore, l'Eglise éprouve quelque peine à assumer les tâches qui lui sont imparties, et dont elle revendique toujours hautement le monopole.

Dans une large mesure, l'Eglise romaine, après plus d'un millénaire d'existence, est victime de l'usure du temps, qui ne peut manquer d'affecter les institutions perdurables. Le fait est flagrant pour les collèges et Universités dans lesquels les normes ont été rapidement fixées et ont figé l'enseignement en ne laissant aucune marge de jeu aux esprits novateurs ; il est non moins clair pour la discipline imposée aux clercs et aux fidèles qui n'ont pas à leur disposition de recours utile, si ce n'est la frange étroite de jeu existant entre législation ecclésiale et législation civile : en matière de droit familial par exemple, des distorsions peuvent apparaître qui ne sont cependant pas exploitables par le commun des mortels. Au demeurant, dans l'ensemble de cette machine solidement hiérarchisée et étroitement liée au pouvoir politique, la vie se trouve enserrée dans un système de règles, qui ont eu leur vertu à leur apparition et qui se trouvent souvent dépassées avec l'évolution de la société et des cultures. Aussi bien la contestation sourde, qui trouve si difficilement ses moyens d'expression, peut-elle s'attaquer à deux réalités qui font, plus que d'autres, problèmes pour les fidèles, voire pour les clercs : la première touche à la répression de ce que les clercs appellent pudiquement des désordres, ou des écarts par rapport aux normes édictées et prêchées par le clergé. La démonstration en a été faite à plusieurs reprises : d'une part, toute règle appelle sa transgression, d'autre part la punition inlassable d'un écart toujours renouvelé finit par discréditer le détenteur de l'autorité et la sanction manifestement inefficace. C'est vrai de l'excommunication pour dettes, c'est vrai de pénitences sans commune mesure avec les péchés avoués dans le confessionnal et tolérés par les us et coutumes. L'autorité des clercs s'est trouvée de la sorte peu à peu diminuée, amoindrie aux yeux des fidèles, souvent critiques à l'égard de leurs prêtres. En second lieu, il n'est plus contesté que la pratique de la commende et du cumul de bénéfices a engendré un nombre considérable de calamités : elle a fait des bénéfices ecclésiastiques un produit à trafiquer, à échanger, au même titre qu'une tenure ou un fief ; elle a entraîné *ipso facto* la non-résidence des clercs cumulants qui ont abandonné la gestion de leurs évêchés, prieurés, voire cures, à des remplaçants, coadjuteurs ou desservants qui ne possédaient ni l'autorité ni la sécurité d'emploi nécessaires pour administrer avec rigueur et efficacité. Institutionnellement parlant, ces errements admis depuis longtemps, et consacrés à Bologne en 1516, sont beaucoup plus importants que les mœurs dépravées des moines, si souvent gaussées et que les concubinages des curés dont les fidèles ne se formalisaient guère : moins en tous cas que de l'existence d'un curé trop attentif aux états d'âme de ses paroissiennes. Au début du XVIᵉ siècle, en France comme dans toute l'Europe romaine d'ailleurs, l'Eglise essoufflée, dépassée par l'évolution sociale et culturelle, fait figure d'institution en difficulté, en mal d'inadaptation.

L'Eglise romaine, une orthodoxie menacée

C'est un truisme d'une rare banalité que d'affirmer, après tant d'autres, la fragilité de toute institution d'opinion, qu'elle proclame, ou non, sa pérennité. L'éternité de l'Eglise romaine dans les siècles des siècles est chantée de dimanche en dimanche, sans que pour autant sa sécurité soit plus immédiatement visible à l'historien. Dès l'époque médiévale, les signes de contestation sont apparus, qui venaient tout naturellement de l'intérieur : dans une société où les fidèles sont depuis longtemps — les premiers temps de l'Eglise primitive mis à part — traités en mineurs, même symboliquement à partir du moment où la communion sous les deux espèces est réservée aux clercs ; où, suivant une formule célèbre, il est entendu que les matières de théologie ne sont pas l'affaire des marchands et des artisans, qui se doivent contenter de ce qui leur est enseigné le dimanche, lors des fêtes carillonnées, pendant l'Avent et le Carême, il faut bien que les disputeurs et les rebelles sortent de la cléricature : ceux-là seuls peuvent discuter une pratique, contester un de ces dogmes adventices que la tradition romaine a glosés par dessus l'enseignement primitif des Saintes Ecritures ; qui sont eux-mêmes sortis des Ecoles et qui peuvent argumenter de façon cohérente en face des docteurs reconnus qui siègent en corps dans les Facultés de théologie ou qui constituent l'entourage du pape. Tous ceux qui ont eu de la sorte l'occasion, voire l'honneur, de porter le doute et la discussion à l'intérieur de l'Eglise, sont sortis de ses rangs et sont tombés de ce fait sous le coup d'une condamnation d'autant plus lourde : surtout s'ils ont su se faire écouter des fidèles, comme ce fut le cas le plus mémorable, loin du royaume de France, pour Jean Hus au début du xv° siècle. Mais bien d'autres de moindre envergure et de renom vite étouffé pourraient être cités pour illustrer cette vérité première qu'en ces domaines, plus peut-être qu'en tout autre, un corps vivant ne peut manquer de secréter ses propres anti-corps qui représentent comme la mauvaise conscience salvatrice d'une institution : *oportet haereses esse.* Propos d'historien assurément, et non point d'homme d'appareil.

Là contre en effet, l'Eglise romaine s'était depuis longtemps prémunie avec une ardeur dûment codifiée : aux grands maux, les grands remèdes, en utilisant tous les moyens. Pour Jean Hus, l'autorité de Gerson et les rivalités entre Allemands et Tchèques ont été à la fois utilisées pour faire triompher la bonne cause, et le réformateur tchèque n'est pas revenu du concile de Constance, où il avait eu l'imprudence de se rendre. Ce qui ne fit point disparaître pour autant ses disciples, car l'institution romaine qui s'était pourtant fortifiée dans les premiers siècles du sang de ses propres martyrs, n'a guère tiré la leçon de sa propre expérience. Pour beaucoup d'autres, et en particulier pour les petits propagandistes de nouveaux *Credos* qui se veulent plus purs et plus sûrs que les leçons romaines, un appareil de poursuites et de condamnations au silence, le mur, qui a fait merveilles pendant longtemps, l'appareil d'Inquisition mis au point au xiv° siècle, et peu à peu rentré dans le silence, faute de combattants décelables : réfugiés dans les montagnes, souvent résignés au double langage qui est le lot de tous les persécutés, les dissidents se sont apparemment évanouis et ne se prêtent plus aux poursuites savamment dosées et balisées que décrivent les manuels de l'Inquisiteur et qu'ont appliquées avec sérénité et les inquisiteurs et les séculiers. A la fin du xv° siècle, certains de ces grands juges en chômage se sont tournés vers la poursuite des sorcières rurales, gibier plus sûr et moins protégé que les « mal sentans de la foi », tels Sprenger et Istitoris, ces Rhénans redoutables dont le *Marteau des Sorcières* est devenu pour deux siècles le bréviaire des juges civils qui ont pris en charge la poursuite des filles de Satan, avec une rare cruauté. Mais, alors que celle-ci étaient sans défense, les petits groupes de dissidents devenus montagnards, silencieux et fidèles à leur foi, ont survécu et se sont maintenus fort vivants : la grande crise du xvi° siècle les fait souvent réapparaître brusquement au jour, tel Guillaume Farel descendant de la haute montagne alpine à l'appel des réformateurs venus du Nord.

Cependant, l'institution romaine ne s'est point bornée, il faut le reconnaître, à cette activité répressive qui touche d'abord les groupes organisés et les grands fondateurs, les hérésiarques. Pour lutter contre l'hérésie menaçante, elle a mobilisé les ordres prédicants, les Mendiants qui sont mis à la disposition du clergé séculier pour prêcher la bonne parole surtout dans les villes où les menaces sont plus vives que dans les campagnes, les exigences plus fortes. De Rome vient une impulsion qui n'est pas très imaginative, puisque l'utilisation des Prêcheurs était inscrite dans leur vocation première. Du moins signifie-t-elle la perception d'un besoin et d'une insuffisance : celle du bas clergé en face des exigences des fidèles. De même, là où le mal s'est répandu dans les campagnes, comme dans le Midi cathare, la Papauté, de Rome ou d'Avignon, n'a jamais manqué d'essayer de susciter un renouvellement du bas clergé qui permettrait de tenir tête à la propagande redoutable, efficace, des parfaits cathares. C'est assez dire que la Curie romaine a perçu la nécessité d'une contre-attaque massive, même si elle n'a pas su s'en donner les moyens, et si elle a pendant longtemps paré au plus pressé par une persécution qui finalement s'est close sur elle-même, dans la mesure où les dissidents se sont cachés, se sont tus ou bien ont appris à dissimuler. De la même façon que les tribunaux d'officialité ont prêté une plus grande attention à ce que nous appellerions aujourd'hui des déviances idéologiques qu'à toutes autres. Ainsi, non sans mal et non sans problèmes subséquents, dont la chasse aux sorcières est sans doute le plus imposant, l'Eglise romaine a pu espérer maintenir, vaille que vaille, son unité contre les menaces qui fusaient de toutes parts, à mesure que la centralisation alourdissait son appareil temporel et ses exigences financières et que les tendances nationales s'affirmaient dans les différents pays d'Europe, et point seulement en France. En fait, une mécanique bien huilée se trouve en place, rodée par une longue expérience et sûre longtemps de son efficacité : dès que des traces d'hétérodoxie sont décelées, la machine se met en route, sur le plan local grâce aux théologiens et juristes des officialités et de l'Université la plus proche ; sur le plan romain, lorsque l'affaire prend de plus amples proportions. L'inquisition contre les cathares d'une part, la procédure conciliaire contre Jean Hus d'autre part illustrent bien le fonctionnement de cette mécanique. Les fantasmes remués par les Dominicains rhénans auteurs du *Marteau des Sorcières* en fournissent, pour ainsi dire, la caricature dans la mesure où ils s'attaquent à de malheureuses villageoises qui ont plus souvent aidé que maléficié leurs voisins et qui ne menacent certainement pas l'ordre établi. Mais précisément que ce livre soit devenu le Manuel du parfait chasseur de sorcières, le fait illustre bien à la fois les limites et les dangers de la méthode mise au point par les gardiens de la foi : d'une part, il est bien clair que la répression l'emporte pour longtemps encore sur l'amélioration de l'endoctrinement : missions de l'intérieur et séminaires ne viennent au jour, de façon massive, qu'au XVIIᵉ siècle ; d'autre part, cette machine est en mesure de tourner, quel que soit l'adversaire ; ou plutôt de se créer à elle-même ses propres proies, qui viennent prendre le relais de celles que la première vague de persécutions a fait rentrer dans l'ombre. Ainsi, les milliers de pauvres vieilles villageoises qui, à travers l'Europe, ont péri sur le bûcher pendant près de deux siècles, victimes désignées et innocentes d'une mécanique implacable, représentent-elles l'holocauste maudit d'une machine lancée par l'Eglise et relayée par les tribunaux civils, qui seuls pouvaient condamner au bûcher et qui, dûment endoctrinés, ne se sont pas privés de reprendre à leur compte et les techniques de l'aveu et les procédures des poursuites et la cruauté des condamnations suggérées par la prédication et par les inquisiteurs en chômage partiel.

Cependant, tout cet appareil n'a pas fonctionné comme il aurait dû, à la fin du XVᵉ siècle et au début du XVIᵉ ; à cela, plusieurs explications peuvent être données. Certaines sont triviales et ne méritent que quelques lignes ; d'autres seront plus longuement développées, parce qu'elles touchent au cœur de notre démonstration.

Truisme en effet que de rappeler à quel point l'invention de l'imprimerie est venue bouleverser les données du problème. Alors que les écrits des hérétiques médiévaux ne pouvaient être transmis qu'au prix d'un lent travail de copie laborieuse, et parfois fautive (ce qui pouvait être grave en la matière), l'imprimerie est venue à la fois donner plus de sécurité dans la transmission du message et lui assurer un rayonnement qu'aucun hérésiarque médiéval n'aurait pu espérer. L. Febvre et H.-J. Martin l'ont parfaitement démontré dans l'*Apparition du livre* ; il suffit de le rappeler, sans autre forme de démonstration : dès le début du XVIᵉ siècle, Erasme illustre à merveille cette transformation, lui qui peut, faisant tirer ses ouvrages à 1 500-2 000 exemplaires, soit au moins le triple des tirages ordinaires, obtenir de son éditeur des droits qui assurent sa subsistance. Certes, *rara avis*, il est seul en son cas et de son temps. S'agissant d'ouvrages qui ne peuvent intéresser les foules, il demeure significatif. La proposition peut être aussi bien renversée : qu'aurait touché Martin Luther entre 1517 et 1546, si les droits d'auteur avaient existé !

Truisme encore que de rappeler l'importance de la redécouverte et de la diffusion large, par l'intermédiaire de l'imprimé, assurée aux grands auteurs de l'Antiquité classique, notamment préchrétienne. Ces écrivains, philosophes, historiens, poètes, littérateurs, n'ont pas fini de poser des problèmes à l'érudition européenne. Tant de manuscrits pieusement enterrés dans les bibliothèques de couvents viennent au grand jour révéler des cultures qui, pour n'avoir pas été éclairées par la Révélation, n'en avaient pas moins leurs vertus et leurs prestiges. Démosthène et Cicéron, Hérodote et Tite-Live, Platon et Sénèque, et combien d'autres, n'ont pas fini de poser insidieusement problèmes à ceux qui les découvrent, les lisent et relisent. Voici beau temps que l'accent a été mis sur les vertus de la méthode philologique et historique, peu à peu dégagée à travers la mise en circulation de ces grands textes ; et sur les frémissements d'inquiétude suscités par la prétention de certains humanistes à utiliser cette méthode pour les textes sacrés comme pour les œuvres littéraires. Mais il y eut plus : pendant plusieurs siècles, les érudits, libertins ou non, se sont interrogés sur ces civilisations anté-chrétiennes ; les vertus des païens, chères à La Mothe Le Vayer, ont fait rêver longtemps, nourri la réflexion de Montaigne et de Pascal. S'il est vrai que cet ébranlement n'a touché qu'une partie de la société, et par conséquent ne peut être présenté comme un phénomène de masse, il n'en reste pas moins qu'il a animé le monde écrivant de l'époque, alimenté les polémiques, suscité les doutes et relativisé les enseignements de l'Eglise ; le fameux *Que sais-je ?* de Montaigne n'est pas seulement la réflexion d'un homme du XVI siècle qui arrive assez tard pour tirer parti de l'énorme travail fait avant lui. C'est la question implicite qui appartient à tous les humanistes et qui se retrouve notamment au détour de maintes phrases dans la correspondance d'Erasme.

Truisme encore, mais sans doute moins évident — et en tout cas moins fréquemment souligné par les historiens — que la remise en question des enseignements de l'Eglise en matière d'astronomie et de physique du globe. Dès l'instant où l'expédition de Magellan eut achevé son périple autour du monde, la preuve était faite que la Terre n'était pas plate et que la représentation ptolémaïque du monde posait problème. Les navigateurs qui ont pris l'habitude de traverser l'Atlantique, les cartographes qui se sont appliqués à leur fournir les premières cartes repères susceptibles de les aider dans leurs périples, les astronomes qui observaient le ciel se sont trouvés, *volens nolens*, en état de sécession intellectuelle au regard d'un enseignement traditionnel, que l'Eglise a prétendu maintenir contre toutes évidences pendant près de deux siècles. Là encore, il ne s'agit certes pas de novations qui touchent les masses : nous savons du reste que la rotation de la terre autour du soleil, dûment décrite, n'a point encore réussi à faire disparaître de notre langage courant les expressions qui évoquent le lever et le coucher du soleil. Mais là encore, le problème posé n'en était pas moins important : Christophe Colomb et Magellan, chacun dans son domaine, l'un découvrant des terres non énumérées dans la Bible et des peuples totalement inconnus, l'autre démontrant la rotondité, sinon la rotation de la Terre, mettaient de fait en doute le texte de l'Ecriture Sainte, tout comme les humanistes qui décelaient une mauvaise copie dans telle expression de la Vulgate. Autant de façons, certes discrètes, de remettre en question les enseignements traditionnels — non plus par les voies d'une redéfinition de la foi, d'un nouveau *Credo* ; mais par un cheminement qui s'appuie sur un savoir tout neuf et qui ne pourrait être réfuté que sur ce terrain : une analyse philologique ou bien une démonstration s'appuyant sur des observations astronomiques, voire l'élaboration d'un planisphère qui mettrait à bas la preuve apportée par le voyage de Magellan. Mais non point l'argument d'autorité qui a toujours été et qui demeure encore le pire et le moins convaincant. De là, et pour longtemps, de grandes polémiques dans lesquelles les défenseurs de la tradition romaine sont restés impertubablement attachés à la lettre de leur propre savoir, d'une façon qui provoque bientôt l'étonnement et l'indignation.

Querelles de savants que tout cela cependant : de clercs dans l'Eglise et de nouveaux savants, grandis hors de l'Eglise. Elles comptent sans nul doute moins dans l'immédiat que l'inquiétude par laquelle s'exprime confusément dans toute l'Europe une aspiration à un renouvellement profond de la vie religieuse.

Une inquiétude universelle : une sensibilité nouvelle

Ce que les hommes d'Eglise, enfermés dans leur rituel et par vocation plus aptes à écouter leurs confrères que le peuple de Dieu, n'ont trop souvent point perçu — sauf les quelques exceptions qui illuminent le cheminement réformateur —, c'est la mutation profonde des sensibilités collectives qui est étroitement liée au devenir politique et social des deux derniers siècles du Moyen Age. J. Huizinga a naguère magnifiquement exprimé cette transformation dont il a eu l'intuition plus qu'il n'a pu en fournir la démonstration. Mais il n'importe : tout ce qu'il a évoqué et que d'autres après lui se sont appliqués à vérifier peut être placé à l'actif d'une analyse dont la pertinence globale n'est guère discutée.

Dans la profondeur du corps social, il n'est pas douteux que le XVᵉ siècle a été marqué par un renouvellement qui ne pouvait pas rester sans conséquences sur le plan des sensibilités collectives. L'essor urbain, ralenti par la guerre de Cent Ans, reprend dans la seconde moitié du siècle au bénéfice des marchands et artisans, dont le poids dans la vie urbaine ne fait que s'accroître. Moins nettement peut-être que dans le Saint Empire, mais tout aussi sûrement, le monde bourgeois de la marchandise et de l'artisanat gagne du terrain, remet en question la prééminence des vieilles familles, revendique sa place dans la gestion des cités et s'insinue jusque dans l'entourage des princes et des rois : chacun cite l'exemple de Jacques Cœur, qui est certes probant ; quelques décennies plus tard, les Beaune, Berthelot, Semblançay, Briçonnet illustrent encore mieux cette ascension que rien ne saurait arrêter. Qu'ils persévèrent dans la marchandise et la finance, ou bien qu'ils dérivent vers les charges de judicature ou qu'ils achètent des terres, c'est dans leurs rangs que se recrute ce personnel nouveau qui prend pied dans la haute société. J. Jacquart vient de le montrer avec autorité pour le Sud de Paris : dans le Hurepoix, la guerre de Cent Ans a plus que décimé la gentilhommerie locale ; les fiefs et terres en déshérence ont été repris par d'autres familles nobles venues de Picardie ou de Normandie ; mais aussi par des magistrats et des bourgeois de Paris, depuis les portes de la capitale jusqu'à Etampes et jusqu'en Beauce. Ce renouvellement, discret ou tapageur, a modifié les rapports sociaux traditionnels et fait apparaître aux premiers rangs de nouveaux notables dont les préoccupations sont assez neuves : chez les robins, une formation intellectuelle et des exigences qui s'expriment dans les paroisses urbaines, très directement, face aux clercs ; chez les marchands, une conception du monde plus ouverte aux novations, à la redistribution des fonctions que ne pouvaient l'admettre les tenants de la tradition. Assurément, ces mutations n'ont point porté immédiatement et brutalement leurs fruits : aussi bien n'est-ce point étonnant de voir, seulement dans le dernier quart du XVᵉ siècle, se transformer les publics urbains de la prédication, se préciser une demande nouvelle à laquelle le clergé séculier ne peut seul faire face.

Mais il y a beaucoup plus : les guerres — la longue guerre dite de Cent Ans et les calamités qui l'ont accompagnée : pillages, épidémies, sièges, famines, tout comme les entreprises italiennes de rois hantés par les splendeurs transalpines — ont accru l'insécurité et suscité les inquiétudes dans toutes les classes de la société. La lenteur avec laquelle se rétablit, après les pires années, le rythme normal de l'existence, contribue largement à maintenir et nourrir cette angoisse existentielle qui colore la totalité de la vie et des croyances. L'astrologie, le petit et le grand Albert, la crainte du lendemain, la peur des traîtres et la haine de l'étranger envahisseur se conjuguent pour favoriser tout ce qui peut apporter un élément sécurisant dans la vie quotidienne : la multiplication des cultes nouveaux en faveur de saints mal connus, la prolifération des pèlerinages, proches ou lointains, curateurs de maladies ou prometteurs de paix, expriment cette insécurité dans le quotidien. Mais celle-ci se redouble, dans une large mesure, d'une véritable angoisse du salut ; l'Eglise se trouve là prise dans sa propre dialectique : à force de proclamer aux foules apeurées que les malheurs dont elles souffrent ne sont jamais que le châtiment de leurs péchés, celles-ci finissent par se demander si cette accumulation de calamités n'est pas le signe même d'une déréliction plus fondamentale, c'est-à-dire de leur condamnation pour l'éternité. Le temps vient alors où les fidèles n'entendent plus ni les consolations du prêtre ni les paroles d'espérance que contient l'Ecriture Sainte. Dans ces temps troublés, le désespoir peut envahir par vagues redoublées des communautés entières, incertaines de leur destin. Non point nécessairement pour autant résolues à délaisser la religion de leurs pères, qui constitue le cadre mental dans lequel elles ont toujours vécu ; ni même à se vouer collectivement au Diable, comme d'aucuns l'ont imaginé, ce qui d'ailleurs ne signifierait point sortir du système de pensée chrétienne, puisque, selon les termes même des démonologues et des théologiens, le Diable ne peut jamais faire que ce que Dieu lui permet de faire. Mais, à tout le moins, résolues à se poser des questions sur leur vie religieuse, sur leur piété et celle de leurs guides, sur la foi et sur son sens pour l'existence humaine, sur la pratique des sacrements et des œuvres, sur la gestion des biens d'Eglise et des œuvres d'assistance... Sans doute le moteur premier est-il là : les fidèles, ces simples laïcs qui n'ont pas jusqu'ici une voix très forte dans le chœur ecclésial, se posent des questions et les peuvent poser à ceux là même qui sont en mesure de leur répondre, au moins en principe : les clercs, qui depuis toujours portent la responsabilité de les conduire au salut.

Dans ce concert revendicatif discret — parce que nous n'avons pas souvent l'occasion de trouver, dans les archives sinon dans les œuvres littéraires, l'écho de cette protestation —, il convient de reconnaître la place éminente que tiennent les femmes. Les chroniqueurs du XVIᵉ siècle, et les simples témoins furtifs n'ont garde de l'oublier : la gent féminine, si longtemps et férocement brimée par les hommes, a trouvé dans ces circonstances l'occasion de s'exprimer et de revendiquer sa place au soleil avec quelque vivacité : dès le xvᵉ siècle, dans les cercles de la *devotio moderna* flamande, la place tenue par les femmes est grande ; et sans qu'elles puissent faire plus que ne le permettent les règles traditionnelles de l'Eglise, elles jouent un rôle essentiel de stimulant revendicateur. Leur sujétion séculaire les a-t-elle rendues plus sensibles à l'opportunité d'une action de protestation, en un temps où les autorités traditionnelles semblent hésiter, temporiser ; en tout cas, se trouvent incapables de prendre une initiative pour répondre aux questions posées par les laïcs. Toujours est-il qu'elles sont là, au premier rang des groupes qui organisent des formes nouvelles de piété, au premier rang des prêches, dès l'instant que le prédicateur entreprend de sortir de la routine et de tenir un langage neuf, plus étroitement nourri aux sources directes, c'est-à-dire à la Parole. Certainement, les hommes ont tenu également leur place ; aussi bien c'est dans leurs rangs que se trouvaient ceux qui avaient le savoir et l'autorité nécessaires pour répondre aux exigences nouvelles. Mais dans cette vaste confrontation qui a pris forme peu à peu, en France en particulier, à la fin du xvᵉ siècle et dans les premières décennies du xv1ᵉ, il n'est pas douteux que les femmes, et en particulier les citadines, femmes de marchands, d'artisans, instruites autant que faire se pouvait à l'époque, ont joué un rôle déterminant : encourageant les hommes à aller de l'avant et engageant l'avenir avec audace, contre tous les atermoiements que pouvaient susciter les réactions parfois violentes des autorités, civiles et religieuses.

Ce n'est point à dire cependant que les choses aient été tout à fait claires pour les contemporains ; et moins encore pour les historiens qui ne peuvent se saisir que de grands textes, signés Erasme, Luther, Bucer, et combien d'autres qui n'avaient point tellement de lecteurs ; ou bien qui n'appréhendent que des décisions de justice, condamnant un malheureux, dont la culpabilité a été rapidement établie, au bûcher ou aux galères : passe encore pour un Dolet, dont dix historiens se sont occupés avec profit ; mais Barthélemy Milon brûlé au lendemain d'Amboise, ou Etienne de la Forge un peu plus tard ? De tous ceux-là, nous ne savons que ce que nous dit l'accusation et le jugement, dans sa cruauté répressive. En réalité, il faut se contenter d'avancer à tâtons dans un dédale qui ne peut être simple que pour ceux dont le siège est fait d'avance : les bons et les méchants, bien sûr. En réalité, chaque texte quelque peu élaboré nous le prouve : jamais les situations n'ont été réellement tranchées, comme d'aucuns l'ont répété à trois siècles de distance. Certes, les laïcs sont exigeants à l'égard de leurs prêtres, dans les villes surtout ; mais ils ne les récusent pas pour autant, pendant longtemps et s'attendent qu'ils répondent à leurs questions. Certes, le bas clergé est souvent défaillant et incapable de faire face à une protestation qu'il n'a pas vu venir ; mais les prêtres inquiets et qui ont entrepris pour leur compte de renouveler leur propre savoir ne manquent pas. Certes, au fond de la revendication des laïcs, figure l'esquisse d'une opposition entre la foi prêchée et la foi vécue, que l'examen critique de la vie cléricale pouvait autoriser et nourrir abondamment. Mais là encore, clercs et laïcs pouvaient se retrouver pour définir en commun les normes d'une vie religieuse qui aurait l'agrément de tous et satisferait à cet appétit de purification qui se retrouve exprimé partout, dans l'Occident chrétien. Ce qu'il faut montrer de plus près.

L'appel des laïcs

Des laïcs, et certainement pas la masse de ceux-ci, se tournent donc obstinément vers le clergé et lui demandent réponse à leurs inquiétudes, voire à leurs tourments de croyants qui ne trouvent pas dans les comportements ordinaires des clercs la sécurité qu'ils espèrent. Ce mouvement est légitime et se retrouve partout : pour une première raison qui tient assurément à l'organisation même de l'Eglise, où seuls les clercs qui savent, peuvent dire les paroles d'espérance et d'apaisement. Tant qu'une nouvelle génération de savants ès Ecritures Saintes, autodidactes et formés hors des cadres ecclésiaux n'a pas pris pied dans la vie intellectuelle et religieuse, c'est-à-dire jusqu'aux années vingt du XVIᵉ siècle, il n'y a pas d'autre démarche plausible. La seconde raison tient aux prestiges attachés aux fonctions d'Eglise et qui ne sont pas fondamentalement contestés ; l'historiographie anticléricale militante au début du XXᵉ siècle a fait des gorges chaudes, aidée de Rabelais et de quelques prédicateurs véhéments, à partir des cas typiques si souvent dénoncés : la corruption administrative et financière de la Curie romaine et les luttes de clans que représente chaque conclave, la vie tapageuse de certaines communautés monastiques et les scandales causés par les moines gyrovagues qui sillonnent les routes de pèlerinage, la place tenue par les gouvernantes dans les presbytères ruraux où depuis longtemps l'épiscopat recommande le recrutement de femmes mûres. Tout cela certainement surfait pour les besoins d'une cause aussi simplette qu'à l'opposé l'apologie sans nuances d'une Eglise incapable d'errances.

Comme toute société humaine, le monde des clercs a eu, à cette époque et à d'autres, ses galeux qui ne faisaient honneur ni à leur profession ni à leurs vœux. Aussi bien les tribunaux d'officialité avaient été fondés pour assurer la régulation disciplinaire indispensable ; et depuis longtemps, il était recommandé aux évêques de résider dans leurs diocèses et de bien connaître le bas clergé qui leur était soumis. En fait, à travers toute la chrétienté occidentale souffrante, au tournant du siècle, nous retrouvons tout au contraire les traces et la volonté d'un renouveau possible, souhaité d'abord à Rome même, visitée à quelques années de distance par Lefevre d'Etaples, pèlerin de l'année jubilaire qui n'y a trouvé qu'admiration et réconfort, et par Luther qui s'est avisé, plus tard semble-t-il, de la luxure et des turpitudes de la Babylone maudite. Dans cette capitale de la Chrétienté et de la Renaissance artistique, au temps du fastueux Léon X, il s'est bien trouvé quelques prêtres pour constituer l'*Oratorio*, cette confrérie de l'Oratoire du Divin Amour, où se réunissent Gaetan de Thiene, Gian Matteo Giberti et quelques autres savants théologiens ; ils se sont donné pour mission de veiller à la formation d'une nouvelle espèce d'évêques, administrateurs et réformateurs, qui auraient à cœur la réformation de la vie religieuse ; d'où est sorti, un peu plus tard, en 1524, l'ordre des Théatins qui a formé tant de bons et scrupuleux évêques. Au bas de l'échelle hiérarchique, il en va sans nul doute de même : les imprécations contre les mauvais pasteurs ont été trop souvent orchestrées et ont fait oublier les élans de confiance et de travail en commun qui se sont manifestées chaque fois qu'un groupe de prêtres a entrepris d'innover dans le sens souhaité par les fidèles : la ferveur qui animait les communautés de la *devotio moderna* en pays flamand est pourtant reconnue ; l'ampleur de leur rayonnement jusque dans les pays de langue française n'est pas contestée non plus. Il faut tenir pour assuré que toute entreprise rapprochant clercs et fidèles dans un commun effort pour définir une croyance et des pratiques qui donneraient satisfaction aux aspirations des uns et des autres était assurée de succès ; et suscitait un engouement rapidement contagieux, à l'échelle du temps, c'est-à-dire d'une paroisse à l'autre, d'une ville à l'autre, dans un cadre géographique qui ne pouvait guère dépasser la région, le petit pays au sens où nous l'entendons encore aujourd'hui : pour des raisons évidentes de communication, sur lesquelles nous aurons à revenir plus loin, et qui ont lourdement pesé sur les entreprises et le style des réformateurs.

A partir de là, il est bien évident que les certitudes de l'historien se font plus rares : il paraît encore établi sans trop de risques que dans ce dialogue entre fidèles et clercs où les demandeurs sont les laïcs, ceux-ci tiennent le haut langage ; ils savent de loin reconnaître le prêtre qui respecte sa règle et ne plaint pas son dévouement ; qui est assez compétent pour répondre à toutes leurs sollicitations ; qui prêche selon son cœur et selon son grand savoir. Ce qui est en fin de compte le portrait du bon pasteur, tel que l'évoquait depuis toujours l'Eglise, et tel que le souhaitent des fidèles qui ne peuvent plus s'en laisser conter. Dans une certaine mesure, il est permis d'avancer que les fidèles, dans les villes surtout, exigent de leurs guides qu'ils soient des témoins existentiels de la foi chrétienne, et non point seulement de médiocres prédicants et de ponctuels distributeurs de sacrements. Au-delà des arguties qui sauvaient par un acte de foi sans mystère les actes rituels fondamentaux de prélats à la conduite indigne, les fidèles attentifs à la cohérence de la vie et de l'exemple ont demandé plus, et réclamé de la part du clergé le plein accord de la prédication et de l'exemple. Qu'ils n'aient pas rencontré partout et toujours les oiseaux rares qui pouvaient répondre à cette double qualification, seuls les naïfs pourraient s'en étonner. Trop de pratiques et d'accommodements installés dans le quotidien ecclésial pesaient en sens inverse. Mais il est patent qu'il s'est trouvé, ici et là, des prêtres qui ont répondu à cet appel et qui ont donné à leurs fidèles l'exemple de ces vertus et de cette rigueur : peu connus, souvent aussi vite oubliés que morts, écrasés par le renom des plus grands qui ont fait date dans l'histoire religieuse du XVIe siècle. Il faut la fortune rare d'une découverte, comme celle de l'homéliaire de Jean Vitrier, pour mettre la main sur un de ces cas, qui ont un moment bouleversé la vie religieuse d'une petite région ; celui-ci n'avait eu jusqu'à maintenant que quelques lignes d'Erasme pour retracer sa carrière et la préserver de l'oubli.

Erasme, admirateur sans réserve de ce Franciscain plein de feu, qui a fini par être relégué dans le silence d'un couvent, a bien décrit comment et pourquoi les fidèles pouvaient se nourrir de sa parole et de son exemple. Ce saint homme, qui attirait à lui des foules venues pour l'entendre, traitait tous sujets à force de citations prises dans l'Ecriture seule, qu'il rendait accessible et vivante à longueur de sermons : « chaque sermon prononcé par lui était gorgé d'Ecriture sainte et il lui était impossible de proclamer autre chose » ; mais par ailleurs, s'il ne cessait de prêcher, autant qu'il lui était demandé, il le faisait de telle sorte que sa vie même se trouvait mêlée à sa prédication et contribuait à servir d'exemple ; Erasme ajoute encore : « il lui arrivait de prêcher sept fois par jour ; il n'était jamais à court de sujets riches et nourrissants, chaque fois qu'il s'agissait de parler du Christ. D'ailleurs, c'était toute sa vie qui était une sainte prédication. »

L'homéliaire identifié et étudié par André Godin montre bien quels thèmes pouvaient avoir la prédilection des foules qui s'assemblaient au pied de la chaire lorsque le Franciscain prenait la parole : l'Ecriture sainte, source de toute sagesse et de toute foi, « lieu et sacrement de la foi » ; la passion du Christ venu sur terre « pour nous apprendre à volontiers mourir et... à désirer et aimer les biens éternels » ; le Saint Esprit qui est invoqué comme une personne en une des plus belles pages de cet homéliaire : « O Saint Esprit qui jusques à la fin du monde sanctifie l'Eglise de Jhesucrist, donne moy, Sire, le don de ton amour ! Apprends moy à parfaictement croire. Sois mes délices et richesses. Tiens moy tousjours compagnie et que par ta conduicte, après que (je) partiray de ce monde, je parvienne au paradis des justes, là où reposent tes saincts temples, au sempiternellement verdoyant paradis. » Enfin et surtout, cette prédication s'adresse au cœur des fidèles : c'est de loin le mot qui revient le plus souvent sur ses lèvres et qui visiblement parle haut et fort à ceux qui l'entendent. Ecouté des heures durant par un public bigarré où hommes et femmes, religieux et laïcs se pressent à l'envi, venus parfois de fort loin pour l'entendre, Jean Vitrier a certainement été un de ces prédicateurs qui n'ont pas attendu l'appel d'un prophète, ni l'impulsion de l'autorité hiérarchique pour mettre en accord leur prédication et leur vie ; et pour enseigner autour d'eux une nouvelle façon de sentir et de vivre sa foi chrétienne. Celui-là reconnu et heureusement identifié, combien d'autres ont pu, dès le xve siècle, préparer les voies d'une mutation, qui n'ont pas laissé de traces durables et ne peuvent devenir aujourd'hui gibier d'historiens ? Combien qui, ayant lu un beau jour quelque texte soufré traduit en latin de Jean Hus ou de Wycliff, ont tiré de cette lecture une réflexion sur leur propre destinée et sur leur enseignement ? Il faut bien qu'il y en ait eu, et en assez grand nombre, pour préparer les voies du renouveau qui éclate brutalement dans les années vingt du xvie siècle ; sinon, comment expliquer la rapidité avec laquelle les traductions latines de Luther et plus tard l'*Institution Chrétienne* se sont répandues dans un public assez large ? A dire vrai, nous apercevons beaucoup plus aisément les résistances et les freinages que ces pulsions novatrices animées par d'obscurs pasteurs aussi vite oubliés qu'enterrés : l'institution ecclésiale est par pesanteur sociologique et historique plus conservatrice que novatrice, sauf de rares périodes qui provoquent d'ailleurs autant de déchirement que de joies. Le xvie siècle n'a point fait exception : à l'appel des laïcs, véritable mise en question de la fonction ecclésiale, de ses agents et de ses enseignements, l'institution a répondu, selon les schémas tracés depuis longtemps, par la temporisation, la lente réflexion dubitative, voire le rejet brutal, appuyée par les autorités civiles que le désordre des esprits n'a pas manqué de frapper, dès que les fondements de l'Etat ont paru menacés.

La temporisation institutionnelle

Seules les études approfondies et systématiques dans le domaine de l'histoire administrative permettraient de rendre compte valablement des pesanteurs qui ont freiné l'initiative novatrice au début du XVIᵉ siècle dans l'Eglise romaine ; assurément, elles auraient plus de vertu explicative que la référence abrupte aux traditionalismes ancrés dans les coutumes et dans les esprits, de même que l'appel aux sempiternels désordres italiens et particulièrement romains : que le Saint Siège n'ait jamais créé une administration inventive et insensible à la corruption, il y a longtemps que la démonstration en a été faite, pour Rome en particulier par Jean Delumeau. Cela ne prouve pas grand chose, hors de l'administration du domaine temporel du pontife romain. Mais il y a plus grave, qu'il faut recenser sous quelques titres, qui vont à l'essentiel, compte tenu de tout ce que nous savons par ailleurs des relations politiques entre les Etats, jaloux de leur souveraineté, et la Curie romaine, instrument de centralisation transnationale.

En premier lieu intervient cette centralisation même, qui, dans son principe et dans sa pratique, ne peut être favorable à quelque dialogue que ce soit avec les laïcs, qui ne serait pas contrôlé par les légats et pourrait créer des situations susceptibles de distendre les liens entre les évêques et Rome. Garante de l'unité romaine, la Curie est d'abord une administration pointilleuse, tâtillonne et lente, qui jauge selon les normes universelles et italiennes à la fois toutes les informations inquiétantes qui lui arrivent de l'extérieur. Qu'une Université crée dans les premières années du siècle des enseignements nouveaux de grec ou d'hébreu, comme Louvain et Cologne l'ont prétendu faire, et c'est déjà une source d'inquiétude, qui peut se traduire soit par un acquiescement prudent, soit par un refus brutal. Ce n'est point à dire que Rome soit incapable de grandes concessions : pour maintenir l'Eglise de Bohême dans l'obédience romaine, il a bien été accordé aux Praguois la communion sous les deux espèces, qui caractérise l'Eglise calixtine. Mais le danger était pressant et tous les rapports des nonces et légats annonçaient le risque d'un schisme que les Croisades germaniques avaient été

incapables de réduire par les armes, puisqu'au contraire, les troupes
de J. Jizka et de ses successeurs avaient répandu la terreur et leur
foi loin de leurs bases. Mais pour le train ordinaire, pour les revendications transmises avec lenteur et circonspection par les évêques et
les diplomates romains, la résistance au changement était beaucoup
plus lourde : la moindre instruction dans les bureaux romains durait
des mois et des années, sans malice peut-être ; mais au désespoir des
lointains correspondants qui attendaient en vain une réponse claire
à des problèmes posés souvent dans l'inquiétude. *Sub specie aeternitatis*,
Rome ne traite rien dans la précipitation : les 95 thèses de Wittenberg
sont depuis longtemps imprimées et répandues à travers toute l'Allemagne, diffusées même en latin hors du Saint Empire, que la Curie
n'a toujours pas donné son sentiment. Les théologiens de l'Allemagne
méridionale, comme Jean Eck, ont répondu à Luther, polémiqué avec
lui à Leipzig, le verdict romain tarde toujours et encore. Force ou
faiblesse de l'administration romaine ? Il est certain que cette administration énorme, lourde et alourdie encore par les habitudes de
travail à la romaine, n'est absolument pas préparée à accueillir l'innovation et à lui faire sa place. Qu'il existe, en toute époque, des cardinaux
lettrés, ouverts au mouvement des idées, lecteurs admiratifs d'Erasme
ou de Reuchlin, de Budé ou de Lefevre, cela ne fait point de doute.
Mais c'est la machine qui est lourde, qui tourne lentement et qui ne
peut être qu'un frein : seuls les hommes, contre les us et coutumes,
peuvent aller là contre et le font à leurs risques et périls.

En second lieu, cette machine romaine coûte très cher : sans parler
de l'exil avignonnais, il faut bien reconnaître que ce monde grouillant
de *papabili*, de secrétaires, de cardinaux, ces couvents et ces chefs
d'ordres, ne peuvent qu'absorber des sommes énormes, rassemblées à
grand peine à travers toute la chrétienté. Les évêques ne paient pas
volontiers ; les gouvernements déplorent sans vergogne l'hémorragie
permanente de monnaies précieuses ; les fidèles surabondamment sollicités rechignent à payer plus. Il y a bien longtemps qu'en Allemagne
les princes et même les Electeurs d'Eglise déplorent la rapacité des
légats constamment sollicités par les trésoriers romains : banquiers
juifs à Rome même, banquiers extérieurs comme les Fugger qui ont
un important facteur à Rome, il n'est guère de ressource à laquelle la
Curie romaine n'ait fait appel pour assurer sa subsistance ; voire les
constructions dispendieuses et fastueuses des papes-mécènes comme
Léon X. Dans ce contexte, le trafic des indulgences se comprend fort
bien comme un moyen supplémentaire pour drainer vers Rome des
espèces sonnantes et trébuchantes qui manifestaient une propension

coupable à la rétention. Certes, Luther a eu raison de souligner combien cet échange d'argent contre une promesse de salut était contraire à l'enseignement évangélique ; mais, ce disant, il était admirablement accordé au sentiment commun des fidèles que les quêtes pontificales, en Allemagne et ailleurs, avaient depuis longtemps mal disposés à l'égard de la Papauté. Deux logiques antagonistes se heurtaient assurément ici ; mais aussi deux sensibilités tout à fait divergentes. Pour les financiers de la Curie, ces contributions à la vie du Saint Siège allaient de soi et ne posaient aucun problème de foi ; pour les fidèles qui ne connaissaient pas Rome, ne rêvaient guère d'y aller et ignoraient ce qu'étaient les rouages de l'administration pontificale, rien n'était plus pesant et difficilement justifiable. Rien d'étonnant si les 95 thèses ont été lues et commentées au delà des frontières du Saint Empire, et notamment en France : elles apportaient, en termes de foi, une réplique de choix aux incessantes sollicitations financières du Saint Siège.

A vrai dire, toutes les résistances ne venaient cependant pas de Rome, qui ne saurait être accablée de tous les péchés. Le fonctionnement de toute l'institution ecclésiale relevait d'une bureaucratie qui ne pouvait être innovante : à la fois par le poids des jurisprudences acquises et par l'étroitesse des liens qui l'unissaient au pouvoir civil. Passe encore, quoi qu'elle ne soit pas d'importance négligeable, pour la sacralisation du pouvoir politique en la personne des rois de France, thaumaturges et hommes d'Eglise. Mais il y avait pire que cela dans le fonctionnement ordinaire des institutions : des évêques siégeant dans les conseils royaux, utilisés comme ambassadeurs, rien d'étonnant, non plus que des cardinaux ministres. C'était prendre son personnel où il était formé. Mais à tout moment, les deux administrations s'entraidaient : évêques et abbés se retrouvent auprès des autorités locales, Parlements ou autres Cours souveraines. Les curés lisent le dimanche après le sermon les communications, ordonnances et avis qui leur sont envoyés par le bailli ou le sénéchal ; ils peuvent siéger au milieu des assemblées paysannes et représenter l'autorité au même titre que l'intendant du seigneur. Pis encore : dans les affaires de justice, notamment criminelles, les curés fulminent des monitoires pour inciter, sous peine d'excommunication, les témoins de meurtres ou de vols à dénoncer, discrètement, ceux qui auraient été vus en train de perpétrer un crime. Cette fonction d'administration et de justice, tout comme plus tard l'enregistrement des baptêmes, mariages et sépultures, crée un lien étroit avec l'administration : en fait une entrave solide, à supposer que le curé se sente l'esprit tourné vers la contestation et la novation.

Aussi bien n'est-ce point hasard si les réguliers ont beaucoup plus facilement que les séculiers pris l'initiative de prêcher les idées nouvelles, d'invoquer les seules saintes Ecritures, de discuter de la foi et des œuvres. Libres d'aller et venir, souvent peu surveillés par leurs abbés ou prieurs, moins absorbés par les tâches quotidiennes de l'administration d'une cure, souvent mieux au fait des grands problèmes de la foi grâce à leur fréquentation des Ecoles et aux richesses de leurs bibliothèques conventuelles, les moines se sont souvent permis des audaces qui ne pouvaient être le fait de séculiers, et en particulier de simples curés, assujettis à de lourdes disciplines et étroitement liés à la vie quotidienne de leurs ouailles. De la même façon, et pour des raisons homologues, les initiatives ordonnées en faveur d'une prédication évangélique, comme il a été rapidement dit, sont-elles venues plus facilement des évêques, voire des grands de ce monde, princes notamment, qui pouvaient braver sans trop de risques les premières conséquences de leurs coups d'audace. Qu'aurait été la prédication évangélique à Paris, jusqu'en 1534, sans l'efficace protection de la sœur du roi, Marguerite de Navarre, voire du roi lui-même qui expédia en exil à trente lieues de Paris un théologien sorbonnard atrabilaire, le sinistre Béda, qui avait protesté là contre ?

Sans nul doute, prêcher l'Evangile, discuter de la foi et des œuvres, commenter Luther, Zwingli ou tout bonnement utiliser les instruments de travail que Lefèvre d'Etaples, Erasme et quelques autres avaient mis dans les deux premières décennies du siècle à la disposition de tous ceux qui, sachant lire, désiraient directement prendre contact avec la Parole divine, tout cela n'était point accessible à tout un chacun. C'est pourquoi sans doute les historiens se sont quelque peu perdus — après les contemporains — dans les supputations d'évangélisme : Rabelais, Dolet, Estienne, autant de cas bien connus, et difficiles à trancher parfois. Les tribunaux qui vont entrer en mouvement à partir de 1534 ont adopté souvent des critères simplistes et commis quelques grossières erreurs qui ont donné de la tablature aux historiens. A la décharge de ceux-ci, il faut bien reconnaître que ces problèmes ne sont point rétrospectivement de traitement facile : comment aujourd'hui assurer que tel ou tel a franchi le pas, alors que souvent la frontière est mal tracée et que, pour beaucoup, la meilleure des réformes est celle qui doit se faire de l'intérieur, dans l'Eglise et non point en se séparant d'elle par une opération chirurgicale qui répugne à beaucoup ; alors que les plus grands du royaume ne semblent pas avoir eux-mêmes décidé de leur conduite et paraissent hésiter sur le chemin à suivre ? Marguerite de Navarre est à ce titre exemplaire, jusque dans son désaccord avec François Ier lorsque la répression s'abat sur les « mal sentans de la foi ».

Assurément, les démarches qui mènent à l'innovation en matière de religion ne sont pas faciles à cerner ; l'historien, incapable d'atteindre le commun des mortels, est rejeté dès lors vers les plus grands, qui ont laissé des traces et qui ont peu ou prou guidé leurs contemporains. Encore faut-il choisir et s'en tenir à quelques noms : Lefèvre, Vitrier, Erasme.

Trois novateurs : Lefèvre d'Etaples, Jean Vitrier, Erasme

Trois hommes qui ne sont que partiellement contemporains ; trois démarches qui ne coïncident pas, même s'ils se sont connus et respectés, sans jamais se rallier à un comportement commun ; trois figures qui n'ont pas également attiré l'attention des historiens et des hagiographes. Du premier, l'historiographie combattante et nationaliste du XIXe siècle a voulu faire le fondateur de la Réforme française, antérieure à l'allemande ; mais hélas, le vieillard octogénaire qui meurt auprès de Marguerite à Nérac n'a pas franchi le pas ; il a fourni, certes, les munitions et formé de grands esprits qui ont bataillé contre Luther et pour Calvin, mais lui-même n'a pas tiré. Le second, longtemps peu connu, si ce n'est par une page vibrante d'Erasme qui n'avait point l'éloge tellement facile à l'égard de ses contemporains, a connu certes des heures difficiles : un blâme de la Sorbonne et une retraite prématurée dans un couvent de nonnes. Mais il est mort romain. Enfin, le grand Erasme peut-être un moment tenté, mais jamais décidé ; adversaire véhément de Luther, assez sage pour refuser à la veille de sa mort le chapeau de cardinal, mais point téméraire au point de sortir de l'Eglise romaine. Pourtant, tous les trois n'ont cessé de travailler pour une réforme de la vie chrétienne et en particulier de l'institution ecclésiale. A ce titre, ils ont leur place ici, dans cette présentation des cheminements qui ont fait avancer les programmes réformateurs pendant les premières décennies du XVIe siècle.

Lefèvre d'Etaples, né au milieu du XVe siècle en terre d'hérésie médiévale, est resté sa vie durant homme de recherche et d'enseignement : très tôt enseignant au cardinal Lemoine ou sur la fin de sa vie, itinérant pour découvrir les milieux réformés de Strasbourg, cet homme solitaire, effacé, qui a formé quelques-unes des plus solides têtes de la seconde génération, tels Josse Clichtove et Gérard Roussel, n'a cessé d'enrichir sa connaissance du monde antique, chrétien et préchrétien pour mieux comprendre les textes sacrés. Helléniste platonicien autant qu'aristotélicien, mystique à sa façon discrète (il fait le voyage de Rome pour le jubilé de 1500), il est déjà avancé dans son âge lorsqu'il entreprend de traduire en français, voire de commenter, un certain nombre de textes qui vont bientôt devenir des bréviaires pour les novateurs ; et faire de cet homme d'études un des plus célèbres parmi les grands écrivains religieux de ce pays. Toute cette production se situe au delà de 1500, dans la plénitude de sa connaissance des textes sacrés et dans une perspective qui visiblement fait confiance aux laïcs autant qu'aux clercs pour comprendre et faire connaître les richesses de la Parole. Sa première publication retentissante se situe en 1512 avec un Commentaire des Epîtres de saint Paul qui énonce audacieusement quelques novations de poids aperçues par ceux-là seuls qui pouvaient en percevoir la nouveauté. Déjà, Lefèvre pose le problème sur lequel tous les réformateurs ont pris position un jour ou l'autre : le rapport de la foi et des œuvres dans la justification. Mais cet homme qui n'est point taillé pour la controverse poursuit son travail et s'attaque, en même temps que le fait Luther, mais avec plus de patience minutieuse et persévérante, à la traduction en français du Livre par excellence : son Nouveau Testament paraît en 1524 ; l'Ancien en 1530 ; la Bible complète suit, améliorée et révisée d'édition en édition avec un souci de perfection qui est sans nul doute le trait dominant de son caractère. Mais aussi un souci d'édification : il faut que la totalité du texte sacré soit à la disposition des fidèles, et non point seulement les quelque dizaines d'extraits que le Canon de la messe a sélectionnés ; il faut que chaque fidèle puisse lire et relire toute l'Ecriture Sainte, si le cœur lui en dit. Lefèvre d'Etaples lui fournit donc, au moment même où ce cadeau est aussi offert aux fidèles allemands, un texte clair, précautionneusement traduit, accessible à tous ceux qui ne lisent point le latin, langue de clercs. Il ajoute même, en tête de l'édition de sa Bible publiée en 1534, un *Sommaire de la foi chrétienne* traduit du latin qui présente l'essentiel de l'enseignement qu'il tire, au soir de sa vie, de cette longue fréquentation avec les textes sacrés. Ce petit homme, qui ne s'est jamais passionné contre les désordres de son temps, mais qui était parfaitement capable à 75 ans de prendre la route pour aller rencontrer à Strasbourg les audacieux qui ont entrepris de réorganiser le culte dans la ville impériale, a œuvré selon sa manière : il a fourni à qui voulait le lire les ouvrages sans lesquels le retour aux sources n'était pas possible pour quiconque n'avait point passé quelques années sur les bancs du collège. Sans forfanterie ni pose de justicier : à chacun d'en faire son profit comme lui-même l'avait su faire, que ce soit à Paris, à Meaux ou à Nérac.

Jean Vitrier, le Franciscain de Saint-Omer, est d'une autre trempe : c'est un combattant de la parole, non moins nourri de l'Ecriture, mais attaché à combattre ceux qui, à ses yeux, trahissent les enseignements de la Parole et donnent de l'Eglise l'image la plus détestable. Ses conflits avec la hiérarchie attestent assez de sa véhémence : en 1498, il prêche à Tournai avec violence contre les couvents non réformés, le culte superstitieux des saints, la paillardise des chanoines ; cette prédication, qui révèle des accents hussites, est dénoncée à la Sorbonne et seize formules extraites avec art de leur contexte lui valent une condamnation dont il réussit pourtant à se faire relever dès 1500. Prieur de son couvent à Saint-Omer, il déclare simoniaque la prédication de l'indulgence romaine en 1500 et dénonce « la sotte confiance des gens qui pensaient être quittes de leurs péchés en jetant des pièces dans un tronc ». Les commissaires pontificaux lui offrent de l'argent pour qu'il se taise et il les traite de simoniaques. Convoqué devant son évêque, il se justifie sans trop de peine ; mais, dès 1501, se laisse prendre dans une sombre histoire où il lutte pour la réformation d'un couvent de nonnains qui prend tournure de lupanar. Deux ans plus tard, c'est son propre couvent qui le rejette, lassé de ses exigences, plus soucieux comme l'a écrit Erasme de remplir « le garde manger » que de travailler au « développement de la piété chrétienne ». En 1503, il est relégué dans un petit couvent de sœurs à Courtrai, où il a fini ses jours dans le silence et la retraite.

Mais Jean Vitrier a marqué son passage : chacun sait l'admiration sans bornes que lui porta Erasme, « absolument sûr que si d'aventure il avait été le compagnon de l'apôtre Paul, celui-ci l'aurait préféré à Barnabé ou à Timothée ». Le Franciscain a persuadé à longueur de sermons ses auditeurs, ces bourgeois de Saint-Omer, de Tournai et d'ailleurs, que l'excellence de la vie chrétienne n'est pas liée à la condition de clerc ; que tout chrétien peut vivre selon sa foi et sa loi, dans la mesure où il respecte les commandements qui constituent la morale chrétienne ; qu'au demeurant chacun est maître en ce domaine, dans la mesure même où il voit clairement son devoir. Ainsi tout s'enchaîne à travers cette prédication de feu qui attirait les hommes et les femmes de dix lieues à la ronde : l'Eglise, selon Vitrier, ce n'est pas ce monde dichotomisé des clercs et des fidèles, c'est d'abord « la congrégation des fidèles ». L'enseignement du Christ, celui qui doit être donné à tous, c'est le texte sacré : « la Sainte Escripture (qui) est pour norir

les commenchans et les pourfiteurs et les parfais, chascun, selon sa
facultez » ; les sacrements et les rites sont signes et ne valent que
nourris par la foi : « on se passerait mieulx du sainct sacrement de
l'aultel que de la foy, que des parolles des sainctes Escriptures qui
font foy ». Adulé par les fidèles à ce qu'il semble, férocement détesté
par les autres clercs qui n'appartiennent pas à son ordre et qui ne
se soucient pas de prendre à la lettre les préceptes évangéliques,
Jean Vitrier a étonné Erasme par son rayonnement tout comme par sa
connaissance exceptionnelle des textes sacrés, dont il nourrissait sans
cesse sa prédication, nous l'avons vu. Au détour d'une longue page
écrite à la gloire de cet ami qui a été un modèle non imité, Erasme
déclare : « Ce qui possédait cet homme, c'était comme une flamme
brûlante, vraiment incroyable, pour amener les mortels à l'authentique
philosophie du Christ. Comme récompense à de tels efforts, il aspirait
à la gloire du martyre... ». Vitrier, continue-t-il, avait demandé à ses
supérieurs de pouvoir se rendre en des pays où le Christ est inconnu ;
cette grâce, qui lui fut refusée, lui permit de continuer à combattre
au milieu de ses compatriotes pour une authentique vie selon l'enseignement du Christ. Désavoué par ses pairs, renvoyé au silence d'une
petite communauté obscure, le bouillant Franciscain, qui n'avait pas
craint parfois de faire le coup de poing pour réformer quelques
couvents de nonnes en folie, n'aurait pas laissé traces de son passage
sur cette terre sans les notes de son homéliaire et le témoignage admi-
ratif de celui qui régna si longtemps sur la gent humaniste européenne,
Erasme de Rotterdam.

De l'itinéraire intellectuel complexe, et non sans hésitations ni
retours qui a été celui d'Erasme jusqu'à sa mort en 1536, il ne faut
retenir ici que les étapes qui éclairent notre propos : ce clerc dûment
formé aux bonnes écoles, qui a été fait prêtre en 1492 et qui est resté
longtemps attaché au couvent augustin de Stein, a été d'abord un
humaniste de premier plan, écrivant un latin d'une rare qualité,
connaisseur sans égal de l'Antiquité païenne et chrétienne, comme en
témoignent les *Adages* publiés en 1508 ; il s'est converti à l'étude des
textes sacrés à la suite de ses rencontres avec John Colet en Angleterre
en 1498 et avec Jean Vitrier en 1502. Mais son action est apparemment
plus redevable à sa correspondance inlassable avec tout ce qui écrivait
en Europe de son temps qu'à son œuvre proprement dite : certes,
l'*Eloge de la Folie*, le *Manuel du soldat de Christ* (fortement inspiré
de l'exemple audomurois), l'édition du Nouveau Testament et de saint
Jérôme ne sont pas des œuvres négligeables, non plus que le célèbre
traité du libre arbitre par lequel il s'est opposé si fortement et défini-

FOLIVM

erit tēpus eo_x in ſæcula. Et cibauit illos ex adipe fru/
menti : & de petra melle ſaturauit eos.

DE DEO INCARNATO STANTE IN
medio prelato_x Synagogæ & eos arguente Pſal/
mus LXXXI. Iit. Pſalmus Aſaph.

Eus ſtetit in ſynagoga deo_x : in medio autē deos
diiudicat. Vſq̇ quo iudicatis iniquitatē : & facies
pctōrū ſumitis. Sela. Iudicate egeno & pupillo : hu/
milē & pauperē iuſtificate. Eripite pauperē : & egenū
de manu pctōris liberate. Neſcierūt neq̇ intellexerūt :
in tenebris ambulant mouebunt oīa fundamēta terræ.
Ego dixi dii eſtis : & filii excelſi oēs. Vos aūt ſicut ho/
mines moriemini : & ſicut unus de princiṗib⁹ cadetis.
Surge deus iudica terrā : qm̄ tu hæreditabis ī oib⁹ gētib⁹.

DE BELLIS VETERIS TESTAMENTI
ſanctis inflictis. vbi myſtice eccleſiæ pſecutio. a
toto mūdo ṗphetatur Pſalm⁹. LXXXII. Iit.
Canticū Aſaph pſalmus.

Eus quis ſimilis erit tibi : ne taceas neq̇ cōpeſcaris
de⁹. Q m̄ ecce inimici tui ſonuerūt : & q oderūt
te extulerūt caput. Super populū tuū malignauerunt
cōſiliū. & cogitauerūt aduerſus ſanctos tuos. Dixerūt

I. L'ECRITURE DE LUTHER EN 1513

Ces annotations en latin, portées sur un Commentaire des Psaumes en vue d'un cours
professé à Wittenberg, montrent la plus ancienne écriture du célèbre réformateur, avant
même l'affichage des « 95 thèses »

Herzog August Bibliothek, Wolfenbüttel

IOANNES CALVINUS NATUS NOVIODUNI PICARDORUM
x Iulij Aº 1509, et denatus Genevæ xxvii May Aº 1564 ibidemque sepultus.

Calvinum assiduè comitata modestia virum,
Hoc vultu manibus finxerat ipsa suis.
Ipsa à quo potuit virtatem discere virtus:
Roma tuus terere maximus ille fuit.

Siet hier een helder licht een hoogh begaefde geest,
Vol wetenschap en deucht, de ore van Geneven,
Wiens vlugge pen een schrick voor Roomen is geweest,
En haer verheven stoel deed waggelen en beven.

Iohannes Calvinus is geboren tot Noyon in Picardyen den 10 Iuly 1509 en is inde Heere ontslapen
tot Geneven den 27 May 1564 ende aldaer begraven.

Gedruckt t'Amsterdam by Clemendt de Jonghe in de Calverstraet.

II. CALVIN DANS SON CABINET DE TRAVAIL
Gravure hollandaise sur cuivre

Le réformateur feuillette son *Institution*. D'autres livres garnissent la table et le rayonnage. Il n'a pas encore la physionomie maladive que lui attribueront des portraits ultérieurs tivement à Luther. Pourtant, ce prince des humanistes a d'abord exercé un magistère étonamment prégnant à travers toute l'Europe par ces lettres que nous appellerions aujourd'hui de direction intellectuelle, par lesquelles il conseillait, incitait à de nouveaux travaux, critiquait aussi et souvent avec acrimonie. Certes, il n'est pas allé partout où il a été sollicité : ni en Espagne, qu'il juge peu chrétienne, ni en Bohême ; il a refusé de se fixer en France dès 1517-1520 lorsque Budé demandait son appui pour la création des lecteurs royaux face à la Sorbonne ; il a pu ressentir quelque amertume de solitaire sur la fin de sa vie, alors que les rangs des humanistes de son espèce, peu soucieux de bouleverser l'ordre établi et capables de se satisfaire d'une réforme intérieure de l'Eglise, se faisaient plus rares. Homme de cabinet et d'écritoire, mal informé, semble-t-il, souvent des préoccupations et des revendications passionnées dans lesquelles s'enferraient ses compatriotes, Erasme n'a certes point été un guide, capable de parler aux foules et de les persuader par la vertu de sa parole. Ni Vitrier ni Luther, par conséquent. Mais un homme de réflexion qui stigmatise calmement en quelques phrases d'une lettre ou d'une méditation, les défauts majeurs, selon lui, de l'institution ecclésiale : la pratique bénéficiale, les libertés monastiques notamment. Mais dans le même temps, il se refuse à mettre en discussion ce qu'il appelle des vérités séditieuses, et recommande l'acceptation de ce qui a reçu un consensus large dans la tradition romaine : « ce qui a été transmis par l'assentiment général des docteurs orthodoxes, ce qui a été défini clairement par l'Eglise ne doit plus être discuté, mais cru ». Pourtant, lui mieux que beaucoup d'autres sait combien la connaissance des textes sacrés est indispensable pour nourrir la foi du chrétien selon son cœur ; il l'a écrit fort clairement un jour, en une saisissante formule qui aide à comprendre son rayonnement : « je ne suis pas du tout d'accord avec ceux qui voudraient empêcher la sainte Ecriture d'être lue par des ignorants et traduite en langue vulgaire... Je souhaiterais que les plus humbles femmes lisent l'Evangile et qu'elles lisent les Epîtres de saint Paul. Et plût au Ciel que nos livres saints soient traduits dans toutes les langues... Dieu veuille que le laboureur en chante quelques versets au manche de sa charrue, que le tisserand en récite quelques bribes parmi le va-et-vient de ses navettes... ». Belles formules votives qui tracent un programme auquel l'Eglise en tant qu'institution n'avait certes point encore souscrit ; et qu'il aurait fallu sans doute lui proposer en termes plus pressants que ne le fait Erasme, peu soucieux d'en découdre avec la hiérarchie pour assurer la réalisation d'un tel programme.

A vrai dire, s'il est vrai que ces trois hommes n'ont point admis que l'Eglise romaine pût longtemps persévérer dans son être, ils ont travaillé chacun à sa manière en faveur du changement auquel aspiraient tant de laïcs et de clercs. Les balbutiements de la Réforme française jusqu'en 1536-1540 tiennent aussi pour une large part au fait que les voies réformatrices n'étaient point tracées clairement et surtout ne convergeaient guère.

Les voies réformatrices

A tous ceux qui savaient à quel point la vie religieuse impliquait alors un effort de rénovation à la fois par le retour à la source même de tout le dogme et par un redressement disciplinaire, n'étaient offertes que trois voies entre lesquelles choisir ; d'inégales chances de succès étant attachées à chacune d'entre elles, sans que personne puisse réellement en supputer exactement les contours.

La première, dont s'est nourri sans doute l'optimisme érasmien, consistait à s'adresser directement à la tête de l'Eglise et à escompter une rénovation par l'autorité hiérarchique. Persuader le pape et la Curie romaine de prendre la tête d'une entreprise qui n'aurait pas manqué de remettre en question pour une part le magistère romain et les privilèges acquis au cours des temps était sans doute plus qu'un rêve illusoire. Le voyage romain en était une étape nécessaire ; mais il n'est guère de visiteurs, Français, Allemands ou autres, qui ayant parcouru les arcanes de l'administration pontificale, aient pu revenir de cette expédition encore assurés dans leurs illusions. Pour un cardinal compréhensif, ouvert aux idées nouvelles, capable de saisir les discrets avertissements d'Erasme ou d'encourager les entreprises hardies de Copernic en sa lointaine Pologne, combien d'autres et combien de greffiers et de ces petits agents de l'autorité qui ne voulaient ni ne pouvaient voir plus loin que le fonctionnement de ces rouages compliqués, tout imbriqués les uns dans les autres, grâce auxquels la Curie régentait finalement l'ensemble des pays sur lesquels son autorité s'étendait. Les dialogues savants et précieux qui s'esquissent à travers les correspondances de l'époque ne peuvent être que décevants pour ceux qui sentent la pression montante des laïcs et des clercs en face de cet immobilisme romain. Sans nul doute, ni Erasme ni ses émules n'ont été brutalement éconduits dans ce jeu où ils sont à la fois Cassandres et conseillers qui proposent des solutions plausibles ou graduellement applicables. Mais la réflexion romaine est lente. Erasme est mort avant que d'avoir réussi à se faire entendre là où se trouvait la clé de tout changement selon lui ; sans doute, après sa mort, les Erasmiens ont accru leur audience dans la Curie romaine et ont peu à peu constitué une fraction qui a fait adopter au Concile de Trente les réformes disciplinaires par lesquelles, en fin de compte, Rome donnait *a posteriori* raison aux critiques des réformateurs. Mais cette victoire posthume, qui intervient un bon quart de siècle après la mort du Rotterdamois, est dérisoire dans la mesure où les ruptures sont consommées et où le terrain perdu ne peut être regagné. Pour qui voulait réformer dans l'Eglise, les décisions prises à Trente — et qui sont entrées si lentement en application — ne valent plus et ne peuvent réparer le mal subi.

L'autre solution est celle de l'inlassable Vitrier, qui reprend à sa façon le programme novateur des communautés réunies sous le titre de la dévotion moderne. C'est en quelque sorte l'action à la base, telle que l'évoque plus tard Rabelais. Retrousser ses manches, sans attendre ni l'ordre ni l'autorisation qui ne viennent pas vite d'en haut. Donc dénoncer les mauvais pasteurs, les pratiques inavouables et les « superstitions » qui encombrent la vie courante. Cultes de saints mal identifiés, trafics de reliques et d'indulgences ; et en même temps annoncer la bonne Parole, la seule et vraie, celle qui n'a point été édulcorée, recouverte de gloses et de commentaires à en perdre le souffle, celle qui constitue à elle seule la parole authentique et non discutable. La foi chrétienne en son état pur, telle qu'elle a été définie par les quatre fidèles qui ont transcrit, chacun à leur manière, ce que fut le message et l'exemple de Jésus, Dieu fait homme. Enfin et surtout, Vitrier et ceux qui ont choisi le même chemin, ne se privent point de payer d'exemple, c'est-à-dire de mener la vie du vrai chrétien, selon leur foi. Ce faisant, ils attirent autour d'eux des fidèles qui, sans rompre à proprement parler avec l'Eglise établie, adoptent une nouvelle façon de vivre leur foi et de faire leur salut. Sans espérer évidemment faire école à l'échelle de la Chrétienté tout entière. Vitrier n'a rien d'un hérésiarque ; il se contente d'indiquer la voie, de désigner les mauvais bergers et d'inciter ses auditeurs qui peuvent devenir des disciples, à se réformer individuellement, sans attendre d'autre signe que celui donné par lui-même dans sa prédication : le retour à l'Evangile et la pratique quotidienne des vertus chrétiennes devant suffire à tout, quelles que soient les malédictions proférées par les tièdes et les méchants, et les embarras suscités par quelques clercs malfaisants. De tels îlots de vie chrétienne nouvelle valent assurément ce que promet le prédicateur ; ils ne peuvent guère durer plus que leur initiateur dans la mesure où celui-ci n'a rien codifié et n'a point formé les cadres nécessaires pour assurer la continuité. Nous pouvons en soupçonner l'existence éphémère, là où plus tard la vraie Réforme s'est implantée avec un rapide succès. Mais ce n'est qu'une hypothèse, au fait assez fragile.

Entre ces deux cheminements, il y a encore une voie moyenne qui est illustrée en France par le fameux groupe de Meaux et les réformes réalisées par Guillaume Briçonnet au moment même où la révolte luthérienne secouait le Saint Empire. Audace assez exceptionnelle que pouvait seul se permettre un évêque hors du commun par son ascendance et par l'importance de ses relations jusqu'à la Cour. Ce fils d'un grand financier d'Etat devenu cardinal après son veuvage, lui-même d'abord évêque de Lodève puis abbé réformateur de Saint-Germain-des-Prés (avec l'aide de Lefèvre d'Etaples) pouvait se permettre d'entreprendre à Meaux ce qu'il avait vu pratiquer par l'Oratoire lors de sa visite dans la capitale romaine ; il s'est assuré pour cela des collaborations qui sont prestigieuses : Lefèvre d'Etaples, et son disciple Gérard Roussel, le grand hébraïsant Vatable, Mazurier, et d'autres. Il sait que Marguerite de Navarre, sœur du roi, protège son entreprise, et il peut donc aller de l'avant, réformer l'hôpital et les couvents qui ne respectent pas leur discipline comme Faremoutiers, surveiller les prédicateurs divaguants et encombrants, visiter les paroisses une à une, prêcher chaque dimanche dans son église cathédrale. Le succès est d'autant plus assuré que dans ce diocèse aux portes de Paris, dans cette petite ville où les minotiers et les tisserands constituent un public tout préparé à entendre une voix nouvelle, l'évêque et ses amis se trouvent assurés de pouvoir aller de l'avant sans grands risques. Lorsque les premiers échos de l'entreprise luthérienne arrivent en France et jusqu'à Meaux, le petit groupe est très attentif à ces leçons qui leur viennent transmises par de brefs écrits latins en attendant les traductions françaises ; Lefèvre ne déclare-t-il pas dès 1521 : *Omnia quae a Germania veniunt, mihi maxime placent.* Le même Lefèvre qui, en 1525, en compagnie de Gérard Roussel, se décide à prendre le chemin de Strasbourg, pour voir et entendre ceux qui se réclament des églises réformées commençantes. A dire vrai, le groupe de Meaux ne craint pas les audaces et n'a pas hésité à multiplier les innovations qui ont fait dire, au siècle suivant, sous la plume de Maimbourg, que Briçonnet était protestant. Assurément non ; mais un évêque convaincu qu'il pouvait dans le cadre de son diocèse, et alors même qu'ailleurs les conflits avec Rome pouvaient tourner au schisme, rénover, redéfinir le culte sinon le dogme, et entraîner le commun des fidèles dans une vaste entreprise d'innovation religieuse.

Sans nul doute, les voies de la réforme à l'intérieur de l'institution romaine ne sont point toutes balisées pour autant, comme le dit fort bien dans sa hargne d'institutionnel F. de Rémond, parlant en général de tous ceux qui cherchaient leur vérité et voulaient la trouver, quitte à sortir des sentiers battus : « leur foi était errante, agitée, vagabonde, sans pieds, sans fonds et sans rivages ». A la recherche d'une nouvelle façon de sentir et de vivre sa foi, l'errance était sans nul doute à peu près inévitable, et les faux pas également. Là contre cependant, l'institution n'offrait que ses certitudes confirmées par des siècles de pratiques consacrées qui ne donnaient plus aux fidèles le sentiment d'une satisfaction plénière à leurs aspirations. Toute l'époque qui précède l'apparition de Calvin est pleine de ces confusions fécondes dans lesquelles se définissait une nouvelle sensibilité religieuse.

Voies et limites de l'innovation (1520-1534)

A tout prendre, il n'y a point, à parler en historien, un fil d'Ariane qui permettrait de tout reclasser dans cette agitation novatrice et qui rendrait pleinement compte de ce bouillonnement d'hommes et d'idées qui a précédé la mise en ordre calviniste. Pour plusieurs raisons qui cumulent leurs effets : d'abord parce que les voies d'une réforme efficace ne sont point encore tracées, qui permettraient aux hésitants de se rallier plus commodément aux formules nouvelles ; dans ces années difficiles, la perspective d'une réforme dans l'Eglise, malgré le drame de Worms, conserve ses partisans nombreux, qui n'attendent qu'un signe de la hiérarchie pour se conformer aux nouvelles normes ; ensuite parce que, pour ces hommes et femmes assoiffés de vérité évangélique, le vrai problème est bien celui du salut éternel, qui ne peut être joué sur un coup de tête ; ou dans l'adhésion à une dissidence encore mal définie face à l'Eglise romaine dont la pérennité même plaide pour la vérité de sa doctrine ; les audacieux qui pensent à la rupture savent qu'ils prennent un risque considérable à abandonner la foi de leurs ancêtres et les sécurités consacrées de pratiques pluriséculaires ; enfin parce que tous, humanistes qui ne vivent que pour leurs traductions, humanistes réformateurs qui n'ont point de prudences nicodémites et réformateurs impatients, attendent la réunion d'un

Concile universel où toutes ces questions seraient débattues au grand
jour et où pourraient se définir, dans un consensus accepté par tous,
les voies de cette réforme disciplinaire et doctrinale qui ne cesse de
hanter les esprits avertis réfléchissant sur le devenir de l'Eglise. La
période qui s'étend de la première révolte luthérienne à l'affaire des
placards est à cet égard exemplaire, dans la mesure où elle montre
clairement toutes les ressources d'un mouvement à la recherche de ses
définitions existentielles.

Il faut cependant reconnaître que l'explosion luthérienne a fait
avancer les projets réformateurs à grands pas, malgré les obstacles
linguistiques et la relative lenteur avec laquelle les écrits luthériens
se sont répandus en France. Cette diffusion du luthéranisme en France
a été étudiée avec une suffisante minutie pour que les caractéristiques
essentielles en soient maintenant reconnues : elle a été le fait à la fois
de Français enthousiastes qui sont allés à Wittenberg ou en Hesse
pour traduire et faire imprimer en français les textes de Martin Luther,
tels Lambert et Dumolin ; et en même temps de libraires qui, installés
commodément — et dans une certaine sécurité — aux limites du
royaume, ont pu traduire et publier des textes qui leur arrivaient en
latin et en allemand : comme Martin Keyser à Anvers (bientôt francisé
en Martin Lempereur) qui a publié le petit livre des prières de Wittenberg ; ou encore Wolff à Bâle qui accumule les petits opuscules contenant un ou deux sermons de l'Augustin, sous forme de plaquettes
discrètes confiées aux porte-balles et répandues par les mercerots à
travers la France, selon leurs itinéraires coutumiers ; ou bien Jean
Knobloch à Strasbourg qui reprend la *deutsche Theologia* en 1520, puis
la Bible allemande. De ces villes périphériques, le mouvement a gagné
Paris et les grandes cités imprimantes du royaume, au risque de subir
des poursuites judiciaires acharnées puisque, dès 1523, il est question
de « abattre et adnihiler les hérésies de Luther ». Louis de Berquin
en a été la plus illustre victime à Paris ; d'autres, comme Antoine
Papillon à Grenoble, se sont mieux dérobés aux poursuites et tracasseries policières. Cependant, il n'est point douteux que, dans les années
1527-1530, circule en France, dans de bonnes traductions, une part
importante de l'œuvre écrite que le moine enfermé à la Wartburg, puis
retiré à Wittenberg, n'a cessé de produire pour défendre ses positions,
puis définir les éléments constitutifs des nouvelles Eglises qui sont
dressées avec sa bénédiction. L'énumération ne laisse pas d'être impressionnante, à en juger par les résidus authentifiés que conservent nos
bibliothèques (et qui peuvent n'être qu'une partie de ce qui a été
réellement édité et diffusé dans le royaume) : dès 1523, grâce à Wolff,

la « somme de l'Ecriture sainte et l'ordinaire des chrétiens enseignans la vraye foy chrétienne » ; en 1527, la « prophétie de Jesaïe » publiée en latin à Strasbourg sous le nom du docteur de Cleremont ; la masse des opuscules diffusés par Martin Lempereur, « l'exhortation au peuple », « le sermon de la manière de prier Dieu », « les dix commandements » ; et enfin, produits par Simon Dubois à Paris, après une première édition anversoise, le très important traité doctrinal « des bonnes œuvres sur les commandements de Dieu », le « Magnificat » et le « Petit caté-chisme ». Au total, l'essentiel de la doctrine luthérienne s'est trouvé ainsi offert aux réformateurs français, à la joie d'un grand nombre et à l'indignation de quelques-uns comme Josse Clichtove. Dans le fracas d'une pensée torrentueuse que les traducteurs émondent souvent des considérations strictement germaniques, les novateurs français trouvent pâture abondante pour nourrir sermons et vues apocalyptiques sur le devenir de l'Eglise romaine. La pensée luthérienne, même simplifiée — et privée de tous les textes proprement nationaux comme l'appel à la noblesse allemande et les vitupérations contre les paysans rebel-les —, a certainement été pendant près de vingt ans un des pôles de réflexion pour les réformateurs français.

A cela s'ajouta bien vite la puissance d'attraction exercée par les grandes cités périphériques gagnées à l'une ou l'autre réforme : les villes au pied du Jura, de Lausanne à Neuchâtel et à Bâle, ce carrefour exceptionnel où se retrouvent Erasmiens liés à l'éditeur Froben, luthé-riens de plus ou moins stricte obédience, zwingliens venus de Zurich, tous faisant plutôt mauvais ménage et prompts à s'exclure, voire à se chasser de la ville, pour peu que le Magistrat y prête la main. Plus au nord, Strasbourg, quasi irénique en regard de Bâle, puisque, sous l'autorité de Mathieu Zell à partir de 1521, la ville est accueillante à quiconque propose une formule non papiste ; dans cette cité impériale où, dès 1523, le mariage des prêtres est autorisé, dès 1524 la messe dite en allemand et l'année suivante les messes de pèlerinage abolies, les novateurs affluent : Capiton fuyant Bâle et Martin Bucer quittant Wissembourg, puis Karlstadt qui ne fait qu'une apparition, Lefèvre et Roussel, et encore plus tard les enthousiastes qui répudient toute insti-tutionnalisation nouvelle, Schwenckfeld et Franck. Or, ces foyers réfor-mateurs aux portes du royaume, qui prêchent d'exemple, n'ont cessé d'attirer les Français décidés aux moyens extrêmes : ceux-là mêmes qui n'espèrent plus la réforme intérieure de l'Eglise romaine et sont prêts à sauter le pas, pour peu qu'ils puissent s'intégrer à une collecti-vité organisée. C'est le cas de Guillaume Farel, ce montagnard du Gapençais, à qui d'aucuns ont généreusement prêté des ascendances vaudoises, qui a quitté les Alpes de Haute-Provence pour Paris, puis Meaux ; est revenu quelque temps en son pays natal, mais repart définitivement pour Bâle, Strasbourg, Metz, de là Montbéliard, Neuchâtel, Lausanne et enfin Genève où il a retenu une première fois Calvin en 1536. C'est encore le cas, tout aussi remarquable, d'Antoine Marcourt, Lyonnais qui a quitté sa ville natale pour se fixer en 1531 à Neuchâtel sur les rives du Seyon, où il devient le premier pasteur : écrivain et polémiste de talent, auteur en 1533 d'un « Livre des Marchans, fort utile à toutes gens » qui est une attaque virulente contre les marchands du Temple, Marcourt a joué un grand rôle dans les confrontations théologiques à travers lesquelles se définit peu à peu cet esprit réformateur qui, au sud du Rhin supérieur, n'est pas luthérien d'inspiration. Ces hommes, français de langue et de cœur, ont évidemment gardé des relations dans leur pays d'origine ; ils font circuler les livres et les hommes qui entretiennent la flamme et s'efforcent de susciter des vocations. Ayant délibérément et définitivement rompu avec l'Eglise romaine, ils fournissent la preuve que la définition d'une foi nouvelle et la pratique d'une autre Eglise sont également possibles. Leur exemple est une perpétuelle incitation à prendre le large, sans se soucier même de l'exemple luthérien, qui n'est pas privilégié dans leur démarche. Aussi bien, alors que l'invasion de la prose luthérienne se fait suivant les grands axes de circulation, à partir du nord et de l'est, le rayonnement de ces individualités, qui tentent leur chance aux confins du Saint Empire et du royaume de France, est-il beaucoup plus subtil : il passe par le jeu de relations personnelles, par les échanges et correspondances qui déjà préparent les combats d'hommes et d'idées ouverts au second tiers du XVIe siècle.

Ainsi se fait peu à peu, et selon une alchimie qui demeure encore mystérieuse par bien des aspects, un glissement lent vers des positions novatrices plus tranchées, plus éloignées du souci lancinant manifesté par la première génération de ne rien tenter qui pourrait entraîner une rupture irréversible dans l'Eglise romaine. La rapidité avec laquelle se constituent les Eglises luthériennes, l'atmosphère de compétition pacifique qui caractérise la vie spirituelle à Strasbourg, la sérénité avec laquelle les érudits ès Ecritures Saintes se sont faits pasteurs dans les villes proches du royaume, autant d'éléments qui peu à peu radicalisent le mouvement réformateur. Au moment même où Erasme se voit peu à peu abandonné par ses amis qui ne partagent pas ses prudences, les « mal sentans de la foi », que dénoncent les Sorbonnagres, découvrent que la marche en avant est possible, sans que le ciel tombe sur la tête de ceux qui ont délibérément rompu avec Rome et qui se sont tournés vers une nouvelle organisation ecclésiale où se trouvent respectés les principes essentiels de leur foi : la liberté du fidèle de méditer lui-même la Parole de Dieu, le rôle de guide éclairé imparti au pasteur, l'équilibre entre la foi et les œuvres, qui minimise celles-ci et exalte celle-là.

La meilleure preuve de cette transformation a été donnée par la crise ouverte à l'automne 1534, c'est-à-dire la fameuse affaire des Placards. Tout a été écrit sur l'audace inouïe de ces convertis qui ont collé dans la nuit du 17 au 18 octobre 1534 des petites affiches contre la Messe à travers tout Paris et Amboise, jusque dans le château royal et dans le crachoir de François Iᵉʳ ; qui en a été épouvanté et a aussitôt inauguré une politique répressive sans quartier, faisant fuir sa sœur à Nérac où elle a été rejointe par quantité de mal pensants tangentiels comme Clément Marot. Le scandale politique et religieux n'est assurément pas contestable et la chronique lui a fait un juste sort. Pourtant dans notre perspective, l'essentiel n'est sans doute pas là. Ces « articles véritables sur les horribles, grands et insupportables abus de la Messe papale, inventée directement contre la Sainte Cène de Nostre Seigneur, seul Médiateur et Sauveur Jesus Christ » constituaient une attaque frontale contre l'institution romaine la plus essentielle en des termes que jamais Luther ni beaucoup d'autres n'avaient employés. Ce texte virulent, rédigé et imprimé par un groupe de pasteurs à Neuchâtel, est pour l'essentiel inspiré des travaux qu'Antoine Marcourt, « homme de paix, d'honneur et de bon savoir », avait déjà publiés sur la messe dominicale. Nourri de théologie scripturaire, la seule qui mérite le respect à leurs yeux, mais en même temps écrit d'une plume acerbe, sinon insultante comme de bons auteurs catholiques l'ont prétendu, le placard affiché ou distribué en octobre 1534 était certainement un pamphlet de haute volée : passe encore pour les formules qui attaquent les diseurs de messes, larrons, paillards et brigands qui ne respectent pas les fidèles et qui dénoncent leur genre de vie : « ils vivent sans soucy ; ils n'ont besoin de faire rien, d'estudier encore moins ; ... ils tuent, ils bruslent, ils détruisent, ils meurtrissent comme brigands tous ceux qui à eulx contredisent ; car autre chose ils n'ont plus que la force... ». Mais le texte va plus loin en accusant les diseurs de messe de ne savoir ni pouvoir regarder la vérité en face : « vérité leur fault. Vérité les menasse. Vérité les suyt et pourchasse. Vérité les espouvante ». Tout le texte crie à la falsification grâce à laquelle l'Eglise romaine fait indéfiniment renouveler le sacrifice de l'Eucharistie : et de gausser ce « Dieu de pâte » et de s'élever contre l'ensemble du rituel qui constitue la fête dominicale, et son temps « occupé en sonneries,

urlements, chanteries, cérémonies, luminaires, encensements, desgui-
semens et telles manières de singeries », en de grandes formules
rhétoriques qui sont bien dans le style pamphlétaire de l'époque.

Mais surtout, le texte des placards remet en cause le principe même
de la répétition hebdomadaire du sacrifice. A force de citations qui
viennent tout droit de l'Ecriture et de ses premiers commentaires, les
pasteurs neuchâtelois enfoncent leur argumentation avec persévérance,
utilisant avec prédilection l'Epître aux Hébreux, attribuée généreusement à saint Paul et où se trouve affirmé plusieurs fois que le sacrifice
ne se renouvelle pas indéfiniment : « il estoit convenable que nous
eussions ung evesque sainct, innocent et sans macule, lequel n'a point
nécessité de offrir tous les jours sacrifices, car il a faict ce en se
offrant une foys ». Ainsi le placard, allant plus loin que Farel contestant
les aspects sociologiques de la messe dans sa « sommaire et briefve
déclaration d'aulcuns lieux fort nécessaires à ung chascun chrestien »,
s'attaque à l'institution romaine dans son essence et invoque des principes vétéro-testamentaires concernant la rédemption, en particulier,
qui annoncent en filigrane plutôt qu'explicitement, la prédestination
calvinienne, à l'inverse de ce que souhaitaient Erasme, Luther et Lefèvre
d'Etaples. Les pasteurs, réunis sur les rives du Seyon, annoncent dès
1534 les novations fondamentales de 1536-1540 : ce que nous appelons
d'ordinaire la réforme française.

Calvin qui, depuis le fameux discours de son ami le recteur Cop
à la rentrée de la Toussaint 1533, ne se sait plus en sécurité à Paris,
voyage à travers la France, résigne ses bénéfices à Noyon, puis rejoint
Strasbourg où la religion nouvelle, dans le cadre de la Confession
Tetrapolitaine, peut lui offrir un modèle, s'installe un instant à Bâle,
le temps de terminer la relecture de son *Institutio Christiana*, composée
en latin, « à ce qu'il peust servir à toutes gens d'estude de quelque
nation qu'ils fussent », puis pousse, comme tant d'autres jusqu'à Ferrare auprès de Renée de France. Calvin devient dans ces années 1536-
1540 fondateur d'Eglise, en trois étapes dont l'histoire est bien connue :
un premier temps avec Farel à Genève, d'où les deux réformateurs sont
chassés en avril 1538 ; un second, beaucoup plus fécond, à Strasbourg,
où de 1538 à 1541, à l'appel de Martin Bucer, Calvin vient prendre
en charge la communauté de langue française, révise à son gré les
formules de la Confession Tetrapolitaine, compose des cantiques, utilise
les psaumes de Marot et publie en 1539 *Aulcuns Pseaumes et Cantiques
mis en chant*, dont la version française du célèbre cantique luthérien :
« Notre Dieu nous est ferme appuy » ; attire enfin autour de lui une
pléïade de savants humanistes passés à la Réforme comme lui et qui

continueront son œuvre après son départ définitif pour Genève. La Réforme française a trouvé ses premières assises à Strasbourg, elle s'est ensuite confortée à Genève, et peut-être aussi quelque peu étiolée, si nous comparons la vigueur et l'épanouissement du milieu strasbourgeois en face du juridisme sourcilleux qui a très vite régné à Genève. Aussi bien longtemps encore, jusque dans les années 1550-1560, les nouvelles Eglises de France ont pris modèle sur la communauté calvinienne de Strasbourg. Mais Calvin a donné le ton et le style ; et surtout fourni une doctrine qui tranche sur les réformes antérieures par quelques propositions tout à fait neuves : celles-là même qui vont forger le type calviniste français, tel que l'a décrit naguère E.-G. Léonard, dans *Le Protestant français* : homme de courage et de conviction qui résiste à travers toutes les tempêtes et se maintient pour « l'honneur de Dieu » ; qui ne transige point, jusqu'au bûcher et jusqu'à la mort, parce qu'il sait que son salut est entre les mains de Dieu seul ; méprisant la mort puisqu'aussi bien l'héritage est transmis par les hommes, les célèbres « pierres vives ». Dès lors, la Réforme française a trouvé son cadre et sa doctrine.

Cette France qui veut renouveler sa foi a cherché longtemps sa voie, bien plus que d'autres ne l'ont fait. Ouverte à tous les vents, elle a été accueillante à plus d'une formule nouvelle et une certaine confusion en est résultée. Sans nul doute, l'incertitude dans laquelle se trouvaient beaucoup, y a été pour quelque chose : quel itinéraire serait le plus sûr, alors que l'Eglise romaine elle-même ne s'était pas encore prononcée sur les réformes intérieures qu'elle pouvait assumer ? L'espérance du Concile a vraisemblablement retenu bon nombre de chrétiens convaincus face aux choix qui sont devenus peu à peu nécessaires, inévitables. En un sens, c'est l'impatience maladroite des pouvoirs civils qui a cristallisé les oppositions : lorsqu'au lendemain d'Amboise, François Ier fait poursuivre jusqu'au bûcher les « mal sentans de la foi », lorsqu'il fait, au début de 1535, fermer toutes les imprimeries du royaume, il n'affole pas seulement tous ceux qui ont pris part à des prédications évangéliques, mais aussi tous ceux qui cultivent les belles lettres et ne prétendent point être plus que des humanistes : les grandes migrations lettrées vers Nérac et Ferrare sont là pour le prouver. Dès lors, les jeux se font avec une précipitation significative : Calvin achève rapidement son grand livre parce qu'il faut parler haut ; la communauté de langue française à Strasbourg voit croître ses effectifs de mois en mois, les hésitations des prudents commencent à fondre. Il faut combattre, sans se laisser abattre, et assumer jusqu'au martyre pour sa foi. Qui ne connaît le cri de la malheureuse mère du pauvre cardeur de laine, Jean Leclerc, à Meaux, que les gens d'armes avaient traînée au premier rang des spectateurs pour le supplice de son fils : « Vive Dieu et ses enseignes » ? Alors, la Réforme française n'est plus affaire de théologiens ergotant sur une interprétation de la Sainte Ecriture ; elle s'est incarnée dans un peuple, qui saura lutter pour elle, aussi longtemps qu'il y aura de ces pierres vives qui sont hommes droits et fiers, constants dans leur foi et dans leur dignité d'êtres pensant et sentant la vérité de leur croyance, leur vérité.

Vers une autre religion et une autre Église (1536-1598) ?

L'émergence et l'expansion (1536-1559)

En ce second tiers du XVIᵉ siècle, les autorités civiles et religieuses françaises sont la proie d'une fièvre obsidionale. L'expression : « les hérésies pullulent », que l'on trouve dès 1540 dans les édits royaux ou les arrêts des Parlements traduit leur inquiétude dans le même temps qu'elle exprime leur impuissance face à une marée montante. L'aggravation de la situation religieuse dans le royaume n'échappe pas aux observateurs étrangers. « Mais les Luthériens se sont tellement étendus partout qu'ils occupent des villes entières... », écrit en 1546 l'ambassadeur vénitien Marino Cavalli. En effet, la critique de l'Eglise et les projets de réforme, jusqu'alors limités à des milieux étroits de clercs ou d'humanistes, concernent désormais des cercles de plus en plus larges. Dater finement le départ de ce phénomène d'irradiation est difficile, car les idées en marche se prêtent mal à la raideur chronologique. La période 1536-1546 amorce sans doute un processus qui ne fera que s'accélérer jusqu'aux alentours de 1565-1570. Désormais, la « mauvaise doctrine » est partout : sur les places, dans les écoles, les tavernes et les ateliers. Des dizaines et des milliers de personnes s'interrogent sur la religion, comme l'ont fait les intellectuels de l'époque précédente. Tous se passionnent pour les réponses qui ont été apportées par les Allemands, les Anglais, les Suisses, les Génevois...

Le livre.

N'a-t-on pas établi la parenté de la Réforme avec l'imprimerie ? Une quarantaine d'ateliers se créent entre 1501 et 1550. Lyon et Paris sont les centres d'où sortent le plus grand nombre de livres mais on imprime aussi à Rouen, Troyes, Bordeaux, Toulouse, Poitiers, Angers... La production augmente donc prodigieusement dans la première moitié du XVIe siècle, répondant à une demande croissante. Ainsi, les ouvrages édités à Paris sont en 1501 au nombre de 88, en 1549 au nombre de 332, soit presque quatre fois plus. La religion demeure, comme à la période précédente, le sujet traité par la majorité de ces ouvrages. Si maintes impressions ont un contenu parfaitement orthodoxe, beaucoup, en revanche, ont servi à véhiculer les germes de la contestation. Le seul fait de mettre les textes bibliques en langue nationale à la portée de chacun (qui peut les lire) constitue déjà un acte révolutionnaire. Si la censure a empêché Lefèvre d'Etaples d'éditer sa traduction du Nouveau Testament et de la Bible dans le royaume, ils paraîtront à Anvers en 1528 et 1530. La surveillance étroite de l'Eglise et des pouvoirs civils indique *a contrario* la complicité du livre et des nouvelles idées religieuses. Les éditeurs ont constamment cherché à fournir à leur clientèle avide de certitudes spirituelles la nourriture qu'elle réclame. Ils ont produit par nécessité commerciale mais aussi par conviction des œuvres hérétiques. Les textes fondamentaux des Réformateurs sont imprimés en France : ceux de Luther, de Bucer, de Calvin. Pour ne point éveiller la méfiance des censeurs (celle-ci s'exaspère après les Placards), on s'ingénie à ruser. Ainsi, sous le titre tout à fait bénin du *Livre de vraie et parfaite oraison* se dissimule une traduction de Luther, et le nombre d'éditions (1528, 1530, 1540, 1543, etc.) en atteste le succès. A défaut de Nouveau Testament en français, on imprime de petits traités parsemés de citations bibliques ; ils sont rédigés par des réformateurs exilés en Suisse ou à Strasbourg. La passion du public est tellement forte que, malgré la censure, les imprimeurs rivalisent d'audace. A partir de 1540 environ, fleurit toute une littérature d'apparence innocente mais de contenu tout à fait hérétique : quoi de plus naïf que les almanachs ou les alphabets « pour les petits enfants », et pourtant ils enferment les germes de la mauvaise doctrine. Lyon, ville où la surveillance est légère, s'active pour diffuser petits livres, pamphlets, libelles. Mais ni les presses lyonnaises ni celles du royaume ne suffisent à étancher cette soif du religieux. Les villes protestantes de l'Est (Strasbourg, Genève, Lausanne, Bâle, Neuchâtel) publient en français des Bibles, des catéchismes, des psautiers, des traités de Bucer, Calvin ou Farel. Cette production passe la frontière dans la balle des colporteurs ; certains ont payé de la vie leur courage. Mais tout un réseau de marchands-libraires réussit à l'écouler le plus naturellement du monde... Ceux de Lyon, plus libres que leurs confrères des autres

villes, ont des boutiques pleines de livres hérétiques imprimés à l'extérieur. D'autres, à Paris, profitent de l'immunité conférée par leur nationalité étrangère — ils viennent de Bâle ou de Cologne — pour écouler
une masse d'écrits protestants.

La transmission orale.

La diffusion par l'imprimé des nouvelles doctrines religieuses ne
suffit pas à expliquer leur succès croissant. Car la majorité du peuple
ne sait ni lire ni écrire. Il y a plus : cette masse ne pratique pas le
français puisqu'elle ne connaît que son parler local : gascon, breton,
picard, provençal... La transmission orale du message réformé, si elle
a touché tous les milieux, a surtout forcé la barrière de l'analphabé-
tisme populaire et gagné l'âme et le cœur des gens humbles. Cette
parole d'hérésie est cléricale. Au bas de la hiérarchie, les curés paroissiaux, et surtout les prêcheurs qui les remplacent en chaire lors des
fêtes solennelles du calendrier romain, ont parfois suscité et souvent
aiguisé une prise de conscience des fidèles. Au début du siècle, les
prônes évangéliques de Jean Vitrier ou ceux, plus théâtraux, de Thomas
Illiricus ou d'Olivier Maillart ont attiré des foules immenses. Mais la
période est à l'inquiétude ; la richesse des prélats, la débauche des
moines, l'ignorance des vicaires, etc., tout ce tableau que les gens du
Moyen Age ont regardé paisiblement, devient tout à coup intolérable.
A travers les vices et les défaillances de l'Eglise, on s'interroge sur sa
fonction et sa finalité. Sans doute l'anticléricalisme primaire dont
Michelet s'est moqué n'a point produit à lui tout seul les Réformes
protestante et catholique. Cependant, il a favorisé une remise en cause
radicale des vérités essentielles de la foi. On est déjà en pleine contestation dogmatique que l'on s'imagine nager encore dans les eaux millé-
naires de l'anticléricalisme. Les autorités en place n'ont pas été dupes ;
elles ont vite réalisé où pouvait conduire un discours que la tradition,
en le reconnaissant, innocentait. Les prêches furieux de Maillart ou
d'Illiricus n'ont jamais, dans la première décennie du siècle, subi les
foudres officielles. S'ils avaient tenu les mêmes, trente ou quarante ans
plus tard, la chasse aux « mal sentants de la foy » ne les aurait sans
doute pas épargnés.

Cette parole d'hérésie est aussi celle des régents. Presque tous sont
hommes d'Eglise, même s'ils n'ont point parcouru en entier le cursus
sacerdotal. Leur auditoire s'élargit dans la première moitié du siècle,
car une prospérité relative permet à des fils d'artisans ou de petits
commerçants d'être scolarisés. Afin de faire face à cette demande,

des établissements se créent dans les villes et même dans les villages.
Là où ils existaient, on s'efforce à les réorganiser, à remettre au goût
du jour le contenu de leur enseignement. Or, beaucoup de maîtres sont
déjà imprégnés des doctrines réformées. Aussi, les cours qu'ils dispensent ne sont pas très orthodoxes. Parfois, ils utilisent l'ironie afin de
mieux persuader leur public. Florimond de Rémond, conseiller au
Parlement de Bordeaux, adversaire déclaré des protestants, fut en son
âge tendre inscrit (comme presque tous les fils des magistrats bordelais)
au célèbre collège de Guyenne ; il peut témoigner des stratégies de
dérision déployées par ses maîtres :

> « Nous faisant perdre la coustume de donner entrée de nos
> leçons par le signe de croix (« c'estoient, disoit-il, des singe-
> ries »), nous parlant de la religion en privé et comme en se
> jouant, selon que notre jeune suffisance y pouvoit atteindre.
> Cela faisait quelque bresche en nos petites âmes d'autant plus
> que ces premières impressions s'arrachent après mal aisément
> quand elles ont une fois pris pied et jeté quelques racines. »

D'autres moyens assurent la diffusion des thèses réformées en milieu scolaire. L'enseignement, on le sait, consiste avant tout en une
lectio de textes sacrés et classiques. Il est alors tout à fait simple de
glisser dans le programme quelques auteurs portant à réflexion religieuse. De fait, les maîtres n'ont pas laissé échapper pareille chance
de propagande. Les arrêts aussi furieux que répétés des Parlements
font défense aux régents de commenter (de « lire ») les ouvrages mis à
l'Index par la Sorbonne. On interdit également la lecture des Evangiles
en français. Les éditions, mêmes latines, de Paul font l'objet d'une
attention toute spéciale ; car la petite phrase explosive : *Fides justificat,
non opera*, longtemps dissimulée dans le chapitre 4 de l'Epître aux
Romains, ne doit en aucun cas figurer dans les versions proposées aux
écoliers. Les représentations théâtrales interprétées par les enfants
sous la direction des régents, qui les ont parfois composées, sont aussi
prétexte à propagande et surveillées par les autorités. Mais contrôles
et interdits n'effrayent pas ces maîtres : aussi sont-ils poursuivis, mis
à l'amende, emprisonnés, bannis et parfois même brûlés... En quelque
dix ans, de 1541 à 1553 (avec une lacune des registres d'arrêts de 1543
à 1544), le Parlement de Bordeaux condamne à des peines diverses une
dizaine de régents et d'écoliers et plus de vingt-cinq prêtres et prêcheurs
dominicains, augustins, franciscains...

Cette communication orale est renforcée par une autre transmission
totalement laïque celle-ci. Elle s'effectue sur les lieux de travail (le

marché, l'atelier) ou sur les lieux de repos (la taverne, la place, le coin de feu où l'on veille...). Là, ceux qui le peuvent, lisent en expliquant et en traduisant (du français en parler local) ; ils fournissent des éléments de discussion, ils indiquent des points de critique. On comprend alors l'immense effort fourni par les intellectuels de la Réforme pour couler leurs attaques et leurs doctrines en pamphlets, en libelles, en opuscules, en catéchismes, en chansons « spirituelles » ou satiriques. Ils ont pu atteindre un large public puisque ces œuvres courtes et efficaces se récitent ou se chantent. Car il faut en convenir, les paroles des accusés dans le flot des procès d'hérésie révèlent, au tournant des années 1536-1540, une conscience aiguë des problèmes dogmatiques, même si l'anticléricalisme en fournit le départ. Ecoutons ces hommes et ces femmes dans la mesure où l'étouffante répression les a laissés s'exprimer. Ils refusent de croire au Purgatoire :

> « L'on sçait bien que paradis est au ciel et enfer est en terre mais vous ne scariez dire où est purgatoire. »

Ils refusent le pouvoir d'intercession des Saints :

> « *Deus est ubique* et pour ce, si Dieu est ici qui m'entend, pourquoi ire-je prier Sainct Gaultier et Sainct Guillaume qui sont la-ault en Paradis qui ne peuvent entendre l'aide de Dieu qui est ici auprès de moy ? »

Ils refusent le mystère de la transsubstantiation ; parlant de l'hostie consacrée où le corps et le sang du Christ sont contenus, ils disent :

> « Et si vous l'avez mangé, que mangerons les autres ? »

Ils refusent les rites du carême :

> « Dieu ne regarde point ce qu'on mange en chair ou poisson car il ne regarde rien sinon le couraige de l'homme et non point ce qu'il mange... »

Ils refusent aux papes le pouvoir d'absoudre les péchés ; et tout le système des indulgences est démantelé par cette attaque que Luther ne renierait point :

> « N.S.J.C. a donné puissance à Sainct Pierre seul de pardonner et d'absoudre les péchés et les papes qui l'ont été depuis la mort de Saint-Pierre apostolique n'ont aucune puissance de pardonner ni d'absoudre les péchés... »

Cet immense refus de rites et dogmes romains émane d'hommes et de femmes, nobles, bourgeois ou artisans dont la formation n'implique guère le maniement de la controverse doctrinale. Ainsi, autour de 1540, une évolution spirituelle s'est accomplie : un très grand nombre a pris conscience non seulement des abus de l'Eglise catholique mais aussi des lacunes de la religion enseignée par cette Eglise. Dorénavant, un point critique est atteint : l'institution et sa doctrine sont condamnées de pair. Des hommes et des femmes de ce temps sont mûrs pour le schisme, — même s'ils ne le souhaitent pas —, ils sont prêts à abandonner l'ancienne croyance qui semble tomber en ruine pour une foi nouvelle ou profondément rénovée.

Le monde calvinien.

Or, ceux-là sont confortés par les exemples du dehors. De Strasbourg, de Genève : il en a déjà été question. Là, des hommes, des Français : Farel, Calvin, ont rédigé les textes fondamentaux de la croyance rénovée, et construit les prémisses d'une ecclésiologie non catholique. Sur la prodigieuse influence de Jean Calvin dans le royaume, point n'est besoin de disserter longuement. Tout ou presque a déjà été dit. La première édition latine de la *Christiana Institutio*, que d'aucuns ont qualifiée de « catéchisme supérieur », est un petit livre que l'on peut glisser dans une poche : six chapitres où sont reprises, selon le plan du catéchisme de Luther, les idées-forces du Réformateur allemand. Calvin vient un peu tard pour être un théologien original mais il vient à point pour canaliser en une doctrine cohérente et une discipline rigoureuse tous les ferments « hérétiques » dont les populations sont pénétrées. D'ailleurs, cette première version de l'*Institution de la religion chrétienne* n'est qu'un départ ; l'ouvrage sera sans cesse remis en chantier pour de multiples rééditions : vingt-cinq exactement entre 1536 et 1560. L'Institution de 1560 contient tout ce qu'un protestant d'obédience calviniste doit croire et aussi ce que doit être son comportement de chrétien. Mais là ne se borne pas l'œuvre de Calvin. Celui-ci, quoiqu'il s'en défende, est un véritable homme d'action : il a lutté toute sa vie pour incarner sa théologie, pour créer une pratique. Il a écrit des milliers de lettres à ses fidèles dans toute l'Europe, surtout en France. Des traités simples où sont résumées la doctrine et l'éthique. Le traité de la Cène (1540), les Ordonnances ecclésiastiques de Genève définissant les institutions d'Eglise (1541), une Confession et des articles de foi, deux Catéchismes (1542) : l'un pour les adultes, l'autre, en forme de dialogues, pour les enfants. Le second aura un succès foudroyant tant à Genève qu'en Suisse et en France. Les catholiques de la Contre Réforme reprendront ce procédé par questions et réponses pour instruire leur troupeau. En 1542, la « Forme des prières et chants ecclésiastiques » expose les éléments de liturgie mis au point alors que Calvin travaillait aux côtés de Bucer à Strasbourg. Toutes ces œuvres sont minces, rédigées en français, imprimées sur les presses des villes protestantes limitrophes et diffusées par les libraires et colporteurs. L'Institution connaît un grand succès dans le royaume. A preuve : l'exemplaire solennellement brûlé sur l'ordre de la Sorbonne en 1542. Car des gens de toute classe sociale sont traînés devant les tribunaux pour avoir été trouvés en possession de ce livre maudit ; il y a des clercs (bien sûr !), mais aussi des magistrats, des avocats, des artisans. Les interdictions fulminées n'empêchent donc pas l'ouvrage de circuler.

Dans le temps où les protestants français hésitaient encore à la recherche d'une nouvelle croyance et d'une nouvelle Eglise, ils se réunissaient en assemblées pour confronter leurs opinions, lire la Bible et chanter des Psaumes. Ces conventicules plus ou moins secrets se tiennent dans une maison retirée, dans un faubourg, en tout cas presque toujours de nuit. Aussi, très vite, ces réunions deviennent suspectes aux voisins toujours à l'affût. Les rumeurs les plus étranges circulent. Souvent les dénonciations font leur effet : la force publique intervient, arrête les participants, les conduit en prison... Mais la répression a beau sévir, ces assemblées se multiplient à travers le royaume. Germes des futures Eglises, elles esquissent déjà une géographie d'un premier calvinisme. Au cours de la période 1540-1550, ces Français en viennent à considérer Genève comme la ville-lumière ; ils en attendent des ministres, des directives, des modèles d'organisation. Mais c'est seulement à partir de 1555 que les conventicules secrets se transforment en authentiques et déclarées Eglises protestantes. A cette date, Jean Calvin, qu'entoure un groupe de ministres français émigrés, prend effectivement la direction spirituelle et ecclésiastique des réformés du royaume. Sa situation définitivement stabilisée à Genève lui laisse désormais plus de liberté d'esprit. Il se méfie de ces groupuscules religieux, favorables au développement de théologies aberrantes ou permettant de pratiquer un nicodémisme confortable. Il redoute également l'action de pasteurs improvisés distribuant les sacrements, sans « vocation ». Il a donc voulu encadrer ces premières communautés à l'aide d'un clergé formé à Genève et d'institutions disciplinaires avant que de les reconnaître comme des Eglises relevant de son obédience religieuse.

Genève dépêche alors en France une centaine d'hommes (presque des missionnaires !) ; entre 1555 et 1562, ceux-ci vont assumer l'organisation des groupes protestants et « dresser » les Eglises. Ils donneront une légalité religieuse à leurs dirigeants laïques ; ceux-ci vont former le consistoire, « composé de quelques diacres et anciens qui veillaient sur l'Eglise, le tout au plus près de l'église primitive du temps des apôtres ». Paris est la première Eglise reconnue par la discipline génevoise ; elle est officiellement fondée en 1555, puis c'est le tour de Meaux, Angers, Poitiers... En 1559, les protestants français s'estiment suffisamment forts pour tenir à Paris un synode national, groupant les représentants d'une trentaine d'Eglises.

La répression.

Pourtant, les Placards de 1534 ont déclenché officiellement et massivement la chasse à l'hérétique. Cette action provocatrice a contribué, comme l'on sait, à une brusque prise de conscience du roi François Ier. Le contenu idéologique de ces articles va bien au-delà des gentils projets humanistes concernant le replâtrage de la vieille Eglise. Les Placards expriment une radicalisation de la doctrine et du rituel chrétiens, radicalisation qui mène droit au schisme avec les autorités de Rome. Or, de cette rupture, François Ier ne veut à aucun prix ; sûrement pour des raisons de croyance personnelle, mais également pour des raisons de politique monarchique. Le Concordat de Bologne négocié en 1516 avec le pape Léon X permet au roi de France de désigner les titulaires des archevêchés, des évêchés et des grosses abbayes du royaume. La hiérarchie catholique du pays est donc très largement dans les mains du souverain. Celui-ci ne peut donc être tenté par une sécularisation des biens du clergé (comme l'a été Henri VIII en Angleterre), puisqu'il dispose déjà de ceux-ci et les utilise selon les nécessités de son gouvernement. L'Eglise est donc intégrée à la royauté ; le catholicisme aussi, si l'on songe à l'investiture spirituelle que constitue le sacre. Rompre avec l'une et l'autre représente sans doute un danger pour la puissance du roi. Finies donc les rêveries d'un prince lettré que d'aucuns auraient voulu le réformateur de l'Eglise gallicane. La politique, menacée dans sa composante religieuse, devient dès lors première. Ceux qui espèrent en une croyance nouvelle ne sont plus seulement des hérétiques mais également des « perturbateurs du repos public », c'est-à-dire des opposants au régime établi. La répression systématique commence alors. Non pas qu'il n'y ait eu de martyrs avant 1535. Mais dorénavant, toute la machine judiciaire, royale et ecclésiastique est soutenue par la volonté de François Ier puis de Henri II. Le gouvernement se donne les moyens d'agir efficacement contre la marée montante des « mal sentans de la foy ». Désormais, les tribunaux civils pourront connaître, de pair avec leurs homologues ecclésiastiques, des affaires religieuses. Les édits se succèdent, allant toujours plus avant dans la répression ; celui de Fontainebleau en 1539, puis d'autres encore en 1540, 1542 et 1547 (où les « blasphémateurs » sont visés). L'édit de Chateaubriand (1551) tente de rendre les tribunaux plus efficaces pour la chasse de ceux que l'on appelle encore des « luthériens ». En 1559, une ordonnance ne prévoit plus que la mort pour les hérétiques auxquels on a fait procès. Henri II, initiateur de ce texte législatif, avait, en 1547, encouragé à la création de la « Chambre Ardente » ; celle-ci s'occupe exclusivement de traquer et de juger, dans le ressort du Parlement de Paris, les réformés. En un peu plus de deux ans, elle prononce plus de cinq cents condamnations pour crime d'hérésie. Dans le Sud du pays, les cours souveraines de Bordeaux, celles de Toulouse et d'Aix multiplient les arrêts menaçants et les condamnations capitales. Dans le même temps, toute une réglementation détaillée est mise en place par le Conseil du roi, reprise et amplifiée par les Parlements provinciaux. Elle installe la censure des livres, la surveillance des boutiques de libraires et des ateliers d'imprimeurs, le contrôle de l'enseignement. Le personnel de la fonction publique doit, pour exercer, témoigner de convictions orthodoxes. On interdit à tous ceux qui ne sont point clercs de discuter de problèmes religieux. La Sorbonne épluche les ouvrages en circulation afin d'y déceler toute parcelle hétérodoxe. Dès 1523, une liste d'œuvres sont ainsi passées au crible puis interdites : celles de Luther, Melanchton, les Evangiles en français de Lefèvre, toute traduction de la Bible en langue vulgaire. En 1543, la Sorbonne définit vingt-cinq articles de foi : un bon catholique doit croire à la nécessité du baptême et de la confession, au libre arbitre et donc aux bonnes œuvres, à la transsubstantiation, aux miracles des saints, au Purgatoire, etc. Puis elle publie un Index où quelque soixante-cinq livres sont condamnés pour leurs thèses hérétiques. Les tribunaux royaux vont utiliser pour leurs enquêtes les vingt-cinq points de la vérité et diffuser dans leurs ressorts respectifs la liste des écrits interdits. Cette répression revêt donc bien des aspects. Pour certains, trop nombreux, elle conduit au bûcher lorsqu'il y a eu acte public d'opposition à la religion établie : violences iconoclastes, « chahuts » sur le passage d'une procession ou durant un sermon, profanation des autels ou des bénitiers. Pour d'autres, c'est l'inquisition insupportable et tâtillonne, les fouilles domiciliaires, les

enquêtes, les arrestations, les amendes. Alors, beaucoup s'expatrient ;
ils gagnent les villes et les lieux où la religion dont ils rêvent est déjà
établie : Strasbourg et surtout Genève. En cette dernière cité, la
longue théorie des immigrants français débute vers 1542 ; le mouvement
s'accélère alors que la persécution devient au début du règne d'Henri II
— entre 1547 et 1549 — particulièrement terrible. Les deux tiers des
cinq mille étrangers qui demandent asile à Genève entre 1549 et 1560
sont des Français. Ils viennent en premier lieu du Languedoc et de
Normandie (presque mille exilés pour ces deux provinces), puis de
l'Ile-de-France, enfin de Guyenne et de Gascogne. Ce flot souligne la
dureté des autorités civiles — des Parlements surtout — et religieuses
en ces régions. L'exil, le martyre, les massacres systématiques, tels celui
des Vaudois en 1545, les tracasseries quotidiennes ne font que renforcer
le nombre des adeptes de la nouvelle croyance.

Le synode de 1559.

L'année 1559 est pour les protestants de France une date-clef.
Henri II s'irrite de constater les progrès de l'hérésie. En avril, il abandonne une guerre prometteuse contre les Habsbourg pour signer à
Cateau-Cambrésis une paix bâclée. Dans les mois suivants, on commence à expurger les corps de l'Etat plus ou moins contaminés : l'arrestation de quelques conseillers au Parlement de Paris (dont Anne du
Bourg) est un préliminaire. Les réformés prennent peur, Calvin déses-
père. La mort de Henri II (juillet 1559) met fin à ces angoisses qui,
avec le recul de l'Histoire, n'apparaissent pas tout à fait fondées. Car,
alors même qu'une nouvelle vague de persécution aurait allongé la liste
des martyrs et des proscrits, un point de non-retour est atteint. Un
rapport de forces existe d'ores et déjà : le calvinisme en France est
une puissance considérable par le nombre et la qualité de ses adhérents.
La tenue du premier synode national des Eglises réformées du royaume
est à cet égard significative. Il a lieu à Paris, ville royale, en mai 1559
(un mois après la paix), alors que chacun sait combien le souverain
hait les hérétiques et souhaite les éliminer. C'est presque une gageure
et pourtant elle est gagnée : les protestants français vont, au cours de
leur premier synode national, se définir publiquement. En rédigeant
une Confession de Foi (distincte, mais cependant très proche de celle
des Génevois) et une Discipline ecclésiastique, ils accomplissent un
geste décisif. En effet, ils se reconnaissent comme militants d'une
Eglise et d'une religion différentes de celles qu'admettent la monarchie
et la majorité du pays, et donc ils coupent les ponts derrière eux.

Mais dans le même temps, ils posent — avec la raideur de ceux qui franchissent le Rubicon — les règles intangibles d'une foi et d'un comportement chrétien nouveaux. En matière de croyance, ce premier synode a tout écrit, tout défini : la Confession de foi ne sera modifiée que dans d'infimes détails ; de nos jours encore, elle demeure, même si le temps a fait tomber quelques articles en désuétude (ainsi sur la prédestination). La Discipline ecclésiastique, qui met en place les institutions des Eglises, leurs pouvoirs, les règles de vie du clergé et du troupeau, les peines canoniques contre les insoumis, sera jusqu'à la Révocation de l'Edit de Nantes la fondation de la pratique ecclésiale et morale. Alors que ses articles de base demeurent inchangés, chaque nouveau synode y apporte des nuances, des additifs, des nouveautés. Vivante et collant à la réalité, la Discipline cerne ainsi au plus vif les problèmes quotidiens des Eglises plantées en milieu hostile et forcées à une sorte d'auto-gestion. Elle reflète les pulsations du corps des croyants et du clergé, comme les évolutions de ces communautés à la conjoncture politique.

La religion incarnée (1559-1598)

Eglises et fidèles.

La période 1559-1565 est pour la nouvelle religion une phase prodigieuse d'expansion. Les adhésions affluent, les Eglises « dressées » se multiplient. La chronologie ne peut être rigide : ici le démarrage est plus lent, là un palier est atteint dès 1562, ailleurs le déclin s'amorce plus ou moins tôt. En ces années du protestantisme conquérant, il semble raisonnable de chiffrer les fidèles à environ deux millions, quelque 10 % de la population du royaume. Cette minorité ne se répartit pas sur le territoire d'une manière homogène. Certes, il y a des communautés calvinistes presque partout à l'intérieur des frontières de la France du XVIe siècle. Mais que l'on regarde la carte des églises « dressées » telle que l'a patiemment reconstituée le pasteur Mours ! L'impact du protestantisme dans le Midi apparaît d'une manière éclatante. Un croissant d'Eglises s'étend de la Saintonge jusqu'à Lyon, encerclant les hautes terres du plateau central. Là se trouve la majorité des Eglises (et donc des fidèles) : quelque 700, alors que le Nord du pays en groupe environ 500. Les espaces privilégiés du calvinisme sont les provinces d'Aunis et de Saintonge et le Sud du Poitou ; en domaine d'oc, la Guyenne, la Gascogne, le Béarn, le Bas-Languedoc, les Cévennes, le

Vivarais ont accueilli la religion réformée, comme le Dauphiné au parler franco-provençal. Les protestants ne sont pas éloignés de maîtriser des provinces entières ! En revanche, dans la France d'oïl, celle du vieux domaine capétien, les communautés peuvent parfois constituer un manteau serré (ainsi dans la plaine de Caen), mais ailleurs elles se présentent en ordre dispersé. Certes, il y a de fortes et puissantes Eglises (Rouen, Lyon, Orléans, Paris...), mais noyées dans un tissu conjonctif catholique. De plus, beaucoup de ces paroisses appartiennent à des seigneurs, et l'existence de l'Eglise réformée sera souvent fonction de la religion du maître.

L'adhésion ouverte au protestantisme implique une rupture dont beaucoup n'ont pas mesuré la gravité. Car les réformés se situent désormais en marge d'une société française toute pétrie de religion traditionnelle à laquelle la majorité de la population du royaume, comme les pouvoirs civils, continuent de participer. Dès lors, appartenir à une autre Eglise, pratiquer une autre croyance, c'est presque mettre en place une société parallèle avec ses groupes et ses milieux divers, ses classes d'âge ou de sexe, ses rapports de force. En nous situant à la période de pleine expansion du calvinisme — entre 1559 et 1565 —, nous pouvons tenter une approche de la matrice sociale dont il constitue l'affirmation religieuse.

Le juriste Charles Loyseau a publié au début du XVII⁰ siècle, sous le titre *Traité des Ordres et simples dignités*, une sorte d'anatomie de la société française valable pour l'époque précédente. La hiérarchie ainsi décrite pourra sans doute servir de fil d'ariane au travers des arcanes du monde huguenot.

Le Clergé.

Le premier ordre de la classification retenue est celui du clergé. Catholique, s'entend ! Nombre de ses membres n'ont pas reculé lorsque le schisme a été consommé. Des clercs, réguliers ou séculiers, prélats ou modestes curés, se sont ralliés à l'autre Eglise. Les éléments les plus humbles — moines, prêtres ou vicaires —, abandonnant les bénéfices sur lesquels ils subsistaient, sont dès lors obligés de s'insérer dans la vie active. Beaucoup deviendront, après une période plus ou moins longue de « décrassage », ministres de paroisses réformées. Souvent, celles-là mêmes où ils avaient été curés. D'autres vont apprendre un métier : les autorités protestantes se montrent très zélées lorsqu'il s'agit de recycler un ancien carme ou un ancien augustin. Le haut clergé romain a aidé à l'installation et à la consolidation du

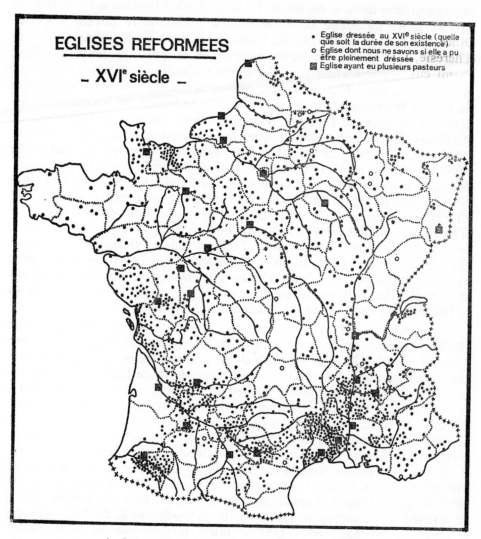

1. LES ÉGLISES RÉFORMÉES EN FRANCE AU XVIᵉ SIÈCLE

D'après S. Mours, *Les Eglises réformées en France, Paris,*
Librairie protestante, Strasbourg, librairie Oberlin, 1958, p. 51.

protestantisme dans le royaume. En avril 1563, l'Inquisition fait afficher sur les murs de Rome la sommation à comparaître devant le Saint-Office, de huit évêques français ; ceux-ci doivent se disculper du crime d'hérésie, sous peine d'excommunication et de perte de leurs bénéfices. Parmi eux, quelques-uns sont demeurés catholiques, mais ont pratiqué la tolérance. Ainsi Claude Régin, évêque d'Oloron, est aussi chancelier de la très huguenote Jeanne de Navarre ; François de Noailles montre dans son diocèse de Dax peu d'empressement lorsque le Parlement de Bordeaux lui demande de traquer les protestants. Jean de Monluc, évêque de Valence, aurait introduit dans son diocèse un rituel du baptême et des prières de type calviniste ; il est favorable à l'union des deux croyances en une confession nationale. On ne peut s'étonner dès lors que la région de Valence ait vu fleurir un nombre exceptionnel d'Eglises « dressées ». Evêque d'Uzès, Jean de Saint-Gelais prend la défense des doctrines réformées au colloque de Poissy, mais il garde son siège épiscopal. Tout comme Louis d'Albret, Monsieur de Lescar, qui oblige le clergé de la ville cathédrale à écouter — sous peine d'excommunication — les prêches du ministre Barran. Quelques années plus tard, il assistera, impassible, au ravage iconoclaste de sa cathédrale par une bande de huguenots fanatiques.

D'autres, parmi ces huit évêques, ont rompu franchement avec l'Eglise romaine. Parmi eux, Jean de Saint-Chamond ; dans son diocèse d'Aix, il autorise l'exercice public de la nouvelle religion dans les lieux saints catholiques. A Noël 1566, en chaire de la cathédrale, il vitupère contre la papauté, jette publiquement sa crosse et sa mitre, puis quitte la ville afin de rejoindre l'armée calviniste. Devenu le capitaine Saint-Romain, il mènera les guerres de religion en Languedoc. Le destin de Caracciolo, évêque de Troyes, est tout aussi théâtral. En 1562, à peine revenu du colloque de Poissy où il a défendu les couleurs catholiques, il se présente au consistoire de la ville et demande à être admis au ministère. Après le stage de rigueur à Genève et à Lausanne, il est officiellement désigné comme pasteur de Dijon, puis de Troyes. Là, il se qualifie d' « evesque et ministre du Saint-Evangile de Dieu qui est à Troyes ». Prêchant une doctrine aussi bizarre que ce titre, il est rapidement critiqué par ses coreligionnaires et doit, aux alentours de 1564, se retirer sur ses terres. Une sentence pontificale prive, en mars 1563, un autre prélat de ses bénéfices ecclésiastiques : il s'agit de cet extraordinaire Odet de Châtillon, frère de l'amiral de Coligny, comte-évêque de Beauvais, cardinal de surcroît. Marié, vivant fastueusement de ses bénéfices ecclésiastiques, il se gouvernait en son château épiscopal selon les rites calvinistes jusqu'à ce que, le scandale aidant, il soit obligé de se réfugier en Angleterre. Faut-il encore évoquer Jean de Lettes, évêque de Montauban ? Converti au protestantisme, marié, il a coulé des jours heureux sur les bords du Léman dans une superbe résidence acquise de la vente des biens et revenus attachés à son ancienne dignité.

La noblesse.

La noblesse a massivement adhéré à la nouvelle religion. Lors de l'explosion du protestantisme (entre les années 1559-1565), la moitié de la noblesse, a-t-on dit, est convertie. Chiffre sans doute exagéré. Car il faut nuancer par régions : ainsi en Bretagne, en Bourgogne, les hobereaux sont restés catholiques comme leurs paysans. En revanche, en certaines provinces du Sud du royaume, comme en Normandie, en Brie et en Champagne, il y a toute une gentilhommerie calviniste. De très hautes familles y figurent. De celles qui entrent de droit au Conseil du roi, auxquelles sont réservées les charges de grands officiers de la Couronne et accordés les riches abbayes et les évêchés opulents. Notons quelques-uns de ces patronymes célèbres : les Bourbon, les Condé, les Larochefoucault, les Crussol-Uzès, les Caumont-Laforce, les Chatillon... Leur rôle dans la genèse d'une société protestante est considérable. Par le jeu des fonctions politiques qu'exercent ces puissants personnages, des pans entiers de l'administration royale adhèrent à la nouvelle Eglise. Ce ne sont pas des conversions intéressées ; la conviction religieuse s'y mêle à la loyauté envers le chef. Simple exemple, qui pourrait être multiplié par mille : le sénéchal des Lanes (Landes) est, vers 1560, Pons de Pons, sire de la Caze et de Mirambeau, de robuste noblesse saintongeaise. Or, entre 1562 et 1569, le Parlement de Bordeaux condamne pour hérésie une bonne part des cadres landais : quatre capitaines de places fortes, des hobereaux locaux, un chevaucheur et, pour les civils, des sergents royaux et des juges du présidial de Dax. Le rôle de ces grandes familles est accru par le jeu des mariages entre coreligionnaires. Ici encore, un cas significatif, car il ne concerne ni les princes du sang ni les plus prestigieux des lignages féodaux. Jeanne de Gourdon-Génouillac, dame d'Assié en Quercy, se convertit tôt au protestantisme ; elle épouse Charles de Crussol, de la même religion. A l'exception de leur fils Jacques, baron d'Assié, que les horreurs de la Saint-Barthélemy amèneront à l'abjuration, leur descendance directe (fils et gendres) va fournir les chefs huguenots des guerres de religion méridionales. Leur cadet, Galiot de Crussol, sera le capitaine Beaudiné. De leurs gendres, l'un sera le père du fameux Gourdon, l'un des sept vicomtes, l'autre — Geoffroy de Cardaillac — sera le capitaine Marchastel à la cruelle réputation. On voit donc comment, par le jeu combiné d'une stratégie féodale, politique et familiale, de véritables groupes protestants se sont constitués.

Un phénomène de tache d'huile s'opère à partir du pouvoir seigneurial dont disposent ces nobles ; ils possèdent comme seigneurs des villages et parfois des villes entières. En Normandie, comme en Brie et en Champagne, le protestantisme est très souvent leur fait, puisque ils ont remplacé sans ambage dans l'église paroissiale dont ils sont patrons le curé par un pasteur. Dans le Midi, le rôle de la famille Caumont-La Force est exemplaire ; la carte des églises protestantes en Agenais et en Périgord recoupe celle de leurs fiefs en ces régions. Charles de Caumont, cadet de la famille, abbé et seigneur de Clairac, a fait venir dans la ville ministres et prédicateurs réformés ; en 1560, il y organise et préside un synode provincial, véritable assemblée constituante du calvinisme en Guyenne. Dès 1562, le catholicisme n'existe plus à Clairac. Lorsque, à la fin du siècle, l'évêque d'Agen voudra reconstituer les églises de son diocèse, les consuls de la cité refuseront toute réinstallation du culte romain. Cependant, malgré l'exemple extrême de Jeanne d'Albret supprimant en 1565 la religion catholique en Béarn et instaurant un protestantisme d'Etat, on ne doit pas conclure à la généralisation, sur les domaines des nobles protestants, du principe *cujus regio, ejus religio.* Beaucoup ont respecté les vœux d'une population demeurée fidèle à Rome. Inversement, des Eglises calvinistes s'établissent en des lieux où le seigneur ne l'est pas. Si Jeanne d'Albret s'est montrée radicale en son royaume, pour certains de ses fiefs français (en Bigorre et dans le comté de Rodez en particulier), elle n'a nullement entravé l'exercice du culte catholique.

Les gradués de l'Université.

Groupe social aux professions diversifiées, touchant à la noblesse par ses fonctions ou ses seigneuries, ceux que l'on pourrait appeler les gradués de l'Université se retrouvent en masse dans les Eglises calvinistes. Docteurs en droit ou licenciés vont achever de donner au protestantisme français cette coloration juridique esquissée par Calvin. Quelques exemples pourront indiquer le rôle de ces hommes à l'intérieur de la communauté. Les officiers royaux — à la fois juges et administrateurs, selon les critères de l'Ancien Régime — sont en leurs catégories supérieures diplômés de la Faculté de droit. Monluc, en ses commentaires, note avec tristesse : « ...et le pis, d'où est procédé tout le malheur, (est) que les gens de justice aux parlemens, seneschaucées, et aultres juges abandonnoient la religion ancienne et du Roy pour prendre la nouvelle ». Les gens du parlement... le fait peut étonner lorsque l'on songe à la vigoureuse chasse aux hérétiques menée par cette institution à travers le royaume alors que le schisme n'existait pas encore. Pourtant, certains deviendront protestants, au moins pour un temps. Les cours de Grenoble, de Toulouse, de Bordeaux comportent d'assez nombreux conseillers de la religion. Ainsi, après l'affrontement toulousain de mai 1562, où les protestants ont tenté de s'emparer de la ville, trente magistrats sur quatre-vingts sont interdits de fonction lorsque la répression catholique s'abat sur la cité. C'est une forte proportion pour cette cour qui s'est voulue dans le passé une citadelle de l'orthodoxie (Etienne Dolet la taxait dès 1531 de « barbarie » !). De 1562 à 1588, les conseillers dégradés — dont certains ont fui — et leurs familles ne cesseront d'être inquiétés, traqués en leurs biens et en leurs personnes physiques. Trois d'entre eux (les conseillers Coras, Ferrières et Lacger) périront misérablement, pendus dans leur robe rouge de fonction, en octobre 1572, lors de la Saint-Barthélemy toulousaine. Pendant la crise paroxysmale de la Ligue de 1588, ce sont encore des officiers qui paieront de leur vie, non pas leur adhésion au protestantisme, mais leur non-fanatisme à l'égard d'une religion haïe. Bizarre comportement de ce corps de magistrats à l'égard des siens, qui reflète celui, presque névrotique, de la ville. Le Parlement de Bordeaux, où un milieu réformé s'était créé autour du président Lagebaston, se conduit beaucoup plus calmement. Celui de Grenoble a, aidé par le gouverneur de Gordes, contribué à éviter les massacres de 1572. A Paris, les conseillers du roi ont été aussi très surveillés quant à leur orthodoxie religieuse, mais les registres d'écrou de la conciergerie du Palais n'indiquent point de magistrats du Parlement impliqués pour hérésie entre 1564 et 1572.

Les officiers des juridictions inférieures, ceux des tribunaux de bailliages (ou de sénéchaussées), ceux des présidiaux, deviennent des fervents du calvinisme. Dans le Midi surtout, où la presque totalité des présidiaux d'Agen, de Saintes, de Dax, de Béziers, de Nîmes appartient à la nouvelle religion lors de sa grande vague conquérante. Ceux de Nantes et de Vienne sont pareillement emplis d'hérétiques. Beaucoup d'avocats, membres de ces cours de justice, sont devenus protestants. Personnages importants, ils vont jouer à l'intérieur de la communauté un rôle considérable. Par leur nombre : un quart des chefs de famille protestants de Vitry-le-François, le cinquième de ceux d'Agen. Presque tout le barreau de Nîmes est de la religion... Par leur action : ils seront pasteurs, diacres ou anciens ; beaucoup seront tentés par l'aventure politique et participeront aux assemblées créant, après 1572, les Provinces-Unies du Midi.

Plus bas dans l'échelle sociale se situent ceux que l'abbé Carrière a appelés « la basse magistrature ». Une foule de modestes sergents porteurs de contraintes, de solliciteurs, d'huissiers, de procureurs, d'avoués deviennent les fidèles des Eglises « dressées ». Parmi ce petit monde où des bribes de droit ont été acquises par la pratique plus que par l'Université, les notaires se sont lancés joyeusement dans le schisme. Vers 1566, plus de la moitié des notaires bordelais et lyonnais, la majorité des tabellions de Nîmes et de Béziers sont inscrits sur les rôles de la nouvelle Eglise. En pays de droit écrit, où le contrat intervient pour les actes les plus anodins de la vie quotidienne, on trouve nombre de notaires huguenots. Dans les villages, en particulier, où ils représentent le lien du peuple analphabète avec le monde de l'écrit, ils joueront au sein des institutions protestantes un grand rôle ; ils siègent au consistoire, participent aux colloques ou aux synodes provinciaux, gèrent les affaires de l'Eglise et même de la communauté.

Les gens du commerce et artisans.

Les gens du commerce — le fait est bien connu — ont constitué une part importante des fidèles. Des gens d'affaires aux horizons internationaux sont devenus calvinistes. Ainsi à Rouen, à Nantes, à La Rochelle, à Bordeaux, à Lyon. En cette dernière ville, on a récemment montré que 13 % des protestants sont marchands, et la moitié d'entre eux appartiennent à l'aristocratie du négoce. Le cas des pasteliers toulousains est très frappant. Ceux-ci, entourés de leurs parents qui ont acquis offices royaux et seigneuries, de leurs associés, de leurs « facteurs », ont constitué un milieu dans lequel le calvinisme a reçu un accueil favorable. Citons Etienne de Ferrières, Pierre d'Assézat, Pierre Cheverry, Jean II Bernuy, tous, à des degrés divers, traqués par la répression de 1562.

Beaucoup de protestants du commerce ont des horizons beaucoup plus limités. Ils trafiquent du blé, des chevaux, des étoffes, ils sont usuriers, prêteurs sur gages, marchands drapiers, ils font travailler des artisans du textile. Loyseau leur adjoint les apothicaires, orfèvres, pelletiers, merciers. Cette société, à la frontière des notables et du « vil peuple », est fortement représentée, surtout si on y joint le clan des libraires et imprimeurs. Les analyses socio-professionnelles des membres des Eglises de Toulouse, Béziers, Grenoble, Dijon, Paris indiquent que la proportion de ce groupe varie entre 20 et 35 % de l'effectif total de la communauté, ce qui est considérable !

Si nous descendons l'échelle sociale, les artisans forment un gros bloc d'adhérents au protestantisme. « Les plus vils », ainsi les qualifie Loyseau, constituent à Lyon comme à Dijon, à Vienne comme à Valence, à Beauvais et à Montpellier, la moitié au moins du corps des fidèles. La proportion est plus faible pour des villes, telles Grenoble, Toulouse, ou des régions comme la Guyenne où la fonction industrielle est peu développée. On peut facilement remarquer que la majorité des émigrés français à Genève, pour la période 1549-1560, est constituée d'hommes des métiers : les deux tiers pour le Midi de langue d'oc, plus des deux tiers pour la Normandie. Mais ces pourcentages ne peuvent donner une idée de la réalité sociale protestante pour l'ensemble du royaume, car partent ceux qui n'ont rien à perdre. Les magistrats, les avocats ou les nobles sont liés à leurs fonctions et à leurs terres et ne les laissent que contraints et forcés. Aussi, la répartition des strates à l'intérieur d'une Eglise constituée est plus complexe que ne le suggère la longue théorie des artisans accueillis par Genève. Scrutant plus avant ce peuple huguenot, on s'aperçoit que certains métiers ont accueilli plus que d'autres le calvinisme. Parmi ceux-là, notons trois ensembles compacts : les gens du textile (tisserands, « tissotiers », cardeurs, teinturiers, les plus nombreux des artisans, il est vrai...), les gens du cuir (surtout les cordonniers, mais aussi des selliers, des tanneurs...), et un étrange petit monde où se côtoient des hôteliers (« hostes »), des taverniers, des cabaretiers. Si l'on songe que les doctrines calvinistes ont pénétré dans le peuple par la transmission orale, si l'on sait que les auberges, tavernes et autres cabarets sont les lieux privilégiés de la rencontre et de la parole populaires, on ne pourra plus s'étonner de voir leurs tenanciers prendre parti dans le débat religieux du siècle.

Les femmes...

Loyseau, tout entomologiste social qu'il soit, ne mentionne jamais ni les femmes ni les jeunes. Or, le protestantisme a attiré les unes et les autres avec une puissance très grande et leur participation aux nouvelles Eglises a eu des conséquences parfois étonnantes.

Les historiens de la Réforme ont depuis longtemps constaté un intérêt féminin pour la religion de Calvin. Ils ont porté leur attention sur les dames de grande naissance ; on a pieusement publié leurs écrits, leurs lettres, voire leurs testaments. Depuis quelques années, le sujet a été renouvelé par des recherches américaines. Miss Nancy Roelker a montré que les femmes de la haute noblesse se sont en effet engagées dans la cause protestante. Natalie Davis indique que les femmes de la bourgeoisie et de la petite bourgeoisie ont été les fidèles des Eglises « dressées » par choix individuel. D'ailleurs, les listes de protestants établies par les autorités de la répression ou par les dirigeants des communautés viennent soutenir vigoureusement sa thèse. L'élément féminin représente plus du tiers des grandes assemblées tenues à Dijon et à Montpellier en 1560. Dans la première décennie du protestantisme d'Eglise, les milieux féminins huguenots sont peu ou prou à l'image de la communauté protestante. Les couventines, comme leurs homologues masculins, ont passionnément adhéré à la doctrine de Calvin. Plusieurs abbesses et religieuses du Languedoc font hommage de leur conversion au consistoire de Nîmes ; celui-ci les accueille avec circonspection : méfiance à l'égard des renégats trop frais sortis de l'Eglise romaine ou mépris latin pour la femme ? Parfois, cette adhésion se manifeste de façon spectaculaire : les religieuses de l'Annonciade à Bordeaux, chantant très fort les Psaumes français de Marot, contaminent tout le voisinage. D'autres destinées sont plus légères : les nonnains de Lespinasse, près de Toulouse, se font très volontiers enlever par des huguenots fort gaillards et s'en viennent à Montauban pour les épouser. Beaucoup, parmi ces dames huguenotes, sont de haute lignée. Il y a aussi de nombreuses épouses de magistrats, avocats, médecins, négociants, et de notaires ou d'artisans supérieurs : apothicaires, orfèvres, pelletiers, etc. Deux constatations s'imposent cependant. Le grand nombre de veuves étonne, même si l'on sait qu'au XVIe siècle la surmortalité masculine est aussi marquée que de nos jours. D'autre part, le grand nombre de femmes exerçant un métier qui leur est propre. Elles sont hôtelières, revendeuses, marchandes de poisson, serveuses..., ou elles ont repris l'ouvroir de leur défunt mari.

Comment expliquer cette disposition féminine à pratiquer la religion de Calvin ? Certes, le mouvement de contestation de l'Eglise romaine par les femmes n'est pas un phénomène neuf. Nancy Roelker explique ainsi la ferveur de la noblesse féminine :

> « A cause de sa ferveur morale et de son orientation pratique, le calvinisme offrait aux femmes de la noblesse de nouvelles options d'autonomie et de développement personnel par l'action sociale et politique dans le monde au-delà de leur famille, tout en satisfaisant leur soif des eaux pures et vivantes de l'Evangile ».

III. GASPARD DE COLIGNY EN 1570

François Clouet a su rendre le regard direct et la physionomie grave de l'amiral,
grand espoir du « parti protestant », deux ans avant son assassinat

IV. ASSEMBLÉE PROTESTANTE AU XVIᵉ SIECLE

Il s'agit sans doute d'un synode, qu'ouvre le modérateur, le doigt posé sur une Bible.
Observer les bonnets carrés

Natalie Davis, parlant de cette même catégorie, pense qu'il y a là une affirmation féministe, soit que quelques femmes cultivées entrent dans un domaine réservé jusque-là aux hommes, la théologie, soit que cette massive adhésion féminine au protestantisme, souvent personnelle, exprime surtout la recherche d'une identité. Allant vers la nouvelle religion, la femme espère y trouver une participation au culte, un droit à la parole que lui refusent et les mœurs et le catholicisme dominant. Mais le protestantisme pourra-t-il répondre à cette attente ?

...et les jeunes

Ils ont vécu avec passion l'aventure religieuse. Leur nombre dans les rangs des calvinistes est difficile à apprécier. Les sources manuscrites ou imprimées mentionnent rarement les âges. Ces jeunes hommes ont été assez nombreux dans les premiers temps du protestantisme organisé pour donner au mouvement une coloration particulière. Ils sont massivement présents chaque fois que la violence a parlé. Les actes iconoclastes, si souvent reprochés aux huguenots, sont presque toujours leur fait. Ainsi à Poitiers en 1559, à Rouen en 1562, à Lisieux, à Bordeaux entre 1553 et 1561, à Toulouse en 1555, etc., des statues ont été mutilées, des églises ont été profanées, des autels détruits. La Michelade de Nîmes en 1567 est une brutale irruption de la mort dans une ville plutôt paisible : plusieurs dizaines de clercs catholiques — quelques-uns sont même de hauts dignitaires — périssent dans des circonstances particulièrement atroces. Parmi les fauteurs, 15 % sont de très jeunes gens.

Sans aller jusqu'à la violence, la jeunesse protestante a très souvent fait éclater au grand jour des situations demeurées ambiguës. C'est elle qui a contribué à porter sur la place publique les premières communautés. Jusqu'alors, celles-ci se calfeutraient dans une clandestinité prudente. Ce sont des jeunes gens de Montpellier qui firent venir de Genève le premier ministre. Presque toujours, ce sont des voix juvéniles qui entonnent en français les Psaumes, révélant haut et clair la présence d'une communauté calviniste. Alors que leurs aînés tergiversent encore dans un nicodémisme (haï de Calvin !) qui les garantit d'une cruelle répression, ou supportent en silence emprisonnements, taxes extraordinaires, vexations multiples, les jeunes refusent la prudence comme la patience. Rompant avec leur passé, ils quittent le ghetto et partent. Quelques listes dressées par les autorités indiquent les noms et qualités des « fuytifs » d'une ville ou d'une région. Parmi ceux-là, plus de 10 % de garçons et même de filles. Les garçons vont grossir les bandes armées : celles de Merle, celle du baron des Adrets ou de Saint-Romain. La guerre les attend. Mais le plus grand nombre gagne Genève. La participation massive des adolescents ou des jeunes hommes aux Eglises récemment « plantées » a ainsi donné à ce premier protestantisme une dimension particulière. De violence, certes, mais aussi de courage et de franchise.

Et les cultivateurs ?

Si la diffusion de la pratique calviniste à travers la population du royaume s'est opérée selon des modes de sociabilité préexistants, la communauté protestante ne reproduit pas pour autant l'ensemble de la société française. Dans un pays où la majorité cultive la terre, les cultivateurs apparaissent assez peu concernés par la nouvelle religion. Certes, nos exemples chiffrés portent sur des villes et non sur des campagnes. Mais chacun sait qu'au XVI⁰ siècle les faubourgs urbains sont bourrés de paysans qui forment parfois (à Nîmes, à Montpellier, à Beauvais, etc.) la moitié de l'effectif de la cité. Il n'en demeure pas moins vrai que des paysans ont appartenu aux nouvelles Eglises dans la mesure où le seigneur-patron remplaçait le curé (ou le vicaire) par un ministre dans la chaire paroissiale. La valeur de ces conversions est peut-être contestable : les gens de la terre, avides de recevoir les sacrements, sont sans doute peu exigeants sur les rites et les dogmes. Aussi, en Cotentin, en Brie, en Gascogne, en Dauphiné, en Provence, il y a, pour cette raison, des paysans calvinistes. Mais il ne faudra pas s'étonner de la disparition de tels fidèles, quand les nobles, seigneurs et patrons, rallieront le giron accueillant de l'église romaine. Il faut même aller plus loin : les rustres sont, dans leur immense majorité, demeurés attachés (comme une grande partie du petit peuple urbain) au paganisme saupoudré de rituel catholique qui leur sert de religion. Ils ont même passionnément haï les protestants, gens des villes et villages, iconoclastes et profanateurs, jusqu'à les massacrer en maintes occasions. Les témoignages abondent. Même en Béarn, où le calvinisme est d'Etat, les paysans ne se sont jamais complètement ralliés.

Le protestantisme apparaît surtout comme une religion de la ville et du bourg. Ici, le monde des notables prend une importance particulière. Même lorsque les gens de métier constituent la moitié ou plus de la communauté, ils sont encore sous-représentés par rapport à leur poids numérique dans la cité. Les couches supérieures sont, partout ou presque partout (en valeur absolue ou relative) beaucoup plus nombreuses dans les Eglises calvinistes que les artisans. Ces notables connaissent la lecture et l'écriture (mais une partie des artisans aussi !). Dans le Midi, ils parlent le français et l'occitan. Ils vont tenir en langue du prince les livres : ceux des baptêmes et des mariages, ceux des délibérations consistoriales. Et aussi les registres des aumônes et les listes, rôle des « cottizés » pour l'entretien du pasteur, etc. Siégeant au Consistoire, ils tenteront de modeler à l'éthique calviniste leurs coreligionnaires. Certes, nous ne devons pas raisonner avec nos modernes cadres de pensée ; il est normal, dans la société du XVIe siècle, que le protestantisme ait été religion d'une minorité évoluée culturellement. Religion du livre, de l'ascèse, de l'exigence morale, elle a séduit hommes et femmes à la recherche d'une spiritualité approfondie, d'une morale austère et différente.

Le problème du reflux.

La période 1570-1598 représente pour le protestantisme une époque de recul numérique et de rétrécissement dans l'espace. Le grand tournant, à tous égards, se situe au moment de la Saint-Barthélemy. Le mouvement de repli, amorcé quelques années plus tôt — certains disent dès 1567, d'autres envisagent la troisième guerre civile — s'accélère alors. L'évolution se marque par la disparition d'Eglises plantées ou dressées lors des temps d'expansion. Le fait ne signifie d'ailleurs pas la mort de la communauté mais plutôt son incapacité à poursuivre l'effort financier de l'entretien d'un ministre, le plus souvent parce que le nombre de fidèles a baissé. Pour l'ensemble du royaume, on peut évaluer à 30 % environ la disparition des lieux de culte entre 1570 et 1598. Ce rétrécissement de l'espace réformé est suggéré par les constants remaniements des circonscriptions religieuses : des colloques sont supprimés, des Eglises regroupées sont desservies désormais par un seul ministre. Le tableau ci-joint tente de dresser un approximatif bilan de ce phénomène de peau de chagrin constaté par nombre d'historiens. Comment tenter de l'expliquer ?

Le protestantisme est, dans le royaume de France, une religion minoritaire. Les adhérents, au temps de l'expansion, n'ont pas toujours mesuré le point de non-retour où les conduisait leur soif d'absolu religieux. En particulier, ils ont mis longtemps à prendre conscience de la rupture que signifie la construction d'une église dissidente. Lorsque Henri II meurt en 1559, lorsqu'un peu plus tard Catherine de Médicis assure le gouvernement, beaucoup ont alors cru à la fusion des deux croyances en une religion nationale. Sous Henri IV, ce rêve un peu fou ne s'est pas encore évanoui. Pourtant, la réalité lui a porté les

LES EGLISES PROTESTANTES EN FRANCE

Evaluation numérique entre 1559 et 1637

	France du Nord		France du Midi y compris Aunis et Saintonge		Béarn	
	Chiffres absolus	Pourcentages cumulés des églises disparues	Chiffres absolus	Pourcentages cumulés des pertes	Chiffres	Pertes
1559-1570	514		729		87	
1598	346	33 %	501	31 %		
1601	278	46 %	504	31 %		
1607	293	43 %	417	43 %		
1637	196	62 %	371	49 %	47	46 %

1) Les chiffres sont extraits de l'ouvrage du pasteur Mours (*Les Eglises Réformées en France*, Paris, 1958). Nous n'avons compté qu'une Eglise lorsque plusieurs communautés sont jointes.

2) Evaluation faite au synode national de Montpellier (AYMON, *Actes ecclésiastiques et civils de tous les Synodes nationaux ...*, La Haye, 1736, I, p. 226).

3) Evaluation du synode national de Gergeau (AYMON, *op. cit.*, I, p. 252).

4) Evaluation du synode national de La Rochelle (AYMON, *op. cit.*, I, p. 340 et sq.).

5) Evaluation du synode national d'Alençon (AYMON, *op. cit.*, I, p. 291 et sq.).

Les chiffres indiqués ne sont en fait que des approximations. Le pasteur Mours est sans doute un peu trop généreux pour son appréciation globale. D'autre part on peut remarquer des flottements entre les chiffres donnés par les synodes. Mais l'important demeure : la disparition d'un grand nombre de communautés en quatre-vingts ans et le fait que le Midi connaît un recul moindre que le Nord.

coups les plus rudes. Le premier fut l'échec du colloque de Poissy en 1562. Cette tentative de conciliation doctrinale a réuni les théologiens les plus fameux de chaque religion, mais aucun accord dogmatique ne fut possible. Cette défaite matérialise pour les protestants le schisme chrétien, comme les guerres civiles signifient le schisme politique. Les protestants se trouvent dès lors en dehors de l'orthodoxie et de la légalité monarchique. A la fin du siècle, l'arrivée au pouvoir suprême d'Henri de Navarre ramènera au cœur de quelques obstinés l'espoir de l'unité religieuse, puisque une relative unité politique se mettait (péniblement) en place. La stratégie d'Henri IV ne pouvait consentir à de tels sacrifices. Les calvinistes français sont donc condamnés à rester en dehors d'un consensus catholique et royal. Aussi, beaucoup d'adeptes de la première heure vont regagner les chemins tout tracés du conformisme religieux et politique. Ce revirement s'explique d'autant mieux que le catholicisme opère lentement une profonde réforme. Le concile de Trente va bientôt produire les textes doctrinaux fondamentaux de la croyance romaine. Un clergé militant les utilisera pour tenter une reconquête (ou conquête ?) des âmes. Très vite, les Jésuites vont entrer en action sur le territoire français. La vieille religion remise « sur ses rails » se révèle vers 1600 capable de répondre aux besoins spirituels des masses et de l'élite. Elle sera même apte à reprendre à l' « hérésie » maintes brebis égarées. Le protestant se trouve donc dans une situation pénible.

En effet, pour celui qui n'aspire ni à l'héroïsme, ni au martyre, ni à l'ascèse, il est très dur de vivre ses convictions. Car, durant ce demi-siècle, les calvinistes ont été traqués, massacrés, expulsés de leurs villes, chassés de leurs fonctions... Certes, il y eut des périodes de répit, il y eut aussi des lieux et des régions privilégiés. Cependant, il faut un énorme courage personnel pour supporter l'hostilité et la répression. Tous ne l'ont pas eu. Au-delà même de la persécution, la vie quotidienne du protestant est difficile et austère. Sa religion est aussi une exigence morale contraignante qui l'oblige à contrôler ses pulsions les plus élémentaires, l'écartant des lieux où se divertissent les gens des villes et des villages. Il est dur de ne pouvoir assister aux bals, aux fêtes votives, aux pèlerinages..., moments privilégiés où la communauté locale se retrouve soudée, auxquels le calviniste ne peut plus participer car on le lui interdit. Il lui arrive de regimber et retrouver avec le catholicisme les plaisirs partagés de la collectivité. Tout ceci peut apparaître mince pour qui ignore la grande emprise de la collectivité et de ses manifestations sur l'individu du XVIᵉ siècle. Seuls les êtres d'élite y résistent, parfois !

Mais, sans conteste, le sacrifice financier exigé du croyant a provoqué une extrême lassitude et souvent le renoncement. Car l'équivalent n'existe pas dans l'autre religion. L'Eglise romaine dispose pour son œuvre de charité et d'enseignement, pour l'entretien de son clergé, de vastes ressources. La foi des chrétiens a constitué une réserve de fondations, de legs pieux, de donations diverses que les siècles ont accumulés. La dîme, levée sur les récoltes, représente la contribution annuelle de la société aux besoins de l'Eglise. Les communautés protestantes n'ont ni ce revenu régulier ni ces bénéfices opulents. Or, elles doivent faire face à de lourdes charges. L'entretien du ministre est certainement le poids le plus difficile à assumer pour les fidèles. Autrefois, le curé ou son vicaire, même s'il ne recevait pas sa juste part de la dîme, possédait souvent un petit bénéfice lui permettant de subsister. Et puis il vivait, en principe, seul. Maintenant, le pasteur a une famille et souvent une famille nombreuse : ses besoins sont donc plus grands. Autrefois, l'homme de Dieu demeurait (lorsqu'il résidait) incrusté en sa paroisse, avec peu de contacts avec l'extérieur. Maintenant, le ministre est obligé, par la Discipline ecclésiastique, de rencontrer périodiquement ses semblables, lors des colloques et des synodes, et les fidèles doivent financer ces déplacements. De plus, les protestants doivent participer au paiement des reîtres appelés par leurs chefs militaires, ils doivent assurer une part des énormes dépenses de fonctionnement du Parti lorsque celui-ci se mettra en place après 1572 : paiement des députés lors des multiples assemblées régionales ou provinciales, traitement du Protecteur et de son conseil permanent, etc. Or, quelles sont les ressources des Eglises réformées ?

Les cotisations levées sur les fidèles sont annuelles, parfois versées en nature, proportionnées aux revenus. Dans les lieux entièrement dominés par « ceux de la religion », les consuls ou les autres magistrats municipaux se chargent de répartir cette taxe suivant l'assiette de la taille. Souvent, ils en font la levée en même temps que celle de cet impôt. Dans les autres villes ou villages, les gens du Consistoire établissent les rôles des contribuables et en font le recouvrement. Mais avec quelles difficultés et combien de retards ou de refus ?

Dans les Eglises de fief, le seigneur contribue souvent très largement à l'entretien du ministre ; parfois aussi, il gage un maître d'école.

Dans les régions à majorité huguenote, très rapidement la dîme a été levée pour les besoins de la nouvelle Eglise. Ce qui, après tout, est de bonne guerre puisque en pays protestant la dîme est utilisée à ses fins premières ; en particulier, l'entretien du pasteur. Quant aux bénéfices ecclésiastiques, la démarche calviniste a été longtemps hésitante. Ce n'est qu'après 1572, lorsque se constituera une république huguenote autonome, que les bénéfices ecclésiastiques seront officiellement confisqués et affermés pour les besoins du Parti et des Eglises. Mais ces ressources n'ont jamais suffi. Parce que leur exploitation n'a jamais pu être systématique : rappelons que le protestantisme, même dans le Midi, n'a jamais été religion majoritaire. Une seule région a réussi à mobiliser totalement les ressources de l'ancien clergé romain ; en Béarn, l'application du principe *cujus regio ejus religio* a déchargé les fidèles et contenté les ministres.

Lorsque Henri de Navarre est devenu roi en France, il a tenté d'aider ses anciens coreligionnaires en débloquant à leur profit des fonds pris sur certains revenus de l'Etat. Ravies et soulagées, les Eglises réunies en synodes ont fait connaître au gouvernement leurs charges : le nombre de pasteurs à rémunérer, les collèges et les Académies dont le fonctionnement leur incombait, etc. Mais l'argent n'est presque jamais venu, et jamais assez pour alléger sérieusement le fardeau des fidèles.

Ceux-ci supportent avec une grande mauvaise humeur ces ponctions. Les refus de contribuer sont très fréquents ; le Consistoire les punit selon la Discipline. Certaines Eglises « ingrates » sont privées des services du ministère. Les actes des colloques, des synodes provinciaux ou nationaux regorgent des plaintes des ministres auxquels leurs paroisses ne veulent (ou ne peuvent) assurer un niveau de vie décent — et encore moins contribuer à leurs voyages ecclésiastiques. Les collecteurs des fonds du Parti se heurtent localement à ces mêmes problèmes de refus. On peut donc facilement comprendre l'immense découragement des protestants face à ces devoirs financiers dont ils ne viennent jamais à bout. Ils sont parfois tentés d'y échapper. Cette femme d'avocat parisien s'en explique dans les *Caquets de l'Accouchée* :

> « Je vous assure, ce dit une femme qui n'avait encore point parlé, maigre, pâle, mélancolique et pleine d'inquiétude, mon mari qui est avocat à la Cour gagne ce qu'il veut, fait les affaires de tous ceux de la religion (comme en étant aussi, da !). Mais il semble que tout ce qu'il gagne fond dans ses mains. Je ne vois autre chose en notre maison que des demandeurs : l'un vient quérir la taille ordinaire du corps du trésor de la religion, l'autre la cure de MM. de Rohan et de Soubise, l'autre le nouvel entretènement des ministres... Bref, j'ai compté pour plus de 100 écus à ma part. Moi, si cela dure, j'aime mieux que mon mari fasse le papelard que de continuer. Pour cela, ni lui ni moi ne croirons que ce que nous voudrons ; au moins nous serons dispensés de cette taille... »

D'autres n'en sont pas restés au niveau des intentions. Ils ont abjuré le protestantisme comme promet de le faire l'auteur de cette furieuse apostrophe : « qu'il aimerait plus aller au diable que de paier rien pour le ministre entretenir et qu'il se volloit révolter (convertir) ».

Les institutions ecclésiastiques

L'ecclésiologie de Calvin s'est élaborée d'abord à Strasbourg aux côtés de Bucer, puis à Genève. Dès 1541, sous l'impulsion du Réformateur, le Conseil de ville promulgue les Ordonnances ecclésiastiques, fondement de toute l'organisation et de la discipline de l'Eglise de Genève. « Il y a quatre ordres d'offices que Nostre Seigneur a institué pour le gouvernement de son esglise, ascavoir les pasteurs, puis les docteurs, après les anciens... quartement les diacres... ». La Discipline française de 1559 reprend ce modèle institutionnel en l'adaptant aux réalités du royaume. Il semble nécessaire de détailler quelque peu ces structures ecclésiales car elles sont porteuses d'une pratique et d'un encadrement religieux propres au protestantisme.

Le Consistoire.

Le Consistoire s'est trouvé mis en place en premier dans de nombreux cas. Les anciens qui le composent ont très souvent écrit à Genève pour faire venir un pasteur de leur choix. Le respect de la chronologie conditionne sa place dans ce développement, mais aussi son originalité et sa fonction dans l'ensemble ecclésiastique protestant. Son rôle, défini par la Discipline, apparaît fondamental :

> « L'office des anciens est de veiller sur le troupeau avec les pasteurs, faire que le peuple s'assemble et que chacun se trouve aux dites congrégations, faire rapport des scandales et fautes et en général avoir soin avec eux de toutes choses semblables qui concernent l'ordre, l'entretien et le gouvernement de l'église, ainsi qu'en chacune église : il y aura une forme de leur charge par écrit selon la circonstance des lieux et des temps. »

La tâche des hommes du consistoire est très vaste. Elle est de surveillance et d'éducation des fidèles, mais aussi de gestion du temporel. Ainsi, ils s'occupent de lever les fonds pour l'entretien du ministre, en sa compagnie, ils assistent aux synodes et colloques ; ils effectuent la correspondance avec les autres églises. Les actes de délibérations consistoriales, les livres des pauvres, que le temps n'a pas détruits, concrétisent cette activité multiforme. Certains anciens s'occupent en France de la charité, de l'assistance et de la santé ; ce sont les diacres...

Les consistoires se sont d'abord mis en place plus ou moins spontanément, au sein d'un groupe converti au calvinisme. Par la suite, les membres en sont renouvelés par cooptation (que ceux du XVIe siècle appellent « élection »). De fait, il y aura permanence et stabilité dans la composition sociale des consistoires. En principe, les anciens sont changés tous les ans, mais les circonstances ont souvent entravé cette régularité. Leur fonction gratuite empiète parfois sur la vie professionnelle ou privée. En effet, s'il y a généralement une session du consistoire par semaine (elle se déroule presque partout dans le temple après le prêche du dimanche matin), les réunions extraordinaires ne sont pas rares. La tâche est donc astreignante ; aussi, les anciens se recrutent majoritairement dans les milieux aisés. Ce qui leur confère également le prestige nécessaire à leur autorité.

Ce sont les anciens qui décident du choix du ministre. Siégeant avec le pasteur en tribunal des mœurs, ils tentent par une longue et quotidienne patience de diffuser l'éthique et la sociologie calvinistes à l'intérieur d'une communauté à peine dégagée d'une religiosité médiévale. Aussi s'efforcent-ils de faire régner la paix dans le troupeau en réglant par arbitrage quantité de conflits familiaux, domestiques, professionnels, évitant dès lors le recours à l'autorité civile. Souvent, ils sont amenés à faire jurisprudence sur des cas épineux de mariage ou de fiançailles. Ils contrôlent la pratique des fidèles, les catéchisent. En accord avec les pouvoirs locaux, ils font régner l'ordre moral dans la ville ou le village. Par ailleurs, ils tâchent de faciliter les rapports des ministres souvent fraîchement émoulus de l'Académie de Genève avec leurs paroissiens, car ils ont une meilleure connaissance des faiblesses du troupeau que les pasteurs. En bref, la mise en pratique du protestantisme est pour beaucoup l'œuvre des hommes du consistoire.

Les moyens dont ils disposent pour discipliner le peuple protestant sont de nature ecclésiastique. Les manquements sont connus par dénonciation ou par l'attention étroite des anciens — que les textes nomment aussi surveillants — pour les quartiers dont ils sont responsables. Les pécheurs sont appelés à comparaître devant le ministre et les anciens. L'important est l'aveu de la faute. Car reconnaître son erreur, c'est admettre *ipso facto* l'existence d'une loi, et donc s'y plier. Dans la majorité des cas, le coupable subit l' « admonestation » ou la « censure », c'est-à-dire qu'il s'entend expliquer en quoi il a dérogé à la règle. La procédure se complique lorsque l'acte est grave, c'est-à-dire s'il est public, offrant alors aux ennemis de la religion le spectacle de protestants indignes, ou encore s'il y a trahison à l'égard de Dieu. Adultère, fornication, blasphèmes, relations avec le papisme entrent dans cette catégorie. Ici, la réparation exigée est plus dure, le pécheur privé d'une cène (ou de plusieurs) doit, pour reprendre sa place dans la communauté, faire réparation (reconnaissance) publique de sa faute. Celle-ci se déroule face au consistoire, ou bien face à l'assemblée dominicale des fidèles. L'excommunication totale sanctionne des actes irréversibles tels que l'hérésie, l'abjuration ou la rébellion au pouvoir d'Eglise. Cette poignée de laïcs possède donc avec les ministres le pouvoir des clefs, le pouvoir de remettre les fautes des pécheurs. Extraordinaire puissance d'un groupe d'hommes (entre six et neuf par Eglise), dont beaucoup ne sont après tout que des notaires ou des marchands ne s'embarrassant guère de subtilités dogmatiques. Aussi ne faut-il pas s'étonner de quelques flottements dans le maniement de ces réparations sacramentelles.

Ces hésitations concernant les peines canoniques ne sont pas toujours le fruit de l'ignorance des anciens ou de l'intransigeance de certains pasteurs. Il arrive qu'elles reflètent une adaptation de la Discipline à des particularités de mœurs et de coutumes. Adaptation que chacun sait nécessaire en cette France émiettée en provinces et en parlers différents ! Les textes des synodes nationaux ou régionaux laissent d'ailleurs aux dirigeants de chaque Eglise le soin de régler maintes questions administratives, juridiques ou disciplinaires ; la formule « sera laissé à la prudence du consistoire » revient fréquemment dans les comptes rendus ecclésiastiques.

Les ministres.

Les ministres de la nouvelle religion n'ont pas le caractère sacré que confère aux prêtres l'ordination. Ils sont des hommes semblables aux autres. Savants en théologie et connaissant les Ecritures, ils ont seuls le droit de distribuer au peuple les deux sacrements protestants : le baptême et la communion. Le prêche, c'est-à-dire le commentaire de la Bible, leur est également strictement réservé. Ce double pouvoir distingue les pasteurs des diacres, des anciens ou des docteurs qui constituent les Ordres de l'Eglise.

Genève, nouvelle capitale d'un nouveau christianisme, semble alors la pépinière de ministres. Dès 1559, des courriers arrivent dans la ville du Léman porteurs de lettres qui réclament des pasteurs. Souvent signées par les consuls ou les magistrats de la ville ou du village, elles sont rédigées par un membre du consistoire, en un langage de Chanaan qui les rend parfois très émouvantes. Elles décrivent naïvement l'homme de Dieu idéal auquel aspire le peuple. Il doit être instruit, mais encore pouvoir communiquer cette connaissance par ses dons oratoires. Autre exigence contenue dans la plupart des missives : le futur ministre devra être de « bonne conversation », c'est-à-dire d'un abord agréable et facile, capable de s'adapter à tous les milieux. La formule inspire peut-être une autre lecture : ne réclamerait-on pas un pasteur d'origine sociale honorable ? D'une manière générale, une profonde inquiétude sourd de ces lignes souvent malhabiles. L'arrivée du pasteur est attendue avec ferveur car la paroisse est désorganisée, déchirée par des dissensions. On lui demande de ramener le calme dans le peuple qui se livre çà et là à de redoutables excès : violences iconoclastes, grèves anti-décimales, prises de position anabaptistes et extrêmistes. Lors de l'explosion calviniste des années 1559-1564, nombre de prêtres ont été chassés ou sont partis (parfois à Genève !), et l'angoisse du peuple privé dès lors de sacrements est profonde.

Vers 1558, des ministres, instruits et formés au sacerdoce à Genève ou en divers cantons suisses, reconnus aptes à diriger une Eglise par des autorités religieuses en place arrivent en France. La Compagnie des pasteurs de Genève, que domine la forte personnalité de Calvin, a introniser le plus grand nombre d'entre eux. Entre 1555 et 1562, elle dépêche dans le royaume une centaine de « missionnaires » chargés d'aller « dresser » les Eglises sans clergé. Sont-ils ceux que les protestants attendent ?

Une approche du groupe des pasteurs français peut débuter par leur appartenance extérieure puisque, en cette société du XVIe siècle, l'habit fait souvent l'homme. Portent-ils ces chapeaux noirs à calottes rondes et larges bords, ces longues robes à cols ou rabats blancs que suggèrent quelques portraits ou gravures de l'époque ? Il faut bien avouer notre ignorance. En effet, le calvinisme n'imposant pas à ses servants un habit liturgique, le vêtement pastoral ne marque que peu de différences (surtout au XVIe siècle) avec le costume civil. Aussi, les pasteurs sont-ils vêtus selon les règles de leur milieu d'origine ; nombre d'entre eux se présentent donc avec des robes longues, des bonnets ou des chapeaux, des cols et parfois des rabats car là sont les signes extérieurs de la profession de magistrats, médecins, professeurs, savants... que beaucoup ont exercée avant d'avoir vocation. Mais si l'on en croit les railleries de quelques auteurs catholiques, tous ne pratiquent point cette austérité extérieure : ainsi, à Paris, Antoine de Faye, affublé d'un manteau bleu ou violet, d'un pourpoint et de chausses jaunes, l'épée au côté.

Ces observations vestimentaires ouvrent ainsi quelques pistes vers la situation des ministres dans l'échelle sociale de ce temps.

Une étude portant sur 125 ministres desservant des Eglises du Midi entre 1559 et 1600 aboutit aux résultats suivants :

Appartenance sociale	Nombre de ministres	En pourcentage arrondi
Noblesse	23	18,8
Magistrature, fonction publique, barreau	30	24,5
Bourgeoisie de la terre ou du négoce	10	8,1
Anciens membres du clergé catholique, fils de ministres protestants	34	26
Basse magistrature	7	5,7
Intellectuels (médecins, régents)	14	10,6
Artisans	7	5,7

Ces approches chiffrées prouvent donc que l'homme de Dieu répond à l'attente des fidèles. Il est généralement issu d'un milieu aisé, cultivé, voire aristocratique, et correspond aux qualités requises de « bonne conversation ». Mais est-il « versé aux bonnes lettres », ainsi que le réclament tant de missives reçues par les autorités religieuses du Léman ? Robert Kingdon, étudiant 88 pasteurs envoyés par Genève entre 1555 et 1562, fournit quelques éléments de réponse : 31 (soit 35 %) ont été professeurs ou ont occupé des fonctions ecclésiastiques au sein des Eglises réformées suisses ou génevoises ; la proportion s'élève à 53 % si on se limite aux 59 hommes dont l'activité, avant leur départ pour la France, est connue. Lorsqu'en 1559 l'Académie de Genève est mise sur pied par Calvin, beaucoup de ministres accomplissent là un cycle complet d'études. Ils apprennent les langues sacrées, suivent les commentaires bibliques de Calvin, puis de Théodore de Bèze. Lorsqu'ils ont acquis un bon niveau de savoir théorique, ils sont envoyés en stage d'apprentissage dans les paroisses rurales autour de Genève ou de

Lausanne où ils sont diacres, maîtres d'école ou même pasteurs. La dernière étape de ce cursus est la proposition devant un jury ecclésiastique ; celle-ci consiste en un prêche sur un passage imposé des Ecritures ; ensuite, l'impétrant jure de respecter la Confession et la Discipline calvinistes. Enfin, le plus âgé ou le plus notable des ministres, par l'imposition des mains, procède à l'intronisation solennelle.

Cependant, tous les pasteurs du XVI⁰ siècle n'ont pas vécu l'expérience génevoise. Quelques-uns, toutefois, ont fait un bref séjour en cette ville où la Compagnie des ministres a pu juger de leurs connaissances et de leurs qualités avant qu'ils s'en retournent vers leurs ouailles. Beaucoup de desservants qui ont pris charge de leurs Eglises dans les années 1560 à 1564 ont eu juste le loisir de recevoir une sorte d'investiture spirituelle. Enfin, il y a une troisième forme de recrutement pastoral : il est de caractère local. Les études sont menées dans les collèges réformés français (Nîmes, Pau, Nérac, Saint-Lô, etc.) ou dans les Académies créées à la fin du siècle. Au cours d'un stage auprès d'un ministre en exercice, ces « proposants » vont affiner leur science théologique. Enfin, pendant un colloque ou un synode provincial, un jury examine leur niveau doctrinal et leur aptitude à prêcher. Les consistoires (anciens et ministres) des villes-clefs du protestantisme français — Nîmes, Montauban, La Rochelle, etc. — peuvent également décider de la vocation d'un candidat en écoutant sa proposition. Les quelques sermons dominicaux du XVI⁰ siècle, qui nous sont parvenus, témoignent d'une parfaite connaissance des textes bibliques, de la patristique et de la doctrine réformée. Les livres de raison, les écrits, les publications diverses rédigés par des pasteurs renforcent cette impression d'une très grande culture.

Reste la « grâce particulière de prêcher », dont les fidèles se préoccupent beaucoup. Un ministre est définitivement affecté à une Eglise lorsque, ayant prononcé un sermon devant l'assemblée, celle-ci l'agrée et le choisit. En fait, ce sont les anciens qui jouent le premier rôle ; ce sont eux qui décident de garder ou de refuser celui que leur adresse Genève ou le synode. Ici vient se greffer un petit problème de communication. En effet, beaucoup de protestants ne pratiquent et n'entendent qu'un parler local ; seuls ceux du vieux domaine capétien et une élite urbaine et villageoise connaissent le français. En quelle langue s'expriment donc les ministres envoyés vers les Eglises bretonnes, provençales ou poitevines ? Elizabeth Labrousse, traitant de ce problème à propos de la communauté du Carla, en pays d'Oc, considère que le pasteur prêche en un français que des sonorités et des tournures méridionales rendent familier aux oreilles gasconnes de son troupeau. Rien n'est

moins sûr. Pour le moins, gardons-nous de généraliser cette constatation ! Aussi voit-on des ministres refusés ou très mal acceptés par
leur communauté dont ils ne partagent pas le dialecte. Pourtant, les
autorités génevoises ont, dans la mesure du possible, appareillé pasteurs
et parler régional. D'autre part, le recrutement local par le truchement
des synodes ou des consistoires garantit une entente linguistique entre
clergé et paroisse. Sur quelque 180 hommes venus entre 1559 et 1600
diriger des Eglises dans le Midi du royaume, 152, soit la grande
majorité, en sont originaires et donc en connaissent la langue. D'une
manière générale, le ministre, s'il ne l'utilise pas pour le cours entier
de son prêche, le fait pour les passages essentiels. Cependant, la liturgie, c'est-à-dire les prières, les psaumes, le Décalogue et le Credo..., est
toujours énoncée en français ; un certain nombre de calvinistes n'a pas
dû voir grande différence avec la liturgie latine du catholicisme !

Le ministre présenté à une Eglise prêche par trois dimanches
devant l'assemblée des fidèles. Celle-ci — guidée par le consistoire —
le choisit comme perpétuel pasteur. Enfin, en une cérémonie solennelle
avec prières et imposition des mains par un ministre voisin, l'alliance
d'un troupeau et de son berger est définitivement scellée. Celle-ci
comporte pour l'un et pour l'autre de mutuels devoirs, il s'agit presque
d'un implicite contrat. D'un côté doivent être assurés la distribution
des sacrements, l'enseignement de la Parole par le sermon et la catéchèse, l'encadrement spirituel et moral de la paroisse ; de l'autre, un
traitement et un logement convenable doivent mettre le pasteur et sa
famille — souvent nombreuse — à l'abri de l'insécurité matérielle.
Ce traitement est théoriquement suffisant ; il correspond à peu près
à ce que gagnent les officiers de la fonction publique ou les gens des
professions libérales, tous gradués de l'Université. Les autorités génevoises ont fixé dès 1563 un barème, afin d'uniformiser dans le royaume
les appointements ecclésiastiques ; le ministre célibataire a droit à
120 livres par an ; s'il est marié, à 150 livres ; chargé de famille, il reçoit
200 livres. Mais en cette première décennie du protestantisme établi,
la diversité des émoluments pastoraux demeure, malgré la tentative
génevoise, très grande. La période suivante voit ces gages en nette
augmentation puisqu'ils se situent autour de 200, 250 et 300 livres
annuelles selon la situation de famille du ministre. A la fin du siècle,
Henri IV alloue à chacun quelque 700 livres (soit 200 écus).

Mais pas plus que cette allocation royale, les gages versés par les
paroisses ne contentèrent le clergé protestant. Les actes des synodes
et colloques sont emplis des plaintes des ministres. Le logement gratuit
s'avère trop souvent mal chauffé, inconfortable ou exigu ; parfois, la

location n'en n'est pas régulièrement soldée. Quant aux gages, ils devraient être payés par « quartier », c'est-à-dire par trimestre. Ces quartiers sont presque toujours versés en retard (3 mois, 6 mois, un an parfois !). Il arrive qu'ils ne soient pas versés du tout ! La condition du pasteur devient alors misérable, il arrive qu'il abandonne son Eglise pour en desservir une autre plus fortunée. D'ailleurs, la Discipline prévoit que les Eglises « ingrates », si elles s'obstinent dans leur ingratitude, seront privées de la parole et des sacrements, c'est-à-dire du sacerdoce. S'il n'a pas de fortune personnelle, le pasteur ne trouve pas toujours une certitude matérielle nécessaire à la liberté d'esprit et de cœur. Il est forcé de se battre, de réclamer. Pas seulement pour les besoins de sa vie quotidienne, car il lui faut aussi quémander sou à sou l'argent qui lui permettra de participer aux colloques et aux synodes. Lorsque l'Eglise le lui refuse, elle est censurée mais cette peine purement morale n'a que peu d'effet.

Il arrive que des tensions avec les fidèles se produisent sur d'autres plans. En effet, nouveau venu à l'intérieur d'une collectivité encore toute imprégnée de « paganisme chrétien », le desservant est amené à se montrer rigide dans la direction morale et religieuse de ses ouailles. Cette raideur entraîne moqueries et médisances du côté des fidèles. Tel pasteur se fait injurier sur la voie publique par un homme qu'il a tancé trop durement pour son habituelle ivrognerie, tel autre est obligé de prouver la date de son mariage et donc la conception fort conjugale de son premier enfant, tel autre encore se voit accusé de fructueux pillages lors de la dernière guerre de religion. En effet, dans les villes ou villages, la communauté tout entière a les yeux fixés sur le ministre — parfois sans indulgence. Lorsque de tels rapports existent, ils doivent ajouter aux fatigues d'un sacerdoce toujours très absorbant. Dans les grandes villes protestantes, les pasteurs — qui peuvent être quatre ou cinq — s'épuisent à prêcher chacun une fois en semaine et deux fois le dimanche dans chacun des lieux du culte. Même si les diacres et anciens les secondent lors des séances de catéchèse et pour la correspondance ecclésiastique, ils sont dans l'obligation d'assister et d'intervenir aux réunions du consistoire. Quelques-uns — parmi les plus prestigieux — enseignent de plus la théologie dans les collèges et plus tard les Académies. Ou bien, vers la fin du siècle, ils entrent avec leurs adversaires jésuites en d'interminables controverses qui peuvent s'étirer sur plusieurs semaines. D'autres ont, de surcroît, à mener à bien des travaux écrits ; beaucoup ont rédigé, sous une forme aimable, parfois poétique, des œuvres de morale pratique, des cantiques spirituels. Certains se livrent à de savantes études théologiques ou historiques : par

exemple Daniel Chamier, Jean de Serres ou Palma Cayet. La vie quotidienne des pasteurs de paroisses rurales n'est pas moins difficile. Car
il faut desservir les annexes jointes à l'église principale, et porter
l'Evangile et les sacrements dans les écarts dont l'hiver rend l'accès
difficile.

Le clergé protestant du XVIe siècle présente apparemment une relative
cohésion. Il est constitué d'hommes issus (pour la plupart) des couches
supérieures de la société, ayant atteint un haut niveau intellectuel.
Cependant, ce corps pastoral a été déchiré par de profondes dissensions idéologiques. Pourtant, la doctrine calvinienne, logique et rigou-
reuse, semblait capable de souder étroitement un groupe ecclésiastique.
Or, tel ne fut pas le cas. Un assez grand nombre de pasteurs ont dévié
de la ligne calvinienne dès les premiers temps du protestantisme établi.
Des moines, des prêtres, laissant gaiement le froc aux orties, se déclarent réformés et se mettent à prêcher n'importe quoi, n'importe comment. Vaguement anarchistes, ils incitent le peuple à ne plus payer
la dîme et les impôts. Ce comportement subversif est bien sûr très
éloigné d'une part de la pensée calviniste, d'autre part des projets des
notables français soucieux d'instaurer une nouvelle religion. Aussi les
autorités protestantes se sont-elles montrées extraordinairement méfian-
tes à l'égard de ces renégats. Seul un synode peut examiner leur doctrine et leur capacité oratoire, alors que pour un simple laïc, le témoignage favorable de quatre ou cinq ministres suffit. D'autre part, quelques
pasteurs ont failli aux consignes de Calvin qui recommandait à tous
une conduite calme et pacifique. Le réformateur dut rappeler fort
sèchement à leur devoir les ministres de Sauve et de Lyon, Tartas et
Ruffi car ils ont mené des commandos armés à l'attaque des lieux de
culte catholiques. La sévérité de Calvin n'a pu cependant enrayer les
vagues de violence de l'année 1562, auxquelles quelques pasteurs ont
participé les armes à la main. Tel cet Augustin Marlorat, tué en combattant à Rouen, ou ce Martin Tachard qui organise la défense de Montauban assiégé par Monluc.

En cette première décennie où se structure le calvinisme français,
se fait jour un courant d'opposition cohérent à la construction ecclésiastique telle que la préconise le Réformateur de Genève. L'auteur en
est un hobereau d'Ile-de-France, nommé Morelli, sieur de Villiers ;
il expose ses idées dans un livret paru à Lyon en 1562 : *Traité de la
Discipline et police chrestienne*. L'opuscule, rédigé à Genève, fut soumis
à l'approbation de quelques sages de la ville dont Pierre Viret qui n'y
trouvèrent rien à redire. L'ouvrage ne se veut pas une critique systématique de l'Eglise telle que l'a incarnée la volonté de Calvin, mais

comme une série de suggestions destinées à améliorer son fonctionnement. Pourtant, au cours de son exposé, Morelli en arrive à prendre le contre-pied des structures mises en place à Genève puis en France. Morelli voudrait que le premier rôle soit, au sein des Eglises, donné au peuple. Pas au peuple tout entier : en sont exclus les femmes (saint Paul ne leur a-t-il pas refusé le droit de parler ?), les jeunes de moins de quinze ans, certains marchands revendeurs de blé ou de vin (faire profit de ces denrées essentielles est un crime contre l'humanité). Le peuple, ainsi rogné de ses éléments douteux ou inconséquents, détiendrait le pouvoir des clefs, c'est-à-dire celui de dispenser les peines ecclésiastiques (dévolu, comme on sait, au consistoire) ; il pourrait nommer ou révoquer les anciens et les pasteurs. Nous voilà loin de la réalité ecclésiale vécue par les paroisses réformées où le Consistoire et les pasteurs (à un degré moindre) détiennent toute l'autorité. Robert Kingdon considère le projet de Morelli comme un masque justifiant le pouvoir de la noblesse sur les jeunes Eglises, mais les gens de l'époque ne l'ont pas entendu de cette oreille aristocratique puisqu'ils ont constamment traité le sieur de Villiers d'anabaptiste. Injure suprême dans la bouche d'un calviniste, qui n'a d'égal que le vocable « papiste ». Le traité et les idées de Morelli sont condamnés par le 3ᵉ synode national (Orléans, 1562) puis par le 5ᵉ puis par le 8ᵉ, alors que l'érudit Pierre de la Ramée (Ramuz) a rallié ces thèses hétérodoxes. En bref, le conflit entre partisans d'une Eglise démocratique et tenants du système presbytéro-synodal se prolonge quelque dix ans. Le drame de la Saint-Barthélemy y mettra fin, car les protestants se regrouperont pour d'autres combats. Mais l'unité doctrinale du corps pastoral a été largement entamée par le développement de « cette fausse doctrine », dont les traces ont été pudiquement voilées. Il y en a cependant. Quelques Eglises du Languedoc sont censurées par le 7ᵉ synode national de La Rochelle, car elles ont pris l'habitude, « pour l'élection des anciens, pour l'envoi et le prêt des minnistres », de « recueillir les voix du peuple l'une après l'autre » ; leurs pasteurs ont donc consenti à ces pratiques non conformes. Malgré la volontaire discrétion des documents, Morelli apparaît, à un moment, comme l'interprète des résistances au schéma calvinien de l'Eglise dans lequel des institutions, comme les synodes et les consistoires, mettent un écran entre le peuple et l'homme de Dieu. D'ailleurs, si cette doctrine n'avait pas rencontré d'écho, on comprend mal pourquoi trois synodes nationaux (en 1562, 1565, 1572) et plusieurs assemblées provinciales condamnent expressément la « fausse doctrine ».

Aux lendemains de la Saint-Barthélemy, les problèmes politiques passent au premier plan. Mais la dernière décennie du XVI° siècle fait apparaître les divisions doctrinales chez les ministres. La liste des pasteurs « déposés et vagabonds » (c'est-à-dire sans affectation) se retrouve à la fin des actes synodaux. Les uns sont déposés parce qu'ils ont suivi Henri IV dans la voie de l'apostasie : ainsi Pierre Cayer ou Jean de Serres ; d'autres sont condamnés pour avoir dressé de superbes projets de réconciliation avec l'Eglise romaine, comme Rotan ; d'autres encore, tels Bernard Vaisse ou Gaspard Olaza, « pour avoir prêché une mauvaise doctrine ». Quelques-uns sont blâmés pour avoir rédigé des œuvres hétérodoxes : ainsi Jean de Serres avant son apostasie, ou quelques années plus tôt Claude du Moulin.

Il y a donc au XVI° siècle un étrange flottement doctrinal dans le clergé protestant du royaume. Entre 1559 et 1601, les synodes nationaux ont déposé définitivement soixante-quatre ministres ; la majorité d'entre eux pour hérésie. Ce nombre s'amplifie de tous ceux qui ont été éloignés temporairement du sacerdoce ou qui ont été « gravement censurés » par un colloque ou une assemblée régionale. Au total, un pasteur sur dix a subi les foudres synodales à des degrés divers. La proportion est forte, même pour une religion qui s'affirme. Les ministres butent sur un choix difficile : incarner une croyance austère et intégriste, alors ce sont les heurts avec les fidèles, et leur propre solitude. Ou bien exprimer une foi plus souriante, plus accueillante, alors c'est la dénonciation qu'en font quelques anciens et l'exclusion à terme ou définitive prononcée par les synodes provinciaux ou nationaux. Bizarrement, le protestantisme fait davantage confiance aux laïcs qu'aux ecclésiastiques. Les pasteurs du XVI° siècle, d'autant qu'on a pu les discerner, ne présentent pas d'eux-mêmes une image heureuse et détendue. Du moins pour beaucoup. Déçus par leurs ouailles, bloqués par la surveillance des consistoires et des synodes, agacés par des problèmes financiers, méprisés par les Grands (Henri IV appelle certains d'entre eux : « les fous du synode »), ces ministres constituent un groupe mal intégré et relativement instable en ses convictions.

Colloques et synodes.

Ce sont des circonscriptions ecclésiastiques regroupant les Eglises d'une région (colloque) ou d'une province (synode). Mais ce sont aussi des assemblées où se rencontrent périodiquement les délégués de ces Eglises. Les colloques pourraient s'apparenter en étendue géographique aux diocèses. Avec çà et là des différences notables, puisque les communautés protestantes sont inégalement réparties sur le territoire. La

Bretagne, qui compte à l'époque une dizaine d'évêchés, n'a pu être elle constitue donc une seule unité synodale. En revanche le Béarn, divisée en colloques car les protestants y sont trop peu nombreux ; partagé au début du XVI⁰ siècle en deux diocèses, compte au début du XVII⁰ siècle sept colloques, car les Eglises réformées favorisées par l'Etat s'y pressent en rangs serrés. Un colloque représente un nombre variable de paroisses correspondant à la densité protestante. En Langue-doc, en Périgord, en Basse-Guyenne, il peut contenir de 40 à 50 Eglises. Les chiffres sont évidemment plus faibles dans le Nord du royaume ou en Bourgogne. Les représentants de ces communautés s'assemblent au moins une fois par an ; celles-ci doivent en théorie déléguer un pasteur et un ou deux anciens. Ce principe d'une députation mixte comprenant un ecclésiastique et un ou plusieurs laïcs est la règle pour toutes les assemblées religieuses régionales ou nationales. Il semble que le fonctionnement de cette instance inférieure n'ait jamais été parfait ; surtout par manque d'autonomie, car les réunions se déroulent durant les sessions des synodes provinciaux. Là sont discutés et tranchés des problèmes plus particuliers à la région du colloque, que l'on n'a ni le temps ni l'information voulus de débattre en séance plénière. Ce sont en fait des sortes de commissions dépendant des assemblées plus larges.

Les provinces synodales couvrent un nombre variable de colloques et donc d'Eglises. A la fin du XVI⁰ siècle, il y en a quinze. En 1621, elles seront seize de par l'intégration du Béarn. L'étendue de ces circonscriptions dépend évidemment du poids numérique des huguenots au sein d'une région. S'ils sont peu nombreux, les Eglises sont dispersées sur un vaste espace, et la division synodale correspond peu ou prou à une province historique, ainsi la Normandie, la Bourgogne, la Bretagne, la Provence. Dans le cas contraire, on a des aires plus étroites. Le Languedoc est morcelé en quatre synodes : Haut et Bas-Languedoc, Cévennes et Vivarais, Velay, Forez. Un partage analogue découpe la Guyenne en Haute et Basse-Guyenne, Saintonge, et Aunis et Angoumois.

Le synode, émanation de la province, se réunit en principe tous les ans, et même deux fois si la situation politique l'exige. Y participe un ministre de chaque Eglise qu'accompagnent un ou deux anciens. La Discipline fait obligation aux communautés de députer à cette assemblée ; elles doivent assumer les frais du voyage et du séjour. Un pasteur, que les textes nomment « modérateur », est élu pour présider la session ; celle-ci peut durer une semaine et elle se déroule dans la ville principale d'un des colloques de la province. Les synodes de région ont joué dans le protestantisme du XVI⁰ siècle un rôle considérable.

Les charges qui leur incombent sont équivalentes à celles que remplissent les consistoires locaux. Elles sont administratives, disciplinaires, avec droit de décision dans une certaine limite. Les appels émanant des Eglises, des particuliers, peuvent être tranchés par cette instance, lorsque le colloque concerné n'a pu régler le problème. La partie administrative est très lourde : il s'agit de fournir des pasteurs à qui en est démuni, de regrouper les Eglises et les écarts, de changer les ministres qui le réclament, d'établir par colloques les sommes que chaque paroisse doit fournir. Tout un programme d'assistance est coordonné par le synode provincial ; il s'intéresse aux familles des ministres décédés en poste : on pensionne les veuves, on paye les études des fils, on dote les filles. Ce budget charitable est établi par une commission de quatre ou cinq pasteurs et anciens. La fonction synodale est aussi disciplinaire. Les appels concernent maintes affaires de paillardise, de mariage non réglementaire, de disputes entre notables que les autorités locales n'ont pu accorder... Devant l'assemblée composée en partie de leurs pairs, les pasteurs viennent dire les difficultés qu'ils rencontrent ; elles sont surtout financières, et l'on décide d'envoyer un député pour contraindre l'Eglise « ingrate » à faire son devoir. Les ministres eux-mêmes, dénoncés par leurs anciens ou par les frères de leur colloque, sont « admonestés » ou déposés. Pour leur mauvaise doctrine ou leur interprétation trop personnelle du rituel calviniste, parfois même leurs écarts de conduite. Les écrits du clergé de la province sont examinés par une commission de censure. En principe, rien ne devrait être imprimé sans autorisation préalable, mais beaucoup de ministres passent outre ; leurs ouvrages sont en vente avant que d'avoir été reconnus conformes. On est quitte pour condamner le livre s'il n'est pas idéologiquement correct, mais les erreurs se sont déjà répandues.

Les synodes nationaux se tiennent en théorie tous les deux ans, mais les guerres civiles ont souvent perturbé leur régularité. Deux ministres et deux anciens y sont délégués pour représenter chaque province ecclésiastique. Ils doivent, arrivant au lieu de l'assemblée, présenter les preuves de leur députation. Les frais de séjour et de voyage sont assumés par une imposition sur les Eglises locales. Les synodes nationaux exercent des fonctions semblables à celles que remplissent leurs homologues de province. Mais elles ont une portée plus large à l'échelle du royaume. Cette compagnie a, seule, le droit de remanier la Confession de foi et la Discipline. En ce qui concerne cette dernière, chaque synode national ajoute sa pierre au texte de 1559. Les actes de cette assemblée sont rédigés selon un plan précis.

D'abord les matières générales, c'est-à-dire les décisions diverses intéressant tous les protestants du royaume, ensuite les matières particulières où se règlent les appels émanant des instances religieuses.

En ce système d'assemblées représentatives, par le jeu du fonctionnement démocratique — car tout part de la base — joint à la diversité
des « pays » et régions de la France d'alors, le véritable pouvoir de
décision appartient, nous semble-t-il, sinon aux consistoires, du moins
aux synodes provinciaux.

Le grand dessein : politique, religion et guerre (1559-1598)

La puissante minorité protestante, qui vient de s'affirmer publiquement au synode de Paris, voit son existence doublement menacée.
La majorité de la population participe de la religion traditionnelle et
n'accepte pas les fidèles d'une croyance autre que la sienne ; cette
hostilité se manifeste par des émeutes spontanées et brutales au cours
desquelles des catholiques exercent leur violence contre les huguenots.
D'autre part, si Henri II , acharné à la perte des calvinistes, meurt en
juillet 1559, la situation ne leur est pas pour autant favorable sur
le plan politique. En effet, les successeurs du roi défunt vont être
des princes très jeunes (François II ou Charles IX) ou sans autorité
(Henri III) ; l'ombre de l'énernelle régente, Catherine de Médicis, se
profile sans cesse derrière eux. Ainsi, à la cassure religieuse qui déchire
les populations françaises, se superpose une crise politique. Celle-là
même que l'on trouve toujours lorsque la monarchie se trouve en
faiblesse, c'est-à-dire le réveil des aspirations féodales. Tenues en lisière
par la personnalité des premiers Valois, celles-ci se font jour à nouveau,
mais les lignages qui s'affrontent pour dominer la personne physique
du souverain et peser sur le gouvernement ont maintenant, en plus de
leur blason et de leurs titres, une religion à défendre ou à imposer : ils
sont catholiques ou protestants. Entre les deux groupes nobiliaires, la
régente, les rois et leurs conseillers intimes naviguent à l'estime, s'efforçant de ne point sombrer ; ils ne peuvent que défendre le catholicisme,
mais ils refusent de s'allier totalement avec les factions aristocratiques
qui en portent ostensiblement les couleurs. Cette situation politico-
religieuse, que l'on appelle habituellement « guerres de religion », est
donc terriblement complexe car elle correspond à des niveaux d'affrontements variés. On trouve des explosions de fanatisme populaire, des
vendettas entre clans féodaux rivaux, des batailles rangées (assez peu !),

des opérations de commandos, des tractations diplomatiques où se discutent les édits de pacification... Les raconter n'est guère possible. Aussi faut-il se limiter à quelques étapes fondamentales de ces luttes civiles en tentant de dégager un projet protestant.

Le tumulte d'Amboise

A l'avènement de François II, qui a épousé Marie Stuart, nièce des Guise, François de Guise, duc de Lorraine, est sans doute un des meilleurs capitaines de son temps ; son frère, le cardinal de Lorraine, négociateur du traité de Cateau-Cambrésis, est bien en cour au Vatican. François II annonce donc que « les Lorrains » seront désormais ses conseillers privilégiés et les chefs de son Conseil. Cette brusque promotion est d'un poids politique très lourd. Car les princes du sang et les ducs se voient écartés du pouvoir réel et du coup ils sont sans influence nationale. Antoine de Bourbon-Vendôme, qui est aussi roi de Navarre, et son frère Louis de Bourbon, prince de Condé, tous deux protestants, appartiennent à ce groupe soudain lésé en ses prétentions et en ses droits. D'autant plus que le triomphe des Guise n'est guère modeste. Par leur brutalité, ils se fabriquent une opposition d'aigris : ils ont licencié sans autre forme de procès une armée rendue inutile par la paix de Cateau-Cambrésis. D'autre part, se posant en défenseurs du catholicisme, ils persécutent les protestants de Paris, ordonnent arrestations, procès et même exécutions, notamment celle du conseiller Anne du Bourg. Aussi, une forte opposition nobiliaire s'organise contre le « mauvais gouvernement » des Guise, à laquelle nombre de protestants participent. Une assemblée se tient à Nantes en février 1560, groupant une majorité de nobles et quelques robins, ce qui autorise à se réclamer d'une relative légitimité représentative s'apparentant à celle des Etats Généraux. Celle-ci donne à La Renaudie, hobereau mandaté par les chefs réels du complot : Antoine de Bourbon et Louis de Condé, le pouvoir de se saisir des Guise pour les mettre hors d'état de nuire. D'un côté comme de l'autre, la violence est donc reconnue nécessaire pour assurer la liberté du souverain que l'adversaire tient prisonnier. En fait, dans le cas présent, il s'agit pour les deux Bourbon de retrouver le rôle de direction au Conseil du roi que leur garantit leur condition de princes du sang. Les autres huguenots souhaitent desserrer le carcan de la répression religieuse. La conspiration qui tendait à la prise des Lorrains, alors que la cour déambulatoire se serait trouvée dans la ville ouverte de Blois, est très vite devenue de notoriété publique : les Guise ont un parfait réseau d'espionnage. L'étape du roi et de son entourage est changée ; au lieu de Blois, c'est Amboise et son château aux murs solides. Alors que les troupes de La Renaudie, de tous les coins de France, glissent silencieusement vers la résidence du souverain, le piège est tendu : au fur et à mesure qu'ils en approchent, les petits paquets de conjurés sont traqués et tués par les soldats qu'a levés François de Guise. Pour faire un exemple sanglant, on en pendit un bon nombre aux grilles mêmes du château. Cette répression nobiliaire et cruelle a laissé dans la mémoire collective des protestants une profonde cicatrice. Le père d'Agrippa d'Aubigné passant avec son fils près d'Amboise, où les corps se trouvaient encore exposés, a sans doute déterminé la vocation de l'enfant en lui déclarant : « Mon enfant, il ne faut pas que ta teste soit espargnée après la mienne pour venger ces chefs pleins d'honneur ; si tu t'y épargnes, tu auras ma malédiction ». Quelques mois plus tard, Louis de Condé est arrêté et emprisonné à Orléans, comme chef du complot d'Amboise. La mort de François II évite au prince la peine capitale prononcée en novembre 1560 par un tribunal d'exception.

La fin prématurée du roi laisse la régence à Catherine de Médicis puisque l'héritier suivant est trop jeune pour régner. Celle-ci, aidée par une nature tolérante et une intelligence des rapports de force, tente la conciliation des partis religieux. En septembre 1561, elle organise le colloque de Poissy afin de réaliser entre protestants et catholiques une unité dogmatique qui s'avère impossible. En janvier 1562, elle contribue avec Michel de L'Hospital à la publication d'un édit qu'Henri II et même François Iᵉʳ auraient jugé intolérable puisqu'il reconnaît le protestantisme et en autorise dans le royaume une certaine pratique cultuelle. L'équilibre ainsi réalisé — pour le plus grand bénéfice de la monarchie dominant pour un temps les factions — ne peut être durable. Le massacre de Vassy (1ᵉʳ mars 1562), très consciemment perpétré par les Guise sur des calvinistes célébrant un culte malgré l'interdiction légale, la passion anti-protestante de la foule et des autorités de Paris provoquent le regroupement des principaux nobles huguenots hors de la Cour résidant pour l'heure dans la capitale. Ils se retrouvent à Meaux en mars 1562. Alors, dit Agrippa d'Aubigné, fut résolue « la prise des villes pour, là, faire amas et former le parti ».

« La prise des villes » et *la première guerre de religion* (1562-1563).

Quoi qu'on ait dit d'un plan établi à l'échelle du royaume par le prince de Condé, cette occupation des villes fut un phénomène spontané. Dans la mesure où les élites urbaines sont souvent imprégnées de calvinisme, il est normal qu'elles tentent de se saisir des pouvoirs que leur confèrent les magistratures municipales ; il est alors possible de transformer chaque cité en une petite Genève, profitant des libertés urbaines toujours considérables. Tout au long de la première guerre de religion, les villes vont donc être l'enjeu privilégié des deux camps. Certaines, tôt acquises, seront vite reperdues par les protestants : notamment Rouen et les cités de la Loire : Tours, Blois, Sens, Angers, Beaugency... conquises en avril ou mai 1562. D'autres seront tenues plus longtemps : Grenoble, Lyon, Gaillac, Valence... D'autres encore connaîtront une résistance intérieure — souvent populaire — qui fera échouer les coups de main huguenots : ainsi Bordeaux ou Toulouse. Enfin certaines villes, grâce au consensus religieux réalisé entre une partie importante de leurs habitants et les notables, demeureront calvinistes (avec des nuances chronologiques dues aux modalités d'application des Edits de tolérance entre les guerres de religion) jusqu'en 1598 ; ainsi Nîmes, Montauban, La Rochelle, La Charité-sur-Loire, Sancerre, Nérac, Lectoure, Castres... plus une multitude de bourgs et de villages dans les régions à forte coloration protestante.

Dans ces agglomérations, à l'abri des murailles, les autorités municipales vont appliquer à leur gestion les principes du calvinisme. Ainsi à Lyon, qui est tenu du 30 avril 1562 à juin 1563. Le pouvoir est exercé par le Consulat expurgé de ses éléments catholiques, le Consistoire et le Conseil de l'Eglise réformée. Il est soutenu par la présence du baron des Adrets et de sa bande armée ; le baron a pris le commandement militaire de la ville au titre de délégué du prince de Condé, détenteur de l'autorité souveraine pendant la « captivité du roi » prisonnier du Triumvirat. Cette république théocratique se finance avec les biens ecclésiastiques, immeubles et revenus qu'elle confisque, puis par des taxes sur les « biens aisés » de chaque religion. La justice de l'évêque est supprimée ainsi que le culte catholique, les églises de la ville ne connaissent plus que des prêches réformés. Mais l'édit d'Amboise arrêta la première guerre de religion et les protestants lyonnais durent accepter un compromis mettant fin à leur éphémère domination. Il en est autrement des villes et lieux entièrement protestants, où de profondes mutations mentales et sociales se sont accomplies.

La première guerre de religion se termine donc en 1563 par l'édit d'Amboise. Celui-ci est très en retrait quant aux libertés protestantes sur son homologue antérieur de janvier 1562. S'il admet la liberté de conscience, il limite celle du culte à une seule ville par bailliage et aux églises des seigneurs haut-justiciers. Il y a donc là une féodalisation de la Réforme, voulue par le signataire protestant du traité, le prince de Condé. L'équipe de la régente a cru réaliser un fin calcul politique, séparant la noblesse huguenote de son Tiers-Etat. Aussi boîteux soit-il, le traité met un terme pour presque quatre ans à la lutte armée. Les partis peuvent lécher leurs blessures et remplacer leurs chefs (François de Guise, Antoine de Bourbon passé aux catholiques ont été tués, mais aussi beaucoup de capitaines protestants sont morts alors qu'ils défendaient Rouen assiégée en 1562...). Catherine de Médicis s'efforce à rétablir une fidélité monarchique en promenant à travers le royaume le jeune Charles IX qu'entoure un invraisemblable cortège de princes du sang, de prélats, de conseillers...

Mais ce calme est trompeur. Il cache mal les passions religieuses et politiques. D'une part, les déceptions protestantes après l'Edit d'Amboise sont fortes. Calvin et d'autres Grands comme Coligny ont violemment reproché à Condé d'avoir séparé la cause de la noblesse de celle du commun. Les militants du Parti, notamment les ministres, n'ont vu là qu'une trêve. D'autre part, le fanatisme catholique, irraisonné et viscéral, est rallumé par le retour des hérétiques à la faveur de la paix : çà et là on massacre des huguenots. Les parlements se font tirer l'oreille pour leur faire rendre les biens confisqués. De multiples et irritants incidents surgissent. Il y a ainsi des conflits d'autorité dans les milieux dirigeants proches du pouvoir royal ; par exemple le maréchal Cossé refuse l'obéissance à son supérieur hiérarchique, Dandelot le calviniste, ou encore Henri d'Anjou dénie à Condé le titre de lieutenant-général auquel son rang lui donne droit dans une situation de gravité exceptionnelle. D'autre part, le duc d'Albe remonte notre frontière de l'Est pour dompter les Pays-Bas espagnols en révolte, sa présence ainsi que celle de 6 000 Suisses à l'intérieur du royaume angoissent les huguenots ; ils se sentent menacés par un pouvoir royal dont ils se méfient et par une population qui ne les aime guère. Les nobles du parti décident de reprendre les armes.

Les guerres pour la conquête de l'Etat (1567-1570).

Le projet est plus vaste que celui formé lors de la première guerre où il s'agissait surtout de disposer, à travers le royaume, d'une série de bases où régnerait le calvinisme. Le but est désormais de mettre la main sur la personne physique du roi. Durant les premiers troubles, le clan guisard avait réussi cette opération en ramenant de force à Paris Catherine de Médicis et Charles IX. Les Lorrains, comme les huguenots, savent bien que tenir le souverain en son pouvoir vaut « moitié de France ». Le plan calviniste échoue, mais les dirigeants royaux vont connaître l'humiliation de remonter vers la capitale protégés par les Suisses que harcèlent constamment les cavaliers de la religion. Cet insuccès explique le déclenchement presque immédiat de la troisième lutte civile. Ici, les opérations changent de caractère et les alliances aussi. Les protestants, dirigés par Condé et Coligny, renforcés par des reîtres allemands, affrontent le pouvoir royal qui pour l'heure se fait champion du catholicisme sous l'étendard d'Henri d'Anjou, frère cadet de Charles IX. Deux batailles rangées en Poitou — à Jarnac et à Moncontour — sont perdues par les calvinistes. Mais la tentative désespérée de Coligny, gagnant par le Sud et l'Est, au travers d'effroyables ravages, la ville-forte de La Charité, à quelques heures de Paris, renverse à nouveau la situation. Car l'amiral menace une fois de plus les personnes royales avec une armée tant bien que mal reconstituée. Il peut donc négocier en bonne position avec les représentants du pouvoir. Le traité de Saint-Germain est signé entre les partis en août 1570 : il met fin à presque trois ans de désordre, de guerres et de pillages. Si les armes ont plutôt été contraires aux protestants, l'édit de Pacification leur est étrangement favorable : ils obtiennent la liberté de conscience, une relative liberté de culte, quatre places de sûreté, la récupération des charges et des biens perdus ou confisqués depuis le début des troubles. On reconnaît là la prudence d'un pouvoir royal soucieux de ménager une puissante minorité.

La Saint-Barthélemy

Les réformés se réinstallent donc dans la vie publique du royaume. Comme en 1562 et 1563, la majorité catholique des villes les accepte mal ; çà et là éclatent contre eux de nouvelles émeutes : à Rouen, à Paris, à Dieppe, à Orange... A la Cour, les gentilshommes reprennent les fonctions que la naissance leur réserve de droit. L'amiral Gaspard de Coligny siège régulièrement au Conseil du roi à partir de 1571. Charles IX se prend même d'amitié pour le vieux capitaine, tout comme il partage sports et jeux avec des protestants de son âge, tels que La Rochefoucault ou le prince de Condé. En cette année 1571, la faveur des huguenots, ennemis d'hier, est à son apogée, car la reine-mère prépare le mariage de sa fille, Marguerite, avec Henri de Navarre. Henri est calviniste, il est vrai, mais cette union accroche à la dynastie régnante la famille des Bourbon-Navarre, de sang royal, sur laquelle les huguenots reportent volontiers leur fidélité monarchique, légitimant ainsi les prises d'armes contre le souverain en place. Il faut cependant une autorisation pontificale à ce mariage : le pape se fait tirer l'oreille, la permission arrivera après les « noces ». Au Conseil, Coligny défend un vaste programme de guerre extérieure ; il voudrait que le gouvernement français soutienne de ses armes les calvinistes flamands (les Gueux) révoltés contre la domination impériale et catholique de l'Espagne. Cette guerre, tirant du royaume les gentilshommes des deux confessions, les unirait face à un ennemi commun et mobiliserait contre l'étranger la violence qu'ils viennent de manifester en luttes fratricides. De plus, l'Espagne est la nation catholique par excellence, et lui faire perdre un peu de sa superbe n'est pas pour déplaire à Coligny, le réformé. Mais le plan est lourd de conséquences, car il bouleverse les relations internationales de l'Europe occidentale ; de fait, si la France intervient, elle se range dans le groupe des nations protestantes, isolant ainsi l'Italie et l'Espagne. Cependant, l'Angleterre, bien que réformée, considère sans plaisir l'installation d'une puissance franco-flamande du côté d'Anvers. Aussi le projet d'intervention est repoussé par trois fois au Conseil du roi ; mais Coligny, qui voit là sa dernière et seule chance de stopper les troubles civils, tente avec acharnement d'amener Charles IX à déclarer une guerre officielle à l'Espagne, passant outre à l'opinion du Conseil, ce que Catherine redoute par dessus tout ; c'est alors qu'elle envisage, en accord avec ses amis italiens, l'assassinat du leader protestant dont elle ne peut accepter la politique.

Les tensions des milieux dirigeants se doublent, en ce mois d'août 1572, où la Cour est à Paris car les noces se préparent, d'une extraordinaire nervosité populaire, qu'expliquent bien la chaleur, une crise frumentaire récente, une atmosphère de guerre (on recrute déjà des bandes pour les Flandres), l'arrivée de nombreux huguenots venus au mariage d'Henri de Navarre. Le peuple de Paris déteste les protestants et plusieurs fois déjà, par des émeutes ou des agressions, il a manifesté cette haine. Ce sentiment violent est entretenu par le discours des Prêcheurs. Depuis le début des troubles, certains, surtout à Paris, n'ont cessé de tonner contre la « vermine hérétique » ; depuis le traité de Saint-Germain et surtout depuis le projet de mariage, leurs clameurs atteignent un paroxysme. « Dieu ne souffrira pas cet accouplement exécrable », jurent-ils aux Parisiens, Sa colère va tomber. Catherine de Médicis est une Jezabel et Charles IX un Achaab car ils tolèrent le « culte de Baal ».

Cependant, les noces se déroulent le 18 août dans le faste. Massés derrière des barrières, les badauds peuvent contempler cette étrange cérémonie où le marié ne pénètre pas dans la cathédrale pour écouter la messe, et où la bénédiction nuptiale est donnée aux époux devant Notre-Dame sur une estrade dressée en plein air. Puis débutent les fêtes qui durent jusqu'au 21 août à l'aube. Ensuite, la machine infernale se déclenche.

Le vendredi 22 août, un coup d'arquebuse blesse au bras et à la main l'amiral, revenant du Louvre vers son logement. Les gentilshommes de sa suite, dans un état de fureur incroyable, vont au Palais réclamer vengeance, d'autant plus que le crime paraît signé : la maison où le tueur était caché appartient à un homme de la bande guisarde. Charles IX prend des mesures pour calmer la population, chercher le coupable, avertir les provinces : il est désolé car, semble-t-il, il a de l'amitié pour Coligny. Mais du côté de Catherine de Médicis et de ses conseillers, l'inquiétude règne : l'enquête amorcée par Charles IX risque de remonter à la reine-mère ; de plus, les nobles huguenots sont décidés à tirer une vengeance de l'attentat. Alors, les événements se précipitent au palais du Louvre. Le 23 août, dans la soirée, il faut mettre Charles IX au courant, le convaincre de donner les ordres nécessaires à l'exécution, lui expliquer que la rage des chefs réformés ne respectera ni son trône ni sa vie. Alors, on dresse la liste de ceux qui vont mourir, on décide d'épargner les princes du sang : Navarre, Condé. Les dirigeants municipaux de Paris, mandés au Palais, sont chargés de fermer les portes de la ville, d'amarrer les barques sur la rive droite, de faire armer la milice bourgeoise.

Puis commence le massacre politique. Le duc de Guise dirige la bande qui doit exécuter l'amiral. Dans le même temps, les gardes du roi tuent les gentilshommes logés au Louvre. Les milices bourgeoises auraient dû mettre à mort ceux qui étaient groupés au faubourg Saint-Germain à qui une série de contre-temps laisse le temps de fuir. La Saint-Barthélemy aurait pu n'être qu'un crime politique : elle aurait alors fait quelque deux cents victimes. Mais le peuple de Paris prend, au petit matin, le relais des pouvoirs officiels et se jette sur les protestants de la ville. Trois jours de massacre où la ville est comme folle, toutes portes fermées. Les ordres du roi appelant au calme se succèdent, sans effet ! La famille royale, bloquée au Louvre, tremble pour sa vie. Entre 2 000 et 3 000 réformés ont péri ici, peut-être 1/100 de la population parisienne de l'époque !

La Saint-Barthélemy n'est pas seulement un drame parisien. Il y a, comme le dit Michelet, une saison des Saint-Barthélemy. A mesure que les nouvelles de la capitale arrivent, les populations catholiques de Meaux, Orléans, Troyes, Bourges, Saumur, Lyon... se jettent sur les réformés et les exterminent. Beaucoup plus tard, en octobre, quelques villes du Midi — Gaillac, Bordeaux, Toulouse — connaîtront à leur tour ces violences. Mais, là, le comportement des tueurs est différent : ce ne sont plus les fureurs hystériques des Saint-Barthélemy du Nord, ce sont plutôt des règlements de compte assez triviaux entre équipes dirigeantes de ces cités.

Les journées de 1572 ont un caractère dramatique tel qu'il y faut trouver des responsables. D'abord les dirigeants de la politique royale : les Guise, Nevers, Birague, Retz, Anjou, Catherine de Médicis, et Charles IX à un moindre degré. Leur conseil restreint a préparé un assassinat politique ; lorsque celui-ci a échoué, la peur les a conduits à la proscription. Mais le peuple, celui de Paris ou de Meaux, de Lyon, de Bourges... a accompli l'essentiel des massacres. Il a égorgé les protestants, les a traînés dans les rues, les a jetés à l'eau, a mutilé leurs cadavres comme si la mort n'était pas un châtiment suffisant. Peut-on expliquer un tel déferlement de haine fanatique ? Le massacre de la Saint-Barthélemy a les apparences, ainsi que le suggère Robert Mandrou, d'un crime rituel. Les réformés seraient dès lors les victimes sacrificielles et subiraient la mort pour que « la communauté, menacée toute entière de mourir avec (eux), renaisse à la fécondité d'un ordre culturel nouveau ou renouvelé ». On peut voir dans le miracle de l'aubépine un argument en faveur de cette thèse. Le lundi 25 août, vers midi — alors que les tueries duraient depuis trente-six heures — dans le cimetière des Innocents, au cœur des quartiers pogromisés de Paris, une aubépine se met à fleurir devant une image de la Vierge ! La plante sèche depuis plusieurs années s'épanouit de plus en une saison qui n'est pas la sienne. Aussitôt, le clergé catholique organise la mise en scène du miracle : les cloches sonnent, les confréries défilent devant les fleurs écloses, les femmes crient, les hommes entrent en convulsions. Dieu, longtemps irrité par la présence des protestants en France, approuve les actes sanglants et promet au royaume un reverdissement analogue à celui de l'aubépine dès que l'hérésie sera extirpée totalement. Fanatisés, les massacreurs reprennent leur œuvre de sang jusqu'au mardi 26 août ! Dans les âmes simples qu'excite la parole des curés et des Prêcheurs, le protestant est depuis plus de dix ans l'hérétique, le bouc-émissaire de tous les malheurs du temps. Pendant presque dix ans, on a trouvé le roi coupable en sa tolérance et son attentisme : le dernier Edit de Saint-Germain en particulier a été très mal accepté par beaucoup de catholiques ; ils n'ont pas compris pourquoi les protestants « battus par les armes, gagnaient par les écritures ». A Paris, en cette fin d'août 1572, ils ont cru que leur roi, en tuant les chefs huguenots, prenait enfin conscience de son devoir sacré ; ce geste attendu enfin arrivé, le peuple s'est transformé en purificateur du royaume, soutenu en sa tâche par les signes de l'approbation divine.

L'Etat huguenot (1572-1598).

La Saint-Barthélemy provoque chez les protestants une stupeur horrifiée. La « félonie » du pouvoir, la traîtrise du « coquin, possesseur de royale puissance » (D'Aubigné) les ont atteints en profondeur plus que le comportement des foules catholiques. Beaucoup fuient, ils vont à Londres, à Strasbourg. A Genève surtout, ils arrivent en masse : le greffier chargé de recueillir les noms de ces nouveaux « habitants » maîtrise mal sa plume en septembre et octobre 1572, tant le flot en est serré. D'autres se convertissent. Théodore de Bèze le constate avec désespoir, le 3 décembre 1572 : « Mais, dans le reste de la France, la défection a été et est encore incroyable... ». Ces conversions de la terreur s'effectuent dans les provinces où la grande vague protestante de la décennie précédente a déjà commencé à refluer : en Normandie, en Picardie, en Ile-de-France, en Vendée. L'Eglise romaine accueille volontiers tous ces vagabonds de l'hérésie. Mais dans les régions où les calvinistes sont puissants et bien établis, c'est-à-dire dans le Midi et dans le Centre-Ouest, le premier moment de panique passé, on commence à s'organiser. Certes, beaucoup de nobles ont péri misérablement dans la cour du Louvre, certes les princes du sang huguenots sont prisonniers à Paris : Navarre et Condé sont même devenus, sous la menace, catholiques. Mais il reste, en ces pays éloignés du pouvoir central, un nombre suffisant de hobereaux et de robins pour qu'une nouvelle stratégie politico-religieuse soit élaborée. Les réactions à la trahison monarchique sont relativement rapides. Les grandes cités, telles La Rochelle, Montauban, Millau, Castres... ferment leurs portes aux envoyés royaux ; quelques citadelles cévenoles se transforment en îlots d'indépendance locale. Alors que les armées de Charles IX tentent de réduire Sancerre et La Rochelle, la guerre se rallume en Languedoc où les protestants s'emparent de plusieurs villes fortes : Marvejols, Florac, Le Pouzin. Le gouverneur de cette province, Henri de Montmorency-Damville, fils du connétable catholique, mais cousin des trois frères Châtillon, est envoyé pour éteindre l'incendie. Les réactions sont également d'ordre politique. Les notables de la religion, surtout ceux du Midi, prennent contact, s'unissent par un serment solennel d'union. Des assemblées quasi spontanées se tiennent dès la fin de 1572 et en 1573 : à Réalmont, à Millau, à Montauban, à Castres, à Uzès, à Nîmes. La majorité y est protestante, mais des catholiques y assistent aussi. Quelques-uns ont été épouvantés des violences de la Saint-Barthélemy : à Nîmes par exemple où calvinistes et papistes s'étaient entre-égorgés au cours de la décade précédente (la Michelade de 1567), les deux communautés se jurent une mutuelle protection. Les règlements établis dans ces assemblées déterminent les lois constitutives d'un Etat indépendant, séparatiste, auquel Jean Delumeau a décerné l'excellente qualification de « Provinces-Unies du Midi ». Puisque le contrôle de la monarchie par les protestants a échoué, puisque celle-ci a trahi, ceux-ci décident de s'affirmer en tant que groupe dissident. Ils retirent au souverain Charles IX l'autorité suprême, qu'ils confient au « pays », c'est-à-dire à des Etats généraux. Les assemblées de Montauban (août 1573) et de Millau (décembre 1573) revêtent une particulière importance ; les textes qui en émanent permettent d'aller plus avant dans la description du régime politique proposé par les calvinistes du Midi. Il s'agit d'une république fédérative avec une ébauche de séparation des pouvoirs : le « pays » possède le pouvoir exécutif et législatif ; il désigne un « Protecteur » chargé des affaires militaires et un conseil permanent, sorte d'exécutif fédéral. Cette assemblée souveraine (que les historiens ont appelée assemblée politique) se réunit périodiquement et groupe des députés de chaque province ayant prêté serment à l'Union Protestante. Chaque province jouit d'une remarquable autonomie face au pouvoir fédéral ; elle est administrée par une chambre réunie périodiquement, dont dépend un conseil provincial permanent qui exerce l'exécutif, et un général, chef des troupes de la région. Aux villes, villages (et plat-pays), la même indépendance est reconnue : les responsables municipaux administrent leur territoire, y exercent la police, procèdent à la répartition et à la levée des impôts, rendent parfois la justice. L'exercice de cette justice demeure en ses formes anciennes ; au-delà du pouvoir des consuls, les magistrats des bailliages et des présidiaux en restent détenteurs. D'ailleurs, comme on l'a vu, ces juges sont souvent protestants de la première heure. Reste le problème des instances d'appel. Normalement, l'instance la plus haute en dehors du Conseil du roi est constituée par les parlements ; or, ceux-ci sont devenus des citadelles de l'orthodoxie catholique, à l'exception toutefois de celui de Grenoble. On ne peut donc s'adresser à eux pour trancher des affaires concernant les huguenots des Provinces-Unies du Midi. Ainsi furent mises sur pied ces fameuses chambres « mi-partie » (dites de l'Edit après 1598), composées de juges appartenant aux deux religions ; elles s'occupent des procès où sont impliqués des calvinistes et reçoivent les appels des juridictions inférieures. Le « Protecteur » ou les assemblées provinciales en nomment le personnel.

Il y aura des chambres « mi-partie » en chaque province de l'Union : en Dauphiné (à Grenoble), en Languedoc (à Montpellier), en Périgord (à Bergerac), en Gascogne (à Nérac), en Haute-Guyenne (à Lectoure).

La république protestante se donne les ressources financières nécessaires au fonctionnement de ses institutions et de son armée. Ses revenus proviennent des impôts directs et indirects normalement prélevés par le fisc royal ; des gabelles établies à partir des marais salants des côtes méditerranéennes et atlantiques ; de l'afferme des revenus ecclésiastiques confisqués en partie ou en totalité selon que leurs détenteurs se montrent plus ou moins conciliants avec l'Union ; des contributions extraordinaires levées sur les Eglises protestantes. Ces finances sont administrées par un contrôleur fédéral, par des receveurs, et des contrôleurs provinciaux ; pour les grandes villes, centres de diocèses civils, il y a des receveurs et des contrôleurs particuliers.

Avec le régime politique des Pays-Bas protestants, libérés de la domination espagnole, ce système présente de curieuses ressemblances ; tous deux établissent une république fédérative où le pouvoir militaire est exercé par un noble de haut lignage, contrôlé par un exécutif permanent, et une chambre fédérale périodique où sont représentées les provinces. Le calvinisme est donc porteur d'une théorie de l'Etat dont les Provinces-Unies du Nord et du Sud ont assuré l'application.

Cependant, tout n'est pas création ici ; les institutions traditionnelles du Midi ont servi de creuset à cette construction. Fort habilement les juristes, robins et magistrats, les ont utilisées pour donner à leur religion l'assise politique que les guerres n'ont pu lui fournir. Ainsi, l'auto-administration des villes et des villages est un des traits majeurs des « libertés » de l'ancienne France du Sud ; ici, elle se trouve renforcée par la collaboration du civil et du religieux car ministres et consistoires aident les magistrats municipaux à faire régner un ordre chrétien. Les assemblées provinciales, telles que les huguenots les ont conçues, s'apparentent soit aux Etats Provinciaux (ceux du Dauphiné ou du Languedoc), soit aux Etats particuliers (du Rouergue, de l'Agenais, du Quercy, etc.). Elles s'apparentent également aux réunions annuelles où les députés des diocèses effectuaient la répartition de l'impôt royal sur les villes et lieux de ces régions indépendantes de l'administration fiscale de la royauté. Il est probable que, localement, nombre de gens n'ont pas perçu la révolution, sinon par un surcroît de charge fiscale. Les mêmes personnes animent souvent les instances religieuses et politiques, nobles ou notables ; comment pourrait-il en être autrement dans la société du XVIe siècle ? A l'échelon de la communauté locale et de la région, la république protestante ne se présente donc point

TEMPLE DE LYON, NOMMÉ PARADIS.

V. LE TEMPLE DE LYON AU XVIᵉ SIECLE

notera la forme ronde de ce temple (surnommé « Paradis »), qui devait éviter toute ressemblance
c une église. L'auditoire assez maigre est dû au fait qu'il s'agissait sans doute d'un baptême ou
n mariage. Les fidèles ont le chapeau sur la tête, et ne le retireront que par moments. Hommes
et femmes sont séparés. Le peintre a pu se permettre des libertés avec son sujet

iothèque protestante, Genève

Photo Garanger-Giraudon

PARIS

VI. LA SAINT BARTHELEMY (1572)

Toutes les représentations de l'événement comportent forcément une part d'interprétation. Ce
gravure, réalisée en Allemagne, constitue comme une « bande dessinée ». Noter : le coup de feu t
sur l'amiral (1), tandis que le roi dispute une partie de paume (2) ; à gauche Coligny est tiré de s
lit et jeté par la fenêtre. Les noyades occupent le centre de la gravure. En haut à droite, les curie
regardent les pendus se balancer au gibet de Montfaucon, où sera exposé le corps de Colig

comme un régime en rupture avec le passé. La structure fédérale, en revanche, introduit un élément presque révolutionnaire en sa nouveauté. Car une assemblée, même si elle s'intitule à l'origine Etats généraux, désigne son « Protecteur » — même si la tradition monarchique lui confère par son titre de prince du sang une relative légitimité — ; mais elle possède aussi des pouvoirs jusqu'alors réservés au roi : fixer et répartir les impôts, mandater des ambassadeurs, décider de la guerre et de la paix, instituer les magistrats, nommer les généraux et surtout édicter lois et ordonnances...

Bien des contradictions et des faiblesses ont limité le pouvoir de cette république calviniste. Son fonctionnement a été constamment gêné par son aberrante assiette géographique. Au-delà d'une ligne tendue approximativement entre Grenoble et Saint-Jean-d'Angély, les protestants de la France du Nord ne sont point participants du nouveau régime, même s'ils envoient parfois leurs députés aux assemblées politiques. A l'intérieur de l'aire méridionale où cet Etat républicain s'est implanté (et qui comprend : Dauphiné, Languedoc, Guyenne, Gascogne, Saintonge, Périgord et Béarn), des régions échappent à son contrôle. Ce sont de très grosses villes et leur plat-pays : Toulouse, Bordeaux, Marseille, Avignon, Aix, Agen, etc. Des cantons plus vastes demeurent catholiques, sinon ligueurs : la Provence, le Toulousain, la plupart des petits pays sub-pyrénéens... Etrange état presque en haillons !

Une autre de ses faiblesses réside dans les incessants conflits qui, au niveau fédéral, ont opposé les hommes des Conseils et des assemblées aux Grands chargés de l'action militaire. Les Protecteurs, ce furent d'abord le prince de Condé — remplacé un temps par Henri de Montmorency-Damville, allié catholique de l'Union, de 1574 à 1579 environ — puis Henri de Navarre lorsque celui-ci put, en février 1576, s'échapper enfin de la Cour où il était gardé depuis la Saint-Barthélemy. Or, ces puissants personnages acceptent fort mal de dépendre d'une assemblée où les ministres et les robins ont la majorité, même si les nobles y participent, et surtout d'un conseil permanent dont la raison d'être est de contrôler leur action. Lorsque Navarre devint en 1584 l'héritier présomptif de la couronne de France, un net raidissement des rapports entre les divers pouvoirs fédéraux intervient. L'assemblée politique de La Rochelle exprime en 1588 cette tension en remaniant la composition et les attributions du conseil permanent. Celui-ci comptera désormais dix membres, se réunira trois jours par semaine au logis du roi de Navarre, et connaîtra avec lui de toutes les affaires de l'Union. A ce stade, on n'est pas tellement loin d'une république parlementaire ! Du moins dans la pensée des protestants agissant dans les différentes institutions, mais sûrement pas dans celle du futur Henri IV !

Dire quelle a été l'œuvre profonde de ce régime est chose difficile. La guerre contre le roi de France a été son action la plus évidente. La Cour délègue dans le Midi des lieutenants-généraux à la tête d'armées. C'est ainsi que Joyeuse affronte Damville, général en chef de l'Union en Languedoc en 1577, que Mayenne va la même année mettre le siège devant Brouage... Le pouvoir central est amené à négocier avec les représentants diplomatiques des Provinces-Unies pour mettre fin aux hostilités : ainsi furent signés les édits de paix de Beaulieu en 1576, de Poitiers en 1577, de Fleix en 1580. Il semble même que la lutte armée soit devenue pour les protestants du Midi une fin en soi. Aussi, une organisation militaire a été soigneusement élaborée ; or, les généraux chargés de la protection des provinces, bien que nommés et contrôlés par l'assemblée et le conseil régional, se révèlent ivres de violences et de désordres. Les quatre vicomtes — Terride et Gourdon en Gascogne, Paulin et Saint-Romain en Haut et Bas-Languedoc — combattent pour combattre. Entraînant leurs bandes de hobereaux et de soldats dans d'inutiles et incohérentes actions de commando contre villes ou châteaux réputés papistes, ils ravagent les campagnes, exaspèrent le peuple « paisible » des champs, de l'une et l'autre religion, et sont responsables de l'insécurité et de la misère. Aucun des généraux en chef (Damville, Châtillon, Condé...) ni même le Protecteur, n'arrive à discipliner ces seigneurs de la guerre. Indirectement, ils vont contribuer à la naissance d'un mouvement spontané populaire et rural. Las d'être écrasés et pillés par les nobles de chaque parti, les rustres entraînés dans une sécession politico-religieuse sans signification pour eux s'unissent pour se défendre, quitte à en appeler au souverain légitime. Ces ligues paysannes se créent en Vivarais et Velay, dans la vallée du Rhône, en Dauphiné entre 1578 et 1580 ; en Comminges, dans la Montagne Noire, en Limousin et en Périgord entre 1593 et 1595 ; donc en des régions contrôlées par l'Union protestante, à des degrés variés, il est vrai. Ces révoltes de pauvres, groupés pour des objectifs autres que religieux, marquent ainsi les faiblesses d'un système qui n'a su attirer ou retenir les ruraux. D'autre part, elles vont grandement profiter à Navarre, devenu Henri IV quand il entreprendra de se rallier son royaume.

Cependant, outre l'intérêt historique que suscite toute théorie politique cohérente, même si elle demeure sans effet, la république huguenote présente des aspects positifs. D'abord, elle a eu le mérite de gouverner pendant quelque vingt ans le Sud du royaume. Si la violence a trop souvent été de règle, quelques mesures ont été prises pour améliorer le sort des populations, par exemple des trêves de labourage. D'autre part, les cadres de l'administration royale qui ont été aussi ceux de l'administration protestante sont restés en place, ils ont assuré la continuité des affaires et ont permis une restauration plus rapide sous Henri IV. Enfin, l'existence même de pouvoirs structurés et reconnus en ces lointaines provinces du Midi a évité leur démantèlement en principautés autonomes aux mains de quelques grands féodaux. Telle était la stratégie de Montmorency-Damville lorsqu'il s'allia avec les huguenots en 1574, mais les résistances des robins et des ministres groupés en conseils et assemblées ont rendu vaines ses espérances. Ce fut aussi grâce aux efforts d'un capitaine, Lesdiguières, général pour l'Union en Dauphiné, que cette province n'est pas devenue la proie du duc de Savoie rêvant de l'englober dans une version moderne du vieux royaume d'Arles. Aussi, le ralliement final à Henri IV s'accomplit sans trop de mal alors que dans le Nord le souverain fut contraint de reprendre villes et régions ligueuses que Philippe II, roi d'Espagne, avait attirées en sa mouvance. Mais l'action primordiale accomplie par les dirigeants de l'Etat protestant fut de négocier avec le roi les articles de l'Edit de Nantes. Ceci fut l'œuvre des assemblées politiques. Elles ont constitué, du 1er avril 1596 au 13 avril 1598, un formidable groupe de pression. En fait, pendant ces deux ans, une seule assemblée où se côtoient grands seigneurs du Parti et représentants des provinces siège en permanence, « changeant de lieu sans changer d'objet ». Les Grands : Bouillon, La Trémoille, ont refusé de joindre l'armée royale sous les murs d'Amiens assiégée par les Espagnols ; ils menacent de se choisir un nouveau Protecteur (Guillaume d'Orange-Nassau ?). Si la menace porte, c'est que ces gentilshommes s'appuient sur toute une organisation politique qui a déjà fait ses preuves. D'ailleurs, l'assemblée de Sainte-Foy a, en 1594, étendu à tout le royaume le système représentatif des Provinces-Unies du Midi. Ainsi s'établit un rapport de forces où les protestants se trouvent en position avantageuse ; ils ont obtenu ainsi du souverain un maximum de garanties et de concessions. Celles-ci ont été bien plus importantes, sans doute, que ne l'aurait voulu Henri IV. Le chantage à une nouvelle sécession huguenote a pu faire reculer le rusé Béarnais, car celui-ci pensait cet Etat politiquement viable et donc dangereux pour l'unité, tellement fragile encore, du pays !

Changer l'homme...

Dans la communauté humaine d'avant le péché régnait un ordre divin fondé sur de parfaits rapports d'égalité entre les êtres. L'eschatologie calviniste promet la reconstitution de cette société impeccable, à la fin des temps, dans le royaume de Dieu. Mais les chrétiens n'ont pas à attendre passivement que se réalise le message biblique ; ils sont investis de la mission de construire sur la terre une organisation provisoire que Calvin nomme l'« ordre politique ». Celui-ci, image imparfaite du Paradis perdu, est cependant un progrès sur l'anarchie de l'époque d'avant la Réforme. Les relations entre croyants s'y établissent à partir de l'inégalité et de la contrainte. En effet, les hommes et les institutions étant par nature corrompus, ils ne peuvent se plier spontanément à la volonté du Créateur. Le réformateur de Genève confie l'essentiel de cette restauration sociale aux Eglises : d'où l'immense pouvoir disciplinaire qu'il accorde aux ministres, aux anciens, aux assemblées ecclésiastiques. Mais, en sa famille, en son travail, en sa ville ou son village, chaque chrétien se doit de participer de ce gigantesque effort de rénovation. Il s'agit donc tout à la fois de réprimer et d'éduquer : démarches parallèles. Un ensemble de textes anciens et modernes fournit à chaque fidèle, en sa sphère propre, les principes de son action. La Bible — et surtout le Décalogue — constituent le code fondamental auquel le croyant ajuste ses conduites civiles et religieuses. Il doit également trouver dans l'*Institution de la Religion Chrétienne* les dogmes de sa foi et les règles de sa pratique.

Réprimer

Il faut d'abord chasser les attitudes qui rappellent l'ancienne religion. Une offensive vigoureuse est menée pour traquer dans l'homme les résidus de son passé papiste. Cette lutte se justifie par la stricte observance du premier Commandement, puisque le catholicisme est perçu comme un croyance idolâtre. Les autorités protestantes lui portent une horreur et un dégoût presque physiques. Toutefois, certains huguenots ne sont pas aussi assurés en leur croyance et beaucoup ne peuvent se garder de la « pollution papistique ». C'est la raison du combat permanent engagé par les autorités religieuses pour préserver ces âmes égarées. La guerre se mène sur des fronts multiples difficiles à tenir en même temps. D'abord, il faut empêcher les filles « de se prostituer a l'idollatrie pour se marier », car les filles préfèrent un futur papiste à la perspective de rester célibataire. Il faut interdire aux fidèles d'assister aux enterrements de leurs parents lorsque ceux-ci appartiennent à la religion maudite : abstention douloureuse si l'on songe à la force du sentiment familial des hommes de ce temps. Il faut dissuader chacun d'aller entendre les Prêcheurs ; même les plus fervents calvinistes se laisseraient tenter tant est vif le goût de l'art oratoire. Le calvinisme exige beaucoup de ses fidèles. Ceux de la première génération l'ont durement ressenti, car ils ont vécu le temps de l'autre Eglise tellement plus permissive. Après 1598, l'époque héroïque est passée, la vie calme se réinstalle alors que demeurent la contrainte et l'ascèse. Aussi, au tournant du nouveau siècle, les « révoltes » se font-elles nombreuses, plus nombreuses même qu'après la Saint-Barthélemy. Les mariages mixtes deviennent de plus en plus fréquents. Les infractions quotidiennes au premier Commandement se multiplient. A partir de 1590 environ, l'action disciplinaire des consistoires et des synodes régionaux devient, pour une large part, une lutte anti-catholique. La répression concerne alors toutes les couches protestantes. Si l'artisan ne résiste point aux attraits de la fête votive, le magistrat, lui, ne répugne nullement à confier son fils aux Jésuites.

Les bénéfices ecclésiastiques de l'Eglise romaine sont, pour beaucoup de réformés, une occasion d'enfreindre les lois de leur religion. Comme l'on sait, ces revenus sont, le plus souvent, affermés, contre versement d'une redevance annuelle, à un particulier. Or, en cette période de hausse des prix alimentaires, la ferme des dîmes et des rentes foncières constitue un solide profit pour tout individu entreprenant : il s'agit de savoir jouer de la différence entre la valeur versée au titre de la ferme et celle obtenue par l'habile gestion des revenus en nature ou argent provenant des biens tenus en bail. Des fortunes importantes ont été acquises de la sorte. La tentation est donc grande de tourner les interdits et de parler affaires avec le clergé catholique. Il est intéressant d'observer qu'en ce domaine la pression de la base — et plus sûrement celle des notables — a conduit à un adoucissement des positions disciplinaires de l'Eglise réformée. Dans les premières années, celles-ci sont rigides. La doctrine s'adoucit plus tard. Les synodes nationaux de Vitré (1583) et de Montauban (1594) admettent qu'il est licite de gérer les biens de l'autre Eglise, mais interdisent que des messes soient célébrées dans les paroisses où sont levées dîmes et rentes ; il est également fait obligation au fermier de verser une part de son profit à la communauté réformée. Devoir auquel on répugne plutôt si l'on en juge par le nombre d'articles synodaux invitant à le respecter.

La religion vécue comme telle refuse les comportements irrationnels ou magiques longtemps tolérés par le catholicisme. Le recours aux guérisseurs, aux diseurs de bonne aventure, aux bohémiens et autres devins, est rigoureusement proscrit. Et, bien plus encore, la pratique ou l'usage de la sorcellerie. Alors que les autorités religieuses ont à connaître de quelques affaires mineures de prédictions ou de guérisons soi-disant miraculeuses, le phénomène de sorcellerie est le grand absent du *corpus* disciplinaire protestant. Pourtant, en cette moitié du siècle commence la grande vague de magie noire ; les bûchers s'allument en pays catholiques comme dans les autres pays réformés. Ne raconte-t-on pas que le parlement de Toulouse a condamné au feu quelque quatre cents sorcières en la seule année 1577 ? L'illustre Jean Bodin, esprit éclairé s'il en fût, consacre un gros volume à la Démonologie. Le ministre Lambert Daneau produit sur le sujet un fort sérieux ouvrage : *Les Sorciers, dialogue très utile et nécessaire pour le temps*. Ses confrères, luthériens, anglicans ou presbytériens, ont aussi confectionné de savantes œuvres pour armer la chasse aux sorcières. Or, dans les règlements synodaux, dans les affaires jugées par les consistoires, presque rien n'évoque la sorcellerie ou ses adeptes. Le fait semble étrange. L'historien anglais Trevor Roper l'explique ainsi : la sorcellerie, création des juristes et des inquisiteurs, n'existe guère en réalité ou même pas du tout. En France, les autorités calvinistes combattaient trop d'adversaires pour s'en inventer un de plus en la personne de Satan ! Celui-ci n'intéresse que quelques rares érudits.

Chasser le vieil homme, c'est aussi éliminer les habitudes héritées de l'ancienne société. Nombre de comportements plus ou moins admis jusqu'alors par l'Eglise et le pouvoir civil vont être proscrits. La crainte du péché est immense chez les calvinistes de stricte obédience. Ils en sont arrivés à construire une dynamique infernale dans laquelle un seul écart à la règle déclenche l'implacable mécanisme menant à la totale dépravation. L'intempérance, par exemple. Pour les prédicateurs ou les éducateurs, elle apparaît comme un vice majeur. Aux yeux du capitaine François Lanoue, huguenot rigide, gourmandise et ivrognerie ont provoqué les troubles dans lesquels se débat le royaume. Auger Gaillard, poète occitan à la vie tumultueuse mais aux principes rigoureux, pense que le surplus de boisson conduit l'homme à trop parler et souvent à blasphémer.

La paillardise (ou le concubinage, ou la fornication, ou encore l'adultère...) est, selon le Décalogue et selon la Discipline génevoise et française, le crime le plus grave contre l'ordre politique. Des sanctions ecclésiastiques extrêmes sont prévues : excommunication provisoire et réparation publique. Pourtant celles-ci ne sont que rarement appliquées, car les protestants sont d'une relative chasteté. Cependant, on cherche à protéger les hommes des tentations en chassant des villes, voire des provinces contrôlées par l'Union, prostituées et femmes aux mœurs douteuses. Les dirigeants locaux n'ont que rarement à connaître les affaires scandaleuses et encore concernent-elles le plus souvent des fiancés trop hâtifs à consommer leur mariage !

Entre les principes et la pratique, il y a une marge. Elle signale l'exact sillon où s'opère la transformation de l'homme par la morale réformée. Lorsque les fulminations des hérauts de la loi (poètes « spirituels », sermonneurs, militants exemplaires) rejoignent les exhortations et les réprimandes contenues dans les actes consistoriaux ou synodaux, il y a des chances pour que la prise sur le réel dépasse le niveau de l'utopie. Il en est ainsi des interdits opposés à la danse. Si l'on en croit les moralistes, comme Yves Rouspeau ou Auger Gaillard, elle est l'aboutissement du vertige, elle est le vertige même. Les lois religieuses défendent donc aux protestants de danser. A Genève, ceux qui s'y adonnent sont punis de trois jours de prison, puis renvoyés au Consistoire pour subir les censures ecclésiastiques. La Discipline des Eglises réformées françaises la condamne également avec une sévérité particulière. « Les danses seront réprimées et ceux qui font estat de dancer ou assister aux dances après avoir été admonesté plusieurs fois seront excommuniés quand il y aura pertinacité et rebellion ». En Béarn, les ordonnances religieuses de Jeanne d'Albret réglementent durement toutes danses publiques, sans toutefois les défendre totalement. Mais il y a fort à faire en la matière pour faire appliquer la règle, si l'on en juge par le nombre de femmes et d'hommes censurés ou même privés de la cène pour s'être abandonnés à ce plaisir ! Car, dans la société du temps, la danse est un divertissement essentiel, qui ravit l'ouvrier agricole comme le prince du sang et le Décalogue ne renferme aucune restriction de cette manifestation quasi-élémentaire du plaisir de vivre !

Tous les propagandistes de « l'ordre politique » s'accordent à condamner le jeu. Tous lui assignent une place privilégiée dans la spirale du péché. Inutile et déraisonnable, il encourage l'oisiveté et entrave le travail productif. Il est gaspillage des biens de ce monde, ainsi que le disent encore Yves Rouspeau et Auger Gaillard. Mais ceux qui cherchent à l'interdire obtiennent de piètres résultats. Pourtant, ce n'est pas faute de multiplier les précautions. Consistoires et synodes

ne cessent de répéter les interdits, et les étendent aux cabaretiers et
« hostes » ches lesquelz on joue, et aux marchands chez lesquels on
se procure cartes, tarots et dés. Le jeu, avec les disputes publiques et
la danse, constitue l'infraction la plus répandue à la règle de Calvin.
Dans les villes de garnison, la soldatesque, malgré les règlements militaires rédigés par Gaspard de Coligny ou le prince de Condé, s'adonne
avec passion aux cartes, aux dés. A tel point que le pasteur Galliouste,
responsable de l'Eglise du Mas-Grenier, place de sûreté, s'écrie avec
désespoir que le scandale est permanent, « pouvant apourter une tou-
talle ruyne et disipasion de ceste esglize ». Il faut dire que les Français
condamnent tous les jeux, même ceux que Genève tolère car ils sont
plutôt sportifs : par exemple, la « boule courte », la « paulme », le
billard ou encore les quilles.

Comme on l'a fait à Genève, on a voulu en France écarter les
fidèles de la fête et du spectacle. La fête unit en une liesse collective
les plaisirs du vin, de la danse, du festin que l'on refuse à chacun.
Elle est donc le cadre privilégié des débordements. En outre, elle se
pare d'une référence au merveilleux chrétien que la « vraye religion »
vise à remplacer dans le cœur et l'esprit des croyants. Les manifestations traditionnelles du calendrier romain sont donc effacées de la
nouvelle pratique religieuse. En principe, le seul jour de repos est
le dimanche où tout travail doit, suivant le Décalogue, s'arrêter. Aussi
les innombrables jours chômés en l'honneur d'un saint ou d'un grand
événement catholique ne sont plus respectés par un chrétien digne
de ce nom. Boutiques et ateliers doivent donc demeurer ouverts à
Noël, à l'Epiphanie, à l'Ascension, à la Toussaint, etc., et lors des anni-
versaires des saints patrons de la ville, du quartier, de la paroisse
ou de la corporation, etc. Souvent, ces règlements ne sont pas respectés,
tant la tradition et le milieu ont de poids sur l'individu.

On comprend alors le combat incertain que mènent moralistes et
dirigeants religieux pour éloigner leurs ouailles des réjouissances populaires durant la période du Carnaval. Ici encore, l'ancienne religion
avait été tolérante bien que nulle figure de l'Ecriture ou de la Tradition
ne fût honorée durant le cycle des réjouissances. Les déguisements
sont inhérents au Carnaval : on porte des masques, on se noircit le
visage, on s'habille de façon incongrue (hommes déguisés en femmes
et vice-versa, costumes mis à l'envers, vêtement du haut mis à la place
du bas). Le temps du Carnaval est de durée variable selon les régions :
souvent limité à la seule journée du mardi gras, il s'étend parfois
jusqu'à couvrir toute la période comprise entre le jour des Rois et
le mercredi des Cendres. Cette allégresse collective ne peut être tolérée

chez un chrétien, d'autant qu'elle s'accompagne de désordres et parfois de violences. La Discipline française défend également le spectacle en tant que tel. Le théâtre va donc disparaître des villes et lieux occupés par les protestants. Les Moralités, les Mystères, qui dans la première moitié du XVIe siècle avaient amplement contribué à la prise de conscience religieuse d'un peuple analphabète, ne sont plus interprétés, faute d'acteurs et de spectateurs. Cette défiance à l'égard de la chose jouée n'est qu'un des aspects de l'immense crainte protestante devant le simulé, le masqué. D'où encore la lutte contre la coquetterie, surtout celle des femmes. Certes, le goût de la parure est mauvais, car il y a impudicité à vouloir attirer les regards ; mais il est surtout dissimulation, déguisement, tricherie sur les apparences. Ainsi les fards, les coiffures très élaborées (« l'entortillement des cheveulx et cheveulx empruntés que les femmes portent en testes... »), les robes complexes à vertugadins, etc., sont honnis par les autorités religieuses. Le combat doit être douteux, à lire la masse des articles disciplinaires exhortant à la modestie des vêtements et de la toilette.

Protestants et pauvreté.

Est-ce conduits par le même souci d'authenticité que les dirigeants protestants lèvent le masque des pauvres ? Ils distinguent les bons des mauvais. Dans la société médiévale, la pauvreté est vertu. Les misérables sont identifiés au Christ, et médiateurs de la relation homme-Dieu. Ordres religieux, confréries, individus, choisissent la pauvreté volontaire pour une communion plus approfondie avec Jésus. Une évolution se fait jour dès la fin du Moyen Age et au début du XVIe siècle. Des humanistes tels Erasme ont vitupéré les moines-mendiants pour leur crasse, leurs arrogantes quêtes, leur paresse. Le gonflement prodigieux du nombre des vagabonds et des mendiants dans la seconde moitié du siècle (dû aux guerres religieuses et aux crises économiques) alerte les Eglises et les pouvoirs publics. Dans une perspective analogue, le protestantisme français considère la pauvreté comme un mal qui doit être éliminé. S'il y a du chômage, la communauté se doit de fournir du travail à ceux qui en sont victimes. De même les malchanceux, infirmes, orphelins, etc., doivent être secourus. Mais toute une catégorie de pauvres de profession est anathématisée. Ce sont « toutz vagabons, gens sans adveu et fetneans » ou encore mendiants valides « auxquels Dieu a donné la force et charge de pouvoir travailler ». Les villes protestantes les chassent (ainsi Montauban en 1581-82) ; Jeanne d'Albret les expulse de son royaume en 1566. Le pauvre n'est plus le saint, envoyé par Dieu pour que l'homme charitable y trouve occasion de salut. Finies donc la Cour des Miracles et ses écoles de mendiants, finies aussi les aumônes inconditionnelles, les distributions de nourriture ou d'argent que les riches avaient accoutumé de faire lors d'une cérémonie ou d'une fête. La charité s'organise, se rationalise, tout en demeurant le devoir essentiel du chrétien. Les pauvres sont pris en charge par une administration ecclésiastique ou civile. La gestion des fonds est assurée par un personnel d'Eglise : diacres ou anciens. Les hôpitaux (parfois hérités de l'époque antérieure) sont dirigés par un comité mixte comprenant des pasteurs ou des anciens et des magistrats municipaux. En ce qui concerne les aumônes à des individus, elles sont le fait des gens d'Eglise et elles sont toujours strictement contrôlées. L'initiative en revient à un diacre ou un ancien qui rapporte les cas de maladie, de misère observés en son quartier ; le consistoire décide alors du montant de l'assistance accordée, la somme est inscrite soit dans un livre particulier soit dans les actes presbytéraux ainsi que le nom de la personne, le temps où elle touchera ce viatique et la raison pour laquelle elle le reçoit. Alors seulement le responsable de la « bourse des pauvres » peut donner l'aumône demandée. Les gestionnaires de cette caisse rendent chaque année compte à leurs collègues et aux fidèles de leur administration. On voit combien ce système de charité est organisé avec sérieux et méthode.

L'assistance s'accompagne d'exhortations morales si le pauvre mène une vie indigne d'un chrétien. Parfois, on menace d'arrêter les secours si la mauvaise conduite persiste. Les adhérents de la nouvelle religion sont les premiers à être aidés ; les autres reçoivent ensuite le résidu de la « bourse » et les diacres les exhortent à renoncer à l'idolâtrie. A la fin du siècle, alors que le paupérisme et l'errance s'aggravent, la règle en matière d'assistance devient plus stricte encore. On a posé vigoureusement le principe selon lequel chaque Eglise doit nourrir ses pauvres ; ce que limite dans l'action quotidienne la pratique des attestations. Ces lettres d'introduction autorisent le porteur à émarger aux caisses charitables des communautés huguenotes. Plusieurs synodes provinciaux se plaignent de ministres trop laxistes, signant ces attestations avec largesse. Le synode national de Montpellier, en 1598, précise le formulaire de ces lettres : les pauvres en transit ne pourront être adressés qu'à l'Eglise la plus proche, « sur le droict chemin du lieu où ilz vont, speciffiant le nom, l'age, la stature, le poil, le lieu où ils vont, la cause de leur voyage et l'assistance qui leur aura ésté faicte et ne seront lettres dattées du jour et an oubliees... ». L'étape atteinte, les lettres seront « lacérées » et une autre attestation délivrée pour la prochaine Eglise. Du moins s'efforce-t-on de constituer une aide sociale efficace. Les Eglises font tout ce qui est en leur pouvoir pour réintégrer dans le monde du travail un être soucieux de gagner sa vie à la sueur de son front. Les diacres et les anciens s'occupent de placer certains en apprentissage, de trouver des salles où d'autres pourraient enseigner ; ils accordent des bourses d'études, ils trouvent des logements... Quelques communautés possèdent déjà des hôpitaux où sont soignés ou assistés malades et misérables. D'autres en fondent, ainsi Saint-Antonin et Aubenas. L'exemple de Nîmes est particulièrement intéressant. Dès 1561, année où les huguenots contrôlent la cité, un vaste ensemble social est mis en place : un chirurgien des pauvres est appointé par la municipalité, un régent pour les enfants démunis est salarié par l'Eglise, les femmes « qui apprennent les filles » se voient contraintes d'instruire gratuitement celles qui ne peuvent les payer. Montauban, autre capitale du calvinisme, n'est pas en reste : les impécunieux peuvent recevoir des soins médicaux et un enseignement gratuitement. Autre exemple tout aussi significatif : celui de l'Académie du Béarn. Celle-ci fonctionne sur les revenus confisqués au clergé romain ; elle est administrée par la Chambre ecclésiastique qui s'occupe également de tout ce qui concerne le temporel des églises protestantes du petit royaume. En lisant ses délibérations, on ne peut que s'émerveiller du souci dans lequel sont tenus les écoliers pauvres. Ils sont habillés, chaussés, munis de livres et de fournitures scolaires, surveillés par un médecin. Le tout sans que leurs parents payent un denier, puisque ces subsides proviennent d'un très ancien capital convenablement géré et efficacement utilisé. Pour la première fois, peut-être !

Vers une nouvelle religiosité

La stratégie mise en œuvre pour progresser vers Dieu passe obligatoirement par une transformation de la pratique religieuse. Celle-ci, bien sûr, est contraignante : le protestantisme, comme l'on sait, exige beaucoup de ses adeptes. Car le croyant doit s'engager en toute connaissance de cause dans la foi nouvelle : on lui demande donc d'être capable de rendre compte des raisons de son engagement. Aussi, le souci de la catéchèse est-il grand chez les responsables, pour que chacun possède et intègre les vérités de la religion. Certes, les ambitions en ce domaine ne peuvent être que limitées : les arcanes de la théologie calvinienne — en particulier celles qui traitent de la signification de la Sainte Cène — ne sont intelligibles que pour des cercles étroits de spécialistes. Car les têtes dures des rustres et des « gens méccaniques » ne peuvent enregistrer qu'un mince savoir. Le minimum requis en la matière est la connaissance de la « créance » (la confession de foi résumée), de l' « orayson » (le Notre Père) et des Dix commandements. Pour enseigner ces vérités fondamentales, les diacres et les ministres — auxquels la Discipline recommande d'enseigner en personne au moins une fois l'an — réunissent leurs ouailles en séances de catéchisme. S'appuyant sur le petit Catéchisme de Calvin qui procède par courtes questions et réponses, on instruit le peuple en même temps qu'on l'interroge. Par ailleurs, celui-ci peut acquérir quelque lumière religieuse par la régulière fréquentation des prêches. Car chaque dimanche, le sermon du ministre est précédé d'une lecture de la Confession de foi, de la Discipline et de quelques versets de l'Ecriture. Cette imprégnation est, aux yeux des dirigeants, fondamentale, la catéchèse n'étant souvent qu'une vérification des connaissances acquises durant les cultes. Les examens et cours de catéchisme se déroulent quatre fois l'an, avant chaque Cène. Le marreau, qui autorise le chrétien à communier, est accordé à ceux que l'on juge « suffisants ». Il arrive qu'il soit refusé à certains que l'on ne trouve pas assez « instruitz sur la cognoissance de dieu ». Aussi afin d'arriver à ce niveau d'instruction, le huguenot se voit-il obligé d'assister aux cultes. A ceux du dimanche qui ont lieu le matin et le soir. Dans les villes, il y a même prêche le mercredi. La cloche annonçant les services met fin à toutes les activités non religieuses ; celles-ci, interdites le dimanche en vertu du Décalogue, s'arrêtent également en semaine le temps nécessaire. Les anciens surveillent la docilité du troupeau en matière de pratique cultuelle ; ils établissent la liste des absents, demandent des justifications et peuvent user à leur égard de sanctions ecclésiastiques. La tâche est parfois difficile. Les paysans des dimanches d'été sont plus soucieux de l'orage qui menace que du prêche qui sonne.

Participer aux quatre Cènes annuelles est également une obligation sacrée. Ne pas s'approcher de la Table Sainte quand la possibilité vous en est offerte est considéré comme une faute grave, presque un blasphème. Car l'importance qu'accordent à ce sacrement les responsables est extrême. Ils exigent instruction religieuse et conduite chrétienne, dont le marreau témoigne. Ceux qui n'ont pas participé à la communion sont ainsi décomptés, puisqu'ils n'ont pas rendu leur jeton ; on leur en demande raison les jours suivants. Certes, encore imbu de catholicisme, le fidèle perçoit comme plus nécessaires les Cènes de Noël et de Pâques. La patience et la ténacité des anciens et des pasteurs ont été récompensées : l'application et la régularité dans l'accomplissement des devoirs religieux ont fait de grands progrès. Pour l'élite huguenote, le fait est normal, puisque elle a très rapidement intégré ces dogmes et ces rites qui correspondent à son besoin de renouveau spirituel. L'illustre savant Isaac Casaubon manifeste, dans les pages de son journal intime, un désespoir vrai lorsque la maladie ou les aléas climatiques l'empêchent de se rendre au temple de Charenton (relativement éloigné de Paris). Le petit peuple a également acquis une conscience plus aiguë de ses obligations. Ainsi, voit-on les anciens submergés, les jours précédant la communion, par un grand nombre de danseurs, de joueurs, de mégères..., venant demander l'absolution. Les scribes du consistoire alignent avec fierté le chiffre des communiants car il est le signe d'une adhésion unanime de la paroisse.

La religion vécue ne se limite pas pour le protestant à l'affirmation publique de sa foi. Il existe une religiosité plus intime et quotidienne marquée par la célébration d'un culte dont l'officiant est le *pater familias*. Ce dernier lit les Ecritures chaque jour devant sa maisonnée ; s'il ne le peut, — la lecture est, comme l'on sait, un luxe réservé à quelques-uns, — il dit les prières et fait chanter les Psaumes. De l'existence de cette pratique en milieu populaire, peu de traces écrites subsistent. Localement, des règlements établis en synode conseillent de limiter les prières publiques, pour que les fidèles s'accoutument à suivre les prêches, mais surtout apprennent le rite quotidien de la prière familiale. Ces mesures ont probablement quelque effet. Du moins en Languedoc où en 1591 le gouverneur de Montmorency est prié par les ministres de sa province d'intervenir afin que « ceux de la religion qui lisent en leurs maisons la Bible, chantent des psaumes, ne soient point punis ». En revanche, la religion familiale telle qu'elle existe dans l'aristocratie nous est assez bien connue. Un témoignage s'en trouve dans la vie de Coligny rédigée par François Hotman. Comme certains hauts personnages, l'amiral jouit des services d'un aumônier ; cela n'empêche point le *pater familias* de diriger souvent le culte lui-même :

> « Aussitôt que l'amiral était sorti du lit, aus matin, ayant pris sa robe de chambre et s'étant mis à genoux, comme aussi tous les autres assistants, il faisait lui-même la prière dans la forme accoutumée aux Eglises de France, après laquelle, attendant l'heure du prêche qui se faisait de deux jours l'un avec le chant des psaumes... à l'heure du dîner, lequel étant prêt, ses serviteurs domestiques, hormis ceux qui étaient empêchés aux choses nécessaires pour repas, se trouvaient en la salle où la table était dressée, auprès de laquelle étant debout et sa femme à côté, s'il n'y avait point eu prêche, l'on chantait un psaume et puis on disait la bénédiction ordinaire... Le même se pratiquait au souper et, voyant que tous ceux de

sa maison se trouvaient malaisément à la prière du soir...,
il ordonna que chacun vînt à l'issue du souper, et qu'après le
chant du psaume la prière se fit ».

L'auteur ajoute à cette description particulière :

« Et ne se peut dire le nombre de ceux d'entre la noblesse
française qui ont commencé d'établir en leurs familles cette
religieuse règle, à l'exemple de l'amiral, qui les exhortait
souvent à la véritable pratique de la piété, n'étant pas assez
que le père de famille vécût saintement et religieusement, si,
par son exemple, il ne réduisait les siens à la même règle ».

Le couple et la famille

Le chrétien commence donc son éducation religieuse très jeune,
la famille est sa première école. Le couple, noyau de cette cellule, a
une très grande importance pour les théologiens et les moralistes
protestants. Pourtant, leur doctrine sur la formation du lien matrimonial diffère grandement des positions catholiques. Celles-ci voient dans
le mariage un sacrement : le consentement mutuel des fiancés prononcé
dans une église, sans que la présence d'un prêtre soit nécessaire, suffit
à réaliser l'union. Celle-ci est donc d'essence religieuse et la société
n'y a pas de prise ; le mariage concerne seulement l'homme, la femme
et Dieu ; aucun témoin n'est requis ni le consentement parental. Le
droit canon pose cependant un certain nombre de règles de consangui-
nité à ne point transgresser. Chez les protestants, s'il est un acte social
très grave, le mariage n'est pas un sacrement ; or, en ce domaine, la
législation civile est fort mince et se borne souvent à reprendre les
interdits canoniques : il n'y a ni théorie ni pratique laïques puisque
la religion et l'Eglise ont jusqu'ici assuré la formation du couple. Les
protestants sont donc amenés à élaborer une législation matrimoniale
à leur propre usage.

La Discipline de 1559 consacre à cette question six articles ; le
texte définitif du XVIIᵉ siècle en compte trente-deux. Ceci donne la
mesure de cette abondante législation, qui n'est pas la seule, puisque
synodes et consistoires produisent une réglementation valable localement. Ce *corpus* abondant se double d'une épaisse jurisprudence ; les
causes concernant le mariage sont jugées en premier ressort par les
anciens et vont en appel aux diverses assemblées religieuses. En droit
canonique protestant, le lien conjugal se forme en deux temps. Des
promesses sont d'abord échangées entre les futurs époux ; elles sont

indissolubles et souvent même elles font l'objet d'un contrat notarié. Dans un second temps, le mariage est solennisé par le ministre dans le temple. Des conditions péremptoires sont à remplir : les fiancés doivent avoir l'autorisation — écrite ou orale — de leurs parents. Ils sont également soumis à une sorte de consensus social : par trois dimanches précédant la cérémonie, celle-ci est annoncée publiquement en chaire dans chacune des paroisses des promis. Si aucune opposition à l'union projetée ne s'est élevée, cette dernière peut être scellée. Ces dispositions rendent le mariage beaucoup plus compliqué qu'autrefois ; cependant, les promesses indissolubles suggèrent chez les théologiens calvinistes une répugnance à rompre totalement avec la doctrine catholique. De fait, elles s'apparentent tellement à l'ancienne conception du mariage que beaucoup de « fiancés » s'arrêtent là et vivent ensemble « à pot et à feu » sans se soucier de faire bénir leur couple *in facie ecclesiae*. Ces « concubins » sont poursuivis par sanctions ecclésiastiques. En 1612, rompant totalement avec le passé médiéval, le synode de Privas déclare les promesses des fiançailles solubles ; cette décision amorce l'adhésion de la communauté réformée au droit matrimonial que le Conseil du roi élabore au cours du XVIIe siècle.

Le lien conjugal doit être durable et solide. Seules deux causes peuvent introduire le divorce : l'adultère et l'absence. Dans le premier cas, le pouvoir civil en fournit les preuves et les autorités religieuses prononcent la dissolution au vu des pièces de justice. L'absence doit être fort longue (au moins dix ans !), ce qui ne peut signifier que la mort, ou une *desertio maliciosa* qui s'apparente à l'adultère. Le divorce doit être alors prononcé par un juge royal. Le remariage est possible, mais il risque de ne pas être reconnu par les lois du royaume.

Dans le couple, le premier rôle est donné au mari. Parce que sa supériorité est indiscutable et parce que la femme est, selon saint Paul, un « vaisseau fragile ». Comme l'explique Calvin, cette primauté est aussi protection. L'homme, être doué de raison et de patience, a la charge d'éduquer son épouse, de l'amener doucement dans la voie de la vraie religion, de la faire assister aux prières et aux prêches. Il lui évitera aussi les comportements excessifs : comme de se conduire en mégère avec ses voisines ou d'aller danser par les chemins ! Il arrive même que l'époux soit censuré pour les erreurs de sa compagne. Les qualités de la bonne épouse sont volontiers détaillées dans les recueils de poèmes ou de chants chrétiens et moraux. Elle doit être, « plus que du corps, riche des biens de l'âme », « de bonnes mœurs », et ne point avoir « son nom marqué de sinistre renom ». Elle doit se garder « de mal parler en tout temps », « de trop courir » ou de jeter sur le monde des « regards vains ». La totale soumission à la volonté maritale est la plus nécessaire et la plus évidente vertu féminine. En revanche, une longue lutte est menée par les autorités religieuses pour que les épouses ne soient plus battues, ni bafouées, pour qu'elles soient convenablement entretenues par des conjoints trop souvent insouciants. L'époux se trouve donc responsable de l'âme et du corps de sa femme. Les rôles de chacun étant clairement définis, le couple doit vivre en paix. Les disputes de ménage sont censurées, les anciens s'efforcent à réconcilier les époux, à leur faire promettre de ne point retomber en discorde. Cette action disciplinaire tend donc à fixer l'homme et la femme dans une union paisible et durable. Parallèlement, le mariage et même l'amour conjugal sont célébrés par les écrivains moralistes, Calvin le premier.

La fonction du couple est de produire et d'élever des enfants. La famille conjugale est investie d'un devoir sacré : celle de l'éducation des jeunes et de leur apprentissage religieux. Auger Gaillard, d'une plume facétieuse mais convaincue, tente en un texte laborieux de « montrer à ceux qui ont des enfants comment il faut les élever pour en faire des gens de bien ». Les mémoires du ministre Merlin détaillent le souci que ses parents ont eu de l'instruire en religion. A quatre ans, sa mère lui apprend à prier Dieu et à lire les lettres ; à cinq ans, on lui fait lire la Bible presque en entier en l'interrogeant sur ce qu'il en a retenu ; il doit également résumer les prêches auxquels il assiste. Ici le rôle de la famille calviniste est conçu avec une conscience toute particulière, puisque Pierre Merlin est fils de pasteur. On s'efforce en général d'inculquer aux adultes le sens de leurs responsabilités à l'égard de leurs enfants. Le chef de famille (qui peut être une veuve) répond devant les anciens — parfois jusqu'à être privé d'une communion — des erreurs de son fils ou de sa fille. A cette gravité assignée à la fonction des parents correspond une pesanteur nouvelle accordée à leur autorité. Celle-ci d'origine quasi-divine, suppose une obéissance sans faille. La loi exige le consentement du père ou de la mère au mariage des jeunes jusqu'à vingt-cinq ans ! S'ils leur manquent de respect, ils ont à subir les sanctions ecclésiastiques. On exige des enfants devenus adultes qu'ils entretiennent leurs parents lorsque ceux-ci sont âgés et dans le besoin. Une véritable politique de la famille se met ainsi en place ; sans doute pour la première fois dans l'histoire de notre pays ?

Si la première éducation se fait à la maison, la société s'occupe par la suite de l'écolier qui peut poursuivre ses études. Les protestants attachent une immense importance à l'enseignement. Celui-ci se déploie dans une perspective religieuse puisque les réformés, pas plus que quiconque en ce siècle, ne conçoivent de formation scolaire purement laïque. A Genève, on le sait, les professeurs de l'Académie font partie intégrante du personnel ecclésiastique. D'ailleurs, là comme en France plus tard, beaucoup sont aussi des pasteurs. Il y a donc, dans les régions huguenotes du royaume, implantation d'un système scolaire parfois très remarquable. Dans les villages, pasteurs, anciens et consuls se débattent pour trouver de quoi gager un régent. Les communautés ont été affrontées à d'innombrables difficultés financières pour payer cet instituteur, mais les sacrifices des uns et la conviction des autres ont porté leurs fruits. Certes, une carte de la scolarisation sous l'Ancien Régime oppose la France du Nord où les petites écoles sont nombreuses et celle du Sud où elles sont beaucoup plus rares. Or, à l'intérieur d'une Occitanie où beaucoup de régions isolées, montagneuses ou tragiquement infertiles apparaissent comme « un désert scolaire », les zones où les écoles se présentent en tissu serré sont celles où le protestantisme est au XVIᵉ siècle largement implanté. « Le Languedoc protestant est le Languedoc scolarisé. Maximum de Huguenots, maximum d'écoles », a-t-on pu écrire à propos de cette originalité méridionale. Ainsi la seule ville entièrement protestante du diocèse de Rodez est Millau, c'est aussi celle qui avec son plat-pays présente la plus forte densité d'écoles de la région ! Même constatation en Béarn où, avant 1789, l'instruction atteint les niveaux les plus forts de la France du Sud : un garçon scolarisé sur moins de vingt habitants. A un niveau supérieur d'enseignement, le collège constitue l'élément essentiel de la stratégie scolaire protestante. Il n'existe que dans les villes importantes. Une douzaine de ces établissements sont en place dès le XVIᵉ siècle, plus tard ils seront près de trente. En chaque classe, un programme d'études particulier établit une progression, depuis la 8ᵉ où l'on apprend à lire jusqu'à la 1ʳᵉ où l'on manie la rhétorique. Les Frères de la Vie Commune ont été, au XVᵉ siècle, les initiateurs de ces méthodes pédagogiques fort différentes de la pratique médiévale où un seul maître rassemblait les écoliers de tout âge. Le protestant Jean Sturm s'inspire de ces pratiques lorsqu'en 1528 il fonde le gymnase de Strasbourg : les collèges du royaume en feront leur modèle. Quelques-uns de ces établissements dispensent également un enseignement supérieur. On les nomme alors Académies. La théologie règne à ce niveau d'études, puisque l'on vise essentiellement à former des ministres. Six Académies sont établies avant 1600, deux au siècle suivant. Entre la classe élémentaire de 8ᵉ et les leçons de théologie, le programme d'études accorde une formidable part aux auteurs anciens et surtout aux Latins. Ainsi, dans la première classe du collège de Saint-Lô, les écoliers « lisent » des orateurs, poètes et historiens tant Grecs que Latins des meilleurs », et reçoivent quelques éléments de rhétorique. Les élèves du collège d'Orthez travaillent sur des œuvres précises : celles de Cicéron, Tite-Live, Salluste, César, Virgile, etc., ainsi que les ouvrages d'Isocrate, Xénophon et Plutarque. Des textes plus contemporains : la dialectique de Ramus ou celle de Melanchton sont également commentés. L'Académie de Die présente pour sa classe de rhétorique un programme analogue. Ces établissements ont donc un plan d'études à peu près semblable. On y enseigne par le truchement des mêmes ouvrages les rudiments de la lecture — un A B C français établi sur le modèle génevois, la connaissance des anciens et les fondements de la théologie réformée. Le contenu de l'enseignement répond donc à une finalité religieuse, comme les méthodes pédagogiques et disciplinaires utilisées par les éducateurs.

Le travail

Au-delà du collège, du temple ou de la famille, la conduite du chrétien est soumise encore à la loi religieuse. Le Décalogue, qui en est la trame, oblige au travail. La glose réformée ajoute quelques suppléments au texte mosaïque. Le travail, remarque-t-elle, est nécessaire à la communauté et à l'individu puisqu'il assure la subsistance du second et évite à la première l'effort coûteux d'entretenir les pauvres oisifs. D'autre part, l'effort permet de développer les richesses accordées aux hommes par Dieu. Enfin, en absorbant l'énergie du chrétien, l'exercice d'un métier l'empêche de tomber dans la débauche. Toute œuvre, quelle qu'elle soit, doit contribuer aux progrès de l'humanité. Les réformés, malgré leur croyance en la déchéance fondamentale due au péché originel, demeurent confiants dans une perfectibilité de l'individu et des collectivités. Sur le lieu du travail, les protestants demeurent des militants de la nouvelle religion, s'efforçant de montrer aux autres la « manière dont Dieu veut être servi ». Aussi les chefs d'entreprise, tout en montrant l'exemple d'un comportement chrétien, sont également responsables de la vie spirituelle de leurs subordonnés. Le célèbre agronome Olivier de Serres, décrivant le « bon ménager » dont il a fait le héros positif du *Théâtre de l'Agriculture*, insiste sur ses devoirs envers les ouvriers agricoles du domaine ; ce propriétaire-exploitant encourage « ses domestiques à suivre la vertu et à fuir le vice afin que bien morigénés ils vivent ainsi qu'il appartient sans faire de mal à personne. Leur défendra les blasphèmes, paillardises, larcins et autres vices... ». D'ailleurs, les autorités religieuses sont là pour rappeler les obligations du protestant dans l'atelier ou aux champs. Ainsi, les maîtres de métier ne doivent souffrir de leurs compagnons nulle chanson « déshonnête » ou « lubrique », ni de blasphèmes, ni de cris ou d'injures ; il arrive qu'ils répondent en personne devant le Consistoire des excès de leurs ouvriers. Ils sont même tenus de contrôler leur pratique religieuse ; ils sont aidés en cela par les Eglises : en effet, certaines d'entre elles assurent des prières ou des prêches le mercredi à 5 heures du matin pour que les gens « meccanicques » et les domestiques puissent les suivre sans avoir à amputer leur journée de travail.

Les œuvres littéraires n'échappent point à ces objectifs. Les protestants condamnent les productions « vaines » ou « mondaines » telles que chansons, comédies, poèmes, peintures, etc., dans la mesure où elles ne contribuent point à l'éducation sociale ou religieuse des hommes. Les auteurs ont, semble-t-il, assumé avec sérieux ce rôle. Bernard Palissy n'hésite pas à écrire un livret à l'usage des ruraux dans lequel il vante l'emploi du fumier dans les jardins ; il espère contribuer au progrès général en diffusant son expérience car, explique-t-il : « ...saint Paul dit, qu'un chacun selon qu'il aura reçu de dons, qu'il en distribue aux autres ».

Conclusion.

On a voulu ici parler des protestants plus que du protestantisme. Aussi a-t-on insisté sur la vie des gens dans les communautés calvinistes. A certains, peut-être, la démarche apparaîtra quelque peu triviale ; ils y verront sans doute un discours sur la contrainte et la lourdeur de l'Eglise alors qu'ils souhaitaient une évocation des martyrs et des héros de la cause. Or, plus que ceux-là, ce sont tous ces artisans, ces notaires, ces marchands, ces ministres qui ont incarné le protestantisme. Ceux-là qui censuraient ou étaient censurés, qui écrivaient, prêchaient ou travaillaient. En effet, ils sont les témoins devant les siècles futurs d'un grand dessein : celui de transformer l'homme et la société. En leur temps, on les a combattus, on les a haïs parce qu'ils étaient déjà différents des autres. Certes dans les élites catholiques des hommes les ont fort bien compris. Car le projet protestant ne diffère pas tellement du projet de toute une partie de la société. Il faut en chercher les preuves au siècle suivant, où l'Eglise issue du Concile de Trente et la royauté unissent leurs efforts pour installer de nouveaux comportements chez les sujets du roi Très-Chrétien.

Alors, l'Eglise catholique encadrera ses ouailles et surveillera leur pratique religieuse. Un clergé compétent formé dans les séminaires manifestera la volonté d'engager les fidèles dans une religion contraignante. Ce clergé montrera quelque défiance à l'égard des fêtes issues du « paganisme chrétien » médiéval. Ce catholicisme rénové utilisera des stratégies pédagogiques très proches de celles de Jean Sturm et donc des collèges protestants. Le pouvoir monarchique travaillera au long du XVIIᵉ siècle à transformer le mariage-sacrement en un engagement approuvé par la famille et la société. Pouvoir monarchique et pouvoir d'Eglise s'attaquent systématiquement au problème que pose le paupérisme : les hôpitaux du « grand renfermement » se multiplieront, où seront relégués les pauvres valides ou invalides. En inculquant à chacun le goût des « bonnes mœurs » et l'horreur de l'oisiveté, en donnant à chacun une formation scolaire même élémentaire, on essaiera de couper le paupérisme à la racine.

Mais les protestants les ont devancés. Minorité opprimée, combattue, parfois massacrée, elle est porteuse à son époque d'une sociologie neuve. Mais, pour l'imposer à tous ceux qui se réclament du calvinisme, il a fallu aller très vite et très fort. D'où cette passion disciplinaire, ce corsetage incessant du fidèle, cette crispation dans la différence. Si le calvinisme n'a pu, comme religion conquérir la totalité du royaume, comme projet de société, il a défriché les sentiers innombrables de la civilisation moderne.

La peau de chagrin (1598-1685)

Jusqu'à la fin du siècle dernier, l'érudition protestante s'était assez peu intéressée au XVIIᵉ siècle, « coincé » entre les deux périodes héroïques des guerres de religion et du Désert. Quant à l'histoire générale, elle limitait ses préoccupations aux derniers soulèvements par lesquels le XVIᵉ siècle se poursuivait jusqu'en 1629 et à la Révocation, avec toutes leurs conséquences. Même Lavisse, dans son *Louis XIV* jamais refait, ne consacre que quelques lignes à la vie des protestants réformés entre 1629 et 1685. Et les historiens catholiques, obnubilés par les grandes figures de la Réforme catholique, de François de Sales à Fénelon, ne considèrent guère les huguenots que comme des « objets ». L'excellent livre d'Orcibal par exemple !

C'est à Matthieu Lelièvre, pasteur méthodiste, que l'on doit un renouvellement complet de la question. Erudit en même temps que grand éveilleur d'âmes, il avait entrepris de rédiger une *Histoire du Protestantisme français* qu'il dut arrêter aux années 1700. Son volume, consacré aux préliminaires de la Révocation, fit sensation et scandale. S'appuyant sur des faits précis et des extraits des prédicateurs réformés de l'époque — dont Claude Brousson —, il en concluait que la Révocation s'était abattue sur un corps sans âme, sans vigueur spirituelle, déjà rongé de l'intérieur. M. Lelièvre a fortement influencé E.-G. Léonard qui, lui aussi, parle de la « léthargie » des Eglises à la veille de la Révocation.

Cette thèse par trop extrême n'est plus admise de nos jours. S. Mours, R. Stauffer comme P. Chaunu, reprenant les conclusions qui furent celles de Vinet et les études plus récentes faites sur la spiritualité de l'âge classique, — notamment Voetzel et L. Rimbault, — sont nettement moins critiques. Chaunu ne va-t-il pas jusqu'à parler, en termes quasi lyriques, du « grand protestantisme d'Eglise » ? C'est au fond là l'essentiel du problème.

L'Edit de Nantes et la fin du Parti protestant (1598-1629)

La substance de l'Edit.

On appelle Edit de Nantes (mai 1598) un ensemble de dispositions comprenant l'Edit « stricto sensu », loi de l'Etat et, comme telle, enregistrée en parlement, les articles « particuliers » ou « secrets », qui règlent divers points de détail, enfin les « brevets » accordant aux Eglises des subsides.

L'analyse en a souvent été faite. Grosso modo, on peut dire avec E.-G. Léonard que l'Edit faisait des protestants un « corps politique avantagé et un corps religieux désavantagé ». Résumons : le catholicisme était rétabli partout. Les réformés obtenaient la liberté de conscience et l'admissibilité à tous les emplois. Des chambres « mi-parties » devaient être constituées dans certains parlements pour juger les affaires les intéressant. En revanche, la liberté de culte était médiocrement garantie : elle était accordée dans les villes ou lieux où elle avait été établie par diverses fois en l'an 1596 ou 1597 (culte de possession), chez les seigneurs ayant la haute justice (culte de fief), enfin dans deux localités par bailliage ou sénéchaussée (culte de concession). Les « secrets » indiquaient un certain nombre de villes (dont Toulouse, Reims, Bourges, Orléans et Dijon), où le culte devait être interdit à la suite des capitulations des Ligueurs. Les réformés devaient « garder et observer les fêtes de l'Eglise catholique » et payer la dîme. En échange, le roi, par les « brevets », garantissait aux Eglises un subside annuel de 45 000 livres qui fut, évidemment, fort mal payé. Religieusement, le corps protestant était donc loin d'être sur pied d'égalité avec le culte catholique. En fait, toute expansion lui était interdite. L' « évangélisation » en pays non huguenot était, de fait, proscrite et la « conversion » de villages ou de villes, comme au XVIe siècle, à la fois impossible et illégale. Les cultes de concession tenaient cependant compte des besoins des petits groupes isolés, surtout au nord de la Loire.

Corps politique favorisé : les « secrets » permettaient aux réformés de conserver une centaine de « places, villes et châteaux qu'ils tenaient en août 1597 ». C'était là une garantie de la paix, d'où le nom de « place de sûreté » donné à ces lieux. Ce privilège nous paraîtrait aujourd'hui abusif, sinon extravagant. Il faut tenir compte du fait que les « ligueurs » reçurent les mêmes avantages — mais qui disparurent en

1606, tandis que ceux des protestants étaient renouvelés —, que les huguenots n'étaient pas seulement une minorité religieuse, mais aussi un « parti » — confusion inévitable dans la mentalité de l'époque. Enfin que tant les chefs de ce parti que Henri IV pensaient que les places étaient la meilleure garantie possible, et de la part du roi, que les promesses seraient tenues, et de la part des huguenots, qu'ils seraient des sujets fidèles.

L'application de l'Edit

Comment fut appliqué l'Edit ? Il est bien connu que les parlements se firent tirer l'oreille, et que celui de Paris inspira quelques restrictions de détail. Par la suite, la tâche de l'application de l'Edit fut confiée à des « commissaires » désignés par le roi, et dont M. Francis Garrisson a étudié de près l'intense activité.

Pour les lieux de « possession », il n'y eut guère de problèmes, et les protestants continuèrent à exercer leur culte là où ils le faisaient d'habitude. Pour les concessions, il y eut d'énormes difficultés dues aux circonstances locales, à une absolue mauvaise volonté du clergé et à l'inertie désapprobative de la majorité des corps d'officiers. L'ardeur des commissaires, appuyée par la ferme volonté du roi, réussit cependant à donner, dans l'ensemble, aux divers groupes protestants, un statut satisfaisant. A l'inverse, dans les régions protestantes, et souvent non sans difficultés, notamment à La Rochelle, Montauban, Nîmes et Uzès, le culte catholique put être rétabli. Mais l'Eglise mit longtemps avant de récupérer les biens qui lui avaient été enlevés et, probablement même, la récupération ne fut jamais complète.

Sous le règne du roi Henri, de 1598 à 1610, l'Edit fut appliqué à peu près correctement. Le Béarnais s'efforça de maintenir un savant équilibre entre les partis, négociant alternativement avec chacun d'entre eux et réussissant, en fin de compte, à faire prévaloir, surtout en politique extérieure, sa volonté. L'alliance anglaise, l'appui donné aux Pays-Bas, à Genève et à Venise sont la rançon du retour des Jésuites et du mariage florentin. Henri ménage le parti protestant qu'il juge indispensable à l'équilibre politique de la France en tant qu'utile contrepoids au parti dévôt, ligueur et pro-espagnol.

L'article 82 de l'Edit condamnait en théorie le « parti », tandis que l'article 34 des « particuliers » légalisait la constitution ecclésiastique. En fait, jusqu'à la paix d'Alès de 1629, il exista dans le protestantisme deux structures parallèles, une structure politique avec des « assemblées », une structure religieuse avec la traditionnelle hiérarchie presbytéro-synodale. Henri IV dut tolérer « le parti », essentiellement parce que celui-ci, à l'inverse de la Ligue qui s'était lentement dissoute après l'abjuration, était resté très uni et avait même consolidé ses structures au moment de la négociation de l'Edit et que, pour le dissoudre, il aurait fallu avoir recours à des mesures de force.

La France protestante de 1598 était divisée en dix provinces. Sur le plan religieux, elle était administrée par le synode national annuel, formé par des délégations des synodes régionaux, eux aussi annuels, et regroupant les représentants des Eglises locales. A la base, on l'a vu, l'Eglise est administrée par un consistoire et les Eglises voisines se réunissent en colloque. Conformément aux traditions gallicanes, et c'est une règle qui durera jusqu'en 1905, le synode ne peut se réunir que sur autorisation d'Etat et en présence d'un « commissaire » du souverain.

Les structures politiques sont les mêmes sur le plan géographique, mais différentes dans leur substance. Chaque colloque envoie une délégation formée d'un noble, un pasteur et un bourgeois à l'Assemblée provinciale qui désigne un « Conseil permanent » et délègue à l'Assemblée générale. C'est là une structure à la fois solide et souple, mais qui n'a d'efficacité que si le parti est uni.

La mort du « parti »

En fait, le parti ne devait durer que quelque trente-cinq ans. La tradition historico-géographique française « unitaire », monarchiste ou jacobine, que l'on retrouve même chez des auteurs protestants comme S. Mours, a toujours considéré la solution « fédéraliste » de fait donnée par Henri IV au problème réformé comme anachronique, féodale et attentatoire au principe de l'unité nationale. Peut-être sommes-nous aujourd'hui moins sensibles à cet argument. On peut également penser que ces trente-cinq ans ont retardé les persécutions : « Mon père vous craignait... », dit un jour Louis XIV aux « députés généraux ».

A la mort d'Henri IV, universellement regretté, les protestants, malgré les promesses de la régente Marie de Médicis, ont raison de tout craindre : la mode est à l'Espagne et à l'Italie. La réforme catholique progresse, bientôt l'humanisme dévôt de François de Sales se développera. Au Conseil royal, le nonce Ubaldini joue un rôle de premier plan. Tandis que le parti catholique se consolide chaque jour, les réformés se divisent.

On peut *a posteriori* discuter éternellement et se prononcer en faveur de chacune des deux tendances du parti, donner raison à Rohan et aux « fermes » (et ce serait assez notre opinion), ou, au contraire, penser que Duplessis Mornay, les « prudents » (ou « politiques » ou « judicieux ») voyaient juste. Il y a de bons arguments de part et d'autre. Et l'histoire ne peut que reconnaître que, si les premiers ont perdu la partie en 1629, les seconds ont leur part de responsabilité, non certes dans la Révocation, mais dans le fait que Louis XIV a pu croire que cette Révocation serait quelque chose de relativement aisé. De toute manière, le premier signe de faiblesse du « Parti » est sa division. Jamais plus, jusqu'en 1629, il ne sera, contrairement à ce qui s'est passé en 1598, unanime, et chose plus grave, cette rupture est connue à la Cour et la reine, puis le jeune Louis XIII, peuvent manœuvrer aisément.

La deuxième faiblesse du « parti » est d'être tombé entre les mains des « Grands ». Or, sauf Rohan dont on peut discuter le sens politique, mais non la conviction, et le vieux Sully dont le rôle s'amenuise, les autres, Bouillon, Lesdiguières, Châtillon, ne font guère que se servir du peuple huguenot comme d'un élément d'une stratégie de Cour dont il est difficile de saisir bien nettement les finalités.

Faussé par ce rôle délétère de la haute noblesse, le conflit entre « fermes » et « prudents » est-il vraiment un conflit de « classes » ? Ce n'est pas un conflit de tendances religieuses car, à cette époque, tout le monde s'affirme calviniste. Il est exact que, d'une façon générale, la petite noblesse et, derrière elle, beaucoup de paysans gagnés à la Réforme, le petit peuple des villes et particulièrement les marins de La Rochelle ont été « fermes », tandis que les bourgeoisies urbaines — celle de Paris à coup sûr, mais aussi celle des villes du Midi — était « prudente », et que le corps pastoral était naturellement divisé.

Un parti protestant divisé, et par conséquent mal armé pour résister à la fois à la centralisation monarchiste et au parti dévôt dont les intérêts coïncidaient en la circonstance. Jusqu'en 1620, le parti fait encore — en apparence du moins — bonne figure. La belle thèse de G. Serr sur Henri de Rohan montre que, dans l'ensemble, les « fermes » l'ont emporté et que, généralement, le chef huguenot a su se donner les moyens de sa politique, grâce à un jeu d'alliances subtil et quelques mesures militaires. L'inconvénient de cette méthode était de compromettre « la Cause » dans une activité qui lui était parfaitement étrangère. Mais, l'arrivée de Luynes au pouvoir, en 1617, va tout changer.

La défaite du parti protestant a demandé dix ans et cinq campagnes à la monarchie. La campagne du Béarn (1620) entraîne, à la fois, la fin de l'indépendance de la vieille vicomté et le rétablissement du catholicisme. La première campagne du Midi — 1621-1622 —, justifiée par le roi comme suite d'une assemblée illégale tenue à partir du 25 décembre 1620 à La Rochelle qui décide un « ordre général » d'ailleurs peu et mal suivi, est marquée par d'importants succès initiaux dans l'Ouest et en Guyenne, puis par la résistance victorieuse de Montauban (21 août - 18 novembre 1621) ; une deuxième offensive royale, en 1622, échoue devant Montpellier et se termine en paix boîteuse, signée le 19 octobre devant cette ville et qui maintient les clauses de l'Edit. De 1622 à 1625, la situation est confuse et les chamailleries permanentes dans le Midi, où la lutte des partis est violente, et autour de La Rochelle. En 1625, Soubise dans l'Ouest, et Rohan en Languedoc entrent en campagne, sans résultat décisif, et la paix de Paris du 5 février 1626 maintient le statu-quo. Richelieu, arrivé au pouvoir en 1624, veut alors en finir, et l'accord de Mouzon conclu avec les Espagnols le 5 mai 1626 lui en donne les moyens. Le cardinal pense avec raison que l'âme de la résistance est La Rochelle, d'où l'interminable siège terminé seulement en octobre 1628. Retenu par Condé, Epernon et Montmorency, Rohan n'a pu quitter le Midi. 1629 voit la dernière campagne mais, face à une armée royale qui vient de s'illustrer, en mars, en Savoie, Rohan est impuissant. Il réussit à l'Assemblée d'Anduze de janvier à resserrer « l'union des Eglises », et peut négocier l'Edit d'Alès du 27 juin 1629.

L'Edit marque la fin du « parti », car les Assemblées sont désormais interdites et surtout les places de sûreté disparaissent. Richelieu, après avoir accordé une amnistie générale, promesse qu'il ne tiendra d'ailleurs pas, maintient les clauses religieuses de l'Edit. Il ne faut pas, comme l'ont fait beaucoup d'historiens, exagérer la « modernité » du cardinal. Sa préoccupation était moins l'unité nationale que la conformité religieuse. Lui-même, commente le père Joseph, pensait que l'Edit devait être suivi à brève échéance de la Révocation, mais la guerre contre les Habsbourg, la nécessité des alliances protestantes, et, d'un autre côté, la résistance inattendue d'un corps réformé resté solide, devaient en décider autrement.

Le peuple protestant

Les seize provinces

C'est au cours des années d'accalmie qui suivent l'Edit d'Alès, et qui dureront, non sans accrocs plus ou moins graves, jusqu'aux « préliminaires » de la Révocation, que nous devons étudier le monde protestant, notamment à travers les travaux précis du pasteur S. Mours.

Géographiquement, le protestantisme des années 1630-1680 est encore majoritairement du Sud de la Loire. C'est la résultante d'une situation antérieure, confirmée par les guerres civiles du XVIe siècle et peut-être surtout l'action de la Ligue. Sauf en Normandie, à Sedan et à Metz — où la situation est d'ailleurs particulière —, à Calais, le protestantisme septentrional, tout comme celui du Centre de la France, est un protestantisme largement minoritaire, un protestantisme de « restes » à qui les restrictions de l'Edit rendent souvent la vie difficile.

Analysons cela de plus près pour chacune des seize provinces synodales :

1/ L'immense province d'Ile-de-France/Champagne/Picardie comprend un protestantisme faible et disséminé en Champagne, le gros groupe de Calais, les Eglises urbaines et industrielles d'Abbeville et de Saint-Quentin, la dissémination de la Thiérache, l'importante Eglise de Paris (10 à 12 000 fidèles), quelques groupes en Beauce, les 3 000 fidèles de Meaux-Nanteuil. Total : 48 000 protestants.

2/ La Normandie (59 000) possède de grandes Eglises urbaines : Dieppe, Le Havre, Rouen, Caen, Bolbec ; des Eglises disséminées en Basse-Normandie et d'assez nombreuses Eglises de fiefs.

3/ Avec 6 000 protestants, la Bretagne formait une province : quelques Eglises de fiefs, trois Eglises urbaines, Nantes, Rennes et Vitré.

4/ L'Anjou-Touraine-Maine (13 500 protestants) contenait trois grandes Eglises urbaines (Tours, Saumur et Loudun), et quelques cultes de fiefs.

5/ Il en était de même de l'Orléanais-Berry (15 500), avec une population rurale assez dispersée dans le Blésois, plus dense dans le Sancerrois et des Eglises importantes à Blois, Mer, Châtillon, La Charité, Henrichemont.

6/ Le Poitou (90 0000) est une région de forte densité protestante, groupée dans l'Est de la Vendée et dans le Sud des Deux-Sèvres actuelles. Nombreuses y étaient les Eglises de fief. L'Eglise la plus importante était Niort, mais les protestants étaient nombreux à Poitiers, Châtellerault, Thouars.

7/ La Saintonge-Aunis-Angoumois (98 000) avait ses zones de force autour de La Rochelle, dans les îles, autour de Saint-Jean-d'Angély et de Cognac. Ailleurs des Eglises de bourgade, plus ou moins dispersées, s'étendant aux confins du Limousin.

8/ La Basse-Guyenne (100 000 âmes) comprend ses groupes compacts d'Eglises : basse vallée de la Dordogne, pays de Bergerac, Agenais, Nérac et Albret, séparés par des zones de disséminations. Ecrasée par la Ligue, la Réforme connaît à Bordeaux un net réveil au XVIIᵉ siècle. Les principales cités réformées sont Sainte-Foy, Bergerac, Clairac et Nérac.

9/ Le Béarn : ici le chiffre a beaucoup baissé au cours du siècle. Les zones de force étaient Nay-Pontacq, Pau, la vallée d'Osse et Oloron, Salies et surtout Orthez. On peut évaluer le nombre de réformés à 30 000 vers 1660.

10/ La province de Haut-Languedoc/Haute-Guyenne était centrée sur Montauban, Millau, Castres et la Montagne castraise, le pays de Foix, Mazamet et Revel (80 000 protestants en tout).

11/ Le Bas-Languedoc était dominé par Montpellier et surtout par Nîmes. La population était majoritairement protestante dans la Vaunage, la Vistrenque et l'Uzège. La grande Eglise de Nîmes (12 à 15 000 protestants) en était la métropole (88 000 âmes).

12/ 82 000 protestants habitaient la province synodale des Cévennes, qui s'étendait d'Alès et Sauve à la haute vallée du Tarn, et y formaient la grande majorité — et dans certaines communautés l'unanimité — de la population.

13/ La province de Vivarais englobait quelques blocs protestants assez denses autour de la vallée de l'Eyrieux, sur les plateaux du Velay, dans les Boutières, ainsi que l'importante Eglise urbaine d'Annonay. Faible était le protestantisme forézien. En tout 48 000 réformés.

14/ La Provence, avec ses 9 000 protestants, était une des plus faibles régions synodales. Il n'existait guère que le groupe Vaudois de la Durance (Mérindol, Lourmarin, Cabrières), des Eglises dispersées à Manosque, Riez, Eyguières et Le Luc. Presque rien à Marseille.

15/ Le Dauphiné protestant (72 000) comprenait les Eglises de la principauté d'Orange, le Sud de la Drôme actuelle (Montélimar, Dieulefit, Bourdeaux), la basse vallée de la Drôme, le Diois, les confins Vaudois entre la France et l'Italie, le groupe assez dense du Drac et du Trièves, enfin l'importante Eglise de Grenoble en relations étroites avec Genève.

16/ La dernière province, la Bourgogne (17 000 âmes), était un protestantisme de dispersion : Lyon a lentement relevé son Eglise. Ailleurs, ce sont quelques groupes isolés en Auvergne, Châlonnais, Dijonnais. Seule la masse du pays de Gex, aux portes de Genève, compte numériquement.

S. Mours évalue à 856 000, c'est-à-dire 4 % de la population totale, l'effectif des protestants en France, en ne tenant compte ni de Sedan, ni de Metz, ni de l'Alsace. Ajoutons que les pays conquis par la France au XVII° siècle, sauf bien entendu l'Alsace, ne comptaient guère de réformés : ni l'Artois et la Flandre où le protestantisme avait été durement persécuté au XVI° siècle, ni la Franche-Comté, ni le Roussillon, eux aussi anciens territoires espagnols. En tout état de cause, l'Edit ne s'y applique pas.

On le voit donc : dès l'application de l'Edit, il n'y a pas en fait « un » protestantisme, mais « des » protestantismes, et un « peuple protestant » très varié. Grosso modo, on peut dire qu'il existe : des régions à population protestante majoritaire, voire unanime (Cévennes, Bas-Languedoc « gardois », Diois, Sud du Poitou) ; des régions où subsistent des îlots ruraux qui s'efforcent tant bien que mal de survivre ; des régions où un protestantisme, plus ou moins minoritaire, est essentiellement un fait urbain.

Protestantisme et société

De bonnes monographies (et elles ne manquent pas !) nous permettent de saisir l'impact du protestantisme et de ses Eglises sur les populations. En gros, on peut dire que le XVII° siècle a vu un affaiblissement de la noblesse réformée, affaiblissement qui touche à l'effondrement pour ce qui est de la haute noblesse, et qui est moins sensible chez les nobles provinciaux ; que la bourgeoisie d' « offices », très forte autour de 1600, s'étiole au profit de la bourgeoisie « de finances » et d'affaires ; que les communautés rurales restent stables, sinon en progrès, jusqu'aux années 1680 ; enfin qu'il est difficile, car tout est affaire de cas particuliers, de savoir si et comment a pu se maintenir, dans les milieux urbains, un « peuple » protestant.

La noblesse de Cour, âme du parti jusqu'en 1629, n'a pas résisté à l'influence du Trône. Divers facteurs ont pu jouer : la privation de « grâces » en une phase de dépression économique, l'attrait de la Cour, le fait de « clientèle », enfin tout l'ensemble de valeurs qui a créé la centralisation autour de Versailles. A l'inverse, la fidélité de la noblesse provinciale reste importante, même dans les provinces où le protestantisme était largement minoritaire et, en Picardie comme en Bourgogne, ce sont des seigneurs possédant la haute justice qui maintiennent les Eglises en utilisant leur droit de fief. Nous savons également que beaucoup d'officiers huguenots ont servi soit dans l'armée royale, soit dans les armées des souverains protestants du Nord, alliés de la France jusqu'à la guerre de Succession d'Espagne. Cette fidélité est encore corroborée par le fait que beaucoup de ces officiers émigreront en 1685 jusqu'à constituer des régiments entiers au service de Guillaume d'Orange ou du Grand Electeur. Les actes synodaux témoignent de leur côté de cette persévérance. Le relais de la noblesse provinciale par la bourgeoisie n'a donc pas été total.

Certes, le XVIIᵉ siècle a été une des périodes triomphales de la bourgeoisie protestante — bourgeoisie d'offices et de finances au service du roi tout d'abord, bourgeoisie d'affaires par la suite. La bourgeoisie « royale », c'est avant tout l'Eglise de Paris, avec ses grands commis, ses fournisseurs de la Cour, ses trésoriers et comptables divers, puis ses banquiers, d'Herwarth à Samuel Bernard. Les hommes d'affaires, c'est Paris évidemment, avec les Laffemas, les Gobelin, les Cavrarge, mais aussi les « soyeux » nîmois, les négociants bordelais, rochelais, grands actionnaires de la Compagnie du Nord, nantais, havrais, rouennais, les drapiers de Sedan, Alençon, Montauban, Abbeville, Villers-le-Bel, Arnay-le-Duc ou Châtillon-sur-Seine, les papetiers d'Angoulême, « les négociants considérables » d'origine suisse de Lyon, les tapissiers d'Aubusson. Et nous en passons !

Ici, devrait venir un couplet sur les relations entre protestantisme et capitalisme et une approbation — ou une critique — des thèses de Weber. Il n'y a pas lieu d'y insister longtemps. En fait, le dynamisme des réformés français, écartés par ordonnances royales de la plupart des affaires publiques, ne pouvait que se réfugier dans ce qui n'appartenait pas aux fonctions traditionnelles de l'Etat monarchique. Fait de « minorité moyennement brimée » comme écrit P. Chaunu, mais aussi résultat de l'opposition de fond entre capitalisme et Contre réforme baroque, voire « société d'ordres » (Trevor Roper).

Les Eglises urbaines, riches, bénéficiant d'un solide corps pastoral, ont donc bien résisté jusqu'à la Révocation et, jusqu'auprès du Conseil du roi, un Colbert s'efforça de les défendre, souvent avec succès. Mais étaient-elles un grand corps sans tête ? En d'autres termes, existait-il un peuple protestant dans les villes ? Ici, la réponse est difficile. La ville « moderne » étant en constant déficit démographique, il est certain que l'immigration n'a pu que profiter à la religion dominante — et c'est le cas à Montauban, à Montpellier, à Tours, ailleurs sans doute. Et une certaine démagogie catholique — lutte de classes transférée en lutte religieuse — est déjà, ici et là, fort sensible. Le « triomphalisme catholique » dont parle Le Roy Ladurie à propos du Languedoc ne s'est pas seulement manifesté dans le domaine de l'art.

Il est difficile de conclure, sinon à l'extrême diversité de la population protestante. Sauf la haute noblesse et la robe officière, en voie de recul sinon de disparition, toutes les classes de la société sont représentées, de la petite noblesse au monde rural. Dans les Eglises de « masse », la hiérarchie sociale est à peu près complète, du Mas-d'Azil étudié par Mrs Cunnack à Mens analysé par P. Bolle. Ailleurs, on peut rencontrer des nuances : la petite noblesse domine encore en Basse-Normandie et dans l'Ouest, en Gascogne et en Agenais aussi, l'artisanat et le commerce moyen en Champagne, Bourgogne et Provence, la haute bourgeoisie, financière d'abord, industrielle et commerçante ensuite, dans la plupart des grandes villes. De ci de là subsistent, notamment en Brie, en Thiérache, voire en Auvergne, des noyaux paysans isolés, mais parfois solides.

Les Eglises

Le système et ses gauchissements.

Le protestantisme réformé, sous la forme presbytérienne-synodale que, sous l'impulsion de Calvin, il a prise en France, est à la fois une théologie et une pratique de l'Eglise.

Nous n'insisterons guère sur le premier aspect, qui n'est ni de notre sujet ni de notre compétence. Les Pères de la Réforme, Luther aussi bien que Calvin, distinguent l' « Eglise invisible » de l' « Eglise visible », la première étant une famille immatérielle, inorganique et mystique d'Elus que Dieu seul connaît et qui se perpétue. Cette Eglise n'aura de réalité qu'au jour du Jugement. A celle-ci se superposent les « Eglises » visibles dont l'organisation est, en soi-même, quelque chose de secondaire, pourvu que la Parole y soit lue et les sacrements correctement distribués.

Partant de ces prémisses, Calvin, puis la « Discipline » votée par le synode de Paris en 1559 et qui est restée en vigueur, sans grosses modifications, jusqu'à la Révocation, s'efforcent d'organiser les Eglises, selon le système exposé ci-dessus. A la tête est le synode national, qui doit être autorisé par le pouvoir civil et, depuis 1623, un « commissaire du roi » y assiste. Dans l'intervalle des synodes, le « corps protestant » est représenté auprès du souverain par les « députés à la Cour », nommés d'abord par le synode, puis, à partir de 1653, par le roi.

Le système est à la fois cohérent et souple. Il n'est pas contestable que, dans l'ensemble, il a fort bien marché et surtout fait preuve, sur le plan local, d'une grande solidité. Même la suppression de fait des synodes nationaux après celui de Loudun (1659) n'a pas détendu, encore moins brisé, le ressort des organisations réformées. Jusqu'à la veille de la Révocation se sont tenues, même dans des régions de faible densité protestante comme l'Ile-de-France et la Bourgogne, les réunions des consistoires et les synodes.

Le régime presbytérien-synodal, tel que Calvin l'avait introduit en France, est susceptible de deux gauchissements : le premier est le « congrégationalisme » intégral, tel qu'il existe dans certaines Eglises réformées anglo-saxonnes où il ne donne au synode aucun pouvoir réel et réserve l'autorité à l'Eglise locale elle-même, et le gauchissement dans un sens synodal, sinon « épiscopalien », limitant les droits de chaque Eglise. Nous rencontrons des exemples des deux, mais plus fréquentes et, peut-être, plus visibles sont les déviations « autoritaires ».

Les théologiens réformés n'ont jamais reconnu aux synodes une infaillibilité doctrinale. Tout se passe pourtant comme s'il en était ainsi, encore que le pasteur Dumoulin ait distingué « jugement d'autorité » de « jugement de discrétion ». Beaucoup de réformés acceptent donc l'autorité du synode en matière dogmatique et, dans ce domaine, les canons de Dordrecht, acceptés par l'ensemble des Eglises réformées, ont joué un rôle décisif. D'où également l'existence des censures prises par les Assemblées religieuses contre les pasteurs pour raisons doctrinales. Cette évolution peut s'expliquer par la polémique avec l'Eglise catholique, mais peut-être et surtout par les relations entre réformés français et autres Eglises protestantes, notamment la « Church ».

Cette prépondérance des synodes — et, à travers eux, de ceux que le XVIIᵉ siècle appelle les « pasteurs distingués » — s'est toujours heurtée à un profond sentiment autonomiste des Eglises. Turenne, pour justifier sa conversion, ne parle-t-il pas de « l'indépendance » des pasteurs, et l'on sait que l'obéissance aux décisions canoniques, à propos des problèmes de la Grâce, n'a jamais été totale. En 1644, le synode national de Charenton croit devoir s'opposer ouvertement à un « congrégationalisme » menaçant dans la région rochelaise.

L'aspect « centralisé » de l'organisation réformée au XVIIᵉ siècle, l'existence d'un vigoureux protestantisme d'Eglise n'est donc pas douteux. Protestantisme « centralisé » institutionnalisé et clérical disait E.-G. Léonard, qui y voyait une des faiblesses des Eglises de la Réforme de l'âge « classique ».

Quoi qu'il en soit, le problème de l'Eglise n'a cessé de se poser aux réformés français sous son double aspect théologique et pratique. Rares sont les penseurs réformés, de Duplessis Mornay à Jurieu, en passant par Amyrault, Daillé, P. Dumoulin et Ferry, qui n'aient pas

iorribles cruautez des Huguenots en France.

VII. « HORRIBLES CRUAUTEZ DES HUGUENOTS EN FRANCE »

cruautés ne furent pas le monopole des catholiques, même si la propagande anti-protestante,
strée par cette gravure contemporaine, assura une présentation « spectaculaire » de crimes dûs
à des soldats qui souvent n'avaient de protestants que l'épithète

Collection Viollet

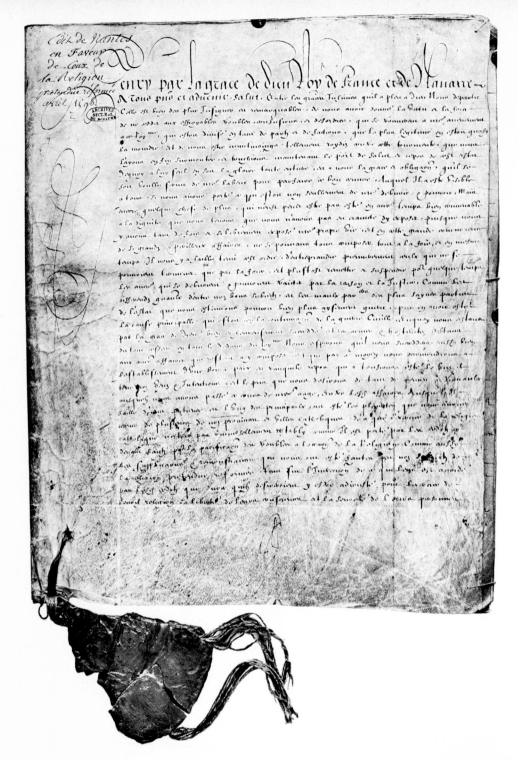

VIII. L'EDIT DE NANTES (1598)

Voici la première page du célèbre édit, munie des lacs de soie auxquels restent
fixés des fragments du sceau royal

touché au sujet. Renvoyons à Voetzel pour les détails. En tout état de cause, l'approfondissement de la pensée ecclésiologique des protestants français leur a permis d'éviter à la fois, comme l'a justement noté P. Chaunu, la tentation de l'unionisme et la « floraison sectaire ».

La vie des Eglises.

Plaçons-nous maintenant « terre à terre ». P. Bolle a étudié le Consistoire de Mens en Dauphiné, formé d'un pasteur, d'une vingtaine d'anciens parmi lesquels toutes les classes sont représentées, mais dans lequel la majorité est marchande et bourgeoise. Le renouvellement se fait théoriquement par cooptation tous les deux ans, mais les renouvellements, fréquents chez les artisans, sont rares parmi les notables. Les membres du Consistoire se partagent diverses fonctions : lecteur, secrétaire, trésorier, syndic assurant la représentation de l'Eglise devant les pouvoirs publics, diacres chargés de l'assistance. L'assiduité aux réunions théoriquement mensuelles est satisfaisante. Le Consistoire se charge de questions financières : assurer, par un système de « cotes », les 450 livres annuelles promises au pasteur et régulièrement payées — parfois avec du retard —, mais aussi des collectes pour les pauvres, de la distribution des bancs au Temple, et de l'observation de la « discipline » par la « censure fraternelle » qui peut, pour les récidivistes, aller jusqu'à la sanction suprême, la privation de la Sainte Cène. Mais, il semble qu'à Mens du moins on n'en arriva jamais à pareille extrémité. Sur le plan religieux, le Consistoire veille donc strictement sur l'observation du dimanche, sur la participation des fidèles au culte et aux sacrements. Il joue un rôle capital au point de vue moral, proscrivant avec vigilance les jeux, la danse et surtout ce qui touche à la moralité, il recherche la bonne harmonie dans la famille et aussi dans la cité, servant parfois de tribunal d'arbitrage.

La fonction d' « ancien » qui, à Mens, était fusionnée avec la fonction diaconale, ce qui n'était évidemment pas une règle, était un honneur qui ne se refusait pas, mais aussi une charge très lourde ; l'ancien était « en quelque sorte un second pasteur dans les limites de son quartier » (S. Mours), qui visitait et signalait les malades, accompagnait le pasteur, « catéchisait » les familles, distribuait les « méreaux » aux personnes admises à la Cène. Choisis dans l'élite religieuse des Eglises, les anciens en constituaient en quelque sorte l'épine dorsale, et c'est en grande partie à leur solidité que la Réforme a dû de se maintenir après 1685.

Le colloque — groupant une dizaine d'Eglises voisines — devait régler les différends d'ordre financier entre Eglises et fixer « l'étendue des lieux dans lesquels chaque ministre » devait « exercer son ministère ». En fait, leur rôle a été modeste, et nous avons peu de traces de leur activité.

Le synode provincial a joué un rôle capital à travers tout le siècle. Il se réunit théoriquement tous les ans et dure une semaine. En fait, il semble bien que, surtout dans les régions où le protestantisme était largement minoritaire, le synode fut tenu seulement tous les deux ans. C'est en tout cas la situation de la Bourgogne. Dans cette province, d'après M. Fromental, il y eut toujours une majorité de laïcs parmi les députés (55 % contre 45 %) — 26 % de ces laïcs sont des avocats auxquels s'ajoutent 13 % de nobles, 11 % de bourgeois, 10 % de marchands. La fonction essentielle du synode est judiciaire (jugement des appels), et disciplinaire (contrôle des pasteurs et des Consistoires). S'ajoutent une surveillance sérieuse des « candidats » en théologie, la nomination des pasteurs — tâche essentielle — et, assez rarement, des questions financières.

Les pasteurs

La Réforme — faite au moins partiellement, par des « enseignants » — de Luther qui était professeur de théologie à Théodore de Bèze en passant par Melanchton et Sturm — est avant tout la religion du Livre. Dès l'élaboration de la Discipline de 1559, les protestants français affirmaient que c'était un devoir des Eglises que « la jeunesse soit instruite ». Cet effort pour l'instruction populaire est contrecarré par les pouvoirs publics qui, jusqu'en 1685, multiplient les décisions hostiles aux « maîtres d'écoles » huguenots. En principe, toute Eglise, voire toute annexe, a son « précepteur de la jeunesse » ou son « régent » — souvent, en même temps, lecteur au Temple, choisi et rétribué par le Consistoire. Comme dans toutes les « petites écoles » jusqu'au XIXᵉ siècle, il n'y a aucune uniformité, ni d'enseignement ni de méthodes. Le meilleur manuel paraît avoir été l'ABC des Chrétiens. Les enfants sachant lire étudiaient les Psaumes et le Nouveau Testament, des livres de « civilité », des recueils de sentences morales, notamment les Colloques de M. Cordier, et les Quatrains de Pibrac. Il est difficile de dire quels furent les résultats.

Encore que l'Edit permît aux protestants l'accès aux Collèges et Universités, les synodes s'efforcèrent de créer un enseignement secondaire protestant. Le réseau de ces Collèges, assez dense jusqu'en 1629, s'étiola rapidement sous les coups de la politique royale. L'enseignement protestant disparaît de La Rochelle, de Montauban, de Nérac, d'Orthez, d'Orange — parfois après un épisode de « mi-partition ». Subsistaient seulement les Collèges rattachés aux Académies : Sedan, Saumur, Die, Nîmes (jusqu'en 1664). Le Collège protestant ne semble guère avoir été original. Dirigé par un « principal », il comprenait six ou sept classes confiées à des régents nommés au concours. Il n'a pas connu l'internat, mais des régents prenaient des élèves en pension. Il était à base de latin, mais le grec y jouait un rôle beaucoup plus important que chez les Jésuites.

Les Académies (Universités), Sedan, Saumur, Die, Montauban — transférée en 1660 à Puylaurens — Nîmes jusqu'en 1664, comprenaient deux « cycles », une Faculté des Arts et une Faculté de Théologie. Il n'y eut jamais ni Faculté de droit, ni Faculté de Médecine protestante. L'Académie était dirigée par un « recteur ». La Faculté des Arts correspondait, de fait, aux deux années terminales du Collège avec enseignement de la philosophie, logique, morale, métaphysique et « physique ». Après un an d'études, le « philosophe » était proclamé « bachelier » ; après une seconde année, il devenait « maître es arts ». Les maîtres es arts qui se destinaient au ministère faisaient alors trois ans de théologie. Ils étaient défrayés par les provinces. Le programme comprenait l'hébreu, le grec néo-testamentaire, la théologie dogmatique et la pastorale. L'étudiant devait préparer de nombreux sermons et prendre part à des « disputes » publiques sur des « positions », disputes qui attiraient toujours un nombreux public. L'enseignement était donné en latin à la Faculté des Arts, en français et en latin à la Faculté de Théologie.

Il n'y a pas d'examen terminal. C'est le synode de la province d'où le « proposant » est originaire qui, après l'avoir longuement interrogé en latin sur le dogme et la philosophie, lui avoir fait expliquer un fragment du Nouveau Testament en grec et de l'Ancien en hébreu, lui fait prononcer un sermon et l'intègre à la province en lui donnant la « main d'association ». Une Faculté de Théologie avait, théoriquement, six professeurs. En fait, ce chiffre ne fut qu'exceptionnellement atteint, mais les professeurs étaient aidés par des pasteurs de la ville. C'est ainsi que Daniel Chamier enseigna plusieurs années à Montauban. Chaque Faculté avait une orientation particulière : Montauban formait de bons hébraïsants, Saumur négligeait quelque peu les langues sacrées au profit de la théologie systématique. Elle avait également sa tendance théologique : on accusait Saumur de semi-arminianisme, tandis que Sedan — alors en dehors du royaume — était le fief de l'orthodoxie gomarienne, et que Montauban essayait de rester dans une juste orthodoxie. De plus, un nombre important d'étudiants français allaient faire leurs études à Genève ou en Hollande.

Le protestantisme français, au XVIIe siècle, possédait donc un corps pastoral de bonne culture. Notons simplement que tous ces pasteurs avaient, plus ou moins, une teinture d'hébreu, tandis qu'un prélat aussi érudit que Bossuet ne connaissait pas cette langue. Lelièvre et E.-G. Léonard leur reprochent leur « embourgeoisement » ; le reproche n'est pas absolument inexact, et il semble bien que, malgré l'inexécution de la promesse des « brevets », leur « niveau de vie » a probablement augmenté, surtout après 1650, lorsque le Bavarois Herwarth est devenu contrôleur général des Finances et qu'il embauche bon nombre de subordonnés huguenots. Au moment de la Révocation, Claude Brousson est très sévère pour les pasteurs « classiques » : il les accuse d'impudicité, leur reproche d'aimer la bonne chère, de « cabaler » dans leurs Eglises, parle de leur vanité, de leur superbe et de leur avarice. Les historiens les plus contemporains, et notamment S. Mours, sont — avec raison, croyons-nous — beaucoup moins sévères. Le corps pastoral comprenait une élite remarquable, si l'on considère l'abondante littérature produite par elle, de bons et diligents serviteurs presque partout, de rares médiocres.

Son recrutement social paraît avoir été assez varié. Nous rencontrons de nombreuses dynasties pastorales (les Basnage, Claude, Daillé, Dumoulin, Chamier, Jurieu, Drelincourt), à côté de petits nobles, mais surtout de gens de robe, de bourgeois, de quelques commerçants et artisans. Peu ou pas de pasteurs d'origine paysanne.

Leur rôle est avant tout la prédication, le catéchisme et la controverse. La cure d'âmes et le diaconat dépendant surtout des laïcs et des Consistoires. A Nîmes, par exemple, il y avait une prédication quotidienne, quatre le dimanche, plus le catéchisme. Les sermons duraient environ une heure ! Vinet a souligné les traits essentiels de cette prédication. Elle est très strictement scripturaire — parfois simplement exégétique — peu inventive, mais basée sur une analyse dense, judicieuse et exacte. On ne cite que très peu les « anciens docteurs » et rarement les « auteurs profanes ». Elle paraît froide, didactique, mais reste d'un niveau élevé qui paraît prouver que la culture religieuse, parmi les réformés, était très développée. Bien entendu, le style varie selon les prédicateurs. Dumoulin est surtout un moraliste, Mastrezat un théologien solide et dense, Le Faucheur est plus populaire, Amyrault est psychologue, Claude et Du Bosc, le premier surtout, ont grande réputation. Leur prédication, aujourd'hui, nous paraît froide, manquant d'onction, extrêmement sobre. Peut-être s'agit-il là d'une réaction d'ordre intellectuel au mysticisme baroque.

La piété.

Cette pudeur — qui contraste volontairement avec l'exhibitionnisme triomphaliste du catholicisme du « Siècle des Saints », du moins sous son aspect non janséniste — cache, chez beaucoup de pasteurs et de nombreux fidèles, une vie spirituelle intense, une piété elle aussi très sobre que, malheureusement, nous connaissons assez mal, à travers quelques livres de dévotion, quelques extraits de sermons et quelques poèmes dont les plus importants sont les *Sonnets Chretiens* de Laurent Drelincourt.

Il ne subsiste plus de temples du XVIIᵉ siècle. Nous avons conservé des plans ou des gravures des plus importants : Charenton, La Rochelle, Rouen. Ph. Delorme et surtout Salomon de Brosse ont essayé de créer une architecture originale, bien adaptée au culte évangélique — sol carrelé, avec parquet surélevé pour les membres du Consistoire, au fond la Chaire et la Table de Communion. Ni croix, ni orgue, mais des tableaux portant les Tables de la Loi, parfois le Symbole des Apôtres ou l'oraison dominicale. Chaque temple avait sa cloche, mais la jurisprudence de l'Edit proscrivait le clocher. Les temples étaient construits aux frais des Eglises, et il semble que les fidèles se montraient généreux.

La vie de l'Eglise était axée sur les cultes dominicaux et le « catéchisme ». Les Eglises françaises du XVIIᵉ siècle ont surtout utilisé les catéchismes de Calvin, expliqués parallèlement aux enfants et aux fidèles — enseignés également dans les écoles et dans les collèges — en concurrence avec la confession de Foi. La Cène était célébrée quatre fois par an, et la cérémonie de « première communion » n'existait pas. Les décisions consistoriales, de nombreux traités théologiques, l'exclusion des « pécheurs scandaleux » montrent l'importance que les réformés du XVIIᵉ siècle attribuaient au Sacrement.

Baptêmes, mariages et décès étaient à la fois actes religieux et actes d'Etat Civil. La doctrine réformée du « paedobaptisme » étant, somme toute, peu précise, il semble que l'âge de l'enfant au baptême ait varié entre un jour ou un an — moins qu'aujourd'hui, plus que dans le catholicisme contemporain ; le baptême était, en principe, administré au cours du culte public.

Pour les réformés, le mariage n'est pas un sacrement. D'après la discipline, les annonces devaient être faites publiquement au temple trois dimanches de suite et être béni publiquement. La Discipline est pratiquement muette sur le cas d'empêchement.

Pour éviter la tentation des prières pour les morts, il ne devait pas y avoir de cérémonie publique. Cette règle ne paraît pas avoir été strictement observée mais, le plus souvent, les pasteurs ne participaient pas aux enterrements. M. Vovelle a noté combien, au XVIIᵉ siècle, la vision de la mort était originale chez les huguenots.

Une tradition qui a disparu dans les Eglises réformées françaises est la tradition du « jeûne ». Les protestants du XVIIᵉ siècle considéraient les calamités comme des « visitations de Dieu ». Aussi célébraient-ils fréquemment des jours de jeûne avec « service d'humiliation » (S. Mours), au cours desquels le pasteur montrait que Dieu affligeait les fidèles à cause de leurs péchés, et terminait par un appel à la repentance, et à la miséricorde de Dieu.

Le tableau présenté par les Eglises n'est donc pas si noir que le pensaient Lelièvre et Léonard. Une conception ecclésiologique souvent solide et réfléchie, des organisations locales solides, un corps pastoral d'une bonne valeur morale et intellectuelle, une piété forte, sobre, austère souvent accompagnée d'une bonne connaissance de la Bible, présente même dans les foyers paysans, et de la Doctrine.

Les conflits théologiques

La conception de la Grâce.

Si, dans le domaine ecclésiologique, les réformés sont à peu près unanimes, si les problèmes longuement débattus au XVIᵉ siècle — comme celui de la substance des Espèces dans la Cène, à propos duquel luthériens et calvino-zwingliens se heurtèrent durablement — ont perdu beaucoup de leur actualité, le siècle classique est dominé, du côté catholique comme du côté réformé, par le problème de la Grâce. P. Chaunu note très justement que cette question essentielle opposa parallèlement molinistes et jansénistes d'un côté, gomariens et arminiens de l'autre. Analyse qui prouve qu'au delà des querelles confessionnelles, les hommes du XVIIᵉ siècle subissaient les mêmes préoccupations.

Dès son origine, la Réforme s'est affirmée une doctrine de la Grâce gratuite. Dieu est le seul auteur du salut, en vertu de Sa toute-puissance et de la profonde corruption de l'homme pécheur, et, par là, Luther est un « anti-humaniste ». La querelle de 1524-25 avec Erasme et la publication du *De servo Arbitrio* en témoignent suffisamment, et le docteur de Wittenberg avait parfaitement compris que le savant de Rotterdam allait au fond du problème. Mais Luther, qui s'appuie surtout sur le fruit de son expérience religieuse, n'insiste guère que sur l'aspect positif de la prédestination. Il revenait à Calvin et à ses disciples suisses, français et surtout néerlandais, de préciser et de fixer une conception cohérente de la Grâce.

Calvin affirme, tant dans *l'Institution* (1536) que dans le *Catéchisme français* (1537), l'existence d'un « double décret éternel et absolu » dont la fin est d'exalter la Gloire de Dieu par la perte des uns et le salut des autres. En 1559, dans la troisième édition de *l'Institution*, la doctrine est très nette : notre « élection » ne dépend pas de notre volonté, mais du décret éternel de Dieu qui a déterminé ce qu'Il voulait faire de chaque homme, « car il ne les crée pas tous en pareille condition, mais ordonne les uns à la vie éternelle et les autres à éternelle damnation ». Théodore de Bèze devait, après la mort de Calvin, accentuer l'enseignement génevois dans ce sens, tandis que les luthériens, sous l'influence de Melanchton et de ses disciples, ont tendance à atténuer la doctrine. Mais c'est aux Pays-Bas que la querelle devait prendre sa véritable dimension.

Dans les Provinces Unies, la majorité des théologiens avaient fortement subi l'influence génevoise, mais l'opinion n'était pas unanime, puisque, à partir de l'Angleterre et surtout du monde germanique, des tendances plus modérées s'étaient fait jour. Hermans, dont le nom fut latinisé en Arminius, pasteur puis professeur à Leyde à partir de 1598, mitigeait la doctrine calvinienne, mais se heurta à la majorité de ses collègues, parmi lesquels Gomar qui, poussant à l'extrême la doctrine, affirmait l'intégral supra-lapsisme — c'est-à-dire que Dieu, de toute éternité et avant même la Chute, avait décidé de sauver les uns et de perdre les autres, que la Chute et le péché originel étaient un moyen d'exécution, que le Christ n'est mort que pour les seuls Elus, et que la Grâce est à la fois irrésistible et « inamissible » (elle ne peut être perdue ou enlevée).

Arminius meurt en 1609, mais ses disciples Episcopius et Uitenbogaert font (en 1610) une « remonstrance » aux Etats de Hollande — d'où le nom de « remonstrans » qui leur est quelquefois donné — et à laquelle les Gomariens répliquent par une « contre-remonstrance ». Le débat se poursuit entre 1610 et 1617, et c'est l'année suivante (décembre 1618 - avril 1619) que se tient le synode national des Pays-Bas à Dordrecht — synode auquel participent les délégués suisses, anglais et allemands, véritable réplique réformée au Concile de Trente. Les décisions prises sont conformes aux positions gomariennes et affirment l'orthodoxie prédestinatienne dans son intégralité. Ses « canons » portent sur quatre chapitres : l'élection, l'étendue de la Rédemption, la corruption de l'homme, et la persévérance des saints. Ils affirment à la fois le « décret absolu » et la double prédestination, la totale corruption de l'homme pécheur et l'inamissibilité de la Grâce.

Les discussions françaises.

Le débat néerlandais n'avait pas été sans répercussion en France. Dans leur ensemble, les réformés français étaient gomariens, mais dans une formulation plus modérée, telle que l'avait conçue la Confession de foi de La Rochelle de 1559. En 1614, le synode de Tonneins avait mal reçu les doctrines arminiennes ; en 1617, celui de Vitré avait désigné quatre députés pour Dordrecht, mais Louis XIII interdit leur déplacement, ce qui obligea les quatre députés, et notamment Pierre Dumoulin, à envoyer des mémoires, fortement hostiles à l'arminianisme. En 1620, au synode d'Alès, les décisions de Dordrecht furent approuvées comme « très conformes à la parole de Dieu », annexées à la Confession de foi, et les députés au synode jurèrent de s'y conformer. Mais le pouvoir civil, par un acte assez naturel de gallicanisme politique, se refusa toujours à faire des « canons » une « loi d'Etat ». Certains arminiens, dont Grotius, purent, entre 1618 et 1625, se réfugier en France où ils furent bien reçus par la Cour, mais généralement rejetés par les Eglises.

Vers 1620, donc, l'arminianisme est rejeté par les protestants français. Les Académies, Nîmes, Orthez, Die, Montauban, Sedan surtout, tout comme les écoles génevoises et hollandaises où se formaient beaucoup de pasteurs, étaient nettement orthodoxes, sans toutefois — sauf Sedan — aller jusqu'au supra-lapsisme de Gomar. La seule Académie qui, sur ce plan, posa des problèmes fut Saumur, d'abord avec Cameron, puis avec Amyrault, enfin avec d'Huisseau et Pajon. Cette Académie, créée en 1599 ou 1600 par Duplessis Mornay, hébergea dans les premières années du siècle des théologiens de tendance très variée. Le plus célèbre était l'Ecossais Cameron, dont la doctrine fut quelque peu malmenée en Hollande, mais défendue par les orthodoxes français. Cameron dépensait des trésors d'ingéniosité théologique pour concilier la prédestination et l'enseignement de l'Ecriture sur l'amour universel. De même, l'illumination de la Grâce n'est pas *coactio* comme l'affirmait Gomar, mais *persuasio*.

Moïse Amyrault (1596-1664), professeur à Saumur dès 1627, et qui y passa sa vie, fut le disciple de Cameron. Ecrivain fécond il publia (1634) un *Bref traité de la prédestination et de ses principales dépendances*, petit ouvrage doctrinal, court et solide, basé sur la théorie de l' « Universalisme hypothétique ». Amyrault affirme que « Dieu veut que tous les hommes soient sauvés », et distingue prédestination absolue à la foi et prédestination conditionnelle au salut. Dès la parution du *Traité*, les théologiens orthodoxes firent les plus extrêmes réserves, mais Amyrault se défendit par ses *Six Sermons* et sa *Défense de Calvin*. Beaucoup de pasteurs de Saintonge le considérèrent alors comme un semi-pélagien et furent relayés par le vieux Pierre Dumoulin, professeur à Sedan, excellent dogmaticien et bon écrivain (*Examen de la doctrine de M. Amyrault*, 1636) et son beau-frère André Rivet (*Synopsys*). L'affaire fut transmise au synode général d'Alençon (1637).

D'une façon générale, les députés — sauf ceux de Paris où Daillé partageait à peu près les conceptions du professeur de Saumur — étaient hostiles à tout ce qui pouvait rappeler le « pélagianisme », mais répugnaient à une condamnation formelle. On aboutit à une solution mitigée. L'ensemble des Eglises se portait garante de l'orthodoxie d'Amyrault, mais on lui demandait simplement de ne pas employer des termes contradictoires comme « prédestination universelle ». Les Dordrechtiens ne furent pas contents.

Malgré ce jugement de Salomon, la méfiance continuait à régner dans les Eglises, non seulement à l'égard d'Amyrault, mais aussi de ses élèves de Saumur. La querelle rebondit avec Spanheim, professeur à Leyde, dordrechtien strict, dont l'humaniste Saumaise envoie les thèses en France (1644). Se sentant visé, Amyrault répond par ses *Discussions théologiques*. La même année, le synode de Charenton reprend le problème, et malgré Rivet et Ferry, suit l'opinion de l'Académie de Montauban qui impose un « silence respectueux » aux parties, mais condamne fermement les théories d'un « Saumurois », De la Place, sur la nature du péché originel.

La décision du synode ne fut pas appliquée. Spanheim, Rivet, Dumoulin, puis les Eglises suisses et notamment Genève très inquiète, continuent d'attaquer Amyrault qui se défend mal. Mais la querelle se termina en queue de poisson en 1649 à la suite de l'intervention d'un Grand de France, le prince de la Trémouille, las de voir le désordre s'installer dans les Eglises de l'Ouest : Amyrault d'un côté, Rivet de l'autre s'engagèrent à ne plus disputer des « matières contestées ». Le pasteur de Paris Daillé, son ami l'académicien Conrart, et le professeur montalbanais Garissolles réussirent à réconcilier tout le monde.

Il est difficile de conclure sur l'Amyraldisme. La plupart des théologiens suisses, Léonard, Vinet, pensent qu'il est un moyen terme entre l'électionnisme de Calvin et l'arminianisme. Ce n'est pas l'opinion du P. Laplanche, qui affirme qu'Amyrault ne se distingue des orthodoxes que par une formulation différente, et que sa théorie de la Grâce universelle est une présentation différente du Calvinisme, destinée à moins choquer catholiques et luthériens.

Après 1650, l'affaire paraît être rentrée dans l'Histoire. Les synodes — sauf peut-être celui du Bas-Languedoc en 1653, qui prend des mesures orientées contre Saumur — tolèrent les disciples peu bruyants d'Amyrault. Les grands pasteurs des années 1660, Du Bosc et surtout Claude, estimables théologiens l'un et l'autre, refusent nettement l'arminianisme, affirment l'autonomie de la Grâce et le fait que la promesse universelle du salut n'existe que sous condition de la foi donnée par Dieu. En fait, ils s'inspirent du professeur de Saumur — et surtout de son approche psychologique du problème — sans employer son vocabulaire. Leur perspective est indiscutablement infra-lapsaire, et Claude écrit nettement au Génevois Tuerettini qu'il ne lui paraît pas « que ces points (les canons de Dordrecht) soient clairement décidés dans la Parole de Dieu en faveur du parti que votre Eglise a pris ».

Mais, au même moment, l'amyraldisme était compromis par les hérésies théologiques de deux anciens étudiants de Saumur, D'Huisseau et Pajon. La dernière forme du débat sur la Grâce dans les Eglises est la querelle « pajoniste ». D'Huisseau, conquis par le Cartésianisme, blâmé par les synodes de 1658 et 1659, pensait qu'il suffisait de passer au crible de la Raison de Descartes tous les dogmes pour en tirer un consensus acceptable pour tous les chrétiens (*Réunion du Christianisme*, 1670), et il fut déposé la même année par le synode d'Anjou. Quant à Pajon, pasteur à Marchenoir, Saumur, puis Orléans, excellent prédicateur, mais qui écrivit très peu, nous savons qu'il se heurta, après 1670, à Claude, Du Bosc et Jurieu, qu'en 1677 le « pajonisme » fut condamné par l'ensemble des synodes de l'Ile-de-France et de l'Ouest, qui ordonnèrent aux opposants de prêter un serment de « non-pajonisme ». Pour autant que nous puissions connaître la pensée de Pajon — car nous ne la saisissons guère que par ses adversaires — elle est nettement hétérodoxe d'un point de vue calviniste. Pajon est un humaniste, pour qui il n'y a pas de différence qualitative entre l'acte de foi et l'acte de connaissance naturelle. Il aboutit à nier le caractère surnaturel de la Grâce. Dans son humanisme, la prédestination n'a plus grand sens. C'est évidemment rejoindre les positions de Molina.

Quelle a été l'influence de cette théologie nouvelle sur les pasteurs

et les fidèles ? Le « pajonisme » a rencontré d'assez nombreux sympathisants dans la France protestante du Centre mais, même dans cette
région, y a toujours rencontré une hostilité majoritaire. E.G. Léonard
explique ce relatif succès par la forme nouvelle d'une pensée dans
laquelle se rejoignent psychologie et théologie ; il ne s'agit plus de
savoir qui Dieu sauve, mais comment Dieu sauve. Chez Pajon, les
soucis de l'âge de Dordrecht passent au second plan, mais le remplacement de la théologie par la psychologie religieuse aboutit au latitu-
dinarisme doctrinal.

Léonard, comme P. Chaunu, attribuent au développement de ces
tendances — surtout du pajonisme — un rôle délétère, ils y voient un
élément important de l'affaiblissement du corps réformé, parce que
la base essentielle du message religieux de la Réforme et le meilleur
de son contenu spirituel, c'est-à-dire la gratuité de la Grâce, s'estom-
paient. Mais l'élite des réformés français et, notamment, la grande
majorité du corps pastoral, ont parfaitement saisi le danger et, dans
l'ensemble, réussi à l'écarter.

Le problème de l'unité chrétienne

Au concept d'Eglise se rattache évidemment celui de l'unité chrétienne. Comment a-t-il été ressenti par les réformés français au XVIIe
siècle, sous ses différents aspects ?

Si, au fur et à mesure que la Réforme s'éloignait dans l'Histoire,
il paraissait évident que la rupture de l'unité chrétienne était définitive,
l'œcuménisme « inter-protestant » ne cessa jamais d'être à l'ordre du
jour. Sauf exceptions à l'extrême droite de l'anglicanisme et chez les
luthériens les plus orthodoxes, toutes les branches du protestantisme
avaient bien le sentiment que rien d'essentiel ne les séparait. A plusieurs
reprises, les synodes, tout comme les théologiens, abordèrent le problème. En 1631, le synode de Charenton, à la demande de la province
de Bourgogne, autorise les fidèles de la Confession d'Augsbourg à
participer à la vie des Eglises réformées. Mais ce sont les conceptions
différentes de la Cène qui font échouer, en 1661, la tentative de « consensus » de Cassel.

Avec l'Eglise catholique, le problème des « tentations de l'unionisme » a toujours été à l'ordre du jour. C'est la fameuse « cabale des
accomodeurs de religion », pour employer le langage des ironistes du
temps. De la chute de La Rochelle à la Révocation, le même scénario
se reproduit, avec des partenaires chaque fois différents : il a des
aspects politiques car, jusqu'assez tard dans le siècle, le roi de France

tient à ménager ses alliés protestants ; il est généralement gallican et son but, souvent précisé, est de créer une « Eglise Nationale », aussi peu liée que possible à Rome ; sur le plan théologique, il est généralement « arminien » et « latitudinariste ». Enfin, sauf peut-être en 1666, les protagonistes ne représentent pas réellement leurs Eglises respectives, et n'ont que des pouvoirs insuffisants.

De telles tentatives ont été esquissées autour de Richelieu après 1630 ; en 1661-62, entre le maréchal Fabert et des théologiens de l'Académie de Sedan d'un côté, et divers projets en Languedoc et à Montauban, animés par Conti et l'intendant Pellot de l'autre ; en 1666 avec Le Tellier, Bossuet, Turenne, marquée surtout par la controverse Bossuet-Ferry ; en 1669 autour de Turenne. Cette première série de contacts s'achève en 1672 avec la Guerre de Hollande, parfois présentée comme une croisade contre les réformés néerlandais.

Après la paix de Nimègue, Pélisson prend la direction des opérations sans rencontrer, il est vrai, de véritable antagoniste du côté protestant. En 1680, puis en 1683-84, sont publiés une série de projets et de contre-projets nés surtout autour d'Aguesseau, intendant du Langueroc, adversaire des mesures de force. Un dernier projet, œuvre des pasteurs Du Bourdieu et Gaultier de Saint-Blancart, est même mis au point en 1685.

Tout cela ne pouvait qu'échouer. Il n'est pas lieu de discuter ici de la bonne foi des protagonistes, même s'ils représentaient peu de chose. L'idée d'une entrée en corps du groupe protestant dans l'Eglise gallicane, bien que longtemps partagée par les héritiers des « politiques » des guerres de religion, et notamment par le monde parlementaire, n'était guère qu'une vue de l'esprit. On ne sut jamais les « concessions » que Rome aurait tolérées, sinon autorisées ; l'Assemblée du Clergé d'un côté, aucun synode de l'autre n'ont jamais posé le problème sur ce plan.

Le XVIIe siècle a donc été un grand siècle de controverses. Jusqu'en 1620, celle-ci poursuit les querelles de l'époque des guerres de religion. On multiplie les points attaqués et combattus d'une façon scripturaire à la base, puis dogmatique et scholastique à partir des prémisses bibliques. La notion de tradition, fréquemment évoquée par les catholiques, est toujours récusée par les réformés. Richelieu, controversiste médiocre, mais actif animateur, s'efforce de rénover la discussion. Ses fidèles, le père du Laurens, l'abbé Veron, voire le père Joseph, renoncent plus ou moins à la scholastique et se placent sur un plan nettement scripturaire. Avec Saint-Cyran, un thème nouveau apparaît, celui de la perpétuité de l'Eglise. Après 1669 et la « paix de l'Eglise », la controverse reprend. On parle peu du problème de la Grâce, car chaque confession a, là-dessus, ses propres difficultés, et beaucoup de théologiens catholiques sont liés à Port Royal. On parle assez souvent de l'Eucharistie et on échoue, à la fois sur le problème de la Présence réelle et surtout sur celui de la messe-sacrifice, rejetée également par les « consubstantionnistes » luthériens. Dans le cadre de la question de la pérennité de l'Eglise, celle de la « vocation des réformateurs » est souvent posée, et Bossuet en fait un des thèmes essentiels de son *Histoire des Variations*.

L'apologétique catholique insiste sur la Tradition, mais approfondit mal ce concept, par suite de sa méfiance à l'égard de l'exégèse. A l'inverse, les théologiens réformés s'appuient facilement sur l'histoire ancienne de l'Eglise pour dégager les « nouvelletés du papisme ». Aubertin dès 1626, puis l'érudit Saumaise avaient montré le chemin. En fait, protestants et catholiques — les jansénistes surtout — sont des « fixistes ». Ils pensent que la Foi a une fixité totale et absolue, que la vérité révélée est un dépôt objectif de doctrine, que tous les dogmes sont aussi anciens que l'Eglise et ont été crus par les chrétiens dès l'époque apostolique. Pour tous, la perpétuité est digne de vérité, la variation signe de l'erreur. C'est le grand argument de Bossuet.

Après la Révocation, et la Révolution d'Angleterre de 1688-89, la controverse entre dans une phase nouvelle. Si la Révocation a été accueillie avec enthousiasme par les contemporains, ceux-ci ne tardent pas à s'apercevoir qu'elle pose plus de problèmes qu'elle n'en résout. D'autre part, au Refuge, on ne manque pas de talents avec Saurin, et surtout Bayle et Jurieu. On peut dire que le siècle s'achève par la victoire intellectuelle des huguenots de Hollande et d'Angleterre sur l'évêque de Meaux « dépassé par son temps ».

Les Eglises et l'Etat monarchique

Les réformés et leur roi

Après la paix d'Alès, les Eglises se trouvent totalement entre les mains du roi, sans autre défense contre sa volonté que sa parole de « respecter les Edits ». Il semble bien que cette situation ait alors paru normale aux réformés, dans ce siècle d'unité monarchique.

Le fait le plus frappant est ce que Charles Bost appelle « le paci-fisme outré du peuple protestant à genoux devant son roi ». C'est avec raison que nos contemporains ont noté combien leurs conceptions politiques ont abouti, par moment, à un vrai « défaitisme intellectuel ». En effet, en opposition avec les doctrines catholiques favorables au concept du pouvoir « médiat » de Dieu sur les souverains — soit par l'intermédiaire du pape, soit par l'intermédiaire du peuple —, Luther, puis Calvin ont affirmé que le pouvoir était transmis « directement » de Dieu au prince ou au pouvoir laïc. Cette résurgence du « Gibelinisme » médiéval aboutit, chez les réformés français du XVIIe siècle, à une exaltation extrême du pouvoir temporel et de son droit divin. Jusqu'à Jurieu et au Refuge, il y a, dans ce domaine, un « consensus » complet. Les théologiens du premier demi-siècle défendent la dignité monarchique contre les « assertions de Bellarmin et Baronius », partisans, après saint Thomas, du pouvoir « médiat ». C'est la position de Duplessis Mornay (1611), de Dumoulin (1620). Elle est maintenue avec force au moment de la première Révolution d'Angleterre, notamment par Sau-maise, par Amyrault et par S. Bochart, l'éloquent pasteur de Caen. Sous le règne de Louis XIV, les théologiens réformés essaient de tirer orgueil de s'affirmer plus monarchistes que les catholiques, souvent gênés, comme le fut Bossuet, par la tradition thomiste. Encore en 1683, le pasteur Fetizon s'efforce de démontrer que la théologie protes-tante est la meilleur garantie du droit divin et, même après la Révoca-tion, en 1685, le pasteur Merlat, Saintongeais réfugié à Genève, écrit un *Traité du pouvoir absolu des souverains*.

En ce qui concerne Louis XIV, — du moins le Louis XIV triom-phant de la première moitié du règne, — il y a une confusion totale entre Dieu et César et, surtout, ce qui nous choque, de vrais accents idolâtriques dépassant nettement une théologie calvinienne qui, après tout, peut se soutenir, et un vocabulaire effarant de soumission. Il est facile d'en citer de multiples exemples. Dès 1657, avant même les débuts du règne personnel, les délégués des Eglises disent au jeune souverain : « Nous avons dans la politique la même pensée que dans la religion. Nous croyons qu'un sujet ne peut jamais rien mériter de son souverain... ». Curieuse « sécularisation » de l'idée de la gratuité de la Grâce ! Les termes d' « oint du Seigneur », d' « image de sa puis-sance », voire de « Dieu sur la terre » abondent dans la littérature polémique, les sermons, les actes des synodes. Le chef-d'œuvre de la platitude nous paraît réalisé par un sermon de P. Du Bosc qui parle quasiment de la naissance miraculeuse de Sa Majesté. Après avoir éloquemment fait l'éloge du roi, héros dans la paix et dans la guerre, sage dans les conseils, infatigable dans le travail, il écrit : « La nature seule était trop faible pour un si grand et si merveilleux ouvrage. Vingt-deux ans de stérilité qui avaient précédé sa conception ôtent évidemment à la nature la gloire de sa naissance. Une force au-dessus de toutes les causes secondes a produit un prince si extraordinaire, et les qualités qu'il possède en sont une preuve incontestable qui témoignent clairement de la merveille de son origine »...

Ce culte monarchique — qui n'a connu que peu d'hérétiques — a eu évidemment des conséquences très graves. Calvin avait réussi à séparer temporel et spirituel. La Confession de Foi réserve « l'honneur de Dieu » en écrivant : « sauf que l'Empire souverain de Dieu demeure en son entier ». Mais nos réformés, ayant confondu les valeurs et rendu à César ce qui est à Dieu, obnubilés par l'atmosphère de « roi-prêtre » qui régnait autour du trône, défendirent mal leurs Eglises. La tradition gallicane faisait du roi l' « évêque de l'extérieur », et lui donnait la haute main sur tout ce qui, dans l'Eglise, est étranger à la doctrine. Appliquée au protestantisme, cette doctrine impliquait une soumission passive aux décisions royales hostiles à l'exercice du culte, jusqu'à, dans certains cas, ne pas défendre les temples.

Accalmie et chicanes (1630-1660)

Dans l'ensemble — en dépit des « chicanes » — les années 1630-1660 furent pour les protestants des années d'accalmie. La politique de Richelieu, les difficultés de Mazarin, le loyalisme des protestants au moment de la Fronde, l'influence en Cour de Barthélemy Herwarth, banquier bavarois, protestant zélé, devenu contrôleur général des Finances, des maréchaux de la Force et Châtillon, permirent d'éviter les actes les plus violents. Richelieu laissa Marillac poursuivre une « guerre de procureurs », surtout dans les régions où le protestantisme était largement minoritaire, et, au synode d'Alençon (1637), on se plaint de la suspension de 87 Eglises ainsi que d'incidents divers (enlèvement d'enfants, fermeture d'écoles, etc.).

Tout cardinal qu'il fût, Mazarin se refusa obstinément à poursuivre les projets de « réunion ». D'autre part, il était hostile au « parti dévôt », et ne tarda pas à s'inquiéter de l'activité clandestine de « Messieurs du Saint-Sacrement ». Le rôle de cette compagnie est pourtant capital : elle a continué et systématisé la politique des chicanes juridiques en construisant avec l'avocat du roi au présidial de Poitiers, Jean Filleau, et le conseiller au présidial de Béziers, Pierre Bernard, la doctrine de l' « interprétation à la rigueur », qui aura grand succès après 1660, et l'affirmation que l'Edit n'a été signé que pour « réunir à l'Eglise ceux qui s'en étaient si facilement éloignés ». La Société agit par des missions, par l' « œuvre de la propagation de la Foi », par des Caisses de Conversion qui agissent surtout sur le « populaire », par son action incessante sur les pouvoirs publics et notamment les parlements, ainsi que par une influence importante sur les Assemblées du Clergé. Mais, jusqu'à l'avènement de Louis XIV, les menées de la Compagnie sont assez fréquemment limitées par l'efficacité des Chambres mi-parties, notamment celles de Grenoble et de Castres, et surtout par le Conseil du roi, peu désireux, dans les années 1650, de créer à Mazarin un ennemi supplémentaire.

La correspondance des intendants avec le chancelier Seguier, publiée en 1966 par Mme Lublinskaïa, importante parce qu'elle concerne le Languedoc et le Dauphiné, provinces de forte implantation réformée, témoigne de la grande solidité des Eglises. L'intendant du Languedoc, Baltazar, ne cesse de se plaindre des « entreprises des huguenots », de la sérieuse défense juridique organisée par la Chambre de l'Edit, de la forte organisation synodale dans laquelle ses affidés se trouvent toujours largement minoritaires et sont souvent traités en suspects. De même, la correspondance de la Société du Saint-Sacrement, les *Mémoires* d'Argenson, les Assemblées du Clergé sont loin d'entonner des chants de triomphe sur l'hérésie.

L'Etat monarchique de Mazarin n'a ni la volonté ni le pouvoir d'agir efficacement. Les tribunaux n'agissent que par à-coups et pas d'une façon unanime, les complicités administratives sont nombreuses, les privilèges locaux et parfois régionaux protègent efficacement les régions où la Réforme est majoritaire. Quant à l'Eglise de la Contre Réforme, elle n'est encore qu'au début de son implantation, surtout dans les campagnes, et son activité n'est guère que sporadique. Les curés ruraux, peu instruits, cherchent surtout à vivre en bonne entente avec tout le monde, et la tranquillité des communautés n'est le plus souvent troublée que par les missionnaires — surtout les Capucins — dont l'action aboutit en général à dresser, le plus souvent temporairement, les fidèles des deux confessions les uns contre les autres. Quant à l'armée, elle n'intervint qu'une fois, avec brutalité il est vrai, en 1660-1661 à Montauban.

L'évolution de Louis XIV

La politique de Louis XIV a maintes fois été analysée, mais pose encore de nombreux problèmes. A son avènement le roi n'est pas dévôt, sa vie privée est franchement « libertine », et ses premiers actes sont de dissoudre la Compagnie du Saint-Sacrement et d'autoriser *Tartuffe*. Politiquement, s'il est le « très Chrétien », il est aussi le successeur de Mazarin en politique extérieure qui, malgré la guerre de Hollande, resta longtemps orientée dans la tradition anti-habsbourgeoise de son parrain et maître. Ce n'est que vers 1680 que, *nec pluribus impar*, il se jugea capable de tenir tête à l'Europe entière — chose qui au demeurant, n'était pas absolument inexacte. A ces soucis diplomatiques, joignons les souvenirs de la loyauté réformée pendant la Fronde et l'influence de Colbert, « qui n'était pas un foudre de religion » (Goubert) et qui connaissait trop bien la puissance économique des huguenots. Il est généralement admis que l'évolution du roi est due à un ensemble de composantes parmi lesquelles sa possible « conversion », nettement affirmée par Lavisse, niée par J. Orcibal, et à propos de laquelle P. Goubert est sceptique, l'accroissement avec l'âge de son « despotisme » et son mépris des hommes, et surtout le fait qu'à partir de 1679, « dans ce domaine comme dans bien d'autres, le roi ne souffre pas le moindre obstacle, la moindre contrariété » (Goubert). A son avènement, Louis XIV ne pensait certainement pas à abolir l'Edit. Il est probable qu'il songeait à faire disparaître ce qu'il considérait comme une anomalie par des moyens juridiques, religieux, financiers, mais pas par des mesures de violence. Ce n'est que plus tard qu'il prendra la Contre Réforme à son compte, dans une perspective gallicane.

Il est, jusqu'aux années 1680 qui marquent le début de la persécution systématiquement violente, difficile de périodiser avec précision. Nous avons esquissé — non sans réserves — quatre époques : de 1661 à 1669, c'est une phase d'hésitations, inaugurée par une série de coups de force, puis momentanément clôturée par la déclaration du 1ᵉʳ février 1669 qui renouvelle les clauses essentielles de l'Edit. 1670-1679 est une période relativement calme, mais dans laquelle se poursuit la persécution juridique et où s'inaugure la trop célèbre Caisse des Conversions de Pélisson. De 1681 à 1684, se succèdent des violences inaugurées par la dragonnade de Marillac de 1681 et une détente, d'ailleurs relative, jusqu'à la trêve de Ratisbonne. Enfin, 1685 voit la grande dragonnade du Midi et la Révocation.

Mazarin avait promis en 1656 à l'Assemblée du Clergé d'envoyer des « commissaires » pour examiner ses plaintes, mais se garda bien de le faire. Louis XIV le fit à son avènement et délégua les pouvoirs à l'intendant assisté d'un gentilhomme protestant et d'un représentant du Clergé. Les enquêtes, longues et minutieuses, aboutissent à un ensemble de mesures sporadiques, arbitraires, inégalement appliquées, efficaces surtout dans les zones où le protestantisme est marginal. A partir de 1665, la charge de commissaire royal est attribuée à l'intendant et devient permanente. Contre les intendants, dont chacun paraît avoir une politique différente, les protestants font appel au Conseil du roi. Mais les commissaires vident peu à peu les Chambres de l'Edit de leurs fonctions essentielles.

Insécurité donc, qui culmine vers 1666, lorsque Anne d'Autriche, alors mourante, obtient que son fils satisfasse aux réclamations présentées le 6 octobre 1665 par l'Assemblée du Clergé. Que faut-il penser dans cette conjoncture de l'Edit de 1669 ? Il est admis que Louis revient à une politique plus modérée et, dans ce « Second Edit de Nantes » qui forme comme un palier entre l'Edit et sa Révocation, il reconnaît pêle-mêle la légitimité des organisations ecclésiastiques, le droit d'accès aux Conseils municipaux, aux jurandes, même dans les lieux où des décisions antérieures l'avaient proscrit, l'exonération du culte catholique, le droit de visite des pasteurs dans les hôpitaux, etc. P. Goubert, au contraire, y voit un « Contre-Edit de Nantes », résultat indirect de la « paix de l'Eglise dans lequel la réconciliation des catholiques de diverses dévotions » s'est faite sur le dos des protestants, et qu'inaugure la mise en application des « travaux préparatoires » de Bernard et du P. Meynier.

S'ajoutent des mesures de détail. Certaines sont des décisions royales, mais la plupart sont purement locales et donc dépendent de l'attitude des représentants du roi, qui sont bien loin d'avoir une politique identique. Enfin, diverses mesures n'ont jamais été que théoriques : ainsi celle qui, en 1664, condamne à mort tous les habitants protestants de Privas. Dans ce domaine aussi, l'Ancien Régime a été un despotisme tempéré par la désobéissance. « On peut dire, a écrit l'historien néerlandais Van Deursen, que la loi interdisait aux protestants d'exercer la profession d'avocat, mais on ne pourrait en conclure qu'il n'y avait pas d'avocats protestants ». Ces réserves faites, analysons rapidement la persécution juridique des Eglises et des hommes.

Les Eglises d'abord : les commissaires de 1661 avaient supprimé la moitié des lieux d'exercice du culte, mais certains, notamment en Languedoc, furent rétablis en 1669. Désormais, on exige pour valider un exercice la preuve écrite et non testimoniale. On le supprime successivement dans les terres et fiefs d'Eglise, dans les villes prises « par force », dans les annexes ou hors de la présence du pasteur, on défend aux paroisses riches d'aider les paroisses pauvres. De même est limitée la publicité des actes pastoraux, la tenue des cimetières est strictement réglementée, le système d'éducation protestante, les hôpitaux, puis les Chambres de l'Edit sont démantelés, puis supprimés.

L'homme protestant est victime de mesures qui atteignent sa liberté de conscience : défense d'habiter dans certaines villes, surveillance de la prédication, lutte contre le prosélytisme réformé et contre les relaps, limitation — en attendant la suppression — de la puissance paternelle. Le protestant ne peut même mourir tranquille, puisqu'une série d'édits autorise curés et magistrats à l'inquiéter *in articulo mortis*. Les atteintes portées au protestant en tant qu' « homme économique » se multiplient également. On limite, puis on interdit les versements aux Consistoires et aux diaconats, on interdit — parfois par mesures générales, mais le plus souvent par mesures locales, — aux réformés d'exercer des charges municipales, judiciaires, même au niveau de la justice seigneu-riale, des fonctions financières, enfin on les exclut de la plupart des corporations, et on les interdit de séjour aux colonies.

La guerre juridique contre les protestants et le protestantisme est « doublée » par la Caisse des Conversions, œuvre parallèle de l'évêque de Grenoble, Le Camus, et de l'étrange académicien Paul Pélisson, huguenot plus ou moins converti. La politique d'achat des consciences n'est pas nouvelle, mais le manque d'argent permanent de la monarchie et la mauvaise volonté du Clergé en avaient réduit les effets. Les diffi-cultés avec le Saint Siège mirent entre les mains du roi des ressources inattendues et, notamment, les revenus des deux grosses abbayes de Cluny et de Saint-Germain-des-Prés. Louis XIV confia alors à Pélisson un vrai « ministère » avec des correspondants en province. Tout le monde est d'accord pour dire que, dans l'ensemble, ce fut un échec.

C'est la contrainte seule qui pouvait amener le protestantisme classique à une capitulation. Avant même la première « dragonnade », celle de Marillac en Poitou en 1681, l'emploi de la forme militaire pour ramener les réformés au « bercail » romain avait été employé par les Habsbourg en Autriche et par François de Sales en Savoie (1615). En France, on peut signaler des mesures de cet ordre au Puy (1626), à Aubenas (1628), Foix, Pamiers, Rochechouart, Montauban (1661), La Rochelle (1661), Privas (1664). Il faut noter que cette méthode a été employée en Bretagne contre les paysans révoltés, et surtout en 1680 contre les jansénistes de Pamiers. La généralisation de ce procédé est donc l'œuvre de l'intendant de Poitou, Marillac, « couvert » ou peut-être encouragé par Louvois, à l'insu semble-t-il du roi et de Colbert. Informé tardivement par l'étranger et particulièrement par les ambassadeurs à La Haye et à Berlin, le souverain désavoue l'action de son commissaire et le rappelle.

L'année 1682 est marquée par la longue Assemblée du Clergé (février-juillet), qui rédigea et vota la célèbre « Déclaration des quatre articles », puis, avant de se séparer, un « avertissement pastoral » adressé à tous les Consistoires de France, dans lequel elle annonçait que des « malheurs incomparablement plus épouvantables et plus funestes » atteindraient les protestants s'ils persévéraient dans leur « révolte » et dans leur « schisme ». Le roi fit de ce texte un document d'Etat, l'envoya aux intendants avec ordre de le faire lire publiquement, en présence des pasteurs, des anciens et des officiers du lieu. En général, la réponse fut la même : le pasteur ou un ancien affirmait qu'il honorait le roi, respectait Messieurs du Clergé, mais qu'il ne leur reconnaissait aucun droit sur leur conscience.

Les menaces contenues dans l'Avertissement inquiétèrent fortement les plus zélés parmi les huguenots de l'Ouest et surtout du Midi qui résolurent de transformer la politique de soumission suivie jusque-là en « désobéissance passive ». L'homme de cette tactique fut un nouveau venu, Claude Brousson, avocat à Nîmes, qui s'était fait connaître comme défenseur juridique des Eglises devant le parlement de Toulouse et le Conseil du roi. Depuis 1675, l'idée d'une organisation clandestine des Eglises avait progressé, notamment en Dauphiné, Cévennes et Vivarais. Des « directeurs » ou des « inspecteurs » étaient nommés, qui devaient prendre toutes mesures pour maintenir le culte dans les lieux où il était interdit. Le 7 mai 1683, Brousson réunit ses collaborateurs à Toulouse, où ils dressèrent un projet en 18 articles définissant cette politique et envoyèrent une requête au roi. Le projet était cohérent : il visait à montrer au pouvoir qu'il existait encore des réformés en France, et que, malgré les bulletins de triomphe des intendants et des évêques, déraciner les Eglises ne serait pas chose simple. Il eût peut-être réussi, si les Eglises avaient été unanimes mais, une fois encore, les réformés se divisèrent. Les « prudents » l'emportèrent à Montpellier, et la défection de cette importante communauté entraîna celle du Sud-Ouest et de l'Ouest. En juillet, il y eut cependant de notables réunions en Cévennes, Vivarais et Dauphiné, suivies d'une lourde répression militaire. Brousson était en avance sur son temps : maintenir les Eglises dans la clandestinité, mais dans leur régularité synodale, sera la politique d'Antoine Court après 1715. D'ailleurs, cette forme nouvelle de culte naît ici et là, spontanément — d'une spontanéité qui témoigne de la solidité des Consistoires —, à Montpellier, Bergerac, Castelmoron en Agenais, Royan, etc.

Vers la Révocation

Nous en arrivons au dernier épisode du drame, la grande dragonnade du Midi. Résultat immédiat de la « trêve de Ratisbonne », qui libère l'armée de Boufflers massée à la frontière espagnole. Sous la direction de l'intendant Foucault, elle écrase le protestantisme béarnais, puis se dirige en Guyenne, Haut Quercy, Rouergue, ensuite Languedoc, Cévennes et Dauphiné. Parallèlement, l'Ouest est occupé. En deux mois, de mi-août à mi-octobre, grâce aux « missionnaires bottés », les trois quarts des huguenots ont abjuré. Dans les provinces du Nord, leur venue sera postérieure à la Révocation.

La responsabilité de l'intendant Foucault, initiateur de la mesure, est indiscutable. C'est, fin juillet, Louvois qui, à la suite du succès de la dragonnade du Béarn, ordonna à Boufflers de marcher sur Montauban et la Guyenne. Nous pensons que Louis XIV en a été informé, peut-être tardivement, mais qu'il a fermé les yeux pour couvrir son ministre. De toute façon, le roi ne pouvait pas — ou ne voulait pas —, comme en 1681, revenir en arrière. La grande dragonnade rendait inévitable la Révocation.

Comme l'a écrit A. Latreille, « on a pu dire de la Révocation qu'aucun acte n'a été plus unanimement loué par les contemporains, plus unanimement blâmé par la postérité ». Sur la responsabilité respective du roi, du clan Le Tellier-Louvois, de Madame de Maintenon, du Clergé français, du P. Lachaise ou de l'archevêque de Harlay, sur la résistance du dauphin et des héritiers de Colbert, Seignelay et Croissy, tout a été dit. Le dernier historien de la question, M. Orcibal, insiste sur les données politiques : dès 1679, le souverain est en conflit avec le pape sur la question de la régale. Il communique à Rome toutes ses mesures anti-protestantes, et en attend félicitations et concessions. Aussi entêté que saint, Innocent XI accorde les félicitations, mais refuse toute concession, ce qui contraint le roi à persévérer. L'installation facile du roi catholique Jacques II en Angleterre, le succès de l'empereur au Kahlenberg rendaient indispensable au Très Chrétien de réaliser un acte de défenseur de la Foi qui l'élève au-dessus des autres monarques.

On a pu faire intervenir d'autres arguments : la fiction de la « France toute catholique » — le désir de supprimer les exemptions d'impôts jusqu'alors accordées aux nouveaux convertis — la volonté d'éliminer les pasteurs, suffisants en nombre et surtout en qualité pour maintenir leur foi et celle de leurs fidèles, et Lavisse pouvait soutenir que l'Edit a été dirigé essentiellement contre eux. De l'avis unanime des historiens, les conséquences politiques et économiques de la Révocation, risque d'une révolte, importance de l'émigration et danger d'un affaiblissement de l'économie française, discrètement évoqués au Conseil par le dauphin, interprète du clan Colbert, n'ont pas été jugés dignes de considération par un « roi-prêtre » qui pensait que l'Intendance suivrait...

Promulgué le 17 octobre 1685, l'Edit de Fontainebleau fut rédigé par Le Tellier et le secrétaire d'Etat Châteauneuf. Les « considérants », qui affirment que la « meilleure et la plus grande partie de ses sujets » s'étaient convertis, que le roi avait eu le « grand dessein » de réaliser l'unité religieuse dès son avènement, que seules les guerres l'en avaient empêché et que la trêve de 1684 lui laissait désormais ce loisir, étaient suivis de 12 articles visant l'interdiction du culte (articles 2 et 3), l'expulsion des pasteurs (article 4), le maintien de la législation contre les relaps (art. 11), l'obligation du baptême et du mariage catholique (articles 4 et 9), l'affectation des biens des consistoires, l'interdiction pour les ex-réformés de s'expatrier ou de transporter hors du royaume « leurs biens et effets ». L'article 12 enfin permettait aux protestants non convertis, « en attendant qu'il plaise à Dieu de les éclairer comme les autres », de demeurer en France sans être inquiétés, à condition « de ne point faire d'exercice ni de s'assembler, sous prétexte de prière ou de culte de ladite religion ». On s'est perdu en conjectures sur le sens de cet article. Peut-être a-t-on voulu à la fois apaiser les scrupules du dauphin et de l'opinion étrangère, ou éviter l'émigration ?

En Alsace : orthodoxie et territorialisme

Face aux huguenots minoritaires et persécutés, le protestantisme alsacien possède une spécificité incontestable. Il se situe jusqu'en 1648 entièrement dans la mouvance germanique, tant par le contexte politique que par la langue cultuelle, qui est l'allemand. Et il s'agit pour au moins 80 % de luthériens, de sensibilité religieuse très différente des réformés, plus soucieuse des traditions et du mystère eucharistique, ce qui a favorisé la création d'un solide protestantisme rural. Les clauses juridiques de la Paix d'Augsbourg, reconnues par la France en 1648, ont permis, en fonction du critère *cujus regio ejus religio*, la formation d'entités luthériennes homogènes à l'intérieur d'un puzzle politique complexe. La garantie juridique et la cohésion confessionnelle confèrent aux luthériens un sentiment à la fois de sécurité et de puissance, peu répandu au-delà des Vosges. La Révocation de l'Edit de Nantes ne s'applique pas en Alsace, qui se voit ainsi épargnés tout exode et tout phénomène de « désert ». Les frontières confessionnelles, fixées en 1555, ne subiront, du moins dans les campagnes, que des retouches mineures jusqu'à l'époque contemporaine.

Une Réforme originale

La pénétration de la Réforme

Lorsque Luther, par sa célèbre protestation contre les indulgences, provoqua une formidable effervescence spirituelle à travers toute l'Allemagne, celle-ci trouva en Alsace un terrain propice. La conscience des abus et l'animosité contre des clercs privilégiés et nantis y ont suscité un profond malaise, qu'aggravait l'aspiration implicite à un retour à la Bible, à des doctrines claires et fermes, et à l'élimination des pratiques financières trop voyantes. L'appel de Luther se manifeste d'abord par le succès de l'imprimé, livres et surtout pamphlets, dont le flot ne cesse de croître à partir de 1519, comprenant entre 20 et 50 titres par an jusqu'en 1525, avant de se stabiliser autour d'une dizaine. Plusieurs imprimeurs strasbourgeois deviennent des partisans enthousiastes de la Réforme. Très vite leurs idées, limitées à la couche étroite des lisants, sont diffusées par des prédicateurs, en général des théologiens âgés de moins de trente ans, dotés d'une solide culture universitaire. Parmi eux, le curé de Saint-Laurent, la paroisse de la cathédrale de Strasbourg, Matthieu Zell, connaît à partir de 1521 un succès considérable dans l'opinion publique. Lorsque la chapelle paroissiale ne peut plus contenir l'auditoire, la corporation des menuisiers fabrique, en accord avec le Magistrat, une chaire portative, installée, en dépit de l'opposition de l'évêque, dans la grand'nef, où se rassemblent parfois jusqu'à trois mille personnes.

Après deux ans de succès croissant, Zell, protégé par le Magistrat, reçoit l'appui de trois théologiens dont l'autorité va rapidement dépasser la sienne et contribuer à faire de Strasbourg un centre autonome de la Réforme, face à Wittenberg et à Zurich. Il s'agit de Bucer, Capiton et Hédion, qui constituent le noyau du premier corps pastoral, rapidement soutenu par un véritable parti. Celui-ci comprend des hommes politiques, — en particulier le plus grand diplomate de la ville, Jacques Sturm, — des administrateurs et des juristes. La Réforme se répand également dans la petite bourgeoisie, où la compréhension s'attache moins aux concepts doctrinaux qu'à leurs conclusions pratiques : vanité des distinctions entre clercs et laïcs, inutilité des indulgences et des services pour les morts, illégitimité de certaines taxes. Ces thèmes sont particulièrement appréciés des petits artisans, des pêcheurs et des bateliers de Saint-Nicolas. En 1524, les jardiniers de Sainte-Aurélie, mécontents de leur curé, demandent à Bucer de venir prêcher dans leur église. Finalement, c'est la pression populaire qui contraint le Magistrat, jusqu'alors prudent, à sortir de sa réserve : l'édit de 1523 couvre toute prédication, si elle s'inspire de la volonté de paix et de l'amour. L'année suivante, l'assemblée des 300 échevins décide à une large majorité qu'en raison de la carence des autorités ecclésiastiques, le Magistrat doit installer lui-même des prédicateurs de l'Evangile dans les sept paroisses urbaines.

2. A. Martin Bucer — B. Jacques Sturm

Deux des fondateurs de la communauté luthérienne de Strasbourg.
Extrait de Ficker, *Bildnisse der Strassburger Reformatoren*, pl. 7 et 3.
Bibl. Nat. Univ. Strasbourg, Atelier photographique des Archives de la ville de Strasbourg.

Le débordement social : la guerre des paysans (1525).

Hors de Strasbourg, l'Evangile est reçu dans plusieurs villes, en particulier à Wissembourg et à Mulhouse, avant de passer dans les campagnes. Dès 1524, les bailliages de Wasselonne et de Dorlisheim réclament un pasteur évangélique capable de leur annoncer l'Evangile. En fait, le message de Luther vient s'ajouter ici aux mots d'ordre que diffusait depuis des décennies l'organisation clandestine du *Bundschuh*, qui combattait pour l'égalité sociale. Le monde rural interprète à sa manière l'idée luthérienne de liberté, il espère obtenir enfin la fin de la servitude, en fusionnant ses aspirations religieuses avec les revendications sociales. L'Alsace devient, après la Souabe, une des régions les plus agitées : en moins d'un mois (avril 1525), la flamme révolutionnaire embrase toute la province, depuis Cleebourg et les terres palatines au nord jusqu'au Sundgau. Le mouvement, dirigé et contrôlé par des notables villageois et des prêtres acquis aux idées nouvelles, reprend à son compte les Douze Articles qu'avaient adoptés les paysans de Souabe et qui associaient les revendications sociales (suppression des corvées et des autres charges seigneuriales, liberté d'utilisation des communaux) aux religieuses : droit d'élire et de déposer les pasteurs, tenus de prêcher l'Evangile, dîme consacrée exclusivement à l'entretien du clergé et des pauvres. Les références bibliques sont nombreuses tant dans le programme que sur les bannières, où sont brodés par exemple en lettres d'or *V(erbum) D(ei) M(anet) I(n) E(ternum)* ou *Jesus Christus*. Le mois suivant, toutes ces espérances plus ou moins messianiques, mystiques et apocalyptiques sont balayées par une terrible répression sous l'égide du duc Antoine de Lorraine, qui massacre par milliers les bandes de rustauds à Saverne et à Scherwiller près de Sélestat. Certes, l'écrasement des paysans n'entraîne pas la disparition de la Réforme, mais la cause de l'Evangile, désormais séparée des espérances révolutionnaires, voit son audience baisser auprès des pauvres et des mécontents, désormais tentés de chercher refuge dans des mouvements spirituels extra-ecclésiastiques.

Le rayonnement de Strasbourg

Après 1525, la Réforme perd une partie de sa résonance spirituelle auprès des masses populaires pour se transformer en Eglises territoriales placées sous la tutelle du prince ou du Magistrat urbain. Celle de Strasbourg connaît alors, sous l'impulsion avisée de Bucer, une période particulièrement faste. Après que la majorité des échevins ait voté l'interdiction de la messe en 1529, les Strasbourgeois présentent en 1530 à la diète d'Augsbourg leur propre confession de foi, la Tétrapolitaine, adoptée également par trois villes souabes, d'où son nom : elle s'écarte de la Confession d'Augsbourg sur deux points très débattus dans la théologie du temps : elle refuse la consubstantiation dans la doctrine de la Cène, et donne un sens différent aux œuvres, fruit et signe du Salut. L'Eglise est organisée sur le plan institutionnel, liturgique et dogmatique, par l'ordonnance de 1534, renforcée d'une ordonnance disciplinaire qui contribua à donner aux luthériens strasbourgeois une indéniable gravité, mais seulement au bout de deux à trois générations de catéchèse assidue. Il semble en effet que le niveau n'a guère évolué durant ces deux décennies ; les contraventions à la loi divine ne sont ni plus rares ni plus discrètes. Par contre, l'encadrement pastoral connaît une amélioration sensible : dès 1525, on compte neuf maîtres ès arts, pour la plupart des étrangers attirés à Strasbourg, qui vont assurer une catéchèse et une pastorale de qualité à l'ensemble de la population, qui bénéficie également d'écoles paroissiales mieux organisées et surtout, à partir de 1538, de la Haute Ecole. Cette dernière, grâce à la qualité du corps enseignant, forme les cadres politiques, ecclésiastiques, économiques et sociaux non seulement de la ville, mais de l'ensemble de la Basse-Alsace protestante. Le Magistrat, sous la conduite avisée de Jacques Sturm, prend le contrôle de l'ensemble de la vie de l'Eglise ; dans chaque paroisse, il confie le maniement de la Discipline à trois *Kirchenpfleger*, membres du Magistrat, qui est également représenté aux réunions bimensuelles du corps pastoral destinées à harmoniser l'action dans les sept paroisses urbaines et à forger un esprit de corps, capable d'exercer une pression. Sur le plan international et diplomatique, le protestantisme strasbourgeois connaît alors son apogée. Jacques Sturm est le porte-parole des villes impériales à toutes les Diètes et aux assemblées de la Ligue de Smalkalde, qui rassemble en une alliance militaire la majorité des territoires protestants germaniques. Bucer est le rédacteur de l'ordonnance ecclésiastique hessoise publiée en 1539 et de celle de Cologne, dont le coutumier liturgique servira plus tard aux rédacteurs du *Book of Common Prayer*. Jusque vers 1540, Strasbourg constitue également le principal refuge des huguenots persécutés : le plus célèbre d'entre eux, Jean Calvin, y séjourne de 1538 à 1541 et s'inspire des expériences pastorales et liturgiques de Bucer pour la rédaction des *Ordonnances ecclésiastiques* de Genève, qui vont modeler l'ecclésiologie réformée. Strasbourg apparaît alors comme un lieu d'asile unique en Europe et un terrain de confrontation pour les doctrines nouvelles. En 1559 encore, Canisius, un apôtre jésuite de la Contre Réforme, la considère comme « le bourbier de tous les apostats », d'où sont sortis des milliers d'étudiants semant « leur peste » tant en France qu'en Allemagne.

La Réforme dans les campagnes

L'influence strasbourgeoise s'étend rapidement à l'ensemble de l'Alsace, mais seulement après un arrêt d'une dizaine d'années consécutif à la Guerre des Paysans. Parmi les autres villes, seules Wissembourg et Mulhouse adoptent alors la Réforme. Dans la première le prêtre Kess, qui en 1533 encore, se compare à une « veuve abandonnée », remplace en 1534, avec l'appui d'un « parti luthérien », la messe par un office protestant.

A Mulhouse, une ville libre assez modeste, alliée à la Confédération helvétique, la Réforme est introduite progressivement à partir de 1523 selon les modèles de Zurich et de Bâle, sous l'impulsion du greffier-syndic Oswald de Gamsharst et du chapelain Gschmus, qui ont su gagner assez vite la majorité de la bourgeoisie et du Magistrat. Mais en 1529, à l'image de Bâle, les corporations, devenues plus radicales, obligent le Magistrat d'abolir la messe et de mettre les objets précieux à l'abri : Mulhouse devient ainsi une ville entièrement réformée pour le rester jusqu'à l'annexion française en 1798. Malgré les préférences réformées et l'influence de Bâle, qui joue le rôle de frère aîné, Mulhouse demeure jusqu'en 1566 assez proche de la voie moyenne préconisée par Bucer entre Luther et Zwingli.

Dans les campagnes, le courant évangélique continue de progresser, et bien des prêtres sont touchés par les idées nouvelles, d'où la faiblesse des résistances lors de l'introduction officielle dans les divers territoires. Il s'agit d'abord des 14 paroisses du territoire rural appartenant sur le plan politique à la ville de Strasbourg, qui y délègue un pasteur vers 1530, puis du bailliage de Cleebourg, où la tolérance du prince, le duc de Palatinat-Deux-Ponts, favorise l'installation de prédicants. Plus importants sont les succès protestants vers 1540, où la Réforme triomphe dans des territoires plus vastes comme les possessions du Wurtemberg autour de Colmar (15 paroisses), la baronnie de Fleckenstein (13 paroisses) et surtout le comté de Hanau-Lichtenberg, qui, avec ses 55 paroisses, devient le véritable bastion du luthéranisme rural alsacien.

L'apparition de mouvements dissidents

Dans l'effervescence spirituelle des premières années, les Réformateurs ont été rapidement jugés trop modérés par les partisans de Karlstadt et de Hubmayer, théologiens plus radicaux, aux idées millénaristes et eschatologiques, ardents à créer des communautés de purs, avant-garde d'une humanité nouvelle qui sortirait un jour régénérée des calamités libératrices engendrées par le recours à la violence. Strasbourg devient également, après l'échec de la guerre des paysans (1525), un des principaux foyers de l'anabaptisme et du courant schwenckfeldien dans l'Empire, en raison d'une attitude tolérante initiale du Sénat, de Bucer et de Capiton, qui demeure assez proche d'eux jusqu'en 1532. Le premier courant est diffusé par un jardinier, Clément Ziegler. Il rencontre un large écho dans le petit peuple en 1525, avant d'être relayé par des personnages plus cultivés comme Denck, Sattler et Hätzer, qui durant leur séjour ont réussi à grouper autour d'eux de nombreux disciples, surtout des réfugiés et des compagnons itinérants, mais aussi des bourgeois et des artisans locaux. Strasbourg accueille, dans les années suivantes, plusieurs chefs comme Marbeck, puis Hoffmann, qui prend en 1530 le contrôle de la petite communauté et annonce le retour du Christ pour 1533 à Strasbourg. Son évangélisme révolutionnaire allie le courant mystique et spiritualiste à un biblicisme communautaire. Mais l'absence d'homogénéité favorise le déclin à partir de 1534, sous l'effet conjugué d'une politique répressive vigoureuse du Sénat et de la clairvoyance des Réformateurs. Ces anabaptistes ont été parmi les rares théologiens à prendre au sérieux les exigences de la Discipline ecclésiastique, de la vraie vie chrétienne et de la dimension communautaire, souci qui a permis à Calvin durant son séjour sur les rives rhénanes d'obtenir de multiples conversions. De là découlent en partie l'introduction de la confirmation et les communautés chrétiennes qui préfigurent les conventicules piétistes.

Les estimations quantitatives restent imprécises, de l'ordre de quelques centaines, soit environ un à deux pour cent de la population urbaine, qui continuent à se réunir de manière clandestine hors des murailles. La répression provoque toutefois après 1534 la dispersion dans les paroisses rurales, où les anabaptistes suscitent de nouvelles conversions. En 1545, ils se recrutent surtout parmi les maçons, les armuriers et les tisserands. Il existe alors également une fraternité à Mutzig et une en Haute-Alsace. Mais il semble que la menace anabaptiste régresse après 1540, bien qu'en 1582 le surintendant Pappus redoute leur propagande dans les campagnes. Par contre, Strasbourg demeure un important lieu de colloques anabaptistes clandestins : il y en a au moins six entre 1554 et 1607.

D'autres fidèles ont été attirés par les conceptions spiritualistes de Schwenckfeld, noble silésien hostile à toute institution ecclésiastique. Malgré son expulsion en 1533, ses adeptes ont constitué un groupe informel recruté dans l'élite intellectuelle et sociale, qui se maintient à Strasbourg jusqu'à la fin du siècle. Parmi ses membres émerge Catherine Zell, surtout durant son veuvage, où elle contribue activement à l'animation du groupe.

L'épreuve de l'Intérim

Ces menaces restent toutefois très limitées par rapport à la secousse que provoqua l'Intérim, qui faillit emporter le protestantisme strasbourgeois. Lors de la guerre entreprise par Charles-Quint contre la Ligue de Smalkalde, Strasbourg contribue activement au financement de celle-ci et refuse une paix séparée avantageuse. Après la défaite les édiles s'opposent à l'Intérim qui rétablit la doctrine et la liturgie catholiques, mis à part le célibat des prêtres et la communion maintenue sous les deux espèces. A leurs yeux, ce texte blesse la conscience des habitants, nuit à leur salut et offense Dieu. Mais, devant l'intransigeance impériale, le patriciat fléchit, en dépit de la fermeté de la bourgeoisie des corporations, et remet à l'évêque trois églises sur sept puis, à la demande de Charles-Quint, il contraint Bucer à s'exiler en 1549 en Angleterre, où il meurt deux ans plus tard. La population, libre de retourner aux offices catholiques, s'y refuse ; seules quelques dizaines de personnes semblent y assister. De nombreux incidents marquent leur déroulement, au point que le Magistrat est contraint de faire surveiller les portes des trois églises. La suppression de la messe en 1559 par le Magistrat passe presque inaperçue, signe de la perte totale d'audience de l'Eglise catholique et de la vitalité de la Réforme.

Mais, si les protestants strasbourgeois ont surmonté cette épreuve sans difficulté majeure, l'Intérim a néanmoins compromis le recrutement des étudiants de théologie, lequel connut de 1549 à 1553 un véritable effondrement, qui provoqua des lamentations sur la « récolte ravagée par la grêle » : le problème du remplacement de la génération des Réformateurs fut préoccupant, et l'on redoutait que seuls des étudiants moyens consentissent à entreprendre des études de théologie.

Ailleurs, la résistance est identique : à Wissembourg, le remplacement des deux pasteurs par des curés est mal accepté : moins de trente personnes assistent à leurs offices ; la plupart des bourgeois préfèrent se rendre le dimanche dans des villages proches pour y assister au culte. Ailleurs, les pasteurs constituent un rempart privilégié de la Réforme, encourageant leurs princes à la fermeté.

La consolidation du luthéranisme (1555-1680)

La géographie protestante

La paix d'Augsbourg (1555) stimule l'essor de la Réforme en Alsace en remettant aux détenteurs du pouvoir le soin de déterminer la religion de leurs sujets. Entre 1555 et 1575, de nombreux seigneurs, profitant du *jus reformandi*, ont introduit la Réforme. L'apogée se situe de 1580 à 1620, où un tiers des paroisses alsaciennes est protestant.

L'enchevêtrement des territoires rend la géographie confessionnelle extrêmement complexe, coupant même certains villages en deux : ainsi Oberseebach, partagé entre la maison palatine et l'abbaye de Wissembourg. Les pôles de la résistance catholique sont constitués par les territoires ecclésiastiques (évêché de Strasbourg, abbaye de Murbach...), les possessions des ducs de Lorraine et surtout des Habsbourg qui possèdent le Sundgau et la Préfecture de Haguenau, c'est-à-dire d'importants droits dans les villes de la Décapole (ligue de dix villes alsaciennes). Par contre, les autres territoires, de faible ou de moyenne importance, ont presque tous passé à la Réforme, ainsi que la grande majorité des chevaliers d'Empire, dont l'autorité politique se limite à un ou deux villages.

En dépit de quelques modestes reconquêtes catholiques au cours du XVIIᵉ siècle, acquises grâce à la conversion de certains chevaliers d'Empire, ou grâce aux pressions françaises après 1685, les frontières religieuses resteront stables jusqu'au XXᵉ siècle, maintenant ainsi l'ancienne mosaïque, malgré l'unification politique sous la Révolution française. En Basse-Alsace, le luthéranisme s'implante environ dans la moitié des paroisses : comté de Hanau-Lichtenberg, comtés de La Petite-Pierre et de Sarrewerden (c'est-à-dire la totalité de « l'Alsace bossue »), seigneuries de Fleckenstein, d'Oberbronn et de Schoeneck dans le Nord (où les possessions palatines de Cleebourg et d'Altenstadt deviennent réformées, ainsi que la ville de Bischwiller), les 19 paroisses rurales de la ville de Strasbourg (avec la seigneurie de Barr), et une trentaine de paroisses dispersées appartenant aux chevaliers d'Empire. En Haute-Alsace, la Réforme se limite aux villes de Colmar, Munster et Mulhouse, ainsi qu'aux quinze paroisses wurtembergeoises qui entourent Colmar, et à Sainte-Marie-aux-Mines, possession des Ribeaupierre.

Il s'agit d'un protestantisme à la fois urbain et rural. Il reste incontesté tant à Strasbourg après 1559 qu'à Mulhouse, porté avant tout par la bourgeoisie moyenne et des corporations. Le Magistrat strasbourgeois maintient une tonalité modérée face aux affrontements confessionnels intra-protestants, accordant la priorité au désir d'union, à la tradition d'accueil charitable et à l'esprit humaniste tout en jouant le rôle de gardien de la morale luthérienne. A Mulhouse, le protestantisme apparaît encore davantage comme une composante du patriotisme municipal, fédérateur de toutes les couches sociales face à la menace que constitue la régence d'Ensisheim qui administre le Sundgau habsbourgeois, bastion catholique qui enserre la ville de tous côtés. Mais l'option réformée et l'alliance avec Bâle isolent ces protestants presque totalement de leurs coreligionnaires alsaciens, et les maintiennent dans la mouvance bâloise qui forme et fournit le corps pastoral. Strasbourg demeure ainsi le seul bastion du protestantisme alsacien, auquel il procure les théologiens, la littérature théologique et d'édification, et dont il inspire la liturgie, la discipline et l'orientation théologique codifiées par l'ordonnance ecclésiastique de 1598.

Les autres villes alsaciennes, en effet, réunies au sein de la Décapole, cédèrent à la vigoureuse répression d'après 1525, maintenue pendant tout le siècle par le bailli impérial siégeant à Haguenau. Elles ne peuvent donc imiter la grande majorité des villes libres impériales devenues protestantes sous l'impulsion de la bourgeoisie alphabétisée — sauf deux d'entre elles : Wissembourg, où le Magistrat se heurte à l'évêque de Spire qui verse les salaires, et Munster, où le pouvoir civil, soutenu par la bourgeoisie, parvient à deux reprises à empêcher le rétablissement des cérémonies catholiques (1563 et 1569). A Colmar, la Réforme, préparée depuis des décennies et soutenue par la majorité de l'élite bourgeoise, n'est introduite qu'en 1575. La prédominance de la collectivité des fidèles reste un signe distinctif de l'Eglise de Colmar, dont l'histoire, à la différence de Strasbourg, ne signale aucune personnalité pastorale qui ait puissamment exercé son emprise. Très vite, les luthériens obtiennent la majorité au Conseil, mais ils ne prennent aucune mesure restrictive à l'égard du catholicisme resté vivace surtout dans le petit peuple. En fait, les protestants colmariens, influencés d'abord par le luthéranisme wurtembergeois qui entoure la ville et

IX. DESTRUCTION DU TEMPLE DE CHARENTON

Le temple, qui servait à la communauté protestante de Paris, avait déjà été l'objet d'une tentative d'incendie en 1671 ; il fut détruit en 1686, l'année suivant la Révocation. Cette gravure d'inspiration catholique présente une caricature de l'événement ; le feu fait sortir du temple des démons

Musée de l'Ile-de-France, Sceaux

X. — LES PROTESTANTS QUITTANT LA FRANCE EN 1685. GRAVURE DE JAN LUIKEN

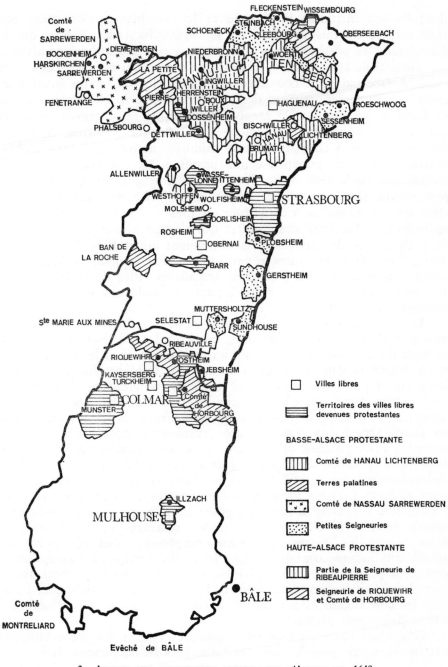

3. Aperçu des territoires protestants d'Alsace en 1648.

dont ils ont introduit la liturgie et le catéchisme, s'orientent après 1600 vers le calvinisme. Mais, en se rapprochant des Bâlois, qui leur fournissent les pasteurs, ils s'isolent peu à peu des luthériens alsaciens.

Dans trois autres villes, la Réforme n'a connu qu'un succès temporaire. A Obernai s'est constituée une minorité qui a pu pratiquer le culte sur les terres voisines de la famille d'Oberkirch. Mais à la suite de l'arrivée de jésuites, le Magistrat multiplie les mesures répressives qui parviennent assez rapidement à étouffer la Réforme. A Sélestat, les sympathisants constituent une minorité active, mais qui n'obtient jamais le droit de constituer une paroisse. Ils disparaissent lors des vicissitudes de la Guerre de Trente Ans. A Haguenau, la communauté protestante, si elle réussit à obtenir la majorité au Magistrat, ne parvient que difficilement à constituer en 1565 une paroisse, qui se heurte au bailli et à l'activité des jésuites qui s'appuient sur le conservatisme du petit peuple des artisans. Ils obtiennent après 1604 de nombreuses conversions, dont certaines retentissantes. Par contre, la Réforme n'a jamais réussi à prendre pied dans les autres villes de la Décapole, les plus modestes à vrai dire, mise à part une influence momentanée des anabaptistes à Rosheim.

Le protestantisme rural, véritable réservoir du luthéranisme et future pépinière du corps pastoral, comprend trois bastions compacts au nord de la Forêt de Haguenau, au nord-ouest dans le pays de Hanau et en Alsace bossue, auxquels s'ajoute une implantation encore assez dense, de l'ordre de près de 30 % de la population, dans le riche Kochersberg situé entre la Bruche et la Zorn. Par contre, le Ried rhénan et le Sud de la Basse-Alsace demeurent largement catholiques. En Haute-Alsace, les communautés rurales ne constituent que trois modestes îlots proches de Colmar, deux appartenant au Wurtemberg, tandis que la vallée de Munster forme une entité isolée et autonome. L'enracinement est assuré par les notables villageois, échevins, laboureurs aisés et maîtres artisans qui contrôlent les communautés, dont la catéchèse renforce la cohésion grâce à un corps pastoral solidement intégré dans cette élite rurale par ses mariages et les parrainages. Mises à part les possessions wurtembergeoises, tous ces protestants considèrent Strasbourg comme leur foyer théologique, à l'exception des territoires palatins devenus calvinistes et qui se tournent vers Heidelberg : la séparation politique aggrave la coupure confessionnelle, isolant ainsi les communautés réformées, à l'image de celle de Mulhouse, du monde protestant alsacien.

Ce tableau resterait incomplet sans l'évocation des protestantismes périphériques, en premier lieu les luthériens francophones. Il s'agit du

Ban de la Roche, au fond de la vallée de la Bruche, acquisition de la branche palatine de Veldence qui y introduit la Réforme en 1589 : elle y sera soutenue pendant plus d'un siècle par Montbéliard. En dépit du climat d'intolérance luthérienne, l'Alsace connaît néanmoins plusieurs refuges de huguenots expulsés. A Strasbourg, la paroisse française traverse, à partir de 1553, des vicissitudes qui se terminent par la fermeture de l'église en 1564 et l'interdiction de cérémonies réformées même privées en 1577. Cette étroitesse d'esprit trouve son explication dans la hantise du grignotage de l'orthodoxie luthérienne et de celle d'une invasion réformée massive qui altérerait le caractère germanique de la ville. Un second refuge s'installe dans la cité minière de Sainte-Marie-aux-Mines, propriété des Ribeaupierre, où se forme un consistoire bien structuré, qui assure la vie à la fois matérielle, morale et spirituelle de la communauté. En 1568, le duc de Veldence crée une cité refuge à Phalsbourg qui prospère rapidement, mais le duc de Lorraine, l'ayant reçue en gage, expulse en 1619 tous les réformés ; ils se réfugient alors à Bischwiller, où ils sont à l'origine de cultures et d'industries nouvelles, qui feront la prospérité et la renommée de cette bourgade. D'autres réfugiés se sont installés au milieu du siècle dans des villages abandonnés du comté de Sarrewerden, y créant les « sept villages français ». Renforcés à la fin du siècle par de nouveaux contingents, ils disposent de l'autonomie liturgique et disciplinaire, à la différence des luthériens soumis à la tutelle princière.

Un corps pastoral docile et instruit

Un des principaux soucis des responsables des Eglises est la qualité du corps pastoral. Aussi assiste-t-on partout après 1555 à un sérieux effort pour former et recruter un clergé instruit et homogène, capable à son tour de catéchiser dans la plupart des paroisses rurales des populations si ignorantes et si analphabètes que l'on peut légitimement se demander si elles ne furent pas alors christianisées pour la première fois.

La Réforme a favorisé, en Alsace comme ailleurs, un relèvement considérable du niveau intellectuel et théologique du clergé. L'*Examen ordinandorum* de Mélanchthon tend à devenir la norme du bagage théologique exigé de tous les candidats à un poste pastoral luthérien. Désormais, la grande majorité des pasteurs a suivi des études humanistes avant d'être formée par l'Académie de Strasbourg, alors que leurs collègues réformés séjournent à Bâle ou à Heidelberg. Dans les territoires wurtembergeois, Tübingen obtient un véritable monopole après 1575. Après 1580, au moins 60 à 80 % d'entre eux ont passé par une faculté de théologie. Le pourcentage des détenteurs du diplôme de maître, qui suppose un cycle d'études d'au moins trois ou quatre ans, reste modeste dans les campagnes de Basse-Alsace (10 % dans les possessions palatines), et s'élève à 38 % dans la seigneurie de Riquewihr, à 47 % à Colmar. Les plus privilégiés sont les pasteurs strasbourgeois : le pourcentage des maîtres en 1619 atteint 76 % dans les paroisses rurales et 95 % en ville.

Ces théologiens se recrutent avant tout dans le milieu urbain des maîtres artisans, véritable colonne vertébrale du corps pastoral, et de manière croissante dans le clergé lui-même. Il s'agit avant tout de citadins : les campagnes ne participent pratiquement pas encore au recrutement, en particulier à cause de l'insuffisance de l'équipement scolaire. Les « étrangers » au territoire demeurent longtemps majoritaires : 70 % pour l'Eglise strasbourgeoise, 87 % pour les Eglises de Haute-Alsace. La tendance au recrutement autochtone n'apparaît qu'assez tardivement à Strasbourg (75 % après 1600). Aussi ces Eglises dépendent-elles d'un recrutement extérieur à la région, assuré par le biais de l'Académie de Strasbourg qui procure ces étrangers, originaires surtout d'Allemagne du Sud, de Saxe et de Thuringe, tout comme pour la Haute-Alsace, qui constitue un « pays d'embouche » apprécié surtout des Wurtembergeois. Les Eglises réformées recrutent leurs théologiens soit à Bâle, soit dans l'aire palatine pour le Nord de l'Alsace. L'Alsace protestante constitue ainsi une importante zone d'immigration pastorale : hors des fils de pasteurs et de Strasbourg, le recrutement local reste modeste ; il y a un seul pasteur indigène sur 19 en fonction à Colmar, aucun sur les 16 qui ont exercé à Munster et à Muhlbach.

La société pastorale apparaît relativement mobile : les deux tiers des ministres du culte strasbourgeois exercent moins de dix ans. Les paroisses se plaignent de trop fréquents changements : celle de Dorlisheim gémit en vain entre 1524 et 1594 de voir défiler 19 titulaires, soit moins de trois ans en moyenne, à peine le temps de faire connaissance. La carrière des ministres, qu'abrège dans un quart des cas une mort prématurée, est raccourcie parfois par des départs volontaires vers des postes plus rémunérateurs offerts ailleurs. En Haute-Alsace, 40 % restent moins de cinq ans en fonction et seuls 28 % dépassent 20 ans. Rares sont ceux qui se fixent à vie comme Nicolas Acker à Ittenheim (1559-1607), Théodore Weidemann à Langensoultzbach (1552-1600) ou Georges Keller à Soultz-sous-Forêts (1582-1622).

Le phénomène de caste lévitique apparaît rapidement, car on recherche les alliances entre familles pastorales, à moins d'épouser une

Ministre. 1660.

Ministre protestant. 1700.

Ministre luthérien. 1731.

4. Ministres protestants alsaciens des XVIIᵉ et XVIIIᵉ siècles

Extrait d'Ad. Seyboth, *Costumes strasbourgeois*, Strasbourg, 1881.
Bibl. Nat. Univ. Strasbourg, Atelier photographique des Archives de la ville de Strasbourg.

fille d'artisan ou de notable de la paroisse. A Muhlbach, le successeur épouse régulièrement la veuve ou la fille de son prédécesseur. Les descendants embrassent facilement la vocation de leur père. Si les vocations sérieuses restent encore fréquentes, beaucoup d'étudiants y voient aussi l'avantage d'une position sociale respectée. En 1619, seules deux familles voient apparaître une troisième génération, les Marbach et les Reuchlin, dont les ministères presque constamment strasbourgeois se perpétueront à travers six générations pour ne s'éteindre qu'en 1788.

Ces théologiens sont en fait des fonctionnaires du prince ou du Magistrat urbain, qui intervient dans les nominations, les transferts, les révocations, et effectue un contrôle permanent au moyen de visites et de synodes. Les tâches pastorales sont fixées par des ordonnances ecclésiastiques qui ne laissent qu'une part restreinte d'initiative.

La plupart acquièrent une bibliothèque déjà imposante pour l'époque, de l'ordre d'une centaine de titres en moyenne dans le bailliage de Cleebourg, alors que Bethulejus de Colmar laisse à sa mort 330 titres. Ces livres leur valent une solide réputation et favorisent l'efficacité de leur ministère et le rayonnement culturel dans les campagnes. Mais plusieurs succombent aussi aux défauts du siècle, alcoolisme, orgueil spirituel et étroitesse d'esprit.

Piété, éthique et discipline protestantes

Le comportement religieux des fidèles demeure encore mal connu. D'après les procès-verbaux de visite conservés, peu nombreux, la pratique cultuelle et sacramentelle ne donne pas lieu à beaucoup de doléances, sauf quelques allusions à une certaine somnolence lors de la prédication : les paysans de Hunspach s'assoupissent et semblent plus venir au culte pour se remettre de leurs fatigues que pour écouter la prédication. Le clergé a beaucoup de peine à obtenir la ponctualité pour l'arrivée à l'office et également à retenir les fidèles jusqu'à la fin et à les convaincre de communier à une fréquence plus grande que la communion pascale séculaire. De même, le chant ne s'implante dans certaines paroisses rurales que progressivement au cours du XVIIe siècle. La catéchisation des enfants et des adolescents ne suscite pas partout de l'enthousiasme. Le niveau de cette instruction, variable selon les paroisses, semble satisfaisant en 1605 dans le bailliage de Cleebourg et même bon à Keffenach. Par contre, les pasteurs ont dû engager une lutte difficile contre les survivances catholiques mêlées de superstitions pures et simples. Ainsi, le président de l'Eglise de Strasbourg, à son retour de visite des paroisses rurales, se lamente des multiples « bénédictions idolâtres et des superstitions papistes » en cours dans le milieu paysan (1588). De même, les cultivateurs palatins défendent vigoureusement certaines coutumes ancestrales comme le voyage annuel à la station thermale de Niederbronn le jour de la Saint-Jean et la consultation de rebouteux.

Sur le plan social, les ordonnances ecclésiastiques publiées par les divers territoires s'efforcent d'imposer le Décalogue comme norme au comportement social des fidèles, c'est-à-dire une contrainte rigoureuse qui embrasse la totalité de la vie individuelle, sociale et familiale au moyen de sanctions hiérarchisées, dont l'application est confiée au pasteur transformé en officier de la moralité publique et assisté par le prévôt, les échevins et, dans les paroisses réformées, le conseil des anciens.

Cette contrainte affecte d'abord la vie personnelle des individus, astreints à un comportement rigoriste peu apprécié : la lutte contre l'ivrognerie, les beuveries, les jeux, la limitation des ripailles aux noces et aux baptêmes s'avèrent difficiles. Transformer toute la société en des chrétiens responsables, soucieux de leur dignité et de leur honorabilité dans la vie quotidienne, était une ambition peut-être excessive. De même, la volonté de revalorisation de la famille entraîne une répression tenacement organisée de tous les débridements sexuels, qui s'accompagne de l'exaltation de la fidélité conjugale, de la chasteté des célibataires et de la réserve face à l'autre sexe. La Réforme a pourtant peu modifié les comportements démographiques, sauf dans le domaine des naissances illégitimes qui deviennent rares, de l'ordre de 1 % à Strasbourg, et des conceptions prénuptiales qui passent de 4 % en 1560 à 6 % dans la première moitié du XVIIe siècle, alors que le taux de natalité, en dépit d'un âge tardif au mariage (25 ans), se stabilise autour de 48‰, taux urbain très élevé. Enfin, les luthériens ont restreint le temps clos de l'Avent, limité désormais à la période comprise entre le troisième dimanche de l'Avent et le premier dimanche de janvier, tout en conservant celui du Carême. A Strasbourg, le magistrat a tenté d'édifier une cité où tous les bourgeois vivent selon la parole de Dieu, en serviteurs dotés de vertus morales et civiques de la vérité évangélique.

La Réforme a eu le mérite de fournir une impulsion considérable à l'investissement éducatif par la catéchèse et les débuts d'une scolarisation générale. A Strasbourg, chacune des sept paroisses entretient une école, et l'ordonnance de 1598 impose déjà l'obligation scolaire, car tous les parents doivent envoyer leurs enfants à l'école paroissiale.

Dans les campagnes, les visiteurs s'efforcent de mettre partout une telle école sur pied, où l'enseignement est assuré soit par le pasteur, soit, de plus en plus souvent, par le sacristain ; elle est destinée à l'instruction catéchétique, à l'apprentissage du chant, à une éducation morale conforme au nouveau bréviaire éthique. Mais cette alphabétisation demeure très inégale. L'école de Cleebourg ne fonctionne que par intermittence, même à la fin du siècle. Dans ce bailliage, seuls deux pasteurs sur six dispensent en 1609 un enseignement limité aux seuls mois d'hiver. Cette apathie se répercute aussi sur le chant communautaire : seule la paroisse de Cleebourg y participe activement, alors qu'ailleurs, le clergé est souvent contraint à chanter seul. Dans le comté de Hanau-Lichtenberg, par contre, le règlement scolaire de 1614 semble indiquer l'existence d'une école dans chaque paroisse. Bilan inégal, mais non négligeable donc dans les campagnes, où commencent à se répandre des livres religieux. Ainsi, en 1606, un laboureur aisé de Nordheim, ancêtre d'une famille de cultivateurs et de tonneliers, détient déjà 19 ouvrages religieux, des recueils de sermons, des livres d'édification (prières et cantiques) et de controverse anticatholique. Dans les villes, la bourgeoisie manifeste partout un intérêt soutenu pour les écoles, et crée une école latine capable de former une nouvelle génération de cadres. A Mulhouse, les écoles sont assez fréquentées, bien que la préparation aux études supérieures demeure modeste. A Colmar, un gymnase est ouvert en 1604 sur le modèle de celui de Strasbourg, tandis qu'à Haguenau et à Wissembourg on se contente d'une école latine sans prétention. L'Académie de Strasbourg et le gymnase forment l'élite protestante non seulement de la cité, mais aussi de l'ensemble des seigneuries de Basse-Alsace, où les écoles latines ont quelque peine à s'implanter, comme à Bouxwiller en 1612 et à Riquewihr, où une doléance de 1629 se plaint que cette école ne parvient pas à fournir des étudiants valables pour Tübingen.

La rigueur et la simplicité constituent également les normes des cadres domestiques et liturgiques. La décoration des églises se caractérise par un dépouillement austère, signe d'un esprit d'humilité et de contrition qui bride l'imagination des menuisiers par exemple.

Cette implantation en profondeur s'accompagne certes de quelques phénomènes moins heureux. Depuis la fin de l'Intérim, la Réforme cesse d'être un mouvement conquérant aux contours théologiques souples, pour devenir une orthodoxie définie avec minutie et cuirassée contre les menaces externes, calvinisme et surtout Eglise catholique qui a conservé les deux tiers des paroisses alsaciennes. Entre 1555 et 1620, tous les territoires mettent au point une *Kirchenordnung*, parfois révisée après 1648, qui fixe le dogme, la liturgie et la discipline morale. La catéchèse intensive s'accompagne d'une prise de conscience confessionnelle, qui incite à juger autrui selon le critère de l'orthodoxie et qui donne lieu à des manifestations d'hostilité entre luthériens et calvinistes, séparés ici comme ailleurs dans l'Empire par une frontière de sensibilité qui rapproche les premiers des catholiques. Ainsi, les pasteurs réformés de Bischwiller sont périodiquement l'objet de brimades et de vexations de la part de certains Strasbourgeois lors de leurs passages dans cette ville. Cette orthodoxie alsacienne se caractérise par le respect des confessions de foi luthériennes à valeur normative, en particulier le *Livre de Concorde* (1580) avec sa définition ubiquiste anti-calviniste. Le corps pastoral, en dépit de son insertion plus ou moins réussie dans la paroisse, ne parvient pas, en raison du maintien de la dîme et des redevances traditionnelles, à éliminer le vieil anti-cléricalisme. Ainsi, en 1609, Thomas Roder de Steinseltz estime que rien n'est aussi décourageant que d'être obligé, plusieurs dimanches de suite, d'aller à l'auberge pour attendre qu'on lui apporte les rentes avec une mauvaise volonté évidente. D'autre part, l'Eglise est aux mains des pouvoirs civils qui ont parfois tendance à privilégier les aspects juridiques au détriment de la spiritualité et de la pastorale. Enfin, cette œuvre de christianisation, de pédagogie religieuse et d'édification morale ne peut totalement éviter la vague de démonologie qui déferle depuis la fin du XVIe siècle sur une bonne partie de l'espace rhénan. Une des régions les plus touchées est celle de Bouxwiller, où sont brûlées dix femmes en 1617, plusieurs en 1618 et encore trois en 1629. Au Ban de la Roche, 49 personnes sont accusées du même délit en 1621.

Les malheurs de la Guerre de Trente Ans

La consolidation protestante sera arrêtée net par la Guerre de Trente Ans qui a profondément ravagé l'Alsace et presque totalement anéanti le protestantisme en dehors des deux places-fortes de Strasbourg et de Mulhouse épargnées par la guerre. Certes, le jubilé du centenaire de la Réforme (1617) a été l'occasion de célébrer le triomphe de l'Evangile sur l' « obscurantisme » papiste et de consolider le sentiment confessionnel, mais aussi de renforcer la propagande et les invectives envers la Contre-Réforme qui réussit à reconvertir une quinzaine de villages alsaciens et une demi-douzaine d'autres dans le Westrich (Alsace bossue et confins mosellans) avant 1618.

Profitant de leurs victoires initiales dans l'Empire, les Habsbourg entreprennent l'extermination de la minorité protestante dans les grandes villes de la Décapole, à Sélestat, à Haguenau, où la célébration du culte protestant est interdite et la fréquentation de la messe rendue obligatoire (1626), et à Colmar, où la population doit choisir en 1628 entre l'abjuration et l'émigration ; cette dernière est importante vers Bâle, Mulhouse et Strasbourg. De son côté, le duc de Lorraine expulse en 1629 tous les protestants du comté de Sarrewerden. L'édit de restitution, ordonnant le retour à l'Eglise catholique de tous les biens sécularisés depuis 1552 (1629), est considéré comme une menace à court terme pour l'existence même du protestantisme alsacien. Celui-ci sera sauvé par l'arrivée de troupes suédoises en 1632, qui rétablissent en particulier le culte à Colmar. L'annonce de la mort du roi Gustave-Adolphe est douloureusement ressentie par la grande majorité des protestants alsaciens. Selon la *Chronique* de Walter, il y eut à Strasbourg pendant les cérémonies funèbres « tant de plaintes et de sanglots qu'on n'en a vu et entendu de mémoire d'homme dans cette cité ». Le héros suscite un véritable culte populaire attesté par de très nombreuses effigies du roi, et qui persistera dans l'art populaire jusqu'au XVIIIᵉ siècle. Après le reflux de la marée suédoise, les luthériens se placent sous la protection de la France de l'Edit de Nantes, de la paix d'Alès, donc de la tolérance. Elle parvient dès 1639 à épargner aux Alsaciens de nouvelles atrocités militaires. Les Traités de Westphalie (1648) deviennent la charte des protestants alsaciens ; elle leur permettra d'échapper à la révocation de l'Edit de Nantes et de disposer d'une protection juridique que Louis XIV ne leur contestera jamais. Les clauses figureront d'ailleurs en tête du grand recueil des Ordonnances d'Alsace publié en 1775 par le conseiller de Boug. Chaque confession doit récupérer les biens et les droits possédés au 1ᵉʳ janvier de l' « année normative » 1624, ce qui maintient le statu quo territorial des luthériens, à l'exception des villes de Haguenau et de Sélestat, où ils ont été soit expulsés, soit convertis. Les réformés obtiennent enfin la reconnaissance juridique au même titre que les luthériens, ce qui n'empêche pas la ville de Strasbourg de maintenir l'interdiction du culte réformé dans son territoire.

Ce statu quo apparent masque en réalité une terrible saignée démographique, qui a affecté il est vrai la totalité de la population alsacienne, comme l'attestent le dépeuplement, l'extension des friches et les multiples villages abandonnés. Aux massacres des soldats s'ajoutent les effets de la peste et des crises de subsistances. Le bailliage de Woerth (onze localités) ne comprend plus qu'une vingtaine de bourgeois en 1634. A Bouxwiller, modeste bourgade grossie par des réfugiés des environs, 2 319 personnes sont inhumées de 1632 à 1638. En 1641, la comtesse de Hanau-Lichtenberg affirme que le « comté a perdu plus de dix mille sujets de la peste, la guerre et la famine », alors que l'épidémie de peste de 1635 a tué les deux tiers de la population des possessions wurtembergeoises. La vie paroissiale est désorganisée et les rares pasteurs survivants, souvent miséreux en raison d'un salaire réduit à peu de chose, se voient confier la desserte de plusieurs anciennes paroisses, c'est-à-dire une vaste circonscription. Ainsi, Jérôme Bancowitz dessert trois bailliages, en tout dix-huit localités, dispersées sur plus de trente kilomètres entre Lembach et Niederroedern.

Reconstruction et renouveau spirituel

Au lendemain des Traités, autorités civiles et religieuses unissent partout leurs efforts pour réorganiser la vie paroissiale : modifications territoriales des paroisses en fonction de la population et des pasteurs disponibles, visites pour dresser un bilan matériel et spirituel, réorganisation des cultes, restauration des écoles et surtout appel à l'immigration de Suisses protestants, afin de maintenir la cohésion confessionnelle. Chassés par une crise économique et une jacquerie (1653), plusieurs milliers de Suisses viennent dans la seconde moitié du siècle reconstituer les forces démographiques du protestantisme rural, environ trois mille personnes dans le comté de Hanau-Lichtenberg, plus d'un millier dans le comté de Nassau-Sarrewerden. Il s'agit surtout de paysans, d'éleveurs, de forestiers et d'artisans ruraux, originaires pour la plupart de l'Oberland bernois.

L'œuvre de réorganisation ecclésiastique est considérable. Ainsi, dans le comté de Hanau-Lichtenberg, une collecte est organisée en 1656 dans toutes les paroisses. Une nouvelle ordonnance ecclésiastique et scolaire est publiée, qui tient compte de la nécessité de reprendre par la base l'éducation religieuse de tous. Elle adoucit l'exclusivisme confessionnel : autorisation de parrains réformés ou catholiques et interdiction d'invectiver les dissidents en chaire. Enfin, on poursuit l'unification des usages encore assez disparates (catéchisme, recueil de cantiques). Les rapports entre les deux confessions protestantes ne s'améliorent, en dépit de l'immigration suisse réformée, que très modérément : une visite de la seigneurie de Riquewihr (1655) se plaint de la résistance de plusieurs réformés. En 1654 pourtant, les réformés strasbourgeois obtiennent du comte de Hanau l'autorisation de construire un temple à Wolfisheim, situé à 6 km de la ville, où se rendent également les nombreux immigrés suisses du Kochersberg. Ils continuent néanmoins d'être exposés à des mesquineries diverses du Magistrat de la ville.

Cette reconstruction est arrêtée par la guerre de Hollande, durant laquelle l'Alsace est le théâtre d'importantes opérations militaires et de multiples dévastations et pillages, en particulier dans le comté de Nassau-Sarrewerden, que les troupes françaises traitent en terre ennemie, parce que le comte a pris le parti des adversaires de Louis XIV, et dans le comté de Hanau, ravagé au contraire par les Impériaux. Ici, des collectes faites dans les Eglises protestantes de Suisse, de Hollande et d'Allemagne aidèrent à relever les ruines.

Toutes ces épreuves ont au moins favorisé un certain renouveau spirituel. Les possessions wurtembergeoises ont bénéficié du luthéranisme rénové mis au point par Jean-Valentin Andreae, animateur d'actions charitables nécessitées par les misères de la guerre, créateur d'une catéchèse plus attrayante et partisan d'une religion plus intérieure, orientée vers la mise en pratique des vertus chrétiennes. A Strasbourg, Dannhauer sensibilise la nouvelle génération de pasteurs à la catéchèse, à la pastorale des fidèles et à leur mission éducatrice. Parmi ceux-ci émerge Philippe Spener, fils d'un fonctionnaire de Ribeauvillé. Fondateur du piétisme, il valorise le sentiment dans une spiritualité plus tournée vers l'étude et la lecture de la Bible. Certes, il a quitté l'Alsace dès l'âge de trente ans (1666), mais son ouvrage majeur, les *Pia desideria* (1675), y connaît un succès considérable, au moment où le protestantisme se voit confronté à une vigoureuse offensive catholique.

Vicissitudes de la royauté française

Les mesures coercitives

L'intégration des diverses seigneuries, qui culmine avec l'annexion de la ville de Strasbourg (1681), s'accompagne à partir de 1680 d'une entreprise de conversion destinée à installer la prééminence de la religion du souverain. En apparence, certes, les clauses religieuses des Traités de Westphalie sont respectées. Mais l'entrée française à Strasbourg va de pair avec la restitution de la cathédrale au culte catholique. Pendant plus d'une décennie, les protestants sont soumis à une intense pression destinée à les convertir. La propagande est orchestrée par l'appareil administratif et militaire français qui accorde de multiples faveurs d'ordre fiscal, financier et économique. Trois mesures sont essentielles : la première consiste dans l'introduction du *simultaneum*, c'est-à-dire la célébration du culte catholique dans l'église protestante, dans toutes les paroisses où il y aurait sept familles catholiques, ce qui encourage jésuites et capucins à découvrir ou à introduire des familles de journaliers catholiques dans les localités protestantes. Celles-ci disposent désormais du chœur, alors que les protestants doivent se contenter de la nef, ce qui pose fréquemment de délicats problèmes d'horaires des offices et de financement des réparations, et suscite des conflits plus ou moins violents, en particulier lors des enterrements. Cette pratique entretiendra pendant des siècles une animosité et une conscience confessionnelle très vive. Le *simultaneum* fut introduit dans environ 160 églises et il subsiste encore de nos jours dans une cinquantaine de localités. En maint endroit, ces minorités devinrent majoritaires en l'espace d'un siècle, surtout à Strasbourg et à Colmar. En 1683, une ordonnance exige que tous les baillis, prévôts et greffiers professent la foi catholique, sauf ceux des territoires de Deux-Ponts et de Hanau-Lichtenberg. La troisième mesure est l'introduction de la règle de la parité et de l'alternative en 1687 dans les villes protestantes : elle prive les bourgeois protestants de la moitié des dignités et des charges municipales et constitue une motivation efficace de la conversion auprès du patriciat et de la bourgeoisie aisée des villes libres. Il faut y ajouter pour les communautés du plat-pays de « douces violences », des vexations fréquentes et l'installation de curés royaux comme agents missionnaires. Le corps pastoral est étroitement contrôlé et la moindre résistance sévèrement punie. En outre, tous les enfants illégitimes doivent être élevés dans la religion catholique. Il s'agit d'une politique de conversions de masse dans les campagnes et individuelles au contraire dans les villes où, ne pouvant détruire le protestantisme, le gouvernement le comprime à plaisir.

Cette politique de contrainte subit une atténuation après 1689. Le traité de Ryswick (1697) confirme les libertés accordées aux protestants en 1648 et autorise l'émigration, qui semble avoir touché un nombre non négligeable de familles aisées. Au XVIIIᵉ siècle, la tension se relâche progressivement, mais seulement après le code noir (1727), qui renforce la législation existante, ce qui n'exclut pas des brimades isolées, voire quelques procès faits à des pasteurs.

Les résistances à la pression catholique

Certes, cette politique a connu un succès non négligeable : conversion d'une trentaine de localités dont le petit bailliage d'Offendorf en entier, ainsi que de vingt autres dans le Westrich, forte poussée à Strasbourg de 1685 à 1688, alors qu'ensuite le nombre des conversions reste inférieur à la centaine, tout en marquant une légère reprise de 1717 à 1730. Mais, malgré l'effort très réel de prédication et d'enseignement et l'attrait politique du changement de religion, il semble bien que la part des conversions reste minime, sauf dans les régions soumises complètement à l'autorité de l'intendant du roi ou astreintes à loger des garnisons. Partout ailleurs, l'obstacle que constitue l'influence du Magistrat ou du seigneur a persisté, d'où des estimations très diverses selon les sources catholiques ou protestantes, ce qui laisse ouvert le problème du nombre tout comme celui de la qualité des conversions et de leur influence sociologique. Il semble toutefois qu'elles soient surtout le fait des gens de passage (soldats, marchands, domestiques) et des nouveaux arrivants, ainsi que des femmes à la veille de leur mariage. Il semblerait qu'après 1730, les conversions, moins nombreuses, gagnent en qualité, du moins à Strasbourg, par le niveau social et les motivations spirituelles. Elles paraissent surtout affecter les deux extrémités de la hiérarchie sociale, les plus riches, attirés par les faveurs du pouvoir, et les plus pauvres, heureux de toucher quelque argent. A l'inverse, la masse intermédiaire de la petite bourgeoisie rurale et urbaine, solidement encadrée, a résisté avec vigueur. Ce succès semble moins dû à la piété des fidèles qu'à l'enracinement profond de la tradition luthérienne.

Dans les campagnes, certaines communautés ont résisté avec acharnement. A Oberseebach, une paroisse palatine, les réformés sont soumis à partir de 1697 à une double pression des autorités catholiques françaises et palatines, en particulier au fanatisme du bailli qui empêche tous les pasteurs nommés d'exercer leur ministère. Ce n'est qu'en 1783, après des interventions diplomatiques du roi de Prusse et une démarche à Versailles, que les paysans obtiennent le rétablissement de l'exercice du culte dans un oratoire construit grâce à des dons venus d'Alsace, du Palatinat, de Hollande, de Suisse et même de la cour de Prusse. Le comté de Sarrewerden a su résister de 1685 à 1697 à toutes les tentatives, en dépit de l'expulsion du corps pastoral, de l'absence de tout soutien politique, puisque le comté fut réuni à la France, et même de tout livre d'édification, puisqu'ils avaient été brûlés publiquement. Le comté de Hanau, en dépit du zèle des baillis, a résisté de manière compacte. Dans les terres wurtembergeoises placées sous séquestre jusqu'en 1697, la grande majorité de la population, privée de tout soutien politique, prend conscience de sa solidarité avec le corps pastoral face à l'attaque brusquée des jésuites et des capucins ; l'Eglise luthérienne inspire alors respect et confiance.

Un corps pastoral cultivé, digne et respecté

Au XVIIIᵉ siècle, le corps pastoral, jusque-là en majorité composé d'Allemands, surtout originaires de l'espace alémanique compris entre la Forêt Noire et la Bavière, est en train de s'alsacianiser. Cette mutation a été imposée par le ministre Le Blanc, qui a accordé en 1727 un véritable statut à la confession luthérienne, mais surtout étendu au clergé protestant la règle appliquée aux catholiques que tous les ministres du culte devaient être des ressortissants français. Bien qu'étant d'abord une grave entrave, cette mesure va favoriser les études théologiques et permettre la création d'un clergé autochtone mieux intégré dans les paroisses. Pour les deux paroisses de la vallée de Munster, seuls 26 pasteurs, qui ont presque tous exercé leur ministère au XVIIIᵉ siècle, sur 74 qui y ont séjourné de la Réforme à 1789, sont d'origine alsacienne. En 1770, la quasi-totalité des 106 pasteurs luthériens en fonction en Basse-Alsace sont des autochtones, issus surtout de milieux urbains que favorise la présence d'un gymnase (Strasbourg, Bouxwiller), milieux pastoraux et artisanaux surtout, c'est-à-dire les deux mêmes couches sociales qui constituaient déjà l'ossature du corps pastoral vers 1600. La masse paysanne continue de rester à l'écart. Le clergé est homogène à la fois par son origine, alsacienne et citadine, et sa formation au séminaire et à la faculté de théologie, qu'un bon tiers d'étudiants en théologie complète par un bref séjour à une université allemande. La carrière, très hiérarchisée, se caractérise par une faible mobilité et l'entrée tardive dans le ministère. A la différence des réformés, les princes et les magistrats gardent le droit de nomination, ce qui explique que le pasteur soit d'abord un fonctionnaire docile au service du pouvoir politique local. Son épouse, souvent issue du même milieu, fait preuve en général, à l'image de la mère de Frédérique Brion courtisée par Gœthe, de sensibilité religieuse, d'humeur égale, d'un vernis culturel et d'un robuste bon sens dans la gestion du presbytère, à la différence du mari parfois trop généreux ou idéaliste. Dans les presbytères, où selon un dicton de l'Alsace bossue, l'armoire est pleine de livres et la chambre pleine d'enfants, règnent une atmosphère de piété et des règles de vie bien définies : éducation soignée, comportement digne, vêtements propres, mais austères. Le chant religieux rythme la vie quotidienne, simple et modeste, et la générosité pour les pauvres et les mendiants y apparaît comme un devoir. Si la plupart des presbytères ont été reconstruits après 1648, au XVIIIe siècle, certains sont dans un état assez délabré. D'après les inventaires, la condition sociale des pasteurs n'est pas trop pitoyable. A l'image des classes aisées, les familles pastorales semblent souvent posséder une grande quantité de linge, de l'argenterie et quelques bijoux de valeur. Pourtant, leur salaire, quoique de diverses provenances, demeure le plus souvent assez modique. En dépit de difficultés épisodiques (sévérité excessive, médisances) et d'une certaine gravité sacerdotale, les rapports entre les fidèles et le pasteur sont en général excellents, et les témoignages abondent : volonté de garder le pasteur apprécié, offres de services, soutien en cas de brimades catholiques. Les ministres du culte demeurent des guides spirituels qui, en dépit d'une relative sécularisation de la société, laissent une forte empreinte sur bien des paroissiens.

La vitalité intellectuelle et spirituelle

La communauté de pensée et la volonté de fidélité cimentent la cellule paroissiale à la fois socialement et spirituellement. La pratique religieuse continue d'être massive, encouragée selon les cas soit par l'attrait des cérémonies, soit par l'éducation, soit par la contrainte : pour les récalcitrants, tout un système d'amendes est mis en place. Les prédications traitent toujours les mêmes péricopes selon un schéma identique : introduction exégétique, exposition dogmatique et brève conclusion d'ordre pratique. Les cultes gardent une dignité qui impose le respect aux catholiques de passage. L'unification des usages cultuels se poursuit avec la publication d'un nouveau recueil de cantiques (1707), augmenté en 1735, à Strasbourg, où la musique tient une place intéressante. Depuis le XVIe siècle s'est créée une solide tradition musicale dont témoignent la floraison de l'art des maîtres-chanteurs, la ferveur manifestée pour le chant spirituel, de nombreux instrumentistes réputés et quelques compositeurs de valeur comme Walliser (1568-1648). Les étudiants doués obtiennent une solide formation d'organiste qui leur permet de rehausser la solennité de certaines cérémonies avec des chœurs soutenus par un orchestre. Pourtant, l'essor de la musique religieuse allemande, sous l'impulsion de Bach, ne touche que modérément l'Alsace, ce qui explique le déclin de certains chœurs après 1750.

Par contre, la célébrité du facteur d'orgues André Silbermann et de ses fils incita une vingtaine de paroisses, dont les sept de Strasbourg, notamment Saint-Thomas et le Temple-Neuf, qui se fait installer un véritable chef-d'œuvre avec 45 jeux, plusieurs bourgades dont Barr,

Bouxwiller, Wœrth et Wissembourg, des communautés réformées (Mulhouse et Bischwiller), et même de modestes villages comme Geudertheim, Muhlbach et Muttersholz, en une dimension plus réduite il est vrai, à financer au cours du siècle des orgues de style Silbermann, caractérisés par une sonorité argentine, une musique plus claire et plus rayonnante qui rend la polyphonie dense de Bach. Il s'agit d'une synthèse de la facture baroque austro-italienne et de la facture française, qui présente sur le plan esthétique un buffet agréable à l'œil et de très belles boiseries (chérubins, guirlandes et couronnes) merveilleusement sculptées. Ces orgues ont permis de favoriser la composante musicale de la liturgie et de rehausser l'éclat des offices.

La catéchèse, obligatoire partout, est modifiée en 1683 à Strasbourg, afin d'exercer chez les élèves les facultés de jugement ; elle est complétée dans les écoles paroissiales qui semblent exister partout, favorisant ainsi un taux élevé d'alphabétisation dans la population protestante, ce qui a contraint l'Eglise catholique à imiter le mouvement. Les observateurs sont frappés par la bonne connaissance de la religion chez les fidèles strasbourgeois. Dans les campagnes, les rites religieux pénètrent profondément l'existence quotidienne : attachement au clocher, devises gravées sur les portails et souhaits de baptême.

C'est vraisemblablement à la fois l'enracinement, la solidité doctrinale et la vitalité spirituelle qui expliquent le maintien du protestantisme strasbourgeois. On peut distinguer sur le plan démographique quatre phases d'inégale durée. Certes, l'annexion a entraîné une crise de confiance et une perte de 10 % des fidèles de 1681 à 1697, mais le ralentissement de la pression catholique provoque une vigoureuse reprise renforcée par une immigration non négligeable, soit un gain de 3 000 personnes (15 %) de 1705 à 1725. Puis les difficultés diverses provoquent une chute de 13 % de la population luthérienne, entraînant une léthargie jusqu'en 1770 avant de connaître un nouvel essor. En fait, après 1765, les luthériens cessent d'être majoritaires dans la ville, alors que la fécondité légitime familiale catholique ne semble dépasser que de très peu celle des protestants.

Sur le plan moral, la quasi-totalité des protestants continue à se soumettre à la discipline ecclésiastique. La rigueur pénètre la vie du paroissien tout entière. Dans le comté de Hanau, les conseils presbytéraux, chargés de l'assistance et du maniement de la discipline, sont rétablis en 1736. Ils peuvent proposer l'exclusion de la Cène de ceux qui ne se sont pas amendés après plusieurs avertissements. La réadmission nécessitait un interrogatoire minutieux par le pasteur, et avait lieu avec solennité lors d'un culte. En fait, le conformisme du comportement reste rigoureux : la proportion des naissances illégitimes demeure faible, une tous les cinq ans dans le village de Berstett de 1600 à 1737, 1,46 % des naissances strasbourgeoises de 1662 à 1673, 1,06 % dans la paroisse de Saint-Thomas (1705-1727), pourcentage nettement inférieur à celui des paroisses catholiques. Mais après 1770, en dépit de la persistance d'un certain rigorisme, les luthériens ne peuvent se préserver de la libéralisation des mœurs : ils contribuent pour 25 à 33 % au taux d'illégitimité qui atteint 10 % de 1770 à 1780 et 15 % de 1780 à 1789.

Plus difficiles à cerner que l'impact social sont les croyances personnelles. Le concept de Dieu est répandu massivement, un Dieu miséricordieux et paternel, mais c'est plus flou dans la vie quotidienne. Face à la mort, prières et cantiques, simples et accessibles à tous, préconisent la confiance en Dieu et la préparation à l'épreuve. Dans les testaments strasbourgeois, la formule traditionnelle « Considérant la faiblesse humaine, la certitude de la mort, mais l'incertitude de l'heure » est de moins en moins utilisée après 1770. L'invariabilité et la sécheresse de l'expression évoquent plus une convention notariale que l'expression d'une préoccupation profonde des testateurs. Pour les obsèques, ceux-ci se différencient nettement des catholiques : depuis la Réforme, ils font confiance à leur famille et au pasteur pour un enterrement « chrétien et digne », seule précision fournie dans les testaments. La préoccupation du salut s'exprime par une invocation à Dieu, soit sous sa forme trinitaire, soit sous sa forme unique ; le rachat par le sang du Christ n'est évoqué qu'assez rapidement. La pratique des dons semble être répandue. La paroisse Saint-Thomas a reçu 18 legs d'un montant total de 10 000 livres offerts par une élite intellectuelle, politique et économique de 1681 à 1789. Dans les testaments de bourgeois, nombreux sont les legs destinés aux pauvres honteux des paroisses.

La diffusion du livre entretient la vie spirituelle en dehors de la fréquentation du culte. La Bible, ouvrage d'édification, est un trésor familial, largement répandu, au même titre que le mobilier de prix ou la vaisselle d'argent. La littérature d'édification connaît une importante diffusion au XVIII° siècle, en particulier les recueils de sermons et de cantiques : ces derniers ont une valeur affective considérable, car très souvent le testateur en détermine le bénéficiaire. Le *Betkämmerlein* de Lenz, un livre de prières paru en 1750, connaît de nombreuses rééditions qu'explique le souci d'entretenir les croyances, de réconforter les inquiets et de raviver la foi. Cette littérature d'édification est répandue dans un grand nombre de familles. Ainsi s'est élaborée une piété populaire rurale que caractérisent sa simplicité, sa rigueur et son austérité. Cependant, l'élimination des dévotions anciennes ne s'est pas faite sans résistances ; ainsi, le culte de saint Valentin se maintient à Hurtigheim jusqu'à la fin du XVIIᵉ siècle.

En fait, ce protestantisme connaît plusieurs facettes qui le tiraillent entre une certaine sclérose, une vitalité intellectuelle et un renouveau spirituel. Le régime monarchique ne tolère que les usages effectivement pratiqués en 1681, d'où la crainte permanente de susciter une réaction. Ainsi, on n'ose célébrer le second jubilé de la Réforme en 1717, et celui de la Confession d'Augsbourg n'est évoqué que dans les cultes pour la jeunesse. Confinée dans ses traditions deux fois séculaires, l'Eglise luthérienne n'a pas su faire sa mutation. Les Kirchenpfleger, représentants du Magistrat strasbourgeois, ont livré une lutte permanente contre toutes les déviations doctrinales, en particulier les sectaires piétistes, et surveillé de près les activités pastorales.

Mais le conservatisme n'exclut pas la vitalité intellectuelle. Si le gymnase n'a plus le renom du temps de Sturm, il reste une école locale très respectable qui fournit une solide culture à la bourgeoisie protestante de la ville et des bailliages ruraux, ainsi qu'aux familles nobles de la province. L'Université de Strasbourg acquiert un grand prestige, indice du niveau culturel élevé dans les milieux intellectuels protestants, qui ont pu produire à la fois les maîtres assurant l'enseignement et des savants de réputation universelle. En 1770, elle est encore un établissement de très haute qualité et de grande renommée tant en France que dans le monde germanique.

Le mouvement piétiste

Cette vitalité affecte aussi la vie spirituelle. L'orthodoxie, enfermée dans un carcan trop rigide, néglige dans une certaine mesure les besoins sécurisants et d'édification d'une partie des fidèles. Aussi, vers 1700, de nombreux protestants alsaciens, insatisfaits d'un culte trop froid, d'une vie paroissiale à leur avis trop impersonnelle et de théologiens trop cérébraux, se tournent vers Spener, dont le mysticisme, les conventicules intimes et le sentimentalisme subjectif latent répondent davantage à leurs aspirations naturelles. Certes, l'importance numérique des adeptes du piétisme ne peut être précisée. Ceux-ci augmentent rapidement tant à Strasbourg qu'à la campagne ; grâce à quelques artisans et surtout grâce à de jeunes théologiens, les réunions de « réveil » eurent tant de succès que le convent engagea tous les pasteurs strasbourgeois à mettre leurs paroissiens en garde contre ces conventicules aux « menées criminelles et perverses ». Les autorités civiles destituèrent plusieurs jeunes pasteurs ou les bannirent. Dans le comté de Hanau, les fidèles sont invités en 1716 à fuir les piétistes « comme une épidémie contagieuse ».

Après 1735, ce mouvement connaît une nouvelle impulsion sous l'influence du comte saxon de Zinzendorf, dont la piété fut introduite en Alsace par deux étudiants revenus de l'Université d'Iéna. Mais les conventicules se heurtent à une violente réaction du convent, inquiet d'être accusé de complicité et donc de fournir au pouvoir royal un prétexte pour abolir les privilèges maintenus aux luthériens d'Alsace. La situation s'envenime également dans le comté de Hanau, où l'Eglise s'ouvre elle-même à l'esprit piétiste. Dans cette région rurale, on a toujours mis l'accent sur la piété du cœur et la pratique des vertus chrétiennes au sein de la famille et de la paroisse. Or, les manuels d'enseignement religieux de Halle, foyer piétiste situé dans le royaume de Prusse, sont admis au gymnase de Bouxwiller, et le surintendant de l'Eglise introduit en 1737 un recueil de cantiques qui contient de nombreux chants d'inspiration piétiste. Son titre, *Le petit pigeon roucoulant*, est un indice de l'influence de l'émotivité et de la tendance à la mièvrerie souvent reprochées aux frères moraves. Après 1740 se forment des conventicules plus ou moins importants dans de nombreuses paroisses grâce à la sympathie des deux principaux pasteurs du comté révoqués en 1744. Ces cercles piétisants, constitués de pasteurs et de fidèles de la plupart des localités et débordant sur les seigneuries voisines, sont alors pris en charge par la communauté des frères de Herrnhut, qui rallie également plusieurs pasteurs du comté de La Petite-Pierre de 1740 à 1760. A Strasbourg, une communauté morave est fondée en 1745, et une servante constitue même un conventicule féminin. Plusieurs familles engagent des précepteurs piétistes. Après 1750, le relâchement de la pression catholique favorise la multiplication des conventicules, approuvés même par certains pasteurs. La jeune génération recherche une piété moins traditionaliste et formaliste, plus personnelle et plus vivante, ce qui favorise un renouveau de la vitalité spirituelle à Strasbourg, qu'illustre le ministère de Jean-Sigismond Lorenz : ce dernier fait de Saint-Pierre-le-Jeune le centre de ralliement des éléments piétistes de toute la ville, désormais si bien intégrés à l'Eglise luthérienne que la communauté des frères moraves se réduit à quelques dizaines de personnes. Devenu professeur à l'Université, il s'est efforcé d'amener les futurs pasteurs à une religion du cœur, à un attachement personnel et fervent au Christ et à une consécration totale à son service. Ses recueils de sermons ont connu une large audience, notamment dans la bourgeoisie moyenne et le milieu des artisans. Dans les campagnes du pays de Hanau, des petits groupes de frères moraves subsistent jusqu'à la Révolution. Ils ont contribué à diffuser les livres d'édification de Lorenz dans de larges milieux ruraux. L'apogée du piétisme se situe vers 1772 avec le foyer de Langensoultzbach, où eut lieu une « convention » des moraves de la région, et où séjournent les prédicateurs itinérants envoyés par Herrnhut qui sont reçus chez plusieurs pasteurs.

Des préoccupations sociales nouvelles : l'œuvre d'Oberlin

La vitalité s'exprime aussi par l'intérêt porté par certains pasteurs de campagne au sort matériel de leurs paroissiens, en devenant parfois des pionniers de la mutation agricole. Ainsi Christian Schröder, pasteur à Schillersdorf, s'est acquis une réputation comme agronome : il introduit la culture du trèfle dans la sole réservée à la jachère, ce qui transforme l'agriculture dans le comté de Hanau.

Mais le théologien le plus représentatif de ce courant est incontestablement Oberlin, nommé en 1767 à Waldersbach au Ban de la Roche, qu'il allait, par une patience méthodique, profondément modifier durant un ministère de 59 ans. Il joint à une solide culture la faculté de saisir par intuition immédiate les réalités spirituelles, mais aussi la connaissance du travail agricole et de l'emploi de certains instruments artisanaux. Piétiste intensément préoccupé du salut des âmes, il a un sens aigu de la communauté des fidèles, s'efforçant de faire de sa paroisse un corps organisé, un corps en Christ. En même temps, il partage les préoccupations humanitaires de son siècle : il considère de son devoir de lutter contre la misère physique pour permettre l'épanouissement psychologique, facteur non négligeable d'une vie spirituelle rayonnante. Il veut faire reconnaître aux paroissiens de cette région, rude et maigre, que leur terre peut récompenser le travail intelligent et opiniâtre. L'originalité d'Oberlin a été de réaliser une synthèse dans son action pastorale entre les éléments spirituels et l'action humanitaire et sociale. Son œuvre est d'abord scolaire : création d'une école dans chaque village, formation de maîtres talentueux, confection de manuels, pédagogie active soucieuse du concret, organisation des premières écoles maternelles (poêles-à-tricoter) et initiation à la vie professionnelle (agriculture, couture). En même temps, Oberlin entreprend une tentative de rénovation économique : amélioration de l'agriculture, introduction de la culture de la pomme de terre, formation d'artisans capables, introduction du tissage à domicile, travaux de voirie. En dépit d'une activité matérielle aussi diversifiée, Oberlin demeure toujours conscient que l'essentiel consiste d'abord à former des chrétiens solidaires en marche vers le Royaume au moyen du culte, de l'étude de la Bible et de la prière.

Isolement et vitalité des réformés et des mennonites alsaciens

En dehors des paroisses rurales palatines au nord et de quelques villages peuplés de descendants de huguenots en Alsace bossue, les réformés sont avant tout des citadins dont les communautés demeurent relativement isolées les unes des autres, privées de tout organe fédérateur et de toute Faculté de théologie. De plus, ils se heurtent à l'hostilité conjointe des luthériens, surtout à Strasbourg, et du pouvoir monarchique qui redoute autour de 1685 que les calvinistes alsaciens ne constituent un foyer d'appel pour leurs coreligionnaires de la France, d'où l'interdiction de tout culte en français par crainte d'un éventuel prosélytisme. Seuls des étrangers peuvent continuer d'être reçus à Strasbourg en qualité de bourgeois et de manants. Dans les campagnes luthériennes, les immigrés suisses, considérés parfois, c'est le cas dans le Kochersberg, comme indésirables, sont lentement assimilés par des mariages mixtes. Au cours du XVIIIᵉ siècle, leur situation demeure souvent précaire, car ils sont à la merci de la conjoncture politique. Ceux de Bischwiller et de Sainte-Marie-aux-Mines sont protégés par le prince palatin Chrétien III, lieutenant général du roi, et par les cantons suisses que le gouvernement français est obligé de ménager. En 1762 encore, Choiseul se borne à maintenir le statu quo pour l'exercice du culte, dont le rétablissement est interdit partout où il a été supprimé.

Les diverses communautés, en raison de leur hétérogénéité, méritent d'être présentées. Celle de Strasbourg ne peut se réunir qu'à Wolfisheim. Elle compte 1 523 âmes en 1697, renouvelées par un courant d'immigration suisse qui se tarit lentement. Au cours du XVIIIᵉ siècle, elle connaît un déclin irrémédiable et il faut attendre 1788 pour obtenir un lieu de culte à Strasbourg. Il n'en est pas de même à Bischwiller, ville-refuge, dont l'essor est lié à l'accueil en 1619 de la colonie huguenote de Phalsbourg expulsée par le duc de Lorraine. Son originalité réside dans un pluralisme religieux unique en Alsace : à côté de la paroisse réformée de langue française, née de l'immigration, existent une paroisse réformée allemande qui comprend la grande majorité de la population autochtone, une paroisse luthérienne peu nombreuse, et depuis 1686 une petite paroisse catholique. Bien qu'au XVIIIᵉ siècle les deux communautés réformées ne se distinguent plus sur le plan linguistique, ce sont les membres de la paroisse française qui, par leur dynamisme économique et leur rang social, constituent l'élément moteur de la vie du bourg. On peut les caractériser par leur sens de la solidarité, leur conviction religieuse et un niveau culturel supérieur à la moyenne (90 % des hommes et 80 % des femmes alphabétisés après 1760), éléments constitutifs d'une mentalité de minorité religieuse. La cité de Sainte-Marie-aux-Mines connaît une situation analogue, à ceci près que la communauté luthérienne est formée surtout de mineurs, et que les réformés n'ont qu'une paroisse en dépit de la barrière linguistique et en partie sociale qui oppose les descendants de réfugiés français, assez aisés, et les Suisses et Palatins installés surtout après 1650 et de condition souvent plus humble. Mais cette paroisse est solidement organisée et dirigée par un consistoire qui impose une discipline analogue à celle de Mulhouse, où l'homogénéité confessionnelle est préservée jusqu'à l'annexion à la France (1798). Si les luthériens ne sont pas autorisés à célébrer la Cène, par contre, une fraction de la population sympathise avec les piétistes speneriens au début du XVIIIe siècle, puis avec les frères moraves, tandis que le patriciat, qui domine depuis la Réforme à la fois la vie politique et l'Eglise, grâce à d'importants capitaux amassés depuis un siècle, devient vers 1750 le moteur d'une rapide industrialisation qui entraîne une profonde mutation de la ville et des vallées vosgiennes catholiques. A Colmar, par contre, longtemps plus proche des réformés que des luthériens, l'implantation du Conseil souverain entraîne l'isolement croissant de la minorité protestante : repliée sur elle-même, elle forme un bloc cohérent, dont la vitalité s'affirme avec l'amélioration des manuels d'enseignement religieux et surtout l'activité d'une « Société Littéraire » qu'anime Pfeffel, conseiller avisé de tous les protestants de la région, et qui devient le foyer de diffusion de l'esprit des Lumières.

Alors que les réformés n'ont qu'un statut précaire, les mennonites demeurent en dehors de l'ordre monarchique. Après avoir failli être éliminés de l'Alsace après 1560, ils arrivent dans la province en grand nombre après 1650, pourchassés par les autorités helvétiques, et attirés par la possibilité de mise en valeur des terres abandonnées. Ils prennent en charge des fermes isolées et défrichent. Plusieurs seigneurs accordent leur protection à ces agriculteurs et éleveurs émérites, dont ils apprécient la compétence et le labeur. Constamment à la merci d'une expulsion par le pouvoir monarchique, ils cultivent en famille une piété biblique et continuent à se distinguer par leur refus du serment et du port des armes. Vu leur dispersion, en particulier dans les vallées vosgiennes, toute appréciation quantitative est aléatoire ; ils sont au moins un bon millier puisqu'on a recensé 62 familles avec 494 personnes dans seize endroits du seul diocèse de Strasbourg.

Le maréchal de Saxe à Saint-Thomas

Résistance et solidité, voilà aussi les caractères des luthériens qui, stimulés par la vitalité catholique, maintiennent une stricte discipline des mœurs et du dogme. Respectueuses de l'ordre établi avec lequel elles s'allient pour la défense des positions dogmatiques et sociales, les Eglises protestantes affirment leur autonomie spirituelle dans un souci de fidélité à elles-mêmes et à leurs traditions. Elles forment près du tiers de la population alsacienne à travers tout le XVIII° siècle, soit environ 200 000 personnes en 1789, réparties en 160 paroisses desservies par plus de 200 ministres. Privilégiés de l'Ancien Régime, les dirigeants luthériens désirent le rester et redoutent toute innovation en matière religieuse.

Et pourtant, les protestants subissent l'influence du siècle des Lumières. S'ils demeurent soumis avec résignation à un ordre monarchique chicanier et hostile, c'est l'enterrement du maréchal de Saxe à Strasbourg (1751) qui rompt véritablement la glace et qui va provoquer progressivement une adhésion des cœurs à la communauté nationale française. L'Eglise luthérienne donne à la cérémonie un éclat considérable par la formation d'un cortège pastoral de 126 personnes incluant les étudiants et une ornementation foisonnante du Temple-Neuf. L'office très digne comprend un sermon sur les héros, un panégyrique grandiloquent et l'exécution de plusieurs cantates. Ces obsèques officielles ont profondément impressionné la population protestante plus habituée aux brimades qu'aux honneurs, comme l'attestent les nombreux poèmes de circonstance. En 1773, l'inauguration du mausolée dans l'église Saint-Thomas est l'occasion d'une brillante cérémonie entièrement en français.

Le ralliement à la France, qui se manifeste également lors du premier centenaire du rattachement de Strasbourg au royaume, est consacré en 1787 par l'Edit de tolérance qui, en Alsace, rétablit les calvinistes dans l'ordre monarchique et permet enfin aux luthériens l'accès à toutes les charges et emplois.

Cette évolution est favorisée par le rationalisme qui attire également vers 1780 une partie de la jeune génération ; elle se réunit en sociétés littéraires à Colmar et à Strasbourg, et publie un hebdomadaire pour la bourgeoisie éclairée sans être athée et croyant sans être mystique. Blessig, pasteur et professeur, philanthrope convaincu qui organise des secours pour les nécessiteux, est un représentant typique de ce nouvel esprit qui affecte surtout les milieux dirigeants.

La tourmente révolutionnaire

En 1789, les élections aux Etats Généraux assurent en Basse-Alsace 22 sièges sur 24 aux catholiques, ce qui incite les membres du Magistrat de Strasbourg et les consistoires des villes de la Décapole à rédiger un cahier des doléances qui demande la confirmation et surtout l'amélioration de leur sort. Mais après cette alerte, la Déclaration des Droits de l'Homme et du Citoyen et diverses mesures égalitaires vont rallier une large majorité de protestants à la Révolution, alors que les catholiques vont au contraire prendre leurs distances : le clivage politique va recouvrir la division des religions. En dehors de la ville de Strasbourg où s'est constitué au cours du XVIII⁰ siècle un important sous-prolétariat catholique, il n'existe pas de « sur-représentation électorale » des protestants. Par contre, ceux-ci semblent avoir manifesté davantage d'ardeur pour les différentes élections. Bon nombre des artisans et des paysans ont été touchés par un hebdomadaire révolutionnaire modéré créé en 1790, les *Wöchentliche Nachrichten*, puisque trois dépositaires sur cinq sont des pasteurs. Malgré son attachement à ses privilèges, à ses mœurs patriarcales, à ses traditions locales et à sa langue alémanique, la population protestante salue avec enthousiasme les idées de 1789. Grâce à l'action du jurisconsulte Koch, les biens ecclésiastiques protestants sont exempts de la sécularisation et maintenus jusqu'à aujourd'hui, en particulier ceux du chapitre Saint-Thomas, important propriétaire foncier. L'esprit de la Réforme et l'idéal de la Révolution se rencontrent pour se fondre dans un nouvel amour de la patrie : les protestants deviennent rapidement des citoyens modèles — les pasteurs prêtent volontairement le serment civique à Strasbourg en 1791 — et se caractérisent par l'absence de tout extrémisme marqué et la volonté de liberté dans l'ordre. La vente des biens nationaux permet le ralliement de nombreux paysans protestants qui en profitent pour étendre largement leur propriété rurale, à la différence des catholiques en partie paralysés par les interdits religieux et qui ont acheté beaucoup moins de terres globalement. Mais ils ne forment pas un bloc : hormis la petite minorité favorable à la Contre-Révolution, représentée surtout dans certains secteurs du Nord du Bas-Rhin, ils se partagent entre l'option girondine qui rallie le grand nombre, l'option jacobine, et sous le Directoire l'option centriste, en fonction d'intérêts matériels. Dans les diverses élections entre 1789 et 1799, il semble que la notoriété et le rang social ont joué un rôle infiniment plus grand que l'appartenance religieuse.

La Terreur, qui s'installe en octobre 1793, désorganise totalement la vie des Eglises : l'exercice du culte disparaît complètement dans le Bas-Rhin. L'abjuration fut réclamée des pasteurs sous menace de déportation à Cayenne. Mais il n'y eut pas, sauf à quelques exceptions près, de véritables reniements de la foi chrétienne. Seuls une vingtaine sur 220 pasteurs ne reprirent pas, pour des raisons diverses, leur ministère après la Terreur, se lançant en particulier dans la politique. Dans les campagnes, la majorité a réussi à demeurer sur place, voire à tenir des réunions spirituelles clandestines, grâce à la connivence de fidèles paroissiens.

Si, lors du rétablissement des cultes en 1795, la situation des Eglises protestantes est moins tragique que celle des catholiques, elle n'en demeure pas moins affligeante : les troubles politiques et l'invasion autrichienne ont ébranlé la croyance du peuple, favorisé l'indifférence et provoqué une misère morale et matérielle dans les presbytères. Bien des communes rurales paient mesquinement leur pasteur et lui causent toutes sortes d'embarras et de déboires. La situation demeure précaire sur plusieurs plans : absence d'unité entre les paroisses, dissensions, particularisme, interruption des études théologiques, précarité des revenus pastoraux en partie saisis en dépit de l'exemption des biens protestants lors de la sécularisation des biens de l'Eglise catholique. Aussi, le besoin d'une reconstruction administrative et constitutionnelle est-il vivement ressenti par les responsables lucides : le terrain est ainsi prêt pour l'œuvre unificatrice du Consulat.

Les confins alsaciens : les protestants de Metz et de Montbéliard

Si le duché de Lorraine est demeuré fermé à la Réforme, par contre quelques communautés luthériennes ont pu se former et se maintenir sur les confins de l'Alsace bossue en dépit de vicissitudes. La ville de Metz, autonome jusqu'à son annexion par la France (1552), a vu s'implanter une communauté réformée active, qui a surtout progressé après 1560 sous le ministère de Pierre de Cologne. Elle devint pour un siècle l'une des Eglises réformées les plus florissantes de France sous la direction de pasteurs remarquables tels que Paul Ferry et David Ancillon. Elle comprend près de 6 000 personnes. La Révocation de l'Edit de Nantes provoque sa destruction : près de 3 000 départs en exil, dont un bon nombre vers le Brandebourg, mais aussi le maintien de quelques centaines demeurés fidèles à leur foi, entretenue par des contacts avec les protestants sarrois, et qui vont obtenir le rétablissement du culte en 1803.

Tout différent est le protestantisme montbéliardais, véritable pont entre le luthéranisme germanophone et la Réforme calviniste francophone. Cette possession du Wurtemberg voit s'implanter une Eglise structurée (1538) sous Pierre Toussain, premier surintendant, qui fait appel à des pasteurs français et neuchâtelois. Après 1555, l'orthodoxie luthérienne élimine non sans difficultés les conceptions réformées de certains pasteurs. A partir de 1557, le séminaire de Tübingen, grâce à une fondation de six bourses annuelles, assure la formation théologique de tous les futurs ministres du comté. La Guerre de Trente Ans provoque comme en Alsace une mortalité effroyable, ce qui incite le comté à se recroqueviller sur lui-même dans une religiosité très stricte, tandis que la chasse aux sorcières, ouverte en 1554, redouble d'intensité jusqu'à son arrêt définitif en 1660. Mais l'œuvre de reconstruction fut contrariée par une occupation française de plus de vingt ans qui pratiqua la même politique de brimades à l'égard des luthériens qu'en Alsace. Le XVIIIᵉ siècle est à la fois une période de restauration et de lutte dans le cadre d'une Eglise fonctionnarisée à l'extrême. Un renouveau spirituel est animé par deux générations de pasteurs ruraux, dont la seconde est en liaison avec les frères moraves. La vitalité des écoles paroissiales et des consistoires suscite une véritable piété populaire, tandis que les ministres constituent une caste lévitique composée de dynasties apparentées par un réseau endogamique très serré, telles les Duvernoy, les Cuvier ou les Goguel. Toutefois, la solidité de l'empreinte luthérienne va être mise à mal par la Révolution, où lors du rattachement à la France (1793) une grande partie de la population et de nombreux pasteurs passent du confessionnalisme au rationalisme ou au radicalisme.

Les déserts (1685-1800)

L'Edit de Fontainebleau ouvre une période de plus d'un siècle (jusqu'à l'Edit de Tolérance de 1787), où le protestantisme n'existe plus en théorie dans le royaume de France. Et pourtant, malgré l'apparente facilité des abjurations et l'acharnement des autorités à poursuivre les récalcitrants, la majorité des religionnaires conservent leur foi ; ils réussirent même à reconstituer certaines structures ecclésiastiques. Cette Eglise clandestine et illégale, ils la surnommèrent, par référence aux épreuves de l'Israël biblique, l'Eglise du « Désert ».

Cependant, les réactions protestantes face à la politique royale varièrent à la fois selon les catégories sociales, l'origine géographique et l'époque considérée : du double jeu des notables à la résistance ouverte et violente des Camisards cévenols, les nuances sont infinies. Les premiers historiens protestants, à la suite des pasteurs du Désert eux-mêmes, opposaient nettement le comportement pacifique de l'Eglise animée par Claude Brousson avant 1698 ou par Antoine Court et Paul Rabaut après 1715 à la violence camisarde qu'ils récusaient. La tradition orale en Cévennes tend au contraire à les réunir dans une même continuité. L'historien actuel serait enclin à lui donner raison contre l'historiographie initiale. L'opposition réelle se situe entre ce que Léonard appelait déjà le premier Désert (ou Désert héroïque), c'est-à-dire la période 1685-1760, et le second Désert où s'instaure une tolérance de fait qui permet d'assister aux cultes interdits, généralement sans risque.

L'unité du désert héroïque

Une menace permanente.

A travers 75 ans, trois constantes font l'unité de l'époque : la persécution soit larvée soit ouverte, l'humble condition des participants au culte interdit, et leur « fondamentalisme » biblique.

On connaît bien la persécution au temps de Louis XIV : le chapitre précédent en a déjà montré plusieurs formes. La fiction de la Révocation — tous les protestants ont été convertis — permet aux autorités d'obliger les obstinés à suivre la messe, à communier et à envoyer leurs enfants au catéchisme. En outre seuls les registres paroissiaux catholiques confèrent l'existence légale ; « les nouveaux convertis » doivent se marier à l'église sous peine d'être considérés comme vivant en concubinage notoire, et faire baptiser leurs enfants par le prêtre ; au moment de la mort, ils sont aussi obligés d'accepter le curé. Les moyens de pression sont très variés, depuis les amendes collectives ou individuelles et les logements de troupes jusqu'aux galères, si l'on a, par exemple, refusé le prêtre à la suite d'une maladie grave dont on a eu la chance (ou la malchance) de réchapper — en cas de mort, le cadavre du récalcitrant était traîné sur la claie et jeté à la voirie. La galère est aussi la règle pour tous les hommes surpris aux cultes interdits, tandis que les femmes sont envoyées dans les prisons ; quant aux responsables de ces réunions, ils risquent la mort.

Le royaume de France est ainsi parsemé de lieux où se déroula le martyre protestant : le plus célèbre est la Tour de Constance à Aigues-Mortes, mais il y en eut beaucoup de moins connus : ainsi, dans le Nord, les châteaux de Guise et de Ham, à l'Ouest ceux de Saint-Malo, Saumur, Angers, Nantes, Niort et Angoulême, dans le Midi Ferrières, Carcassonne ou la tour de Crest. La prison de la Bastille elle-même reçut une centaine d'opiniâtres en 1685-1686. Les Hôpitaux généraux, qui eurent vocation à partir du milieu du XVIIᵉ siècle à enfermer les marginaux, fous, malades, indigents, ouvrirent largement leurs portes à ces « fous de Dieu ». C'est ainsi qu'à Valence, le directeur Hérapine s'était spécialisé dans les abjurations à coups de nerf de bœuf. Les couvents servaient aussi de prison, ne serait-ce que pour les enfants des plus obstinés. Cependant, à côté de véritables tortionnaires, certains gardiens surent se laisser émouvoir et manifestèrent leur compassion. La Poitevine Anne de Chauffepié raconte, par exemple, que retenue au couvent de Niort, elle eut le bonheur d'être aimée des religieuses ; quand on la déplaça, « la supérieure vint elle-même me donner cet avis [de départ] avec des larmes de douleur et avec des paroles pleines de tendresse ». Elle fut ensuite enfermée dans la prison de Chartres avec d'autres religionnaires où, dit-elle, « plusieurs personnes papistes eurent pitié de notre état et nous visitèrent quelquefois avec des mouvements de charité bien obligeants ». Deux ans après la Révocation, les divers lieux de détention se révélant trop étroits, l'autorité royale décida de déporter aux Antilles des Languedociens qui avaient refusé d'abjurer : trois convois partirent donc de Marseille et un de La Rochelle. Parfois enfin le pouvoir finissait par se lasser ; au printemps 1688, on expulsa des protestants qui avaient subi sans faiblir dragonnades et emprisonnements : ils étaient « irrécupérables ».

Mais bien d'autres n'eurent pas ce privilège et terminèrent leur vie à la chiourme : ce fut en effet la peine la plus souvent prononcée contre les « opiniâtres » ; c'était aussi la plus pénible, en dehors du châtiment suprême, en particulier lorsque les galères étaient en campagne : les protestants sont « alors enchaînés par les pieds et attachés par les mains à une rame infâme, couverts de sang et de sueur, la tête rasée et le torse nu, exposés à l'ardeur du soleil, accablés de coups de cordes et de bâtons, obsédés par des bourreaux qui les couvrent d'injures les plus infâmes en leur crachant au visage (...), entre des scélérats et des brigands qui souvent sont traités plus humainement qu'eux » (lettre d'un galérien à un pasteur réfugié en mai 1693). En 1699-1700, on voulut même les contraindre à soulever leur bonnet pendant la messe au moment de l'élévation, ce qui était à leurs yeux un acte d'idolâtrie et donc le premier pas vers l'abjuration. Beaucoup refusèrent et furent alors condamnés au supplice de la bastonnade, c'est-à-dire qu'ils recevaient de 15 à 100 coups de cordes mouillées sur leur torse nu. Connue à l'étranger, cette pratique alimenta la propagande contre Louis XIV qui ordonna une enquête. Celle-ci montra que les bastonnades, « loin de convertir les huguenots, les affermissaient dans leur religion et les détournaient du catholicisme » ; elles furent donc abandonnées. Cette victoire morale était certes due à la qualité spirituelle et morale de ces « confesseurs de la foi », tel ce Pierre Serres qui écrit le 1ᵉʳ juillet 1702 : « Mes maux sont grands, mes faiblesses plus grandes encore, mais parmi tous ces maux et ces faiblesses, j'espère de demeurer plus que victorieux par Celui qui m'a aimé... La religion, à laquelle mon salut est attaché, me console de tout et rien ne saurait me consoler de sa perte. » Mais elle est aussi le fruit de la cohésion de la « petite république chrétienne des forçats » qui s'était donné en 1699 un règlement, avait su établir des complicités avec l'extérieur et l'étranger, faisant passer lettres et informations et recevant livres ou exhortations et secours en argent.

Au xviii⁰ siècle, dans la mesure où les galères restaient de plus en plus longtemps au port, le sort des prisonniers s'améliora considérablement : car il y eut encore des galériens « pour la foi » au siècle des Lumières ! Illusionné par l'imagerie du temps — Voltaire obtenant la tolérance —, on ignore trop souvent que le changement de règne n'amena aucune atténuation de la législation répressive. Au contraire, toutes les dispositions prises par Louis XIV sont réaffirmées solennellement dans une déclaration d'ensemble en 1724 : la monarchie ne veut pas se déjuger. Sans doute, depuis la guerre des Camisards, les autorités ont compris la leçon et s'efforcent de ne pas pousser à bout les réformés, fermant souvent les yeux sur les absences à la messe et parfois même sur les cultes discrets. Mais les protestants ne sont jamais à l'abri d'initiatives locales ou même d'instructions officielles, en particulier lorsque, dans les périodes de paix, les autorités ne redoutent plus l'utilisation de cette dissidence religieuse par l'ennemi. Ainsi de la paix d'Aix-la-Chapelle (1748) au début de la guerre de Sept ans (1756), 61 assemblées surprises se terminent par des emprisonnements. Les relevés minutieux d'entrées aux galères effectués par Samuel Mours montrent bien ces sursauts de persécutions en 1717, 1726, 1745, 1750. Au total, près de 200 fidèles (estimation *minimum*) entrent au bagne sous le règne de Louis XV ; c'est peu au regard des 1 500 galériens répertoriés au temps du Grand Roi, mais suffisant pour faire réfléchir les timides et les hésitants d'autant plus que, jusqu'en 1745, il n'est pas d'autre espoir de libération que l'abjuration et, dans quelques cas, le bannissement grâce à l'intermédiaire des puissances étrangères ; certains passèrent donc plus de trente ans dans la chiourme, le record étant de 39 ans. Le célèbre « Résister », gravé dans une pierre de la tour de Constance et cher au cœur des huguenots, rappelle aussi qu'à l'intérieur de ces murs, des femmes passèrent la moitié ou les deux tiers de leur vie comme cette sœur d'un pasteur du Désert, Marie Durand, enfermée à l'âge de 15 ans en 1730 et qui n'en sortit que 38 ans plus tard. Une quinzaine de pasteurs et de prédicants subirent encore le châtiment suprême après 1715, depuis le jeune Arnaud pendu à Alès en 1718 jusqu'à François Rochette exécuté à Toulouse en 1762 !

Un essai numérique partiel de la persécution pendant cette longue période a été heureusement esquissé par Samuel Mours : environ 10 000 personnes ont été plus particulièrement victimes de la persé-

IOANNES MARBACHIUS THEOL. ARGENT.

B.

Nascitur Lindaviæ
Anno. 1521.
Obijt An. 1581.

Argentina suo Marbacho talia debet
Qualia Luthero debet hic ipse suo.

XI. JEAN MARBACH

Ce théologien contribua fortement après 1555 au rayonnement intellectuel de Strasbourg dans le monde luthérien. La légende de cette gravure proclame que Strasbourg lui doit autant que lui-même à Luther

Extrait de Ficker, Bildnisse der Strassburger Reformatoren, Bibl. Nat. Univ. Strasbourg (pl. 13)
Atelier photographique des Archives de la ville de Strasbourg

ADVMBRATIO
interioris Concame
rationis artificiosis
sima Summi Tem
pli fabricæ.

XII. LA CATHEDRALE DE STRASBOURG CONVERTIE EN TEMPLE

Cette gravure date de 1666. Après 1680, lorsque l'Alsace eut été réunie au royaume de
France, la cathédrale sera rendue au culte catholique

cution, déportées, expulsées, emprisonnées, envoyées aux galères ou exécutées, ce qui dépasse 1 % de la population réformée. Dans ce nombre, ne sont pas compris l'immense cortège des émigrants (plus de 200 000), ni surtout ceux qui n'ont pas laissé de traces dans les mémoires ou les procédures judiciaires, mais ont subi mille vexations et parfois pire, par exemple de la part des gens de guerre logés chez eux. Et je n'évoque pas les difficultés financières, parfois insurmontables, entraînées par la multiplication des amendes : pour la seule année 1746 et uniquement dans le Languedoc, leur total s'est élevé à plus de 50 000 livres. Un bilan définitif ne sera jamais possible !

La répartition des victimes par provinces synodales n'est pas seulement proportionnelle à la population protestante restée en France ; elle reflète peut-être une surveillance plus attentive, mais plus probablement le degré de résistance des divers groupes. Si l'on excepte les régions de l'Ile-de-France et du Nord de la France (influence d'un pouvoir qui refuse d'être défié si près de son centre ?), les victimes sont les plus nombreuses en valeur absolue et relative dans le Sud-Est du pays, de part et d'autre du Rhône, dans le Vivarais, le Dauphiné, les Cévennes et le Bas-Languedoc (plus de 2 % des religionnaires de ces régions). C'est aussi là qu'il y a le moins de déperdition et que les protestants de 1787 se retrouvent presque aussi nombreux que leurs ancêtres restés en France en 1685. De même y a-t-il corrélation entre un pourcentage moins élevé dans les provinces atlantiques et l'affaissement très réel de ces groupes protestants au XVIII° siècle. La reconstitution des Eglises du Désert après 1715 apporte une autre confirmation : les premiers synodes clandestins régionaux sont d'abord convoqués à la limite des Cévennes et du Bas-Languedoc en 1715, puis dans le Dauphiné en 1716 et dans le Vivarais en 1721. Il faut attendre 1740 pour voir se réunir celui de Guyenne, 1744 celui du Poitou et 1759 celui de la Saintonge. De même, la géographie des assemblées surprises reflète cet inégal développement de l'affirmation publique de la foi réformée : plus de la moitié des réunions découvertes entre 1746 et 1756 le sont dans ces provinces du Sud-Est (32 sur 61), le reste se répartissant entre le Haut-Languedoc (10), la Guyenne (9) et le Poitou-Saintonge (7).

N'accusons pas trop vite les protestants de l'Atlantique ou du Nord de la France de tiédeur ou de moindre attachement à leurs convictions. Ces provinces fournirent beaucoup d'émigrés et connurent aussi leurs assemblées clandestines, mais réduites et plus secrètes. A Caen, en 1688, neuf personnes sont surprises à lire un sermon et la même année en Picardie un jeune homme, « par ses visites et ses

exhortations, inspira son courage et son zèle à tout le monde ». Elles
eurent pareillement leurs martyrs. Dans la Saintonge, par exemple,
ce fut un tisserand pendu en 1690, dans le Périgord une pauvre femme
qui, « n'ayant jamais abjuré », avait pendant deux ans « rôdé dans les
bois et de maison en maison, organisant de modestes réunions avec
lecture de Bible, prières et chant des psaumes ». Dans le Poitou, un
prédicateur laïque était encore exécuté en 1738. Et les massacres
d'assemblées ne furent pas le privilège exclusif du Sud-Est. La mémoire
collective conserve le souvenir de celui de Mougon dans le Haut-
Poitou (1688) ou de la Montagne du Tarn. Mais il est évident que
l'existence d'un bloc compact de réformés de Montpellier à Dieulefit
a facilité la résistance ouverte et le maintien d'une foi, alors que
l'implantation plus diluée des « nouveaux convertis » ailleurs ne permit
pas la même audace et rendit plus aisée l'assimilation à la religion
dominante. De même le caractère plus rural et moins urbain du
protestantisme méridional diminuait l'influence conformiste des notables. C'est dire l'importance des données sociologiques dans l'analyse
de la résistance.

Un monde rural de paysans et d'artisans du textile

La sociologie de l'opiniâtreté est aussi d'une remarquable continuité, des assistants aux premières réunions clandestines jusqu'aux
partisans d'Antoine Court, en passant par les combattants camisards.
Il s'agit d'un monde rural de paysans et d'artisans, en particulier
du textile : cardeurs, peigneurs et tisserands, telles sont les professions
que l'on relève le plus fréquemment sur les listes de condamnés pour
fait d'assemblées ou participation à l'insurrection ; un tiers des galériens travaillaient la laine, le chanvre ou la soie, et plus de la moitié
étaient des artisans, les professions du cuir venant après le textile.
Après 1685, dans le Languedoc, le seul prédicant notable est
l'ancien avocat nîmois Brousson qui tire de son origine sociale un
prestige certain auprès de ses compagnons. Pourtant, le chef de la
troupe pendant longtemps ne fut pas ce dernier, mais un modeste
maître d'école, Vivens. Plus tard, l'un des signes de l'influence de
« l'Esprit » dans la désignation des « prophètes », c'est qu'il choisit
des « gens de rien ». L'un des chefs camisards, Marion, note soigneusement le métier des combattants qu'il a connus : 42 % sont des
paysans et 58 % des artisans, et parmi eux 72 % sont dans le textile.
Moins d'une dizaine de nobles sont compromis dans l'insurrection et,
pour la plupart, ils sont beaucoup plus victimes des méfiances des

autorités qu'acteurs véritables, comme ce baron de Salgas, accusé d'aider secrètement les Camisards et condamné aux galères à vie, mais longtemps soucieux de maintenir sa foi sans compromettre sa position sociale : dans la chiourme seulement, il retrouve une attitude claire et sans équivoque. Il n'y a pas de bourgeois participant à la révolte et nous n'avons pas de preuve qu'ils l'aient volontairement financée ; en 1704, ils sont les premiers à conseiller aux insurgés de se rendre. Plus tard, bourgeois et nobles sont également absents aux cultes du Désert, le grand vicaire d'Alès le remarquait : « Il n'y a guère que la canaille qui s'en tienne à ces sortes de mariage [au Désert]... Mais les personnes d'une certaine façon s'adressent à l'Eglise pour éviter les peines portées contre les concubinaires et pour assurer l'état de leurs enfants. » Certains même s'opposèrent à la tenue d'assemblées publiques, qualifiées de séditieuses dans des libelles que les autorités s'empressèrent de diffuser largement dans les provinces touchées par ces manifestations !

Ajoutons que cette résistance est essentiellement familiale ; elle se transmet de génération en génération dans certaines « lignées » comme le prouvent les archives privées découvertes dans des mas, et je songe ici à cette famille d'un hameau cévenol, chez qui étaient conservées des prières composées au temps de la Révocation, la copie manuscrite d'un sermon de Brousson de 1692, et la lettre d'un galérien enfermé pour avoir cherché à quitter le royaume en 1701. Un autre membre de la famille avait été compromis dans l'affaire des Camisards et, au milieu du XVIIIe siècle, les descendants de ces rebelles préparaient encore les réunions clandestines du quartier.

Le niveau culturel, au sens classique du terme, de ces obstinés reste très modeste dans l'ensemble. Les auditeurs des prophètes s'émerveillaient de ce que plusieurs d'entre eux aient prêché en français, alors que normalement ils étaient incapables de le parler. Certains prédicants étaient illettrés, comme l'ancien Camisard Bonbonnoux qui n'apprit à lire qu'à 36 ans : la plupart d'entre eux, ne pouvant pas au départ composer leurs sermons, avaient appris par cœur ceux des pasteurs réfugiés à l'étranger, quitte ensuite à les modifier et à les adapter à leurs auditoires. D'où le mépris dans lequel les tenaient les beaux esprits de Genève ou d'Amsterdam. Pour pallier ces faiblesses intellectuelles, les chefs de l'Eglise du Désert créent bien en 1726 un séminaire à Lausanne, « l'Ecole de la mort ». Mais la formation donnée est jugée par les Académies suisses assez bonne pour que les pasteurs qui en sortent risquent le gibet en France, mais trop sommaire pour qu'ils puissent occuper un poste dans les cités helvétiques.

Et pourtant, le contraste est grand entre cette « culture » médiocre et la qualité du discours, qu'il soit tenu par une jeune bergère illettrée (Isabeau Vincent), un cardeur languedocien (Antoine Rocher), ou l'ancien brigadier de Cavalier déjà cité, Bonbonnoux. Aucun de leurs textes n'obéit aux règles de la rhétorique classique : parsemés de tournures occitanes, ils témoignent d'une maîtrise souvent approximative du français, mais ils nous touchent encore, plus que maints sermons des grands orateurs sacrés : « Aies pitié de nous, ô Dieu, s'écrie en dormant Isabeau Vincent, nous sommes de pauvres brebis égarées, tu nous as recueillis selon ton bon plaisir, aies pitié de nous ». Et Rocher semble avoir répondu par avance à ce cri lorsqu'en 1686, il compare la suppression du culte à l'une des plaies d'Egypte, la disparition du soleil ; mais Dieu a eu pitié de son peuple puisqu'il lui a laissé de « petits lugminions » : « Ces villes et ces lieux qui autrefois éclairaient tout en gloire et en splendeur, maintenant sont devenus des Egyptes ou des Sodomes tout enveloppées de fumée ; on n'y entend plus la voix de l'époux ni de l'épouse, on n'y entend plus la voix de la vérité... Il est vrai qu'il y a encore ici comme un autre Gossen où Dieu fait encore jouir de quelque petit rayon de cette lumière divine. Non pas qu'il éclaire de toute sa force, car c'est comme quand le soleil est offusqué par le nuage. Je veux dire que nous qui sommes ici qui vous prêchons cette Parole, nous ne pouvons pas vous entretenir de matières de théologie. Je veux dire que nous ne pouvons pas vous expliquer cette sainte parole, comme autrefois vos ministres. Mais suivant les lumières que Dieu nous en a données, nous vous entretiendrons de sa Parole. Nous sommes comme de petits lugminions fumants. » Et, même quand tout semble perdu, ces obstinés savent admirablement affirmer leur détermination, tel Bonbonnoux dans un mémoire relatant ses 27 années de Désert : « Tous nos prédicateurs sont morts ou rendus, nous dit Claris tout attendri, que ferons-nous ? — Dieu y pourvoira, répliquai-je. Et quand je n'entendrais aucune prédication d'ici à dix années, je me sens assez de courage avec le secours du Ciel pour résister à toutes les tentations qui pourraient m'être suscitées par les ennemis de l'Evangile. » Cette réponse, faite avec beaucoup de fermeté et de zèle, donna l'occasion à Claris en sortant un ABC de sa poche de nous dire : « Amis, allons étudier, nous serons encore tous des ministres ou maîtres d'école ». Quelle proposition pour des hommes qui ne savaient pas lire et qui manquaient même de tous les secours nécessaires pour l'apprendre ! Aussi il n'est pas nécessaire que je vous fasse remarquer qu'elle n'était pas faite sérieusement.

Cette qualité d'expression et cette justesse de ton, ces modestes paysans et artisans les doivent certainement à une fréquentation prolongée de la Bible, plus écoutée que lue, d'abord dans ces interminables cultes d'avant ou d'après la Révocation, qui duraient deux à trois heures, puis le soir autour du père de famille ou dans la veillée de quartier chez celui qui savait lire. L'étude systématique des inspirations d'une Isabeau Vincent permet de mesurer le degré d'imprégnation biblique chez une jeune fille analphabète : son discours est une suite de versets ou de fragments bibliques parfaitement adaptés aux circonstances et qui s'enchaînaient l'un à l'autre. Force est dans ce cas précis d'invoquer une excellente mémoire orale d'autant plus exercée qu'elle ne pouvait pas s'appuyer sur l'écrit. Ce contact prolongé avec la Bible a maintenu une cohérence doctrinale au-delà de la diversité des formes de résistance et d'expression de la foi réformée.

Le nouvel Israël.

Chez tous les « obstinés religionnaires », la tendance à l'interprétation littérale des textes sacrés et en particulier de l'Ancien Testament est évidente. Spontanément, ils s'assimilent à l'ancien Israël, petit troupeau fidèle au milieu des Philistins, des Assyriens ou des Babyloniens de l'Eglise catholique. Le Camisard Marion exprime très clairement ce sentiment dans ses mémoires : « Nous savions que Dieu n'avait pas égard au nombre ni à la force des armes quand il voulait délivrer ou faire éclater sa gloire. Nous nous représentions ce que Dieu avait fait en faveur du peuple d'Israël dans leurs détresses. Ces exemples s'offraient à nos yeux : l'histoire de Gédéon contre les Madianites... la fuite des Syriens de devant Samarie au temps de Joram, les Maccabées, etc. Nous savions, dis-je, que Dieu était le même, que son bras n'était pas raccourci. » Le Dieu de ces persécutés n'était pas précisément celui de l'Evangile. Doux « comme une colombe » pour ces fidèles, Il était plein de colère pour « les ennemis de son peuple ». Le plus souvent, les réformés attendaient de voir se réaliser la vengeance divine, parfois ils en venaient à se considérer directement comme les instruments de cette vengeance. C'est toute la différence entre la résistance pacifique et celle qui est violente : du « doux » Brousson à Roland le Camisard, l'invective contre la Grande Babylone est identique. Certes, après 1715, le ton des pasteurs est beaucoup plus mesuré et baigné d'une douceur toute évangélique, tel Court qui dissuade les paysans de délivrer un prédicant arrêté en 1717, « préférant ne pas risquer de mettre tout le pays en feu et voir son frère sceller de son sang les vérités qu'ils avaient prêchées ». Il n'est pas sûr qu'un tel propos ait été à l'unisson de ses fidèles ; nous y reviendrons.

C'est aussi à partir d'une interprétation fondamentaliste des Ecritures Saintes que les protestants ont accueilli sans surprise excessive ce qui pourrait apparaître comme une déviation par rapport au calvinisme, le prophétisme, et pas seulement parce qu'ils étaient nourris des textes de l'Apocalypse. Le contact quotidien avec l'Ancien Testament les avait préparés à l'idée que, dans les temps difficiles, Dieu suscitait des témoins, et le verset qui à plusieurs reprises les confirma dans ce sentiment était celui de Joël II-28 : Aux derniers temps, « vos fils et filles prophétiseront, vos vieillards auront des songes ».

Cette fidélité à la Bible s'accompagna longtemps d'une stricte orthodoxie calvinienne, jusque dans les propos faussement incohérents des prophètes. L'enseignement permanent de cette longue résistance se rattache à la tradition des réformateurs du XVIe siècle : sentiment aigu du péché de l'homme qui a donc mérité les malheurs s'abattant sur lui ; cependant, le fidèle qui se repent est justifié par le sang du Christ qui le sauve par sa seule grâce, et la certitude d'être sauvé console l'affligé. Dans certaines inspirations d'Isabeau Vincent, on retrouve des formules de la Confession de Foi de La Rochelle et lorsque Roland présente les revendications des insurgés aux autorités dans une lettre au style prophétique, il n'omet pas de rappeler cette doctrine réformée : « Nous sommes plutôt prêts à mourir que de renoncer à une si bienheureuse croyance qui nous a assuré Notre Seigneur Jésus-Christ en sa mort qu'il a souffert, lui juste pour nous injustes à cause de nos péchés ; que rien n'a pu expier que le sang d'un Dieu béni éternellement qui est le Roi des Rois et le Seigneur des Seigneurs, qui nous a fait tant de bien à nous pauvres pécheurs de nous éclairer de la connaissance de la vérité de son saint Evangile » (15 décembre 1702).

A plus forte raison, l'Eglise du Désert se reconstitue sur les principes traditionnels des Eglises réformées du XVIIe siècle : le premier règlement d'un synode que nous connaissons, celui du Vivarais en 1721, le rappelle dans son premier article : « Que tous les pasteurs, proposants et anciens signeront la Confession de Foi contenant quarante articles faite d'un commun accord par les Eglises réformées de France comme vraie et orthodoxe ». Et il est décidé que le catéchisme utilisé sera celui du pasteur de Charenton au milieu du XVIIe siècle, Charles Drelincourt. Position d'autant plus significative que le libéralisme théologique avait déjà largement pénétré l'Académie de Genève. Seules les dernières manifestations du prophétisme à Londres ou en France, dans la secte des multipliants par exemple, sont en rupture avec la tradition calviniste.

Quelle que soit la diversité des formes que prit la résistance protestante pendant le premier Désert, cette unité profonde méritait d'être soulignée avant toute autre analyse.

Violence ou non-violence : un problème de conjoncture ?

Une résistance qui ne se limite pas à un court laps de temps, mais s'étend sur quatre générations, ne peut revêtir toujours la même apparence en dépit de l'unité sociologique de ses participants et de la permanence de leurs convictions. De la prédication apocalyptique de Claude Brousson à la sage organisation d'Antoine Court, en passant par le prophétisme irénique de la bergère de Crest et celui violent d'Abraham Mazel, autant d'expressions différentes qui tiennent certes à des tempéraments divers (individuels ou de provinces), mais qui dépendent aussi d'une conjoncture variable. Et encore n'ai-je pas là recensé toutes les formes de l'opiniâtreté réformée.

Certes, toutes les attitudes des nouveaux convertis ne relèvent pas de cette opiniâtreté, même si les historiens doivent les signaler et les prendre en compte : ainsi le comportement de notables comme les négociants marseillais. Ces derniers se plient à tous les actes de catholicité requis sans se faire particulièrement prier, avec tout ce que cela implique de concessions quant à la participation aux cérémonies romaines, car les curés, pour accorder le sacrement de mariage, ne se contentaient pas de simulacres : il fallait réellement prouver sa « conversion », par une présence assidue à la messe dominicale et par la confession et la communion pascales. Sans doute ces grandes familles, protestantes avant 1685, ont-elles conservé suffisamment d'originalité culturelle pour fournir un siècle après les premiers membres du consistoire de Marseille, et ceci grâce à une endogamie qui est le seul signe visible de l'appartenance religieuse au groupe proscrit. Comment expliquer la sauvegarde de cette spécificité ? A Paris les notables pouvaient fréquenter les chapelles des ambassades protestantes (en particulier celle de l'hôtel de Hollande où la plupart des chapelains furent de langue française), tout au moins lorsque la surveillance de la police se relâchait. Et s'ils n'osaient pas se compromettre en franchissant la porte de ces chapelles, ils étaient susceptibles de recevoir la visite des pasteurs étrangers. Mais en province ? Les dynasties de grands négociants pratiquaient-elles le culte de famille le soir à la veillée ? ou moins décelable encore, la lecture individuelle de la Bible ? Aucun témoignage ne permet de l'affirmer, mais nous ne pouvons pas en tirer de conclusion, car les types de documents qui nous éclaireraient sur la question font cruellement défaut : je songe ici aux carnets de prières, aux livres de raison et à la correspondance intime. Charles Carrière, qui connaît admirablement bien ce groupe marseillais, n'a encore trouvé aucune source qui lui permette d'apporter une réponse.

Le Refuge

En revanche, tous ceux qui ont couru le risque de s'exiler avant ou après 1685, rejoignant dans un second « Refuge » les descendants de ceux qui étaient partis au xviᵉ siècle, témoignent bien de l'attachement obstiné à leur foi. Car l'émigration était formellement interdite et plusieurs « opiniâtres » payèrent d'une vie terminée aux galères la décision de départ.

La carte et la sociologie de cette émigration sont exactement l'inverse de celles des assemblées : 40 % des protestants des provinces du Nord du royaume traversent les frontières, alors qu'il n'y en a que 16 % dans le Midi tout entier, 8 % dans le Vivarais et le Bas-Languedoc, et seulement 5 % en Cévennes. De même, nobles, artisans et bourgeois l'emportent largement sur les paysans. Répartition aussi logique que l'est celle de la résistance publique ; il est plus facile à un bourgeois normand de réaliser ses biens et de traverser la Manche. Il sait, par ailleurs, que sa culture et ses compétences trouveront toujours à s'employer. Mais le paysan des Cévennes ou du Vivarais a non seulement l'obstacle de la distance, mais celui de la langue : aux frontières de la Savoie, son « patois » trahit son origine et il lui est bien difficile de se débarrasser de sa terre, d'autant plus que toute vente de cette nature de la part d'un nouveau converti est soumise à autorisation officielle.

Angleterre, Hollande, Suisse, voilà les trois premiers pays d'accueil. A partir de là, les réfugiés se diffusent dans l'ensemble de l'Europe et au-delà des mers. De Londres, ils s'en vont en Irlande prendre la place des catholiques partis en France, ou traversent l'Atlantique vers les colonies d'Amérique. D'Amsterdam, ils se dirigent vers l'Europe du Nord ou s'embarquent pour le Cap de Bonne-Espérance. Genève et Lausanne les conduisent vers le Brandebourg et l'Europe de l'Est. Partout s'établissent des « Eglises huguenotes » où l'on célèbre le culte en français selon la liturgie des Eglises réformées de France, et parfois pendant fort longtemps, par fidélité pour un pays que l'on espérait toujours revoir. A Erlangen, près de Nuremberg, par exemple, le visiteur peut encore consulter des registres du consistoire rédigés en français jusqu'en 1822 et le linguiste décèlerait seulement la germanisation progressive de la langue. A Charleston, l'Eglise française exista jusqu'en 1845.

L'historiographie traditionnelle a exagéré les conséquences de cette émigration sur l'économie française comme elle a grossi le nombre des départs. Si, localement, certaines villes furent sérieusement touchées, Rouen, Caen ou Alençon entre autres, l'économie française était déjà un organisme trop développé pour être profondément affecté par l'exil du centième de sa population, même de haute qualité. D'ailleurs, financiers et grands négociants réformés n'ont pas quitté le royaume dans leur immense majorité. Si conséquences économiques il y a, elles concernent plutôt certains pays qui ont accueilli les réfugiés et qui amorçaient leur croissance. L'exemple le plus caractéristique est celui du Brandebourg : il est certain que l'apport d'une population à compétences techniques et intellectuelles élevées a puissamment contribué à l'essor de cet Etat.

En revanche, l'influence politique et idéologique de l'émigration est indéniable. La diffusion des idées nouvelles lui doit une part non négligeable : ainsi le premier traducteur en français des œuvres du philosophe anglais Locke, l'un des principaux précurseurs du mouvement des Lumières, est un réfugié originaire d'Uzès, Coste ; en présentant les livres de l'auteur anglais dans la langue des Européens cultivés de l'époque, Coste leur assurait un écho universel. De même le rôle de la presse hollandaise dans la diffusion de l'hostilité envers l'absolutisme Louis-quatorzien est bien connu ; or, la plupart de ses rédacteurs étaient des Français. Dernier exemple : beaucoup d'officiers qui entouraient et conseillèrent Guillaume d'Orange dans son entreprise anglaise, appartenaient à cette vieille noblesse huguenote qui n'avait pas plié.

Tous les émigrés ne manifestèrent pas la même hostilité à Louis XIV. Certains, et souvent parmi les plus célèbres comme Basnage ou Pierre Bayle, restaient inébranlablement fidèles au monarque, malgré les persécutions, dans la suite de la pensée politique réformée du xviie siècle qui recommandait l'obéissance inconditionnelle au souverain. Le Refuge fut ainsi divisé en deux partis, les « modérés » et les zélateurs. Les premiers n'attendaient le rétablissement du culte protestant que du roi, qu'il fallait donc persuader de la fidélité de ses sujets réformés : toute action qui pouvait donner l'impression d'une rébellion vis-à-vis de l'autorité royale était donc à proscrire, d'où leur méfiance vis-à-vis de la résistance ouverte et le désaveu des grandes assemblées publiques. Les seconds estimaient que seules les pressions diplomatiques et même militaires des puissances protestantes feraient céder le grand Roi. Non seulement ils soutenaient les réunions interdites, mais pendant les guerres entre Louis XIV et l'Europe (Ligue d'Augsbourg et Succession d'Espagne), ils proposèrent de se servir des huguenots méridionaux pour faciliter la pénétration des alliés à l'intérieur du royaume. Entre le Refuge et le Désert, il existe un rapport évident et l'on ne peut complètement expliquer le second sans envisager ses liens avec le premier.

Le temps des prédicants...

Les trois quarts des réformés étaient donc restés en France, mais sans être dans leur grande majorité convertis. A peine la Révocation de l'Edit de Nantes venait-elle d'être signée que son échec apparaissait de mille façons. Là où les protestants étaient peu nombreux et noyés dans la population catholique, ils se réunissaient chez l'un ou l'autre en petits groupes : ainsi à Nantes, le 24 novembre 1685 (un mois à peine après la décision royale), « une célèbre religionnaire du pays nantais faisait des assemblées chez elle pour prier Dieu ». Quelques semaines plus tard, en Anjou, un dénommé Pierre Martin organise une assemblée au cours de laquelle les assistants « faisaient la cène et des prières ». Dans le Berry, à Saint-Amand, en 1692, les quelques familles protestantes qui subsistent « s'assemblent souvent pour faire leur prières ».

Ces prières, l'ensemble des nouveaux convertis les trouvaient à la fin des grosses Bibles ou dans les petits psautiers de Clément Marot et de Théodore de Bèze. Très rapidement le Refuge, qui sur ce point était unanime, chercha à favoriser ces dévotions secrètes en imprimant des « liturgies pour les chrétiens privés de pasteurs ». Ces opuscules se diffusaient non seulement par l'intermédiaire de colporteurs, mais par celui de pieux fidèles qui recopiaient soigneusement les textes : à plusieurs reprises, les autorités saisirent ce genre de manus-

crits, qui est encore conservé dans les archives familiales. Quelquefois
même, ce furent les participants qui composèrent les prières ; celles-ci
prennent alors un ton plus concret et plus circonstancié, avec des
allusions à la destruction des temples, aux dragonnades ou aux enlèvements d'enfants, mais le fond n'est pas différent des textes plus
savants ; toutes ces calamités sont autant de signes de l'infidélité de
l'homme envers Dieu, comme le manifeste cette prière découverte non
loin de Saint-Jean-du-Gard : « Tu as démoli notre temple parce que
nous l'avions profané par notre impiété, on y lisait ta parole et nous
remplissions ce saint lieu de murmures et d'entretiens profanes, on
y prêchait ton Evangile et nous entretenions nos esprits des pensées
du monde, nous en sortions aussi corrompus que nous y étions
entrés ».

Dès que les protestants sont plus massivement groupés, la résistance se fait très rapidement publique, d'abord par l'abstention massive
et généralisée à la messe lorsque les troupes s'éloignent, mais surtout
par des assemblées convoquées dans des lieux écartés, à l'abri des
yeux et des oreilles indiscrètes. Moins de trois semaines après la
Révocation, une centaine de personnes se réunissent dans la région
d'Anduze, à la porte des Cévennes, pour chanter des psaumes et
entendre une prédication. Près de Nîmes, à Vauvert, quelques jours
avant Noël, un jeune homme regroupe dans une cave un auditoire
et l'adjure « de ne point aller à la messe pour s'y prosterner devant
les images de Baal ». Deux exemples parmi bien d'autres.

Si ces premières « assemblées du Désert » ont lieu spontanément,
sans projet d'ensemble, au hasard des rencontres, et sont animées
d'une façon empirique par tel ou tel assistant, certains nouveaux
convertis ont très tôt, dès le début de 1686, une ambition plus vaste :
ils voudraient restaurer intégralement le culte interdit et reconstituer
des Eglises réformées comme si l'Edit de Fontainebleau n'existait pas.
Mais, outre la surveillance royale, un premier obstacle se présente à
eux, l'absence des pasteurs qui ont dû abjurer ou s'exiler. Certes,
quelques-uns d'entre eux, au péril de leur vie, rentrèrent en France,
mais ce fut une infime minorité, les documents écrits ne conservent
que la trace d'une vingtaine (moins de 5 % de l'effectif pastoral
de 1685). On n'hésite donc pas à remplacer ces pasteurs en convoquant
des assemblées, prêchant, baptisant et donnant même la cène, selon
le principe du sacerdoce universel. Dans le Midi, on appelle prédicants
ceux qui accomplissent ces actes. En janvier 1686, cinq sont déjà au
travail dans la seule zone de Saint-Jean-du-Gard. Parmi eux, un ancien
régent, âgé de 23 ans, François Vivens, devenait bientôt le chef du

groupe. L'ancien avocat nîmois Brousson le rejoignait bientôt, ainsi que plusieurs autres. Le champ d'action de ces hommes s'étendit rapidement à l'ensemble des Cévennes et du Bas-Languedoc. Ces deux provinces synodales attirèrent en effet la grande majorité des prédicants, vingt-cinq environ de 1685 à 1687 et plus de soixante dans toute la période (1685-1700). Longtemps, sous l'impulsion de Vivens, les assemblées furent protégées par les armes et leurs organisateurs n'hésitèrent pas à entrer en rapport avec les zélateurs et les puissances alliées pendant la guerre de la Ligue d'Augsbourg. Il y eut même des projets de liaison entre débarquement de troupes sur la côte du Languedoc et déclenchement d'une insurrection au cœur des Cévennes. Deux tentatives de cet ordre furent même esquissées en septembre 1689 et en mars 1690, sans succès. Mais ces actions renforcèrent les autorités dans l'idée que les Assemblées du Désert étaient un danger pour le royaume tout entier et méritaient donc une répression impitoyable.

Dès le début, en effet, les soldats poursuivirent avec ardeur ces cultes clandestins. Dans les deux années qui suivent la Révocation, plus de vingt réunions sont surprises, douze prédicants arrêtés et cinq pendus. En février 1692, les autorités découvrent la cachette de Vivens près d'Anduze ; des coups de feu sont échangés et le prédicant est tué. Brousson, l'autre figure marquante du groupe, se convertit alors à la résistance non violente : désormais il circule sans armes. Son action dépasse largement le Midi de la France. Après avoir été reçu pasteur en Suisse et nommé à l'Eglise des réfugiés français de La Haye, il n'hésite pas en 1695 à abandonner la sécurité hollandaise pour retourner à la vie errante en France. Tour à tour, il visite la Picardie, la Champagne, la Brie et la Normandie. Puis il revient en Hollande : il cherche avec le parti des zélateurs l'appui des alliés pour obtenir dans le traité en cours de négociations (Ryswick) une clause garantissant la liberté de culte en France. Mais les princes protestants préfèrent discuter d'avantages territoriaux ou politiques. Guillaume d'Orange a bien récupéré sa principauté en France où le culte protestant est rétabli, mais immédiatement un cordon de troupes isole cet îlot réformé, et les peines les plus sévères punissent les nouveaux convertis qui tenteraient d'aller suivre le culte à Orange. Découragé, Brousson est de nouveau en France : on le voit à Lyon, dans le Vivarais, en Dauphiné, en Cévennes et dans le Béarn. C'est là qu'il est arrêté en octobre 1698. Transféré à Montpellier, il est jugé et exécuté le 3 novembre. L'intendant du Languedoc, Bâville, peut croire, quelque temps après cette exécution, avoir enfin triomphé de la résistance huguenote.

Les derniers prédicants, désorientés, se sont rendus ou abandonnent. Et pourtant, à l'automne 1700, les assemblées reprennent de plus belle, sous une forme que n'avaient pas connue jusqu'alors ces régions et qui paraissait le privilège du Dauphiné et du Vivarais, le prophétisme.

...et des prophètes

Les Cévennes avaient bien connu, comme tout le Midi de la France, des phénomènes étranges à la fin de 1685 : les nouveaux convertis croyaient entendre « chanter de nuit les psaumes en l'air comme si c'était dans un temple » ou battre du tambour. Ces manifestations cessent lorsque se multiplient les assemblées convoquées par les prédicants comme si la parole de ces modestes laïques suffisait à consoler les fidèles. Mais il en restait une espérance vague, nourrie des livres sacrés, le sentiment d'une délivrance prochaine et miraculeuse. Ce sentiment fut renforcé par les interprétations de l'Apocalypse que proposait un pasteur du Refuge, Jurieu, dans son livre *L'Accomplissement des prophéties*. Reprenant les calculs de son grand-père, le pasteur Pierre Dumoulin, fondés sur le chapitre XI du texte sacré, celui-ci prévoyait la fin des persécutions et le rétablissement de la « véritable Eglise » pour 1689. Ces conclusions furent rapidement et largement diffusées dans tout le Midi de la France, et elles imprégnèrent les réflexions quotidiennes comme les poésies populaires qui circulaient un peu partout. Ce climat apocalyptique ne fit pas immédiatement sentir ses effets en Cévennes ou dans le Bas-Languedoc, à la différence du Dauphiné.

Dans cette province, des assemblées se sont tenues après 1685, mais sans connaître le développement du Languedoc, peut-être à cause d'une répression très dure : en trois ans, il y a vingt-sept personnes exécutées dont sept femmes ! Et voilà qu'en février 1688, près de Crest, une jeune bergère, Isabeau Vincent, se met à prêcher en dormant ; elle attire immédiatement autour d'elle une foule de curieux et de fidèles qui recueillent pieusement ses « inspirations », les transmettent au Refuge qui les imprime dans de petits opuscules distribués ensuite en France. La jeune prophétesse est arrêtée en juin, mais c'est trop tard. A son contact, plusieurs jeunes gens et jeunes filles se sont mis à prophétiser dans toute la région.

En janvier 1689 l'épidémie prophétique traverse le Rhône, introduite en Vivarais par un jeune laboureur de Cliousclat (près de Loriol), Gabriel Astier : en quelques jours, le pays entier est embrasé et les réunions prophétiques se multiplient : persuadés d'être protégés par le Saint Esprit, les protestants vivarois ne prennent plus aucune précaution et les troupes royales n'ont aucune peine à trouver les assemblées et à les disperser sans ménagement, en massacrant des participants. Une fois même, les assistants refusent de s'enfuir, convaincus que des anges les mettront à l'abri des balles : quatre cents personnes restent sur le terrain (19 février 1689). Le mouvement est apparemment arrêté, mais il subsiste enfoui dans les hameaux et les familles. Brousson, lors de son voyage en Vivarais de 1697, rencontre plusieurs inspirés pour lesquels il manifeste beaucoup de sympathie et d'admiration.

C'est dans le vide laissé par les prédicants que le prophétisme reparaît au grand jour, plus au Sud, à l'automne 1700. Une tailleuse d'habits du Vivarais communique « l'inspiration » à quelques jeunes gens de l'un et l'autre sexe, et en particulier à Daniel Raoul de Vagnas (près de Vallon). Celui-ci réunit des assemblées dans la région d'Uzès ; de là, le prophétisme se répand à la fois à l'ouest dans la montagne cévenole et au sud dans la plaine languedocienne, prenant les mêmes formes et, au moins au début, véhiculant un message identique à celui de 1688-1689.

Le phénomène prophétique est bien connu grâce à la multiplicité des témoignages d'origines très diverses, qu'il s'agisse des procédures judiciaires avec des témoins neutres ou hostiles, des dépositions des inspirés voulant se justifier ou des récits de fidèles émerveillés. De ces différentes sources se dégage une profonde unité. L'inspiration est toujours précédée de phénomènes physiques bien caractéristiques : fardeau sur la poitrine et pesanteur sur l'estomac, suivies de torrents de larmes et quelquefois même de pleurs de sang, puis viennent des frissonnements et des tremblements de tout le corps ; dans certains cas, la personne atteinte tombe à terre, saisie de convulsions. Elle se met alors à parler, toujours en français, sans en avoir conscience et lorsqu'elle se réveille, elle ne se souvient pas toujours de ce qu'elle a dit. Pendant toute la crise, elle est en état de complète insensibilité. Le prophétisme est contagieux : « l'inspiration » s'acquiert en regardant d'autres inspirés : la chute d'un premier prophète en entraîne deux ou trois autres, quand ce n'est pas toute l'assemblée qui entre en transes. Il est évident que ces manifestations physiques reproduisent tous les signes de l'hystérie collective et individuelle ; mais nous ne devons pas céder à la tentation de la plupart des commentateurs qui ont assimilé le prophétisme à une simple aberration mentale, sans chercher à analyser le discours prophétique. Pourtant nous avons bien vu ci-dessus à quel point son contenu, au-delà d'une forme déroutante, se situe dans le prolongement de l'enseignement pastoral du XVIIᵉ siècle, et dit d'une autre manière ce que prêchent les prédicants, jusqu'au souci de la controverse qu'elle soit au niveau théologique le plus élevé ou du style le plus populaire (diatribes contre « l'immoralité » ou la « rapacité des clercs »). Cette prédication prophétique très concrète, évoquant des réalités que connaissaient bien les auditeurs, eut une efficacité beaucoup plus forte que les sermons froids et rhétoriques des pasteurs de Genève ou d'Amsterdam : elle redonnait joie et confiance au petit peuple huguenot.

Face à cette nouvelle flambée d'assemblées, l'intendant Bâville utilise les méthodes traditionnelles : emprisonnements et exécutions. Le résultat ne se fait pas attendre : le prophétisme, qui était d'abord pacifique, devient au printemps 1702 appel à la guerre sainte. Les « inspirés » deviennent l'épée de l'Eternel qui doit châtier les infidèles. Dans une vision célèbre, un peigneur de laine de Saint-Jean-du-Gard, Abraham Mazel, voit dans un jardin des bœufs noirs que Dieu lui ordonne de chasser. Ce sont les prêtres dont il faut débarrasser les Cévennes. Peu après, l'inspiration se fait plus précise : elle commande d'aller délivrer des prisonniers retenus au Pont-de-Montvert (près de Florac) par un inspecteur des missions qui a accumulé les haines sur lui, l'abbé du Chaila. Une expédition est organisée et le prêtre est assassiné au cours de l'opération : c'est le début de la guerre des Camisards (24 juillet 1702). Malgré la coïncidence avec le commencement de la guerre de Succession d'Espagne, l'étranger n'est pour rien dans cette affaire. Les puissances alliées mettent plus d'un an à comprendre le parti à tirer de la révolte et n'aident les insurgés qu'au moment où ils se rendent !

Une guérilla populaire et mystique

La guerre peut se décomposer en trois phases. De juillet à octobre, il s'agit encore d'actions de représailles contre « les plus terribles persécuteurs », sans plan ni coordination. Peu à peu cependant, des groupes réguliers s'organisent autour de quelques chefs locaux. A la fin de l'année 1702, l'affaire a pris une autre tournure : ainsi l'un de ses petits chefs, un ancien garçon boulanger, Jean Cavalier, met en fuite 700 soldats aux portes d'Alès, et quinze jours plus tard le chef suprême des troupes du Languedoc, le comte de Broglie, qui n'avait pas cru devoir se faire accompagner d'une grande escorte. L'opinion française et étrangère commence alors à s'intéresser sérieusement à la révolte ; la Cour, surprise et inquiète, envoie des renforts et remplace Broglie par le maréchal de Montrevel.

A partir de là et pendant quinze mois, les insurgés tiennent la campagne cévenole et une partie de la plaine du Bas-Languedoc ; ils forcent la plupart des curés à se réfugier dans les villes. Mais ils n'arrivent pas à étendre la révolte dans les zones voisines du Rouergue et du Vivarais. Des catholiques, las de l'inefficacité des troupes royales, forment des bandes de partisans appelées Camisards blancs ou Cadets de la Croix, ce qui ajoute encore à la confusion, car ces groupes tournent rapidement au brigandage au point que Montrevel doit aussi prendre des ordonnances contre eux et les faire poursuivre. Tout le pays est maintenant à feu et à sang. Aux atrocités des uns succèdent les atrocités des autres ; aux massacres de villages catholiques répondent des massacres de protestants. Cependant, à côté de ces représailles, les heurts entre Camisards et troupes régulières sont fréquents, et à plusieurs reprises les insurgés réussissent à battre l'armée royale. Le comble est atteint lorsque Cavalier défait près d'Alès un des meilleurs régiments du Languedoc (15 mars 1704).

Jamais une révolte populaire n'avait duré aussi longtemps ; personne n'y comprend rien : comment de simples artisans et de modestes paysans peuvent-ils mettre en échec une des meilleures armées du monde ? Pour apprivoiser une réalité qui échappe aux cadres habituels, on invente des légendes qui réduisent la guerre à des modèles connus : guerre de religion dirigée par des nobles ou révolte populaire à but fiscal. On imagine ainsi une direction clandestine de notables, le consistoire secret ; on fait de l'autre grand chef des révoltés, Roland, un comte ; on suppose une intervention d'officiers étrangers, on mêle des catholiques aux huguenots en inventant des mobiles fiscaux qui, à cette phase, n'existent pas. La réalité est en fait plus simple et les conflits actuels nous permettent de mieux saisir les raisons du succès : les insurgés mènent une guerre de partisans. Le surnom même qu'on leur a attribué évoque ce type de combat, que l'on se réfère à la « camisade » (attaque de nuit) ou à la chemise que portaient les révoltés lors de leurs assauts.

Le relief dans les Cévennes favorise certes la guérilla : les vallées resserrées entre des crêtes étroites permettaient les embuscades, et les grands chemins de sommet établis par Bâville pour surveiller précisément les religionnaires n'ont pas véritablement amélioré la situation : de ces belvédères, comment repérer des hommes cachés au creux des combes ? comment s'orienter au milieu de l'enchevêtrement des serres ? Cependant, nous venons de le voir, les Camisards triomphèrent aussi dans la plaine ; c'est que, relief mis à part, les insurgés surent parfaitement appliquer les méthodes de la guerre des partisans. Leur principale force est la complicité totale de la population dans laquelle ils peuvent se fondre à tout moment. Le noyau permanent des bandes ne s'élève pas à plus de quelques dizaines ; survient-il une opération ? Il atteint en quelques heures plusieurs centaines : les paisibles moissonneurs d'un jour sont devenus les terribles insurgés du lendemain. Le berger inoffensif au sommet de la montagne est le meilleur agent de renseignement, annonçant l'arrivée des dragons aux Camisards, égarant les troupes royales dans la direction opposée. La décentralisation des révoltés est extrême ; chaque région possède ses chefs, ses officiers, ses soldats occasionnels, issus du pays où ils opèrent. Ce sont les habitants qui leur fournissent le pain ou les souliers, mais ils ont aussi organisé des magasins de provisions et des hôpitaux dans les grottes. Généraux et officiers étaient incapables de s'adapter à ce genre de guerres : ils s'épuisèrent à poursuivre des ombres qui s'évanouissaient dans le paysage. Rapidement, ils préférèrent rester à l'intérieur des villes, estimant ne pouvoir rien faire à moins « d'avoir autant de garnisons que de métairies », ou alors ils menèrent des actions de représailles qui confondaient les innocents et les coupables et incitaient les hésitants à grossir le nombre des insurgés. Les mesures générales prises par les autorités aboutirent au même résultat, qu'il s'agisse des ordonnances rendant responsables les communautés des meurtres qui avaient lieu dans leur territoire, et surtout du dépeuplement des hautes Cévennes : pour priver les Camisards de l'appui des paroisses qui leur servaient de retraite, on décida de regrouper les populations suspectes dans les bourgs et de brûler systématiquement toutes les maisons.

Le prophétisme, qui était déjà à l'origine de la guerre, en assure la conduite et le développement comme le dit clairement un inspiré : « Devions-nous attaquer l'ennemi ? Etions-nous poursuivis ? La nuit nous surprenait-elle ? Craignions-nous les embuscades ? Arrivait-il quelques accidents ? Fallait-il marquer le lieu d'une assemblée ? Nous nous mettions d'abord en prières. Aussitôt, l'esprit nous répondait et nous guidait en tout. » C'est en particulier l'esprit qui désigne les chefs sans tenir compte des hiérarchies sociales ni intellectuelles. C'est aussi lui qui enlève aux paysans leur sentiment d'infériorité face aux troupes royales : au lieu de se disloquer dès qu'ils apercevaient les soldats comme cela est arrivé dans d'autres révoltes populaires, ils se précipitaient sur leurs adversaires au chant du psaume 68. Renversement de situation : ce sont les troupes royales qui s'enfuient aux premières notes de « l'hymne » camisard.

Cette alliance du prophétisme et de la tactique de guérilla n'est pas vaincue finalement sur le terrain militaire, mais diplomatique. Sa dernière défaite en plaine coûte en effet sa place à Montrevel. La cour, lasse des plaintes contre l'inactivité du maréchal, le remplace par Villars. Pour confondre ses détracteurs, Montrevel inflige avant son départ un grave échec à Cavalier, et surtout l'un de ses adjoints découvre les magasins secrets du chef camisard. Villars, sur ces entre-faites, arrive dans la province avec l'idée de mêler poursuite rigou-reuse et ouverture de négociations. L'ancien garçon boulanger, en mauvaise posture, mais aussi flatté de traiter d'égal à égal avec les autorités, accepte ces offres de discussions transmises en particulier par un de ses anciens maîtres et par un gentilhomme nouveau converti, le baron d'Aygaliers. Mais, moins habile dans la diplomatie que dans l'art militaire, il n'obtint aucun avantage réel. Aussi fut-il désavoué par la plupart de ses compagnons et s'enfuit-il finalement à l'étranger (mai-juin 1704). L'autre grand chef camisard, Roland, fut surpris et tué deux mois après. Cette mort acheva de décourager les insurgés d'autant plus que la population ne les soutenait plus avec le même ensemble. Les Camisards se rendirent par petits groupes et obtinrent l'autorisation de partir pour le Refuge.

A partir de 1705 et jusqu'en 1710, s'ouvre une troisième période caractérisée par les tentatives infructueuses des puissances alliées aidées par le parti zélateur pour relancer la guerre. Celles-ci utilisent des survivants déçus par l'accueil du Refuge et nostalgiques de leur pays, ainsi que des intrigants qui mènent leur jeu personnel. Elles veulent élargir la base de l'insurrection en ajoutant à la demande de liberté de conscience des revendications anti-fiscales et parfois anti-absolutistes qui seraient susceptibles de rallier des catholiques mécontents. C'est dans ce sens que sont organisés en 1705 à Montpellier le complot des enfants de Dieu et dans le Vivarais les essais de soulèvement d'Abraham Mazel en 1709-1710, qui se terminent par la mort de leur auteur.

Après 1710 les autorités peuvent enfin respirer. Mais le prophétisme camisard fit sentir son influence bien au-delà de cette date. Et d'abord en Europe : après leur reddition, plusieurs inspirés dont Elie Marion, réfugiés à Londres, continuèrent à prophétiser en Angleterre. Ils furent assez mal reçus par les Eglises établies et les autorités anglaises, mais ils firent quelques adeptes parmi des personnalités du Refuge et même des Londoniens. C'est pour les justifier que l'un de leurs partisans réunit leurs dépositions et celles de témoins dans *Le Théâtre sacré des Cévennes*, qui reste l'une de nos principales sources sur le phéno-mène. Le prophétisme prit en Angleterre des dimensions qu'il n'avait pas en France : plus millénariste qu'en Cévennes, il prédit une fin des temps très proche précédée de l'apostasie de toutes les institutions ecclésiastiques. Dans cette période d'attente, certains préconisaient une communauté des femmes, d'autres des biens, tendances que l'on ne décèle jamais en France. Lassés de l'incompréhension, Elie Marion et deux compagnons gagnent le continent pour annoncer « la venue de l'Esprit ». En Allemagne, ils firent des disciples parmi les réformés déjà imprégnés de piétisme. Des groupes d'inspirés subsistèrent ainsi tout le XVIII° siècle. En France, on note des permanences analogues. Ce sont les femmes qui poursuivent la tradition ; elles remplacent les prédicants disparus et les Camisards vaincus, en convoquant à nouveau de petites assemblées. Les rares témoignages que l'on possède sur cette phase du prophétisme révèlent l'appauvrissement de l'inspiration. C'est dans ce climat que se déroule l'enfance du restaurateur du protestantisme, Antoine Court. Celui-ci, en effet, né en 1695 à Villeneuve-de-Berg, au sud du Vivarais, accompagna très tôt sa mère à ces assemblées ; il invita même des prophétesses à venir prêcher dans son village. Mais, à la suite de prédictions non réalisées, il rompt avec le prophétisme et plus largement avec le passé camisard à la fin de 1713. Une nouvelle époque s'ouvre dans l'histoire du Désert.

La Renaissance de l'Eglise du Désert

Avec cette rupture, Antoine Court a pris conscience de la nécessité d'une réorganisation des Eglises protestantes sur les bases solides de l'ancienne discipline du XVII° siècle. Dans ce but, il réunit une dizaine de personnes en août 1715, aux Montèzes, près de Saint-Hippolyte-du-Fort, à la limite des Cévennes et de la plaine. Cette modeste réunion constitue le premier synode du Désert, qui pose les principes de la reconstitution du protestantisme dans ces régions : rejet formel du prophétisme et des prédications au gré de « l'inspiration de chacun », rétablissement de consistoires avec anciens, refus de la violence vengeresse et obéissance au roi, ce qui ne signifie pas l'acceptation du double jeu. Les premiers compagnons de Court étaient souvent d'anciens Camisards comme Bonbonnoux, celui qui ne voulait pas se rendre, ou Pierre Corteiz, qui avait participé aux dernières tentatives de soulèvement. Quels que fussent leurs sentiments sur leurs actions passées, ces hommes se rendaient compte que l'évolution de la situation imposait une nouvelle attitude, par exemple à propos de la violence. La résistance pacifique était sans doute inspirée par la fidélité à l'enseignement évangélique, mais elle correspondait aussi à la lassitude entraînée par l'échec des insurrections passées ; elle était en même temps rendue possible par la politique plus prudente des autorités. De même, le prophétisme avait rempli son rôle et sa dégradation risquait d'entraîner les fidèles loin de l'esprit réformé.

A partir de ces débuts modestes, les Eglises du Désert vont se renforcer d'année en année à la fois à la base, au niveau de la paroisse clandestine, et au sommet ; elles encadrent de plus en plus largement les communautés de nouveaux convertis, malgré quelques reculs temporaires dus à la recrudescence des persécutions.

Le point de départ de cette reconstitution à l'échelon local est la venue d'un prédicant (ou plus tard d'un pasteur) qui convoque une assemblée. Quelques personnes de confiance choisissaient l'emplacement, une caverne, une bergerie, un creux de rochers d'où il était facile de s'enfuir, et avertissaient discrètement les gens sûrs. On célébrait d'abord le culte en se conformant à l'ancienne liturgie. Les hommes d'un côté, les femmes de l'autre, les fidèles écoutaient des passages de l'Ecriture Sainte entremêlés de chants de psaumes. Le pasteur ou le prédicant qui présidait l'assemblée lisait ensuite la confession des péchés et commentait la Bible dans son sermon. Le culte s'achevait par la bénédiction et une collecte pour les pauvres. Au cours de cette rencontre, l'Assemblée nommait des anciens « à la pluralité des voix pour surveiller sur la conduite du public et sur tout ce qui concerne les affaires de l'Eglise ». Le pasteur distribuait aussi des catéchismes de Drelincourt ou de petits psautiers contenant à la fin une série de prières. Il recommandait aux fidèles de faire des cultes de famille ou de quartier dans l'intervalle de ses passages : prières trois fois par jour, et trois heures de dévotion le dimanche. A sa prochaine venue, il avait soin après son sermon de vérifier les connaissances des fidèles en les interrogeant sur le catéchisme. Bientôt s'instaurait la coutume des baptêmes et des mariages à la fin du culte. Eviter d'aller à la messe et même refuser le baptême et le mariage à l'église catholique devinrent rapidement une obligation morale pour les protestants sincères. Les meilleurs des fidèles se conformèrent d'ailleurs volontiers à cette règle, surtout pour le mariage qui obligeait à une pratique catholique préalable. Pour avoir un document officiel et dans l'espérance d'une régularisation future, ils passaient un acte devant notaire, par lequel ils s'engageaient « à se prendre pour légitimes époux et épouse devant la Sainte Eglise catholique, apostolique et romaine à la première réquisition de l'un ou de l'autre » — réquisition qui n'arrivait jamais sinon devant le pasteur du Désert. Un registre clandestin tenu par un ministre du Haut-Vivarais, Fauriel, de 1730 à 1739, a été récemment dépouillé :

en neuf ans, ce pasteur a célébré 718 mariages et 114 baptêmes. Certains mariés avaient été « fiancés » plus de dix ans auparavant et avaient déjà deux à trois enfants ! Les vieilles familles huguenotes conservent encore précieusement ces certificats de mariage au Désert, véritables titres de noblesse.

Les premiers organisateurs de ces Eglises n'étaient encore que prédicants mais, pour éviter les ambiguïtés et les contestations, Court, dès 1718, envoie son ami Corteiz en Suisse se faire recevoir pasteur ; et à son retour, ce dernier consacre Court lui-même. De même, la formation était initialement empirique ; le postulant suivait un pasteur ou un prédicant antérieur, ce qui parut insuffisant à cet homme soucieux de retrouver l'ordre ecclésiastique ancien. Dès 1725, il faisait accepter par le synode du Languedoc le principe d'un séminaire à l'étranger. Celui-ci s'ouvrait à Lausanne l'année suivante.

Un autre signe de la croissance des Eglises du Désert est la spécialisation géographique progressive des pasteurs. Ces derniers étaient au début peu nombreux, ils parcouraient donc indifféremment toutes les provinces où existaient des noyaux de résistance réformée : dans les premiers synodes régionaux, on retrouve les mêmes noms partout. Vers 1740 s'esquisse une répartition par provinces et, vingt ans plus tard, le rayon d'action s'est encore restreint au niveau d'un consistoire actuel : c'est aussi le moment où apparaissent dans les Cévennes des registres consistoriaux tenus régulièrement, et où les convocations aux assemblées sont rédigées en termes clairs et non plus sous une forme sybilline.

Quant aux progrès de l'organisation d'ensemble, ils se mesurent au développement des synodes régionaux et nationaux. Un mois après le « synode des Montèzes » rentrait dans le Dauphiné un ancien prédicant de la province qui venait de se faire consacrer, Jacques Roger. Avec Corteiz, il convoque en 1716 une réunion dans le Dauphiné qui reprend les mêmes principes qu'aux Montèzes. En 1725 un gentilhomme d'Alès, Benjamin Duplan, est nommé député général des Eglises auprès des puissances protestantes. Il est chargé de ramasser de l'argent pour les galériens et le séminaire de Lausanne. En 1726 un premier synode national est convoqué dans le Vivarais : c'est encore une réunion modeste puisqu'elle ne comprend que trois pasteurs, neuf proposants (apprentis-pasteurs) et 36 anciens. Jusqu'en 1760, il y eut six assemblées de ce genre ; la plus notable fut celle de 1744, tenue à Lédignan dans le Bas-Languedoc, non pas tant parce qu'elle mit fin à un schisme dans les Cévennes (autour de la personnalité contestée du pasteur Boyer), mais parce qu'elle témoigna bien de l'élargissement de l'Eglise du

Désert et l'apparition d'une nouvelle génération. Pour la première fois, les provinces atlantiques étaient officiellement représentées et le modérateur adjoint était le fils d'un cardeur de laine de Bédarieux, Paul Rabaut, âgé de 27 ans et consacré l'année précédente après être passé au séminaire de Lausanne. Ce jeune pasteur allait devenir après 1750 la figure dominante de l'Eglise du Désert. Pour l'heure, il retrouvait dans ce synode son ancien, Antoine Court, revenu en France depuis quelques mois. Ce dernier, dont la tête avait été mise à prix à un taux très élevé, s'était réfugié en 1729 à Lausanne, où il resta jusqu'à sa mort en 1760. Il y continua sa tâche sous d'autres formes, par une correspondance assidue avec ses compagnons de France et par les relations avec le Refuge. En ce qui concerne enfin l'élargissement géographique, la chronologie suivante peut être établie : jusqu'en 1730, seules les quatre provinces du Sud-Est sont bien structurées, même si les incursions de pasteurs sont nombreuses ailleurs. Ensuite viennent à partir de 1730 le Haut-Languedoc et le Poitou et, après 1750, les dernières régions méridionales.

Les obstacles internes à cette réorganisation ne doivent pas être négligés. Le premier résulte des séquelles du prophétisme. Celui-ci entraîna un premier schisme dans les Eglises du Désert renaissantes : deux des premiers compagnons de Court, Huc et Vesson, favorables à « l'inspiration », furent exclus. Le dernier participa à une secte, les Multipliants, qui se développa en 1720 : après le règne du Père (l'Ancien Testament) et le règne du Christ, voilà venir celui du Saint Esprit qui annonce la fin du monde. Une vague d'arrestations et d'exécutions mit brutalement fin au mouvement. Mais ces tendances prophétiques persistèrent d'une façon plus diffuse très longtemps. Dans un bourg proche de Nîmes, un pasteur se plaignait encore en 1759 de la crédulité d'une voisine à l'égard d'une prophétesse qui s'attribuait l'esprit de révélation. A quelques lieues de là, à Congeniès, il exista, pendant le XVIIIᵉ siècle, un groupe qui se rattachait au prophétisme pacifique et que l'on nommait vers 1750 « Couflaïrés » (gonfleurs). A la fin du siècle, il découvrit les quakers et s'y affilia, et dès lors de nombreux liens s'établirent entre cette modeste bourgade et le monde anglo-saxon.

Les pasteurs du Désert ont plus de peine encore à faire accepter leur politique de non-violence, surtout lorsque la répression s'aggrave et que quelques-uns d'entre eux sont arrêtés : par exemple en 1717, après la déclaration de 1724, ou lors de la prise d'un pasteur du Vivarais très populaire, Désubas, en 1745. Dans ce dernier cas, plusieurs centaines de paysans se rassemblent et Désubas, de sa prison, doit lui-même conseiller la dispersion. Lors des tentatives de rebaptisations en 1752, une nouvelle guerre des Camisards semble proche : un curé est assassiné, un autre blessé, un troisième attaqué dans sa cure, et il faut à la fois l'adoption d'une politique plus tolérante et l'action de Paul Rabaut pour apaiser le pays. Aussi les pasteurs ne manquaient pas une occasion de marquer leurs distances avec les insurgés cévenols, leurs prédécesseurs, parfois d'une façon extrême comme Court qui affirmait en 1745 « que le ramas des Camisards étaient la plupart des vagabonds, des gens mals dans leurs affaires ou endettés, ... que les gens de bien qu'il y avait parmi eux et qui avaient été contraints de prendre ce parti par la perte de leurs biens, le danger de leur vie, ou de perdre la liberté de conscience étaient joints à la multitude des vagabonds, des scélérats, des gens de sac et de corde dont la plupart avaient reçu bientôt la juste rétribution de leurs crimes ». Peine perdue : non seulement les autorités continuent à confondre Assemblées du Désert pacifiques et révolte dangereuse pour l'Etat, mais beaucoup de notables du Refuge ne sont pas éloignés de cette conception lorsqu'ils désapprouvent la tenue de cultes publics, y voyant par exemple « un redoublement de fureur ». A de très nombreuses reprises, l'Eglise du Désert doit donc se justifier, et une partie de la littérature rédigée par Court et ses amis est consacrée à montrer la légitimité des assemblées. Le malentendu subsista jusqu'à la veille de la Révolution puisque « l'Edit de tolérance » satisfaisait les notables en accordant l'état civil, mais non le peuple protestant méridional qui en attendait la reconnaissance officielle du culte. Quel que fût leur désir, les amis de Court et de Paul Rabaut étaient rejetés du côté des Camisards et l'analyse du Second Désert n'infirme pas cette impression.

Le Second Désert :
l'influence des Lumières

Second Désert ou « désert second », pour le distinguer du Désert héroïque, est le nom que l'on donne traditionnellement à la période de l'histoire protestante qui débute autour de 1760 pour s'achever avec la Révolution française. Accaparé par la Guerre de Sept Ans, le gouvernement n'a plus les moyens militaires de mener « l'occupation » qui, en Languedoc, avait en 1742-1744, menacé de tourner à la guerre civile. Ere de tranquillité, tout au moins relative, comme, depuis 1715, il s'en produisait assez souvent entre un gouvernement peu désireux de subir une réédition de la Guerre des Camisards et des huguenots qui profitaient des circonstances favorables pour réactiver leurs Eglises, mais qui durera car, après 1763, les persécutions systématiques ne reprendront plus... Que s'était-il donc passé entre temps ?

A notre sens, l'événement capital de ces années « charnières » est la prise de conscience du problème protestant, à travers l'affaire Calas, par le monde des philosophes, et notamment par Voltaire. « L'affaire Calas allait battre en brèche, écrit John D. Woodbridge, le mur des antipathies naturelles entre les philosophes et les pasteurs réformés du Languedoc et permettre la formation de ce que David Bien a appelé une "unnatural alliance" entre ces deux parties. » Sans doute. Mais elle allait aussi « complexer » les partisans d'une politique de force : « Les honnêtes gens, écrit de Félice, eurent honte de ressembler aux magistrats et aux prêtres de Toulouse. » L'affaire Calas, à travers son caractère dramatique, parce que Calas était innocent, parce qu'elle mettait à nu le « fanatisme » poussant au « crime de bonne foi », eut une énorme influence sur le monde des gens éclairés. Et les formes de répression qui avaient marqué le début du siècle parurent anachroniques.

La relative tolérance qui suit l'affaire Calas — toute relative d'ailleurs, nous le verrons — est-elle le résultat d'une incapacité gouvernementale ? Le régime n'aurait-il plus les moyens de poursuivre la politique répressive inaugurée par Louis XIV ? Ou, au contraire, s'agit-il d'une transformation des mentalités de ceux — administrateurs, juges, officiers même — qui étaient chargés de l'application de cette politique et qui ne croyaient plus guère ni à son efficacité, ni surtout à sa nécessité, et qui s'efforçaient de maintenir un « modus vivendi » acceptable pour tous ? A l'inverse de Mazoyer et de Mours, nous croyons davantage au second facteur. Sous l'influence des Lumières, politique et administration ont tendance à se séculariser. De plus en plus, les intendants — dont beaucoup sont liés aux physiocrates — sont persuadés que leur travail se borne à faire le bonheur de leurs administrés sur cette terre sans trop se préoccuper de l'au-delà et de ses mystères, pourvu évidemment que les apparences soient sauves et que l'ordre public soit maintenu.

Nous ne croyons guère donc, en ces années 1760, à un déclin du pouvoir royal, déclin si grave qu'il serait devenu impuissant devant les problèmes posés par la minorité réformée. Louis XV, Choiseul aussi, étaient certes fort indolents, mais tout à fait capables de coups d'autorité : s'ils l'avaient vraiment désiré, et s'ils avaient, comme le fit

Louis XIV en 1685, accepté de payer le « prix fort » de l'amputation et de la ruine d'une partie du système bancaire et économique, ils auraient pu continuer une politique suivie de répression. S'ils ne l'ont pas fait, c'est qu'ils ne l'ont pas voulu. S'ils ne l'ont pas voulu, c'est que leur conception administrative, influencée de plus en plus profondément par l'idéologie des Lumières, le leur interdisait. Mais, si une administration de plus en plus ouverte aux concepts philosophiques jugeait que le temps des dragonnades était passé, qu'on ne faisait plus, comme sous le Roi Soleil, sa cour à Versailles en envoyant des listes de convertis, il n'en demeurait pas moins qu'une émancipation totale des réformés se heurtait à des fortes oppositions : d'abord la tradition monarchique, ensuite l'attitude du Clergé.

Il est bien connu que la personnalité écrasante du Roi Soleil a quelque peu complexé ses successeurs et qu'ils entendent poursuivre son œuvre. Pas de désaveu possible donc, et l'Ancien Régime ne reviendra jamais sur la Révocation. Lorsqu'en 1787 Loménie de Brienne accorde un état-civil aux protestants, Malesherbes et Rulhières s'efforcent — avec des arguments particulièrement piteux ! — de démontrer qu'il suivait par cette initiative les véritables intentions de Louis XIV détournées par « le Clergé de son temps » et par Louvois. Et d'ajouter la nécessité d'assurer un statut religieux aux réfugiés néerlandais, autre pauvre argument.

Un ministre de Louis XV ne pouvait durer s'il avait contre lui l'ensemble du Clergé et, en 1754, Machault d'Arnouville en fit la triste expérience. Or, non sans parfois quelques nuances, les Assemblées du Clergé sont unanimes à réclamer l'application stricte de la législation. Et l'Eglise n'est pas sans alliés puissants : en 1787 encore, d'après Hardy, Mallet du Pan et Mme de Staël, le peuple de Paris retrouve les accents de la Ligue. En tout état de cause, le « parti dévôt » a toujours été assez fort pour bloquer, au moins sous Louis XV, toute solution, et pour obtenir, en 1787, que l'édit fût restrictif. Encore les doléances de l'Assemblée de 1788 étaient-elles plus restrictives encore, même sur le simple plan de l'état-civil. Et il avait fallu longtemps aux pouvoirs publics pour se rendre compte que, dans ce domaine, il ne fallait pas passer par « le premier ordre de la Nation », mais le mettre devant le fait accompli.

> A. Lüthy a bien vu ce contraste — on pourrait dire cette incohérence : « Que cette époque de Louis XV où l'esprit de tolérance et même d'indifférence religieuse gagne toutes les classes « éclairées », les sommets de l'Eglise d'Etat comme l'aristocratie et la bourgeoisie libérales, ait vu aussi codifier

l'intolérance légale avec la perfection la plus systématique par
la déclaration de mai 1724, et s'abattre les dernières vagues
de persécution de l'hérésie et d'émigration huguenote sur le
Midi de la France en plein milieu du siècle, n'est déconcertant
qu'à première vue ; si cette époque ne se définit pas par un
ordre établi et un état d'esprit dominant, mais par le conflit
entre un ordre ancien et un esprit nouveau, toutes les contradictions s'ordonnent comme éléments de ce conflit. Il faut
néanmoins un certain effort d'imagination pour concevoir les
dragonnades de 1752 et les grands procès d'hérétiques de 1762
comme contemporains du règne de Mme de Pompadour et de
l'Encyclopédie, car ces choses ne se passent pas dans le même
monde ; nous pourrions retracer la carrière des banquiers et
négociants protestants qui se poursuit, économiquement et
socialement, sans incidents et sans gêne, au milieu d'une
société fortunée, tolérante et cosmopolite, sans jamais rencontrer d'écho des tribulations de l'Eglise du Désert et sans
presque nous apercevoir que ces « religionnaires » ont vécu
sous le régime juridique de l'intolérance qui n'accordera
qu'en 1787 un statut légal et un état-civil aux non catholiques ».

Parallèlement aux lents progrès de la tolérance — qui amène le
réveil de nouvelles Eglises et un élargissement d'une « synodalisation »
qui n'était cependant pas complète en 1789 —, l'histoire des protestants
de France sous le « Second Désert » est aussi celle d'un grave conflit
ecclésiastique doublé d'un conflit social.

Le peuple protestant du Midi, de l'Ouest puis, par la suite, celui
des petites communautés septentrionales qui commençaient à revivre,
réclamaient, en même temps que l'organisation d'un état-civil qui ne
les obligeât pas à faire acte de catholicité, un statut pour leurs organisations religieuses, autorisant, ou du moins tolérant le culte public
et une certaine légalisation des structures traditionnelles des Eglises
adaptées aux temps de clandestinité. D'une façon générale, cette attitude
est celle du monde des campagnes et des petites villes, peut-être surtout
du monde des artisans. C'est dans ce milieu que se sont recrutés les
premiers pasteurs du Désert, mais aussi leurs fidèles, les membres
des Consistoires — cette garantie de la pérennité des Eglises —, tout
autant que les galériens et les martyrs. Là où elle a su résister à la
persécution — notamment dans le pays de Foix, dans les Cévennes —
la noblesse provinciale, toujours quelque peu frondeuse, n'hésite pas à
joindre le mouvement. Pour tous ces gens, le culte public est à la fois
une exigence spirituelle et le témoignage de la vitalité du Protestantisme.

La bourgeoisie industrielle et commerçante — si importante à

Nîmes, Montpellier, Montauban, Bordeaux, La Rochelle, Caen, sans oublier Paris — a des exigences différentes. Tout d'abord, mieux insérée dans la société d'Ancien Régime, elle est profondément légaliste. D'autant plus qu'au fur et à mesure que le siècle avance, la « banque » a tendance à l'emporter sur la « finance » et qu'une bonne partie de ce monde est allemande et suisse. Ces étrangers, qui savent que la territorialité confessionnelle existant dans les Cantons dès le XVIᵉ siècle et dans le monde germanique depuis les traités de Westphalie, et qui subsiste toujours assez strictement, malgré quelques modérations dans les grands Etats (Prusse luthérienne et Bavière catholique), a été finalement une garantie de paix civique, comprennent très bien le refus monarchique. Les idées religieuses de Necker, parfaitement analysées par H. Grange, sont sans doute le témoignage extrême de ces sentiments : croyant sincère, protestant convaincu — il refusa toutes les avances qui lui furent faites pour changer de religion —, le ministre est, certes, partisan de la tolérance, mais il ne cache pas que son idéal est l'unité religieuse et que les minorités doivent se contenter du culte privé et d'un état-civil convenable. Peut-être faut-il ajouter, chez ces descendants d'émigrés, un complexe du genre : « Ils n'ont pas eu le courage de « sortir de Babylone », qu'ils se taisent... »

Culte privé dont se contentèrent longtemps — et parfois jusqu'en 1789 — les bourgeoisies autochtones du Midi et l'Ouest. Jusque tard dans le siècle, elles ne participent pas au culte public et restent à l'écart des activités ecclésiastiques. Une Allemande, descendante de réfugiés français, montalbanaise par ses ascendants et en visite chez ses lointains cousins, nous présente le contraste entre le culte public — populaire et assez désordonné — qui se tient dans une salle louée « ad hoc » par la peu clandestine « Société de M. Bagel » et Messieurs du Haut Négoce qui se réunissent chez eux, dînent ensemble et, après le dessert, écoutent un pasteur « distingué » — en l'espèce le noble ariégeois Murat de Grenier — leur faire une méditation (1773). C'est, semble-t-il, un principe que, tout en conservant leurs convictions — et d'autant plus fermement que, d'une façon générale, dans ce milieu, une conversion signifierait une dégradation sociale —, cette haute bourgeoisie ne pratique que tout autant que le pouvoir civil le tolère. Ne pense-t-on d'ailleurs pas communément que le roi, s'il n'a aucun droit sur les consciences, a le pouvoir de régler l'exercice extérieur, public ou non, de la religion — catholique comme réformée — au nom de l'ordre ? Ce même ordre sur lequel, de plus en plus, des administrateurs « philosophes » s'appuient, non sans apparence de raison, dans leur optique évidemment, pour condamner les Assemblées du Désert.

Cette communion de « longueur d'onde » explique finalement la lente conquête d'une tolérance civile devant laquelle, en 1787, le « parti dévôt » sera impuissant. Ne se manifestant guère, mais inexpugnable de par sa richesse, cette bourgeoisie finit par obtenir ce qu'elle considère comme l'essentiel. Mais, en fait, une fois le danger passé — et ceci avant même la Révolution —, elle réussit, au moins partiellement, à s'emparer des Eglises et à prendre une large place dans le corps pastoral, tout comme dans les Consistoires.

Cette entrée se fait en deux stades : tout d'abord, les « notables » créent un « Comité », toléré par l'administration. Celui de Paris est justement célèbre, mais « Messieurs » de La Rochelle, de Bordeaux, de Caen, voire de Marseille ne restaient pas en arrière. Puis, la tolérance s'élargissant, les membres du Comité investissent l'Eglise créée en dehors d'eux dans les milieux paysans et petit-bourgeois et s'en emparent vite, non pas tellement par leur piété que par leur surface sociale et leurs qualités intellectuelles. Ce processus n'est pas achevé en 1789, mais il est avancé et, surtout après l'édit de 1787, il est en voie d'accélération.

La bourgeoisie entre donc dans l'Eglise, mais elle y entre avec son arsenal idéologique qui, dans l'ensemble, est philosophique. Ces tard venus sont lettrés — souvent très lettrés même — et, par là, très sensibles à la pensée dominante qui est évidemment celle des Lumières. Une synthèse nouvelle, contre nature diront certains, est donc proposée à la pensée et à la piété réformée.

Les Eglises du Second Désert

Ce « Désert second » marque l'achèvement de la « carte protestante » telle que nous la rencontrons aux débuts du XIX⁰ siècle. Lors du synode de 1763, la synodalisation touchait essentiellement l'Ouest (Poitou, Saintonge, Angoumois, Bordelais, Aunis), le Sud-Ouest (Haut-Languedoc, Foix, Béarn, Montalbanais, Agenais, Périgord) et le Sud-Est (Bas-Languedoc, Hautes-Cévennes, Basses-Cévennes, Dauphiné, Vivarais, Velay, Provence). Dans la partie Nord de la France, seule la Normandie avait reconstitué une organisation synodale. Des groupes bien vivants restaient volontairement à l'écart, notamment ceux des villes normandes (Caen, Rouen, Le Havre, Dieppe), Sedan et surtout Paris, tandis que Bordeaux, solidement reconstitué en 1753 par Grenier de Barmont, La Rochelle qui possédait son « Comité » depuis 1755 et son Eglise depuis 1761, et Marseille (Gal Pomaret, 1767), tout en vivant dans le cadre synodal, restaient pratiquement autonomes. Paris n'eut pas avant 1790, et l'inauguration de Saint-Louis du Louvre, d'Eglise réformée autonome. L'« Hôtel d'Hollande » en tint lieu et, à partir du milieu du siècle, les prédications en français faites par des aumôniers « wallons » réunissaient les fidèles de la capitale, y compris les étrangers — les Necker furent des paroissiens assidus. Jusqu'en 1789 on y vint également de province, surtout de la France du Centre (Sancerrois et Orléanais), tandis que les petits groupes de Picardie, de Cambrésis, de Brie, de Thiérache et de Vermandois se rendaient à Tournai ou à Namur dans les « Eglises wallonnes de la Barrière », Eglises de garnison établies dans les villes occupées par les Hollandais, aux frontières de la France.

C'est dans les années 1765 que ces provinces « s'alignèrent », non sans grosses difficultés dues à la dispersion des noyaux réformés, au protestantisme méridional. François Charmusy, de 1766 à 1771, puis son successeur, Briatte, organisèrent des Eglises et des colloques en Brie (Nanteuil 1766, Chalandos 1768), en Thiérache (Lemé 1769), dans le Cambrésis (Caudry 1772). En 1776 se tint un colloque de Picardie, en 1779 à Lemé un synode réunit les Eglises du Centre et du Nord, du Cambrésis au Berry. Les Eglises étaient bien vivantes et en progrès constants, mais le lien synodal restait bien ténu. Quant à Sedan, avec ses manufacturiers et ses pasteurs, J.-A. Rang, puis de Villenoix, qui ne s'occupaient que des « grandes familles », son Eglise se trouvait, à l'égard des Eglises rurales, dans la situation de Bordeaux, La Rochelle ou Marseille. D'autre part, diverses communautés rurales (Marsanceux et Gaubert dans l'actuel Eure-et-Loir par exemple) ont survécu dans un isolement à peu près total qui, dit M. Robert, « suscite une surprise admirative et pose à l'historien des problèmes bien difficiles ».

A l'écart de tout et sans relations avec personne, Nantes où vivaient bon nombre de négociants protestants — souvent des étrangers — avait constitué sa communauté et s'était pourvu d'un pasteur (Bétrine, puis J. Barre). Dès 1770, Lyon avait aussi son Eglise avec deux pasteurs (Pierredon et Frossard, le futur doyen de la Faculté de Théologie de Montauban), Eglise en relations assez suivies avec le Languedoc, composée surtout de Suisses avec quelques Cévenols et Dauphinois, et non synodalisée.

La vie ecclésiastique des anciennes provinces, solidement constituée depuis le Désert héroïque, ne se transforma guère. Colloques et synodes provinciaux fonctionnèrent à peu près normalement. Administration, organisation, discipline et non édification et vie religieuse, tel était le but de ces assemblées. La Discipline du « Désert » (1739), voire l'ancienne Discipline d'avant la Révocation, rééditée en 1760, sont tou-

jours gauchies dans un sens « congrégationaliste ». La base en est
l'Eglise locale avec son consistoire, autonome de fait, regroupée en
colloques et en synodes sous une forme largement fédérative, dans
laquelle les pasteurs, peu nombreux, sont, sauf dans les villes lorsqu'ils
peuvent y résider à demeure, plutôt des inspecteurs. C'est la résultante
de l'histoire du Désert héroïque où la foi réformée a été sauvée par
l'entêtement des laïcs, par le « noble emploi d'Ancien de l'Eglise »
comme l'écrivait A. Court. Jusqu'en 1770 — au moins — la prédominance laïque est incontestée et les fidèles considèrent leur pasteur
comme « un prédicateur et un administrateur de sacrements à gages »,
sentiment peut-être encore plus développé dans les « sociétés religieuses » du Nord que dans les Eglises du Midi. Dans ces conditions,
on comprend que les registres synodaux soient encombrés d'assez
sordides litiges entre pasteurs et fidèles. Même des personnalités aussi
éminentes que les Rabaut devront toujours composer avec les laïcs,
non seulement de Nîmes, mais aussi des paroisses rurales. A Bordeaux,
ce sont les notables du Consistoire qui sont les maîtres. A Montauban,
en 1770-1779, l'offensive « épiscopalienne » de Gaches se heurte à
l'hostilité de Bagel et de son Consistoire qui finissent par l'emporter.
On comprend les gestes de mauvaise humeur de Paul Rabaut (« Le
moindre ancien se croit un personnage d'importance ») et la tentative
de certains « pasteurs distingués » pour « cléricaliser » les Eglises et
les hiérarchiser sous la direction exclusive du corps pastoral.

Colloques et synodes réunissent pasteurs et laïcs, c'est-à-dire toujours une majorité de laïcs, même si la charge toute provisoire de
« modérateur » est généralement confiée à un pasteur, et ils sont les
liens nécessaires entre les communautés. Le Second Désert a vu la
multiplication des « provinces » synodales, à la fois pour des raisons
de commodité pratique, mais aussi de fierté locale, parfois à incidences
sociales, surtout dans les grandes villes. Rattachés primitivement au
« Haut Languedoc », le pays de Foix et le Montalbanais acquièrent leur
indépendance, l'Agenais se détache de Bordeaux, l'Aunis de la Saintonge.
De même, les « colloques » se multiplient (cinq en Bas-Languedoc, deux
dans le Montalbanais, etc.). Si le Consistoire est formé de membres
« cooptés », synodes et colloques sont composés de « députés » dont
le chiffre paraît avoir fortement varié. La députation paraît avoir été
un honneur qu'on ne refusait pas et que même, dans certains cas, on
réclamait. Conformément aux traditions réformées, il n'existait aucune
« commission intermédiaire » ayant un pouvoir quelconque entre les
tenues des assemblées délibérantes. Certains pensaient que c'était là
une lacune. Dès le synode national de 1763, Paul Rabaut avait proposé

la création d'un Comité national permanent, mais son projet fut rejeté. Toutes les tentatives faites pour introduire ces Comités au niveau provincial se heurtèrent à une opposition générale des Consistoires qui craignaient à la fois la mainmise des grandes Eglises bourgeoises des villes et du corps pastoral sur leurs communautés. Ce n'est qu'en Haut-Languedoc, après 1784 seulement, que fonctionna un tel Comité, que mirent en place des pasteurs « distingués » des villes appuyés sur tout ou partie des plus bourgeois de leurs paroissiens, ici ceux de Castres et de Mazamet.

Ce qui frappe tout lecteur des textes synodaux, c'est le peu de contact entre les diverses organisations, le « provincialisme », voire le « localisme » de fait. Le synode national de 1763 a prévu une « exacte correspondance » entre les synodes, mais il semble bien que cette consigne n'ait été que modérément suivie. En fait les contacts se bornèrent le plus souvent aux provinces immédiatement voisines, sauf lorsqu'il s'agit de nominations de pasteurs. Les délégations aux synodes voisins sont rares (sauf entre les trois provinces languedociennes). Paul Rabaut, puis son fils et l'Eglise de Nîmes faisant peut-être exception, encore que l'éminent pasteur se plaigne souvent de l'insuffisance de la correspondance des provinces éloignées, notamment la Guyenne et l'Ouest. Ce manque d'intérêt explique — en partie seulement il est vrai — non pas tellement l'absence d'un synode national que le fait que peu de provinces aient senti la nécessité d'en tenir de temps à autre. On vivait sur soi : en cas de difficultés, on faisait appel à l'Eglise, au Comité, au Colloque ou au Synode voisin dont on suivait ou non les conseils, dont on acceptait ou non l'arbitrage, et on était plus ou moins satisfait. Le synode national n'apparaissait pas comme une pièce essentielle du système. Pas plus que la nécessité d'un député officieux à la Cour.

L'échec du Synode national mérite de retenir un peu notre attention. Celui de 1763 — qui régla divers litiges et désigna Court de Gebelin comme député des Eglises — n'eut pas de suite. En 1766, la Province des Cévennes réclama une tenue, mais La Rochelle s'y opposa, appuyée par les Languedociens eux-mêmes, et finalement les Dauphinois se trouvèrent isolés. Court de Gebelin et sa mission se trouvaient au centre du débat, mais les Rochelais ajoutaient leur désir de ne pas inquiéter les autorités, de ne pas « convoquer une assemblée purement politique ». Ceci suffit à empêcher le fonctionnement normal du Synode, ce qui, pour l'avenir, devait avoir de graves conséquences.

L'organisation très laïque des Consistoires, le refus quasi-général du cléricalisme et de l'« épiscopalisme » tant dans les anciennes Eglises de tradition démocratique que chez les nouveaux venus « bourgeois » qui n'admettaient un pasteur que pour autant qu'il leur convenait, donnent à ce « second Désert », dans sa vie ecclésiastique, un aspect quelque peu chaotique dont il est facile d'entrevoir les lignes directrices, mais qui, avec la grande variété des « faciès » protestants, se nuance terriblement.

La fin des persécutions

Jusqu'en 1789, avons-nous dit, même en tenant compte de l'édit de 1787 qui, en droit, ne concerne que l'état-civil, le protestantisme français vivait théoriquement sous le régime des lois répressives émanées de l'autorité monarchique après l'Edit de Fontainebleau de 1685 et de la déclaration royale de 1724, qui ne furent jamais, sauf pour le problème — capital il est vrai — de l'état des personnes, modifiés sérieusement. La seule suppression est, en 1775, l'obligation faite aux propriétaires d'immeubles « nouveaux convertis » d'obtenir l'autorisation royale pour vendre leurs biens immeubles.

Dans cette situation où la loi existe, mais n'est plus guère appliquée dans sa rigueur, il ne faut donc pas s'étonner de voir d'une part, les porte-parole de la minorité réformée se féliciter d'une façon générale du calme et de la tranquillité dont jouissent les Eglises, mais aussi considérer cette situation comme précaire, à la merci d'un changement de personnel politique ou administratif. La correspondance de Paul Rabaut est édifiante à ce sujet : le pasteur de Nîmes se tient au courant des mutations, surtout dans le domaine militaire, et cherche à savoir par son réseau d'informateurs quelle pourrait être l'attitude éventuelle du nouveau venu. Bien entendu, cette crainte latente est encore accentuée par les multiples incidents qui éclatent çà et là, les arrestations, les procès, les amendes, les enlèvements d'enfants et les départs pour l'exil, ce prodigieux moyen de chantage des bourgeois réformés.

Essayer de dresser un bilan n'est pas facile. L'atmosphère d'insécurité est à peu près générale. La densité des incidents paraît surtout forte dans la France du Nord, là où les Eglises se sont reconstituées tardivement et où leur existence était, par conséquent, moins bien acceptée par les populations et les administrateurs. Les tracasseries sont à la fois le résultat d'excès de zèle des réformés, surtout lorsqu'il y a des prosélytes parmi eux, et aussi d'excès de zèle de magistrats, prêtres, subdélégués qui, vu l'état de la législation, ne peuvent être désavoués par leurs supérieurs, même si ceux-ci, animés par l'esprit libéral des « philosophes », cherchent à en limiter les conséquences.

habit de cérémonie et Marraine

XIII. VETEMENTS DE CEREMONIE POUR UN BAPTEME PROTESTANT

Gravure extraite d'Oscar Berger-Levrault, *Les costumes strasbourgeois édités au XVIIᵉ siècle par F.-G. Schmuck,* Paris-Nancy, 1889, p. 87

Atelier photographique des Archives de la ville de Strasbourg

XIV. LE CAM DE L'HOSPITALET

A l'« auberge de Bonpèrier », maison solitaire sur un col entre les vallées Borgne et de Valleraugue
dans les Cévennes, les prédicants et plus tard les Camisards étaient assurés de trouver une cachette
qui leur était préparée en permanence. Abraham Mazel prophétisa dans un champ voisin

Il fallait donc arriver à trouver, par réajustements parallèles, un *modus vivendi* acceptable pour la minorité réformée et compatible avec les soucis d'ordre public. Aussi, bien que les problèmes soient partout les mêmes, les solutions sont différentes. Les administrateurs de l'Ouest ou du Sud-Ouest acceptent un culte semi-public dans les « maisons d'oraison » ; les intendants de Montauban, des cultes par petits groupes, de nuit, dans des maisons particulières, tandis qu'à Montpellier, l'ordre est de maintenir le culte « au désert » jusqu'en 1789. Donner une chronologie précise n'est donc pas simple. Cette période de demi-tolérance commence dès 1756 et se maintiendra jusqu'à la Révolution malgré les drames Rochette-Calas. Elle est postérieure en Dauphiné, en Aquitaine, dans le Béarn, même dans la tranquille Saintonge. Enfin, les incidents graves les plus tardifs concernent la Normandie, la Picardie et la Brie.

La répression, quant à elle, pouvait s'exercer sur deux plans : d'abord sur le statut des personnes. L'obligation du baptême et du mariage religieux catholique, imposée par l'Edit de Fontainebleau et rappelée sans cesse, permettait enlèvements d'enfants, rebaptisations forcées et, à la limite, faisait tomber les biens des nouveaux convertis dans l'escarcelle des collatéraux catholiques. L'interdiction de toute structure d'Eglise pouvait permettre la répression de toute activité religieuse et justifier massacres et exécutions capitales. En tout état de cause, la réunion d'assemblées illégales nombreuses, en plein air, au besoin armées — et elles le furent évidemment en Cévennes — devait inquiéter les défenseurs de l'ordre public, aussi bien disposés qu'ils puissent être. La solution était évidemment, ainsi que le comprirent les pasteurs de l'Ouest et notamment les frères Gibert, l'édification de « maisons d'oraison », mais elle se heurtait d'une part aux susceptibilités catholiques — du Clergé plus que des fidèles dans des pays où le protestantisme n'était pas certes une nouveauté ! — et d'autre part à la crainte des administrateurs de violer trop ostensiblement la loi. C'était pourtant la solution vers laquelle on s'acheminait. Et l'on voit, dans les années 1770, l'Administration imposer plus ou moins aux protestants aquitains les « maisons d'oraison » qu'elle avait combattues en Saintonge dix ans auparavant.

En Languedoc, on peut faire dater de 1756 ce calme relatif. Guignard de Saint-Priest, intendant depuis 1751, fut appelé à Paris fin 1755 et en revint avec des consignes de modération que partagea assez rapidement le commandant militaire Mirepoix. En novembre, cinq pasteurs languedociens eurent une entrevue avec un agent du commandant et on convint d'un *modus vivendi* limitant les « parties champêtres ». Effectivement, fin février 1757, une assemblée fut surprise près de Saint-Ambroix et les assistants s'en tirèrent avec une amende. La situation se tendit à nouveau plusieurs fois, ainsi fin 1760 lorsque Thomond successeur de Mirepoix voulut forcer quelques principaux protestants de Nîmes et de Montpellier, mariés au Désert, à se séparer de leurs femmes et à faire baptiser leurs enfants. Et ce fut (1761) l'arrestation du pasteur F. Rochette et des trois frères de Grenier à Caussade ; puis l'affaire Calas (1762). Ces dramatiques événements restèrent isolés ; le Languedoc continua de rester calme : bien au contraire, la libération des galériens et des prisonnières s'accéléra. Le Synode national — le dernier des « Eglises du Désert » — put se tenir tranquillement en Bas-Languedoc (1-10 juin 1763). A cette époque, le seul grief était une série d'enlèvements d'enfants à Uzès et à Montpellier. A partir de 1764, l'Eglise de Nîmes s'installa à Lèque où elle demeura jusqu'à la Révolution française. Paul Rabaut avait du reste un ami sûr aux Etats du Languedoc avec d'Alizon, lieutenant de maire (1764), puis maire de Nîmes (1772) et député aux Etats.

Pour des raisons peu claires, les Eglises languedociennes n'eurent guère de « maisons d'oraison », sauf dans la Montagne tarnaise et à Toulouse (1787). L'administration s'y opposa formellement et il fallut démolir les quelques murs qui avaient pu être ci et là élevés (Durfort 1765). Cette interdiction ne paraît pas avoir pesé très lourdement sur les réformés du Midi qui avaient pris, et gardèrent, l'habitude du culte « au Désert » — un « Désert » de moins en moins clandestin. Le Synode des Hautes-Cévennes du 27 mars 1765 alla même jusqu'à blâmer les protestants de Durfort qui avaient « bâti sur les ruines de leur ancien Temple ». Encore, en 1783, le subdélégué imposa aux protestants de Revel et de Puylaurens, qui « s'étaient mis à couvert », de retourner au désert.

Mais Paul Rabaut s'était fait un allié dans la personne du commandant comte de Périgord : « Depuis plusieurs années, écrit-il à Court de Gebelin le 26 juillet 1782, M. le Comte de Périgord s'adresse à moi par le canal de son subdélégué d'ici, soit pour les plaintes qu'on lui porte, afin de savoir si elles sont ou ne sont pas fondées, soit pour donner communication des ordres du roi à mes confrères dans toute la Province et quelquefois ailleurs. Il est résulté de là que bien des pasteurs et plusieurs Eglises ont évité des coups d'autorité. » C'est ce qui arriva (mars 1782) à Bonifas-Laroque, pasteur à Castres, qui avait béni un mariage entre cousins germains et refusé de déplacer le local de l'assemblée.

Ailleurs, la tolérance de fait vint plus tard qu'en Languedoc.

Le Parlement de Grenoble, celui de Bordeaux sévirent encore brutalement en 1757-1760. En Dauphiné, les Eglises de Mens et de Nyons furent frappées. Dans le Sud-Ouest, l'Eglise de Clairac fut « rebaptisée » de force (1755), puis la Cour (1758) généralisa l'ordre. Ce furent alors des dragonnades, de lourdes amendes, des exils et des emprisonnements, des enlèvements d'enfants et deux ordonnances du maréchal de Richelieu interdisant les Assemblées. On envisageait l'émigration. La situation restait tendue dans le Castrais, le Montalbanais, le comté de Foix et surtout le Béarn. Elle se détendit plus vite dans le Périgord et la Saintonge, grâce à la tolérance des « maisons d'oraison » par les autorités militaires. Nouvelle campagne de « rebaptisation » en Périgord et en Agenais (1764-1766) à la requête, semble-t-il, du Parlement de Bordeaux ; « dragonnade » de Saint-Maixent en octobre 1764. En 1763-1765, l'excellent Paul-Auguste Lafon, pasteur au Mas d'Azil, très lié avec toute la population, curés, religieux et gentilshommes catholiques compris, officie librement dans une « maison d'oraison » et « la liberté règne ». Mais, en 1767, on tracasse à nouveau les réformés de l'Agenais et du Périgord à propos des baptêmes : La Roche-Chalais et Sainte-Foy-la-Grande subissent un début de persécution, marquée par l'envoi de lettres de « petit cachet ». Au même moment, les pasteurs du Poitou se plaignent de ce que l'on appelle les mariés protestants du Désert au « tirage au sort » des miliciens, les considérant, par là, comme célibataires. La mort de Louis XV et les débuts du nouveau règne furent marqués par une courte reprise de la persécution dans le Béarn, la Saintonge, l'Aunis.

Cependant la période 1770-1775 est marquée par une certaine « officialisation » du protestantisme. L'arrêt Roubel (1774) reconnaît de fait le mariage protestant. Dès 1773, au moins à Montauban, un subdélégué féru de démographie demande à Bagel, la cheville ouvrière du Consistoire, un état annuel des actes pastoraux et celui-ci lui est fourni, avec une grande régularité jusqu'en 1789. Enfin, en 1775, au moment de la Guerre des Farines, Turgot fait envoyer expressément aux pasteurs du Bas-Languedoc son « Instruction » dans laquelle il expliquait les principes et les effets de la liberté du commerce des grains. « Pour la première fois, écrit Dardier, depuis la Révocation de l'Edit de Nantes, le pouvoir, bien loin de les ignorer comme protestants, faisait appel à leur fidélité envers le souverain. » Visiblement, le régime essaye maintenant d'épargner les pasteurs : en 1768, les deux frères Métayer, proposants du Poitou, partant pour Lausanne, sont arrêtés à Saint-Claude et l'intendant de Franche-Comté, La Corée, magistrat « éclairé », les fait mettre en liberté.

Dans les dernières années de l'Ancien Régime, ce sont principalement les Eglises « tard réveillées », et comprenant pas mal de prosélytes, de la France du Nord qui sont frappées. On a surtout retenu la mort du pasteur Charmuzy de Meaux (1771). Le « Paul Rabaut des Eglises du Nord » (O. Douen), restaurateur des Eglises de Brie et de Picardie dès 1765, probablement victime de la haine locale à la fois du clergé et du subdélégué, fut arrêté en chaire le 31 mars 1771, jour de Pâques, roué de coups, et il mourut en prison huit jours après. Ainsi que le remarque M. Mousseaux, « il était réservé aux modestes Eglises de la Brie d'avoir eu le premier et le dernier martyr ».

La persécution de Normandie, commencée en avril 1783 par un enlèvement d'enfant, est, elle aussi, d'origine cléricale, puis appuyée par un forte fraction du Parlement qui, en 1787, avait répugné à la promulgation de l'Edit de Tolérance. Le pasteur Mordant, coupable d'avoir béni un mariage mixte, est décrété de prise de corps en mars 1789 et doit s'enfuir à Paris solliciter — et obtenir — l'appui du garde des sceaux Barentin. Il est, semble-t-il, la dernière victime de l'histoire de l'Eglise sous la Croix.

Ce changement de mentalité dans le monde administratif et politique permit au « corps protestant » d'entrer après 1750 officieusement en rapport avec le monde de la Cour et du gouvernement. La première approche (1755) semble avoir été faite par Paul Rabaut et le prince de Conti, par l'intermédiaire d'un officier nîmois, Lecointre de Marillac, très lié au prince et qui rencontra deux fois secrètement le pasteur. Les réformés du Midi en tiraient grande espérance, mais celle-ci fut déçue. La négociation se heurta à la division des protestants — état-civil ou Eglise ? —, peut-être à la crainte que le prince ne voulût jouer un rôle politique que le souverain n'était pas du tout décidé à lui confier. En tous cas, Louis XV invita son cousin à ne plus se mêler de cette affaire.

En 1759, quelques négociants protestants parisiens d'origine méridionale entrèrent en relation avec le duc de Belle-Isle, ministre de la Guerre, et le contrôleur général Silhouette, tolérants par raison politique, et envisagèrent la création d'une maison de finance et de commerce destinée à faciliter les opérations fructueuses pour l'Etat pendant la guerre. Le roi n'y fut pas hostile, mais se heurta immédiatement au Clergé.

A partir de 1763, c'est Court de Gebelin, désigné par le Synode national, qui prit la direction des relations des Eglises avec le pouvoir civil, mais ses démarches furent contrariées par « Messieurs de Paris », avec qui il ne fut jamais en confiance. Ce qui ne l'empêchait pas de multiplier les interventions. En 1764, probablement en accord avec les services du Contrôle général, il reprit un projet visant à « acheter » la tolérance en payant une contribution volontaire et gratuite comme le faisait le Clergé, et une contribution légale sur chaque acte pastoral, projet qui, comme d'autres, n'aboutit pas, par suite de l'hostilité des Parisiens et des Bordelais. Cependant, le député cherchait à nouer des relations avec toutes les personnes possibles.

En 1775, La Rochelle mit en avant l'excellent Louis Dutens, écrivain, philologue et numismate, né à Tours, mais émigré et devenu citoyen britannique, pour représenter l'ensemble des réformés français. Dutens était fort introduit dans les milieux « libéraux » du gouvernement. Il se heurta alors à l'opposition feutrée des Bordelais et fort nette des Nîmois. Ceux-ci craignaient que Dutens connût mal les protestants de France et surtout du Midi, et que son caractère de sujet de Sa Majesté Britannique, s'il était une sauvegarde, ne fût aussi une gêne, enfin ils ne voulaient pas faire un affront à Court de Gebelin qui venait d'obtenir la libération des deux derniers galériens.

Après 1780, les protestants français furent très divisés à la suite des menées d'Armand, petit-fils d'un réfugié cévenol et chapelain de l'Ambassade de Hollande depuis 1779. Il proposait de réduire au simple état-civil et au culte domestique les droits des protestants du Nord. Lui-même (et éventuellement ses vicaires, dont il serait le « patriarche ») ferait deux fois par an la tournée des Eglises, les baptêmes, les mariages et l'administration de la Sainte Cène. Quant aux protestants du Midi, ils verraient le nombre de leurs ministres réduit de moitié. Ce projet, qui permettait au gouvernement de régler à bon compte la question protestante, fut appuyé par divers ministres. Armand commença à se rendre maître des Eglises du Nord de la France, à peine reconstituées, allant même jusqu'à obtenir des lettres de cachet contre des pasteurs hostiles. Court de Gebelin, appuyé sur les communautés du Midi, s'opposa vigoureusement à cette politique et la menace disparut en 1783. A partir de la mort de Court (1784), Rabaut-Saint-Etienne prit, de fait, sa succession et ce fut lui qui négocia l'Edit de Tolérance.

On sait qu'il fallut attendre 1769 pour voir la libération des dernières prisonnières de la Tour de Constance et 1775 pour voir sortir du bagne les deux derniers forçats pour la Foi. La responsabilité de cette situation illogique — pouvait-on détenir aux galères des gens pour « crime d'assemblée » alors qu'il s'en tenait impunément au Désert languedocien ou dans les maisons d'oraison du Sud-Ouest ? — retombe essentiellement sur Saint-Florentin, mainteneur des traditions gouvernementales. Peut-être l'existence des détenus et des condamnés était-elle jugée nécessaire par lui pour rappeler au peuple protestant que la législation subsistait toujours et que la tolérance n'était que précaire. Ils étaient, en quelque sorte, considérés comme des « otages ». La fin de la captivité à la Tour de Constance a été fréquemment évoquée. C'est en 1761 qu'y entra la dernière détenue, Jeanne Darbon, de Beaucaire, libérée d'ordre du roi un mois après. Dès 1757, l'intendant s'abstient de condamner aucune femme à la Tour, car il a acquis la conviction que les jugements qu'il prononce sont illégaux et les trois dernières entrées (1758, 1759, 1761) le sont par ordre du maréchal de Thomond. A partir de 1760, le bruit d'une libération générale se répand, mais écrit M. de Falguerolles, « il ne paraissait pas possible d'élargir les galériens et les prisonnières d'un seul coup sans avouer la déroute de la Monarchie, sans confirmer dans l'esprit des protestants qu'ils avaient reconquis la liberté de conscience ». Fin 1762, il y a 14 protestantes prisonnières, neuf en 1767. Ce sont celles-ci que, non sans altercations avec Saint-Florentin, le prince de Beauvau, gouverneur du Languedoc, parent de Choiseul et très lié avec Voltaire, réussit à faire libérer. Les trois dernières, Suzanne Bouzigues, Suzanne Pagès et Marie Roue, sortirent en janvier 1769. Marie Durand, libérée le 14 avril 1768, était restée 37 ans et 8 mois ; Marie Robert, qui mourut quelques jours avant sa libération (avril 1768), 40 ans 4 mois...

La situation des forçats pour la foi, épouvantable jusqu'en 1748, s'était améliorée depuis la désaffectation des galères. Les dernières condamnations sont de 1762, consécutives à l'affaire Rochette (Pierre Viguier et Jean Viala). Dès 1761, le ministre de la Marine envisageait une libération générale, mais là encore Choiseul se heurta à Saint-Florentin, fidèle mainteneur des vieilles traditions répressives. Aussi faudra-t-il plus de dix ans pour que les trente derniers forçats pour la foi fussent libérés. Ce n'est qu'en octobre 1775 que quittèrent le bagne, à la suite de l'intervention de Court de Gebelin alerté par les réformés marseillais, Paul Achard et Antoine Riaille, condamnés à vie en 1745 par le Parlement de Grenoble.

Le problème du droit civil a maintes fois été étudié, et il est inutile d'y revenir longuement après les travaux de P. Grosclaude. Il fallut cependant attendre le ministère de Loménie de Brienne en 1787 pour que sa réalisation pût passer dans un « train » de réformes que le prélat toulousain sut imposer au roi, à ses collègues du Conseil, aux Parlements et même à l'Assemblée du Clergé. La Déclaration de 1724 aboutissait à priver les protestants d'état-civil. Les évêques, généralement intransigeants, imposaient aux protestants qui contractaient mariage des « épreuves » que certains refusaient — allant alors se

marier « au Désert » clandestinement, dépourvus donc de tout acte
d'état-civil prouvant leur union, et qui engendraient des enfants considérés comme « illégitimes ». D'autres acceptaient puis, une fois mariés,
revenaient à la religion réformée, risquant ainsi le crime de « relaps ».
En se plaçant sur le simple plan de l'ordre public, de la transmission
pacifique des patrimoines, de nombreux juristes cherchaient une solution. Cette situation était sensible, non seulement aux bourgeois, mais
peut-être surtout aux propriétaires paysans. Un document montalbanais
de 1772 se plaint qu'à leur mort « des collatéraux avides attaquent l'état
des enfants pour les dépouiller de l'héritage paternel et maternel »...
Si les commissaires préposés pour le tirage de la milice « ont égard
aux extraits des registres signés par les ministres », il y a des difficultés
au moment de la transcription des actes mortuaires, essentiellement en
matière fiscale : « On laisse subsister sur le rôle de la capitation l'article
du défunt qui accumule sur ses descendants qui payent déjà leur propre
article. »

Dès 1752, le procureur général au Parlement de Paris, Guillaume
François Joly de Fleury, avait rédigé un *Mémoire* incitant les curés à
ne plus exiger de conditions inacceptables des réformés. En 1754, dans
une brochure intitulée *Le Conciliateur ou Lettres d'un ecclésiastique
à un magistrat sur les affaires présentes*, un anonyme (Turgot ou
Loménie de Brienne, alors grand vicaire à Rouen) prônait le mariage
civil devant un juge royal et la « tolérance civile ». L'année suivante
(1755), un *Mémoire théologique et politique* propose également le
mariage civil qui ne serait qu'un retour à l'arrêt royal du 15 septembre
1685 dont la Révocation avait empêché l'application. Cette œuvre
commune du parlementaire aixois Ripert de Montclar et de l'abbé
Quesnel fit grosse impression.

Le changement de règne fut accueilli par les protestants avec
satisfaction et la présence de Turgot et de Malesherbes leur parut
de bon augure. En fait, ils ne purent aboutir qu'aux circulaires de
mai 1776 adressées à divers évêques du royaume, qui exigeaient que
le terme d'« enfants naturels » fût supprimé des baptistères : « Un curé
n'est à cet égard qu'un témoin ; ce n'est pas à lui de discuter la
légitimité des enfants qu'on présente au baptême : il ne fait que
constater la qualité sous laquelle ils sont présentés. » En fait, ni
Malesherbes, ni ses informateurs Dutens et Lecointre de Marillac,
ni Court de Gebelin ne réussirent. Les temps n'étaient peut-être pas
mûrs.

Après 1783, le parti favorable à l'émancipation reçut l'appui des
« Américains » et notamment de La Fayette qui s'engagea auprès de

Washington. Le Conseil restait divisé. Enfin, avec l'accord au moins tacite de Loménie de Brienne, le problème fut posé, fin mai, à l'Assemblée des Notables, et la presqu'unanimité du deuxième bureau, à l'appel de La Fayette et de Mgr de La Luzerne, évêque de Langres, réclama au roi la fin d'un « régime de proscription, également contraire à l'intérêt général de la population, à l'industrie nationale et à tous les principes de la morale et de la politique ».

L'élaboration de la loi fut facilitée par le remplacement de Miromesnil — qui était parti avec Calonne — par Lamoignon, et par la venue en France de milliers de réfugiés calvinistes hollandais fuyant le stathouder vainqueur. Du Pont (de Nemours) met cette venue en relation avec la politique économiquement libérale engagée depuis quelques années par le gouvernement. L'économiste espérait que beaucoup de fabricants étrangers, d'origine française, viendraient rapporter dans leur pays d'origine industries, machines et capitaux.

L'édit concernait uniquement le statut civil des réformés ; il était silencieux sur la liberté religieuse. Destiné à « ceux qui ne font pas profession de la religion catholique », il réduisait à néant les affirmations traditionnelles depuis 1724. Il concédait simplement un mariage non religieux soit devant un juge royal — c'est la solution qui fut généralement préférée —, soit devant le curé agissant en qualité d'officier d'état-civil. La naissance des enfants non catholiques pouvait être constatée, soit par déclaration devant le juge, soit par acte de baptême. La déclaration de décès également, mais les funérailles devaient être discrètes et un cimetière distinct réservé.

La crise entre le roi et le Parlement de Paris retarda l'enregistrement et permit un ultime effort des adversaires de la loi. Mais, presque tous les meneurs habituels de l'opposition étaient favorables à l'initiative de Brienne. La Cour présenta quelques retouches propres à rassurer les inquiétudes, le gouvernement en tint compte et la loi fut acceptée le 29 janvier 1788 à une énorme majorité. Certaines Cours de Province (Besançon, Douai) refusèrent l'enregistrement. D'autres (Grenoble, Rennes, Toulouse) firent quelques réserves. En fait, l'Edit de 1787 — tout comme l'Edit de Nantes en 1598 — fut le texte royal, modifié par le Parlement de Paris qui avait exigé le monopole de l'Eglise catholique en matière de culte, l'interdiction à ceux qui ne professaient pas le catholicisme de former corps, et aux pasteurs de se prévaloir publiquement de cette qualité et de faire fonction d'officiers d'état-civil. Enfin, les charges de judicature et « toutes les places qui donnent le droit d'enseignement public » leur restaient interdites.

Le Clergé de France, qui n'avait pas été consulté, ne put qu'adresser, le 1ᵉʳ août 1788, au souverain des « remontrances » d'un ton relativement modéré, souhaitant l'élargissement des interdictions, réclamant l'interdiction stricte du culte, exigeant paradoxalement le maintien de la forme baptismale catholique, la non-participation des prêtres aux mariages et la non-publication des décès sur les registres paroissiaux. Le gouvernement ne tint nul compte de ces observations : Louis XVI se contenta de remercier l'Ordre de l'esprit de modération dont il avait fait preuve.

Encore que le « corps protestant » espérât davantage — et notamment sa reconnaissance *de jure*, ainsi que la liberté de culte et l'admission à tous les emplois, et que Rabaut-Saint-Etienne, qui avait succédé de fait à Court de Gebelin comme représentant des protestants auprès du pouvoir, n'ait pu cacher son insatisfaction à Malesherbes qui était devenu son ami, les réformés accueillirent avec satisfaction et gratitude le premier accroc juridique fait à l'arsenal dressé contre eux depuis 1685. D'ailleurs, on ne cachait guère à Versailles que ce n'était là qu'un premier pas et, dès 1788, l'ami de Breteuil, l'académicien Rulhières, dans ses *Eclaircissements historiques* le souhaitait ouvertement. Appelé à tort « Edit de tolérance », l'Edit de 1787 l'était bien en fait. Il paraît avoir été rationnellement appliqué. Le refus des curés, le fait que les actes pastoraux n'avaient en droit aucune valeur, donna un monopole de fait aux juges royaux, devant qui les familles protestantes vinrent régulariser un état-civil qui, souvent, avait un demi-siècle de retard.

Protestantisme et Lumières

L'alliance de fait entre réformés et philosophes allait de soi pour les historiens protestants du XIXᵉ siècle et ne suscitait guère de réserves, même si, pour les orthodoxes, elle avait été accompagnée d'un attiédissement de la foi et de l'oubli des principes fondamentaux de la Réforme, parce qu'elle avait permis la résurrection du corps protestant. Plus marqués par Barth ou par le « fondamentalisme » calviniste, leurs successeurs, Léonard, S. Mours, Chaunu, D. Robert ou les Américains D. Bien et J.-D. Woodbridge, sont nettement plus sévères et D. Bien parle de l'alliance « contre nature ».

Dès les années 1750 — et malgré les « chamailleries » constantes entre philosophes français et pasteurs — la philosophie des Lumières marque de son empreinte l'élite intellectuelle de la Suisse romande et, par conséquent, le milieu où se forment les pasteurs français. L'histoire en a été faite à partir de J.-A. Turretini, dans la première moitié du siècle, et de ses disciples Jacob Vernes et Jacob Vernet. Dès les années 1749-1753, les cahiers de Court de Gebelin témoignent d'un gauchissement : une part très forte est faite à la théologie naturelle, on admet le libre arbitre et on nie le concept calvinien de l'homme esclave du péché. Si la christologie est orthodoxe, la sotériologie est « semi pélagienne ». On insiste peu sur la nécessité de la conversion spirituelle et de l'union avec le Christ, on met en valeur des thèmes de morale comme la sagesse et la vertu, toutes choses fort compatibles avec la pensée fondamentale des Lumières.

La génération suivante — Antoine Noël Polier de Bottens qui dirigea le séminaire de 1754 jusqu'en 1783, Court de Gebelin lui-même, qui professa de 1754 à 1763, François Jacob Durand puis, après 1780, David Lévade — est plus nettement marquée encore par les philosophes. Polier, « voltairien avant de connaître Voltaire » (Pomeau), collaborateur de l'*Encyclopédie*, fort aimé des étudiants, eut sur eux une grande influence. Lévade, disciple de Rousseau, insistait sur les « sentiments intérieurs » et n'attribuait que peu de valeur aux « opinions théologiques », tandis que Durand, rousseauiste aussi, théologien relativement orthodoxe, s'inspirait de Locke dans ses cours de logique. Quant à Court de Gebelin, il était, dès avant 1750, nettement « latitudinariste » au point de vue théologique, accordait une importance peu calviniste à la morale, aux œuvres et à la Raison en décrivant le protestantisme comme « une religion qui n'admet rien que l'on ne puisse comprendre et que l'on ne puisse démontrer ». L'évolution ultérieure d'un Gebelin revenu en France incarne parfaitement le paradoxe des protestants des Lumières. Etroitement lié aux philosophes, membre puis secrétaire de la Loge la plus rationaliste de l'époque, « Les Neufs Sœurs », dont les audaces inquiétaient jusqu'aux dignitaires du Grand Orient, auteur de son *Monde Primitif* aussi agnostique que possible, Court de Gebelin, qui n'exerça qu'occasionnellement le ministère, fut, de 1763 à sa mort, le représentant dévoué des Eglises réformées à Paris.

M. Woodbridge insiste avec raison sur les autres présences philosophiques à Lausanne. L'enseignement du séminaire pouvait rendre les futurs pasteurs accessibles aux idées des Lumières dans la mesure où les dispositions intellectuelles de leurs professeurs les orientaient vers une attitude rationaliste et moraliste, mais le « milieu » lausannois, très marqué par la philosophie des Lumières, y a probablement contribué. S'y ajoute enfin le fait que la bourgeoisie, ou mieux « des bourgeois », tous fortement marqués par la pensée dominante de leur temps (« le XVIIIᵉ siècle pense bourgeois ») ont pénétré à la fois dans le corps pastoral et dans les cadres dirigeants des Eglises, qu'il s'agisse des Consistoires ou, plus simplement, des « Comités ».

La théologie des pasteurs de la première génération du Désert est incontestablement calviniste, ainsi qu'en témoignent les quelques sermons conservés. Paul Rabaut, bourgeois au moins par ses alliances familiales et ses amitiés, appartient déjà à une période de transition : il a subi, à partir de 1760, la « tentation philosophique ». Sa théodicée et son anthropologie sont franchement calviniennes, mais par la suite il manifeste un penchant pour la doctrine du salut par les œuvres et met au premier plan la morale dans sa prédication. A plusieurs reprises, dans sa *Correspondance*, il manifeste le plus parfait dédain pour la théologie et considère comme sans gravité sérieuse des problèmes comme celui de la Divinité du Christ. Orthodoxe au départ, Paul Rabaut est devenu, probablement sans s'en rendre compte, au contact des bourgeois de Nîmes, à la fois socinien et semi-pélagien, tout en restant aussi mystique et, par moment, millénariste.

La génération des pasteurs en pleine activité en 1789 (Rabaut-Saint-Etienne, Gal-Pomaret, Jeanbon-Saint-André, Bonifas-Laroque, etc.) est, elle, beaucoup plus profondément marquée par la pensée des Lumières et, finalement, en de nombreux cas, assez vide de doctrine réformée.

C'est indiscutablement le cas de Rabaut-Saint-Etienne, dont l'anthropologie est inspirée de Condillac, qui voit dans la Raison, assimilée à la Conscience, un moyen de salut, qui affirme que « la religion chrétienne n'est que la religion naturelle dévoilée aux mortels et confirmée par Jésus Christ ». Le but de l'homme est une vie de vertus, de bonnes mœurs. Dans tout ceci, on trouve plus facilement Locke, Condillac, Montesquieu, Rousseau, Voltaire, que Calvin. Rabaut croyait très sincèrement que l'on pouvait concilier une bonne philosophie et la religion, qu'il finit par définir en termes purement humanistes.

Cette évolution n'est peut-être pas totale. M. Woodbridge, qui a étudié les pasteurs du Languedoc, tente, d'une façon quelque peu artificielle, d'opposer ceux qui, comme Rabaut-Saint-Etienne, acceptaient, souvent sans vraiment s'en rendre compte, des positions philosophiques à la place des doctrines réformées, à ceux chez qui existent diverses tensions comme chez Bonifas-Laroque pour qui le Christ représente le moyen de salut et non le maître d'une bonne morale, ou l'écrivain Simon Lombard, qui ne cessait de mettre les valeurs chrétiennes au-dessus de la Raison, affirmait la déchéance de l'Homme, l'autonomie de la Révélation et qui, en fin de compte, ne donnait son accord qu'aux aspects de la pensée philosophique qui n'entraient pas en conflit avec ses croyances orthodoxes. C'est encore le cas de Gal-Pomaret, le pasteur de Ganges, lui aussi homme de lettres en liaison avec les philosophes, hostile cependant au déisme voltairien, tout en étant reconnaissant à « l'apôtre de la tolérance et le protecteur de Calas ». Chez d'autres enfin, comme Jean Philip Lacoste, il y a, jusqu'en 1789, un attachement net à l'orthodoxie réformée.

Il semble — et il est normal — que les pasteurs, et leurs fidèles aussi sans doute, aient surtout été inspirés par Voltaire, parce que défenseur de la tolérance, et par Rousseau en qui ils cherchaient la réconciliation de la philosophie et du christianisme, objet de recherches qui les fuyait sans cesse. A l'inverse ni Montesquieu, ni les Encyclopédistes ne paraissent avoir laissé sur eux une forte impression. Beaucoup d'entre eux, peut-être même la majorité, avaient, plus ou moins nettement, saisi le danger que faisaient courir les Lumières à la théologie traditionnelle. Mais sans doute aussi n'étaient-ils ni désireux, ni assez outillés mentalement pour réagir avec une efficacité suffisante.

On peut évidemment incriminer la formation lausannoise à la fois dans ses insuffisances — plus tard Jeanbon-Saint-André dira que les études ne valaient rien — et dans ses tendances — ce « supranaturalisme orthodoxe » que définissait Edmond de Pressensé cité par S. Mours, qui a « toujours fait consister la religion dans la communication naturelle d'une sorte de philosophie divine comblant les lacunes de notre raison », négligeant la doctrine au profit de la morale, la vie chrétienne animée par la Grâce au profit de la Raison. Et la faiblesse était d'autant plus grande que la quasi unanimité des pasteurs et de ceux qui comptaient parmi leurs fidèles, dont l'accord n'était guère troublé par les discussions, ne se rendaient guère compte, surtout dans les villes, de cette évolution. Les actes synodaux ou ceux des Consistoires sont silencieux, ce qui paraît bien prouver que fidèles et pasteurs avaient les mêmes conceptions. L'insuffisance de la formation théologique, tant des pasteurs que des fidèles, résultat à peu près fatal de cent ans de persécution, explique l'absence complète d'authentiques pasteurs ou théologiens réformés : la pensée religieuse des Court et des Rabaut est pauvre, celle des autres souvent insuffisante et personne n'a pu tirer la sonnette d'alarme.

Protestants et Maçonnerie

Moralisme et rationalisme ambiant expliquent que le milieu calviniste — à l'inverse du milieu luthérien — ait été peu touché par le mysticisme ésotérique de la fin du siècle. Mais c'est ici poser le problème de l'influence maçonnique, très importante sans doute, dont les formes sont infiniment variées et qui ne va pas sans nous laisser, dans une grande mesure, sur notre faim.

La création de la Maçonnerie « anglaise » moderne — en laissant de côté l'irritant problème de l'écossisme — a été, au moins partiellement, par Désaguliers, l'œuvre de huguenots. Aussi ne faut-il pas s'étonner de rencontrer très tôt des Maçons protestants un peu partout dans le monde. A Paris, dès 1737, la Loge « Coustos » — lui aussi descendant d'émigrés — groupait des étrangers « de la religion ». Les négociants protestants ont été, peut-être les créateurs, sûrement les animateurs des Loges de l'Ouest de la France, comme l'a montré P. Sillon pour Laval, Le Mans et Nantes. Leur rôle est également important à Bordeaux et à La Rochelle, puis dans le Midi. C'est aussi un négociant huguenot, Etienne Morin, réfugié successivement à Saint-Domingue et à New York, qui devait développer les Hauts Grades « aux Isles », participant à la création du Rite Ecossais Ancien et Accepté.

A Lausanne — où se formaient les pasteurs — la Maçonnerie a été vivante de 1739 à 1745 ; elle fut supprimée par les autorités bernoises et ne reprit « force et vigueur » qu'en 1760. C'est dans cet intervalle que fut créé, dans la capitale vaudoise, l'assez mystérieux « Ordre de l'Etoile », groupement para-maçonnique protestant, dont nous ignorons et le rituel et le développement réel. Conçu primitivement à la fois comme une Société académique — il existe des textes lus par Court de Gebelin à la Loge de Lausanne — et un centre d'entr'aide, il évolua, non sans hésitations, vers une association destinée à « soutenir la Réformation en France, (à) ménager un fonds pour ceux de nos Frères sous la Croix qui, ayant pris le parti du refuge, pourraient se trouver dans le besoin ». Mais cette évolution ne semble pas avoir été du goût de tout le monde ; la Société s'étiola et paraît avoir disparu en 1763 lorsque Gebelin partit pour Paris. Cette Société a-t-elle prospéré dans les milieux réformés en France ? Ch. Dardier affirme qu'il y eut des Loges « dans de nombreuses villes », et nous avons la certitude de son existence pour Paris et Nîmes, peut-être Montauban, tandis qu'une tentative à Marseille fut un échec. A Paris, il y aurait eu 80 chevaliers. En mai 1749, Paul Rabaut se fit initier par son ami Defferre et créa, avec le médecin Paul Bosc, une loge à Nîmes. En fait, cet enthousiasme qui amenait le pasteur de Nîmes à signer Théophile, dura peu. Il est difficile d'interpréter cette tentative d'une Maçonnerie protestante. On peut penser qu'il s'agissait, profitant de la tolérance dont jouissait l'Ordre, de relier plus étroitement les divers Comités, ou peut-être, pour Court et P. Rabaut, de les influencer, sinon de les contrôler.

L'existence de cette Maçonnerie « protestante » a-t-elle été la cause — ou une des causes — de la tentative de « catholicisation » de l'Ordre en France, qui est marquée par les statuts de 1745 et 1755, récemment exhumés par A. Berheim, ou par les initiatives du tailleur Pirlet et de ses « Ecossais Trinitaires » ? La question mérite au moins d'être posée. Quel est le rôle des protestants — des luthériens plus nettement sans doute — dans l'introduction au rituel maçonnique des grades de Rose Croix où, nous dit un texte de la fin du siècle, « dans le principe, on ne recevait dans l'Ordre que des protestants », constatation reprise en 1779 par Devaux d'Hugueville et en 1786 dans les *Proponenda* du Convent des Philalètes ? Autre obscurité.

Pour la seconde partie du siècle, la présence réformée dans les Loges est affirmée partout. Sedan, Nantes, Nîmes, Bordeaux, Montauban, La Rochelle... Seul le Dauphiné, d'après F. Ferrand, fait exception. Certains protestants ont joué un rôle important dans l'Ordre : le banquier luthérien Baur, qui fut quelques années (de 1743 à 1758) substitut général du Grand Maître, comte de Clermont, dont Lüthy a gravé un portrait frappant ; le médecin castrais Lucadou, le banquier montalbanais Doumerc, des officiers suisses, Court de Gebelin enfin, secrétaire des « Neuf Sœurs », président du « Musée de Paris » et, paradoxalement, Philalète aux « Amis Réunis », la Loge des financiers dont certains étaient « nouveaux convertis ». Qu'allaient-ils chercher dans l'Ordre ? Pour le cas marseillais, M. Agulhon écrit : « Les Loges de grands négociants ont accueilli en nombre de riches protestants dont la foi affaiblie, privée de tout dogmatisme et inclinant au déisme, se trouvait en harmonie avec l'idéologie philosophique des Francs Maçons », conclusion « provençale » qu'E.-G. Léonard avait généralisée.

Ce n'est pas à notre sens toujours évident. Les recherches récentes sur le spiritualisme maçonnique de la seconde moitié du XVIII° siècle permettent sans doute de nuancer. Ici et là, dans l'Ouest surtout, mais aussi à Sedan, les bourgeois ont trouvé un substitut à leur culte proscrit. M. Desgraves écrit justement à propos de Bordeaux : « Les bourgeois protestants vénèrent en toute tranquillité l'Etre Suprême promu Grand Architecte de l'Univers ». Après tout, un Chapitre de Rose Croix était le seul lieu en France — en dehors des ambassades étrangères — où un « parpaillot » pouvait communier sous les deux espèces sans craindre l'intervention des « dragons du Roy ». Pour d'autres — Bacon de la Chevalerie et Vialettes d'Aignan en sont de bons exemples — la Maçonnerie « rectifiée » est, au contraire, un acheminement vers un catholicisme plus ou moins orthodoxe. Enfin, que penser des financiers « nouveaux convertis » de la Loge des « Amis Réunis », tels Baudard et Bollioud de Saint-Julien, receveur général du Clergé, se passionnant pour l'occultisme le plus échevelé ? Est-ce simplement, comme l'affirme leur dernier historien (Chaussinand-Nogaret), l'expression d'une « culture ambiguë », ni noble, ni bourgeoise, ni protestante — comme celle des banquiers suisses —, ni vraiment catholique ? Enfin, peut-être, chez d'autres, ce fut un moyen d'assimilation à la société française, peut-être aussi une garantie de sécurité. N'exagérons cependant pas l'importance de ces contacts maçonniques. Le Frère Saint-Florentin fut, jusqu'à sa mort, le mainteneur des traditions administratives.

Un dernier problème se pose. Quelle a pu être l'influence de la Maçonnerie (ou des Francs Maçons) dans l'émancipation des protestants ? Ni Malesherbes, ni Rulhières n'appartenaient à la Confrérie, l'affiliation de Loménie de Brienne est douteuse, La Fayette « en était ». Quant aux dignitaires de l'Ordre, présents à l'Assemblée des Notables, Orléans et Luxembourg, ils ne firent aucune opposition à l'Edit que le Frère d'Epremesnil combattit au Parlement et que divers discours en Loge — notamment à Annonay — saluaient comme un pas nouveau réalisé vers le « règne de Rhéa et d'Astrée ».

A côté de ce mysticisme hétérodoxe, y a-t-il eu un vrai mysticisme réformé ? On peut en douter. Il est bien connu que Paul Rabaut, malgré — ou à cause de — la sensibilité de sa piété, ne comprenait rien à Claude de Saint-Martin et que Gebelin était incapable de l'éclairer. L'héritier du quiétisme, Dutoit, avait vainement catéchisé les étudiants de Lausanne. L'école mystique vaudoise, si importante à la fin du XVIIIᵉ siècle, n'a pas eu d'influence immédiate.

Sur un autre plan, nous rencontrons deux pôles : d'abord le petit groupe quaker de la Vaunage, autour de Congeniès, et surtout la mission des Frères moraves à Bordeaux et en Saintonge, groupe que nous connaissons mal mais que Paul Rabaut estimait. C'est à eux que nous devons l'unique conflit doctrinal connu dans les Eglises du Second Désert : il opposa Etienne Gibert, conquis par la théologie orthodoxe des Frères, aux notables bordelais, et s'acheva en 1770 par la révocation du pasteur qui, ne voulant pas créer de schisme, se retira à Guernesey. Mais l'« Eglise morave » devait se maintenir...

La vie intellectuelle

Ne dressons toutefois pas un tableau trop pessimiste : le nombre des pasteurs n'a cessé de s'accroître et leur qualité intellectuelle — sinon spirituelle — s'est incontestablement améliorée. L'effectif des ministres, d'après D. Robert, passe de 60 en 1763 à quelque 150 en 1783 et 180 en 1789. Le nombre des proposants et des étudiants était également élevé et, de 1790 à 1793, 25 jeunes seront admis au Ministère. « A la veille de la Révolution, écrit D. Robert, le corps pastoral se trouvait en pleine et rapide reconstitution. » Son recrutement est indiscutablement de meilleure qualité intellectuelle. Il comporte, après 1760 et surtout à la veille de la Révolution, une minorité croissante et influente de pasteurs nobles et grands bourgeois, très cultivés, pouvant traiter sur pied d'égalité avec les plus instruits de leurs fidèles, capables de diriger et d'administrer leurs Eglises, de discuter de pair à compagnon avec les pouvoirs civils qui ont cessé de les considérer comme des gibiers de potence, ou avec les évêques. Les rapports d'un Court de Gebelin ou d'un Rabaut-Saint-Etienne avec les « puissances » de leur temps en sont un parfait témoignage. Et le rôle important joué par ces hommes après 1789, tant dans les Assemblées parlementaires que dans les organismes locaux, voire dans l'armée ou dans les affaires, prouve que la capacité — sinon le zèle religieux — ne leur manquait pas.

La détente — très relative — des lois sur la censure et la librairie, qui s'attache au nom de Malesherbes (1766), permit aux pasteurs et aux fidèles de se procurer de la littérature religieuse, le plus souvent venue de l'étranger, mais imprimée également en France. « Un de mes bons amis, écrit Court de Gebelin aux pasteurs du Poitou en 1766, vient d'obtenir la permission de faire imprimer un certain nombre d'exemplaires des *Psaumes* et du *Catéchisme* de Superville » (un pasteur hollandais). Pendant longtemps, les Eglises utilisèrent le vieux catéchisme de Drelincourt, franchement calviniste. Au début du siècle s'introduisit celui d'Ostervald (1702), orthodoxe, mais muet sur la Prédestination. P. Rabaut, ayant constaté que « tous les catéchumènes n'apprennent que quelques sections par-ci et par-là et qu'il y a quantité d'articles sur lesquels ils n'apprennent rien », en fit un « abrégé », qui fut imprimé (1774) à Uzès ou à Avignon et largement diffusé. Deux ans auparavant, un autre catéchisme, probablement dû à Gal-Pomaret, mais approuvé dès 1771 par le Synode du Bas-Languedoc, avait été répandu, mais il s'agissait d'un ouvrage destiné, non aux enfants, mais aux adolescents et aux pères de famille. Le catéchisme de Jacob Vernes (1784) était considéré comme « socinien » par les pasteurs du Midi, notamment par P. Rabaut, et n'eut qu'un succès relatif. Marron l'employait cependant à Paris en 1786. Retenons pour la petite histoire que le *Précis du Catéchisme d'Ostervald* se vendait 6 sous pièce. Le débit a-t-il été important ? Sans doute, puisqu'en 1757, 5 928 exemplaires de l'*Abrégé de l'Histoire Sainte et du catéchisme d'Ostervald* furent brûlés en Guyenne.

A partir des années 1778-1780, les pasteurs peuvent publier assez librement leurs sermons, sans que nous sachions très bien si les éditions sont étrangères et introduites semi-clandestinement en France ou, au contraire, réellement imprimées sur le territoire national, à la faveur d'une permission tacite, surtout après que Court de Gebelin ait été, en 1775, nommé « censeur royal ». En plus de « mémoires » sur le problème général du protestantisme, nous trouvons quelques sermons d'apparat, des *Discours religieux* sans grande profondeur, divers auteurs étrangers — dont les sermons de l'archevêque anglican Blair — et même les *Sermons* de Saurin, le grand prédicateur du Refuge, qui pouvaient s'acheter en librairie à Montauban, dès 1773, chez M. Cazaméa.

Nous avons déjà noté l'absence de toute littérature théologique chez les bourgeois réformés. Songeons par ailleurs que Paul Rabaut n'a lu l'*Institution Chrétienne* qu'en 1755, qu'il l'a traitée d'« excellent ouvrage » et l'a citée dans un manifeste en faveur des Calas en 1762 ! Par ailleurs, on trouve, au hasard des bibliothèques, les catéchismes — surtout Ostervald, mais aussi Gal-Pomaret, J. Vernes —, divers ouvrages — *Le Chrétien par conviction et par sentiment* (Gal-Pomaret, Neuchâtel, 1778), *La Discipline* de Larroque (1760), *Les Discours Moraux* (1771) d'O. Desmond, *La Brièveté et les misères de la vie humaine*, sermon de Pierredon (en Languedoc, 1770) — et c'est à peu près tout. Très peu de Bibles, voire de Nouveaux Testaments.

La vie cultuelle générale est assez bien connue : l'essentiel en est le culte public, comme au XVIIᵉ siècle, assez long, car c'était la seule « instruction » pour la plupart des petites gens. La liturgie était lue par un « lecteur », le plus souvent maître d'école, et le pasteur prononçait un sermon qui pouvait atteindre et même dépasser une heure. Le psautier traditionnel resta en usage jusqu'en 1763, date à laquelle le Synode national accepta l'introduction de « cantiques » selon le mode helvétique. Mais cette innovation paraît avoir été peu goûtée de certains fidèles. Dans les assemblées en plein air, ou dans les « maisons d'oraison », les psaumes étaient chantés en chœur, et l'existence des « maîtres de musique » paraît prouver qu'on les apprenait tôt aux jeunes gens ; dans les cultes privés, ou lorsque la situation était tendue, ils étaient simplement lus par le pasteur. Il semble bien que les réformés, surtout ceux du Midi, tenaient à pouvoir chanter librement — et un des gros reproches qu'ils firent au chapelain Armand et à ses projets de culte privé est l'interdiction du choral. Les pasteurs étaient le plus souvent en civil, en « officier » disent les témoins du temps, et ce n'est qu'à la fin du siècle qu'ils se remirent à porter le rabat, mais non la robe. Les « chaires du Désert », démontables et transportables, dont subsistent quelques exemplaires, semblent avoir été une exclusivité méridionale.

Lorsque cela était possible — théoriquement quatre fois par an —, la communion terminait le culte. L'Eglise du Second Désert a conservé, pour l'admission à la Table, les traditions rigoristes du calvinisme. Nous savons enfin que la Cène a pu, à de nombreuses reprises, être distribuée dans des cultes privés. Le baptême était administré en privé, mais de plus en plus au cours des assemblées publiques. Quant aux mariages, beaucoup se firent à l'étranger (à Genève pour le Sud-Est, à Tournai pour le Nord) ou aux ambassades étrangères. Ailleurs, il se faisait le plus souvent par contrat notarié, suivi, lorsque cela était possible, de la bénédiction au Désert, assez souvent en groupes. Quant aux obsèques, il était de bonne doctrine que le pasteur n'y assistât pas.

Le problème de la « première communion » paraît avoir été résolu de façons très diverses selon les temps et les lieux. En 1760, à Nîmes et sans doute ailleurs aussi dans le Midi, elle clôturait l'instruction religieuse et donnait lieu à une cérémonie. Ailleurs, ce fut sans doute plus tard : à Montauban, ce n'est qu'en 1788 que les pasteurs prirent sur eux d'organiser l'instruction religieuse. Jeanbon-Saint-André fit désormais un « cours hebdomadaire » de religion qui fut très suivi, mais le premier témoignage d'une cérémonie publique d'admission à la Cène date seulement de 1791, où le futur Conventionnel reçut 48 catéchumènes de toute origine sociale, dont le plus jeune avait 14 ans et le plus âgé 21.

Nous sommes malgré tout mal renseignés sur la « culture » protestante. Il est admis par tous les historiens que les communautés réformées avaient toujours été plus « lettrées » que leurs voisines catholiques, que cette avance atteint 20 et même 40 % en Provence, et M. Vovelle pense que cette avance et cette croissance se sont poursuivies au XVIIIᵉ siècle.

Il y a bien entendu des trous : les Cévennes sûrement, l'Ouest sans doute. Dans le Montalbanais, en 1760, tous les « anciens » de l'Eglise du Fau, sauf un, sont illettrés. Les réformés refusent autant que possible « l'école du Roi et de l'Evêque » (R. Chartier et D. Julia) que, pour des raisons qui n'ont rien de religieuses, les administrateurs ne défendent guère. Et, écrit G. Frêche pour le Haut-Languedoc, « en maints endroits la nomination d'un maître d'école à la fin du XVII⁰ siècle n'avait été décidée qu'à cause de la présence d'une communauté protestante à laquelle on ne pouvait pas faire rompre trop vite l'habitude de l'instruction de la jeunesse ».

Instruction domestique, par des précepteurs suisses, études à l'étranger, en Suisse essentiellement, mais aussi en Angleterre et aux Pays-Bas, cela n'était possible que pour les grands bourgeois. Très tôt, et dans l'illégalité la plus parfaite, les communautés eurent des régents et des maîtres de musique à propos desquels nous sommes mal renseignés. Dans le Montalbanais, ils existent dès 1760, mais les colloques constatent et déplorent « la grande ignorance de la plupart des protestants de cet arrondissement ». Les « anciens » sont « invités à tenir la main à l'instruction de la jeunesse » (1757). Régents et maîtres de musique enseignent le catéchisme et le chant des psaumes. Ils paraissent avoir été nombreux, puisque la seule Eglise du Fau en comptait trois. On peut penser que, vu la faiblesse de leur salaire, ils avaient aussi des occupations complémentaires. Le recrutement social paraît assez étendu puisque nous trouvons un de Robert, gentilhomme verrier, parmi ces auxiliaires des Eglises.

L'Eglise catholique tenait fermement à ce que les protestants — ou non catholiques — fussent exclus de l'enseignement public, et y réussit. En 1780, Court de Gebelin rédigea un Mémoire établissant la nécessité pour les protestants d'avoir des maîtres d'école et des livres d'instruction. Ce fut un échec total, et Paul Rabaut affirmait que « la gêne y est très grande pour l'instruction, et l'éducation y est sur un très mauvais pied » (17 juin 1782).

Le monde protestant

Nous ne pouvons que résumer les indications données par Poland et D. Robert. Sur le plan géographique, la France protestante forme essentiellement un immense V autour du Sud du Massif Central, de Valence à Niort, interrompu d'ailleurs par de nombreuses et larges coupures — entre Agenais et Montalbanais, Montalbanais et Haut-Languedoc, Haut et Bas-Languedoc par exemple — et un semis de groupes isolés : noyaux urbains (Lyon, Marseille, Nantes, Paris) de reconstitution récente, groupes ruraux maintenus du Lubéron, du Trièves et Briançonnais, du Pays de Foix, d'Orthez et de l'Ossau, de la Gâtine vendéenne, du Sancerrois, de la Loire moyenne, de la Thiérache et de la Brie, de la Normandie. Les Eglises n'ont pu conserver ou reprendre la situation qui avait été la leur au xviiᵉ siècle. Des communautés ont totalement disparu en Lorraine, Champagne, Bourgogne, Lyonnais, Auvergne. Même dans les régions de « maintien », le déficit est souvent important — ainsi que G. Frêche l'a montré pour le groupe Revel-Puylaurens — et des communautés notables ont entièrement disparu. Mais il semble bien qu'après 1750 ce recul s'arrête : la croissance démographique des noyaux protestants paraît conforme à celle de l'ensemble du pays.

Tous les chiffres que nous connaissons sont sujets à caution, aussi bien les chiffres établis en 1760 par les réformés eux-mêmes à l'usage des Eglises du pays de Vaud, ceux qui furent calculés en 1782 (?) par Court de Gebelin et qui témoignent d'un accroissement, enfin les données « consulaires » et impériales, les plus sûres parce que réalisées par la double voie administrative (préfets) et religieuse (pasteurs et consistoires). Le chiffre de 1760 serait de 593 000 (sans compter l'Alsace), celui de 1789 de 650 000 (croît naturel et reconstitutions tardives), mais D. Robert croît ces chiffres trop élevés et se borne à un demi-million environ — ce qui coïnciderait avec les évaluations post-révolutionnaires.

Zones de force — en nous basant sur les circonscriptions synodales : le Bas-Languedoc (plus de 100 000), les Hautes et Basses-Cévennes (65 à 70 000), le Dauphiné (chiffres variant entre 50 et 100 000), le Vivarais-Velay (entre 45 et 50 000). Zones notables : le Haut-Languedoc (20 000), Foix (7 à 8 000), le Béarn (de 5 à 15 000), le Montalbanais (autour de 10 000), l'Agenais (chiffres très contradictoires, entre 14 et 40 000), le Périgord (entre 15 et 30 000), le Bordelais (quelque 5 000), l'Angoumois (3 ou 4 000), la Saintonge (15 000), l'Aunis et Iles (10 000), le Poitou (entre 18 et 36 000), la Basse-Normandie (4 à 5 000), la Haute-Normandie (entre 4 et 10 000), la Provence (entre 6 et 10 000), le Rouergue (entre 5 et 8 000). Sont comptabilisés les groupes de Nantes (3 à 4 000), Blésois, Berry (environ 1 000 chacun), Orléanais (de 2 à 6 000), Picardie-Flandre (11 000), plus de 1 000 à 1 500 Champenois, 2 ou 3 000 Lorrains, autant de Lyonnais. Quant au protestantisme parisien, il est difficile à évaluer : la statistique de 1760 parle de 60 000 protestants pour Paris et l'Ile-de-France, mais en 1802 il ne s'en trouvera — sans dénombrement sérieux, il est vrai, pour Paris-ville — que 20 à 25 000 pour la capitale et quelque 3 000 pour le reste de la province.

La Champagne est limitée au millier de protestants sedanais, la Lorraine au groupe de Courcelles-Metz et à quelques localités frontières de l'Alsace. Enfin, il existait un groupe protestant dans le pays de Gex, autour de Ferney, non synodalisé ; en son sein, beaucoup de Génevois émigrés après les troubles du milieu du siècle. Il y avait à Besançon un petit groupe d'horlogers suisses, vaudois et neuchâtelois, non inquiétés par les très catholiques pouvoirs franc-comtois, mais dépourvus de statut religieux précis.

S'il est difficile de « cerner » statistiquement les réformés français, il est évidemment difficile de donner une réponse d'ordre quantitatif à une histoire sociale. Quelques évidences pourtant.

Tout d'abord, l'immense majorité des réformés — comme d'ailleurs des Français — étaient des ruraux. « Porter à 20 %, écrit D. Robert, le nombre des réformés habitant la ville est certainement une estimation large (et encore une forte partie de ces 20 % habitaient-ils de toutes petites villes, telles les villes des Cévennes). » Les groupes numériquement importants étaient Paris (25 000 ?) et Nîmes (14 000 en 1802). Les seules villes ayant au moins un pasteur à demeure étaient Marseille, Montpellier, Montauban, Bordeaux, La Rochelle, Nantes, Rouen, Lyon, Le Havre (1786), Toulouse (1787). Paris n'eut le sien qu'en 1789. Le « classement » des Eglises d'après leurs facultés « distributives » effectué en 1788 range Nîmes « hors classe », Lyon, Marseille, Bordeaux, La Rochelle et Montpellier en 1ʳᵉ classe, Montauban, Castres, Nantes, Rouen, Caen et Sedan en 2ᵉ, Uzès, Alès, Sète, Anduze, Saint-Hippolyte, Orléans et Ganges en 3ᵉ, mais, avec cette troisième classe, nous touchons de très petites villes, alors fortement industrialisées, il est vrai.

Deuxième point : la répartition socio-professionnelle, sauf dans les régions à unanimité ou large majorité réformée, est en général anormale. Peu de noblesse — encore que la petite noblesse d'épée se soit assez souvent maintenue, surtout en Languedoc et dans le comté de Foix —, pas d'offices — sauf, par endroits, quelques juges locaux, notaires de villages, voire urbains à la fin du siècle, huissiers, procureurs, consuls et agents des communes, châtelains seigneuriaux ou royaux —, peu de professions libérales — encore que l'on puisse trouver quelques avocats et médecins protestants, malgré les barrages élevés pour ces derniers par les Facultés, et notamment celle de Montpellier. Ces barrages — le fait est bien connu — furent une des composantes qui, dès avant 1685, conduisirent les réformés vers des vocations industrielles et commerciales.

Nous ne referons pas — nous ne discuterons pas non plus — Weber et ses commentateurs, pas plus que nous ne résumerons

M. Lüthy. Le négociant ou le banquier huguenot — français n'ayant jamais cessé d'être régnicole, ou fugitif revenu après avoir acquis la nationalité suisse ou hollandaise — est une figure bien connue des historiens de la société des Lumières.

Reprenons ces éléments. La haute noblesse a émigré ou s'est convertie et il n'est plus question, au XVIII° siècle, de grande famille noble restée, sur le sol français, fidèle à la Réforme. Les nobles les plus illustres seraient les Digoine de Jaucourt, notable maison bourguignonne qui a donné un élu aux Etats de la province, le chevalier Louis, collaborateur de l'*Encyclopédie*, et son neveu François, député, président du Tribunat, sénateur, pair de France et ministre de Louis XVIII, une des gloires du protestantisme parisien à la Restauration ; une branche cadette des Ségur, les Ségur-Bouzely ; les Frotté en Normandie ; les Preissac à Montauban.

La noblesse provinciale s'est divisée. M. Richard en cite plusieurs exemples : les Armand de Châteauvieux, originaires du Gapençais, dont une branche se réfugia à Genève et s'assimila à la bourgeoisie suisse, une autre se convertit et fournit même des ecclésiastiques, enfin une troisième, restée au pays, ne fit que les actes de catholicité nécessaires à une vie paisible. Tout comme le pittoresque Baschi, marquis d'Aubais, dont E.-G. Léonard nous a relaté l'histoire. Quant aux Gignoux, anoblis au début du XVII° siècle, ils émigrèrent, mais eurent le soin de laisser sur place, pendant trois générations, un cadet chargé de gérer leurs biens.

D'autres, surtout ceux des Cévennes, du Haut-Languedoc castrais et du Comté de Foix, étaient considérés par les pouvoirs publics comme un danger permanent, et ils étaient l'objet d'une assez stricte surveillance. S. Mours cite 91 nobles condamnés aux galères. Le plus célèbre est le baron de Salgas qui écrivit ses mémoires. Mais il faudrait citer aussi les « trois gentilshommes poitevins », le gentilhomme verrier fuxéen Isaac de Grenier et ses deux fils arrêtés en 1746. Géographiquement, 54 appartiennent au Haut-Languedoc (dont 43 pour le seul pays de Foix — sur lesquels, il est vrai, 36 étaient « contumax »), trois à l'Ile-de-France, quatre à la Normandie, quatre à l'Anjou-Orléanais, dix au Poitou, deux à la Saintonge, six au Bas-Languedoc, sept aux Cévennes. Il convient de rappeler les gentilshommes verriers du pays de Foix, « nos cadets de Gascogne » écrit E.-G. Léonard, dont Mᵐᵉ A. Wemyss a tracé un portrait haut en couleurs. Ce sont eux qui fournirent les dernières victimes de la répression : les trois frères de Grenier, arrêtés à Caussade et décapités à Toulouse en 1761 avec leur ami, le pasteur Rochette.

Le maintien d'une noblesse réformée n'en est pas moins incontestable. Faut-il généraliser les conclusions chiffrées que nous avions données pour le Montalbanais ? Tandis que les descendants des vieilles familles nobles qui avaient fait la force du « parti » sous Henri IV et même sous Louis XIII étaient devenus de fervents catholiques — taxés d'« aristocrates » sous la Révolution —, qu'un autre groupe, anobli par offices avant la Révocation, s'était assimilé à la bourgeoisie d'affaires, subsistaient une quinzaine de familles, dont une bonne moitié venait des provinces voisines et qui pratiquaient une endogamie assez stricte. Ce sont pour la plupart d'anciens officiers, parfois décorés de la Croix de Saint-Louis, parfois arrivés, tel M. de Bellecombe, ancien gouverneur de Saint-Domingue, à un grade assez élevé dans une armée ou une marine qui, chacun le sait, n'était pas, au XVIIIe siècle, un « foudre de religion » et qui se contentait des apparences.

Tout a été dit sur les bourgeoisies réformées, de celles de Paris si bien décrites par Lüthy à celles des petites bourgades textiles péricévenoles. En fait, la Révocation a brisé en deux ces bourgeoisies : celle du Midi (Cévennes, Dauphiné, Languedoc) s'est trouvée au milieu de communautés frappées par des répressions périodiques et parfois violentes ; elle ne pouvait pas, peu ou prou, ne pas en subir les conséquences, malgré la volonté légaliste de cette classe et l'intention bien arrêtée des administrateurs de ne pas ruiner les populations par la fuite et l'exil des « donneurs de travail » ainsi que par l'exportation de leurs capitaux. En France du Nord, au contraire, sauf en Normandie, l'Eglise en tant que communauté organisée n'existe guère ou ne se manifeste pas, les bourgeoisies restent isolées dans un milieu hostile ou indifférent, et l'exercice de la religion se replie dans la vie privée ou dans la vie de société. C'est la condition rêvée pour créer, non des Eglises, mais des « comités » qui ne se manifestent guère, mais sont assez forts socialement pour obtenir des pouvoirs publics la non-application des lois répressives. Des groupes comme ceux de Bordeaux et La Rochelle — dont les membres vivent davantage le protestantisme de « comité », mais sont synodalisés — fournissent des cas intermédiaires. Les progrès du libéralisme après 1760 amènent lentement l'insertion des Eglises « de Comité » dans la trame générale et, par voie de conséquence, l'« embourgeoisement » de ces Eglises, déjà réalisé dans le Midi, moins évident dans le Nord.

Groupes de grands bourgeois isolés mais protégés par leur fortune et leur utilité : c'est la situation des van Robais à Abbeville, des industriels de Saint-Quentin, les Crommelin, Cottet, Fromaget, Joly de Bammeville, qui peuvent acheter une charge anoblissante de secrétaire du roi et qui n'accepteront de rejoindre l'Eglise réformée qu'en 1828, lorsqu'ils auront un pasteur « à eux ». Même situation des dynasties drapières de Sedan (Poupart, Larrivée, Lebauche, Bechet), restées en place, dotées de privilèges royaux et protégées par le Parlement de Metz. Dans les ports normands, Rouen, Caen, Le Havre, Dieppe, auxquels on peut ajouter Nantes, les Eglises comprennent des négociants et gens de mer autochtones (les Massieu et les Houel à Caen, les Feray au Havre), mais aussi d'assez nombreux protestants étrangers, surtout anglo-saxons, secondairement scandinaves, suisses et allemands, qui ont leurs consulats, ce qui rend la répression impossible. Le Havre eut même quelque temps un pasteur luthérien à demeure.

La bourgeoisie réformée rochelaise, enrichie par le commerce antillais et canadien, tout autant que par la traite des noirs, domine économiquement la cité au XVIIIᵉ siècle, mais son influence diminue après 1760 avec le recul relatif du port, dû à la fois à l'ensablement et à la perte du Canada. La communauté bordelaise, formée d'autochtones, mais aussi de gens venus des zones protestantes du Midi et de pas mal d'étrangers — il y eut même une Eglise luthérienne à partir de 1786 —, est divisée en deux. L'Eglise « des Chartrons » est bourgeoise, celle de la « rue du Muguet », qui date du XVIᵉ siècle, plus populaire. Là aussi, on trouve de grands noms : les Rabaud, Balguerie-Guestier, Nayrac, Bonnafé, auxquels s'ajoutent quelques aristocrates, tels Isaac de Bacalan et André Laffon de Ladebat. Cette communauté est, plus que d'autres, en relations étroites avec le protestantisme européen, la Hollande et la Suisse romande. C'est la seule où l'influence des Frères moraves fut sensible dès 1750, parmi les femmes des grands négociants. Ce qui est comme un avant-goût de la conjoncture « revivaliste » parisienne des années 1830. « Cette communauté de riches négociants, écrit L. Desgraves, écartés de certaines charges par le statut de leur religion, sait très bien exprimer le sentiment de sa force et de sa valeur ». Elle s'organise, et crée des activités équivalentes à celles de la haute société catholique à laquelle elle se mêle d'ailleurs souvent et, en tout cas, de plus en plus à la fin du siècle. « La société protestante de Bordeaux a conscience d'être l'élément dynamique du commerce bordelais. »

Numériquement moins important, le groupe marseillais, formé de Suisses — surtout de Génevois —, de quelques Hollandais, de Languedociens et de Dauphinois, « connaît une paix religieuse à peu près complète, malgré quelques velléités de l'administration locale » (Ch. Carrière). Les Baux, Chapelié, Dolier, Fraissinet, Hugues, Taiteron ne sont pas marseillais d'origine ; ils font les signes extérieurs de catholicité, restent à l'écart lorsque l'Eglise se reconstitue vers 1760 et ne s'affirment qu'au moment de l'Edit de Tolérance. Quelques-uns réussissent à se faire anoblir. Ch. Carrière note 393 familles de négociants (184 français et 209 étrangers), pratiquant une assez stricte endogamie. Il insiste sur le fait que les liaisons entre Français et réfugiés, et notamment les liens de famille, sont nombreux, que les enfants font fort aisément leurs études à Genève. Ce groupe représente numériquement le dixième du commerce marseillais, mais est, proportionnellement, bien plus important. Le poids absolu du groupe n'a cessé de croître jusqu'en 1790 — et même 1793 avec le retour de colons des « Isles » (dont un Couve de Murville en 1790).

Moins notable est l'Eglise isolée de Lyon où dominent les Suisses (Delessert) avec quelques Languedociens (Lavabre, Couderc).

Quant aux Parisiens — habitués de l'Hôtel de Hollande — ce sont essentiellement des familles de nationalité suisse — minoritairement hollandaise —, mais de proche origine française : Tourton était vivarois d'Annonay, les Chabert de Castres, les Thelusson lyonnais, les Mallet rouennais, les Tronchin champenois, les Pourtalès cévenols. « La France calviniste repliée hors de France et qui avait aussi en quelque sorte sa capitale extra-territoriale, Genève, restait attachée par de multiples liens à son ancienne patrie, de sorte que le Refuge n'était souvent que le prélude d'une rentrée en France, dans la même génération ou dans l'une des suivantes, sous le couvert d'une nationalité étrangère nouvellement acquise. » Ce n'est pas exclusif : Baur et Necker, pour ne citer que les plus célèbres, n'étaient pas descendants de réfugiés. Les Rillet appartenaient à l'aristocratie génevoise antérieure à la Réforme. Ce qui frappe, c'est que cette invasion est à peu près exclusivement parisienne, ensuite qu'elle commence très tôt, dès les premières années du XVIIIe siècle, avant même la mort du Grand Roi, et relaie les convertis « de bouche » dont le plus célèbre est évidemment Samuel Bernard. Il n'est pas de notre propos de suivre l'histoire de la banque protestante en France au XVIIIe siècle, ses filiations « en pointillé », mais aussi ses reculs, les « types fort opposés de comportement devant le succès matériel et les séductions du monde, ou, si l'on veut, des variétés diverses de corruption par ce « monde » non puritain qui, tant de fois, conquiert ses conquérants. Des banquiers deviennent seigneurs, c'est-à-dire, au lieu d'accumuler sans fin par le labeur et l'austérité, se mettent à jouir : double échec infligé à « l'éthique protestante » et à l'« esprit du capitalisme » et qui ébranle à plusieurs reprises cette dynastie bancaire comme tant d'autres ». La famille Tourton (1724), du fils aîné du Dr Tronchin en sont de bons exemples. Plus net — plus paradoxal aussi — est le cas du banquier Baur, luthérien d'origine, marié dans la famille Jaume, nettement catholique, mais dont l'associé Tourton s'arrangea, après sa mort (1770), pour éliminer la belle-famille de l'entreprise, qui resta entre les mains de la branche annonéenne, « de ces protestants de l'« Eglise du Désert » dont l'intransigeance n'est pas encore entamée par les Lumières et les mondanités de la capitale ».

Par ailleurs, se mêlent à eux d'anciens protestants, qui ont traversé, non sans heurts, la période des persécutions ; les plus connus sont sans doute les Girardot, marchands de bois, propriétaires du fameux chantier-cimetière du Port-au-Plâtre où furent enterrés les huguenots parisiens, familialement alliés aux Poupart de Sedan et aux Fromaget de Saint-Quentin. Mais on peut ajouter les Tassin d'Orléans et les Cottin de Saint-Quentin, ces derniers liés aux Pays-Bas et à l'Angleterre. « Refuge intérieur » que fut le Paris du XVIII° siècle, avec son anonymat pour beaucoup de réformés des provinces du Centre et du Nord. A la fin du siècle arrivent des familles méridionales. Le Nîmois Vincens, négociant, un des rares membres du « Comité » parisien relativement favorables à Court de Gebelin, le banquier montalbanais Doumerc, qui joua, avant 1789, un certain rôle au Grand Orient de France et qui gardait des liens très étroits avec sa cité d'origine.

Bien connu est le fait que ces bourgeoisies du Nord — aussi bien que Genève — manifestaient le plus profond mépris pour le culte du Désert et pour l'obtention du culte public. « Aucun Rothschild protestant ne fut mêlé à cette œuvre » écrit H. Lüthy. A la limite, on peut se demander ce qu'était leur protestantisme familial et de « société ». « Dans trop de cas, écrit le même auteur, leur protestantisme n'était plus guère qu'une très confortable non-appartenance au catholicisme, un souvenir de traditions familiales, et peut-être, à travers toutes les transformations par l'esprit du siècle, certains traits de mentalité ancestrale transmis par le milieu d'origine. » Peut-être ce jugement est-il trop sévère...

Le brillant de ces bourgeoisies, le rôle de la banque parisienne et des gros négociants portuaires sont un des volets — le plus connu parce que le plus accessible ! — du monde protestant français au siècle des Lumières. Que savons-nous des autres ? C'est-à-dire des petites bourgeoisies urbaines et villageoises et surtout de l'immense masse paysanne ou des « occupés d'industrie » — n'oublions pas les « cardeurs huguenots » de Le Roy Ladurie qui ont, sinon introduit, du moins consolidé la Réforme en Languedoc et l'ont, peu ou prou, imposée à une masse paysanne réticente sinon hostile ?

Au sommet de ces sociétés, une bourgeoisie qui a certains traits de la bourgeoisie du Nord, mais qui, par suite d'un environnement différent — l'existence d'un « peuple » protestant — en est foncière-ment différente. Certes, elle reste profondément légaliste et ce n'est que dans les périodes de détente à peu près totale que l'on peut compter sur elle pour la reconstitution des Eglises du Désert. Par ailleurs, elle se soumet, parfois d'assez mauvais gré, aux actes légaux de catholicité, mais les mariages sont célébrés devant des curés parti-culièrement accommodants et les parrains et marraines sont des domes-tiques. Bourgeois de Nîmes, de Montpellier, de Castres ou de Mazamet font le désespoir des pasteurs qui ne rencontrent pas en eux les soutiens espérés ; ils suivent occasionnellement leurs prédications publiques, mais préfèrent les « cultes de société ». Ajoutons qu'ils n'ont pas perdu tout contact avec le Refuge, qu'il leur arrive d'émigrer si la situation leur paraît dangereuse et qu'ils apportent un sang nouveau et souvent plus authentiquement protestant, soit au groupe parisien, soit au Refuge helvétique. La seconde génération des Français de Genève — ceux qui revendiqueront en vain les droits civiques pendant le XVIIIe siècle, puis qui, revenus en France, entoureront Mirabeau à la veille et aux débuts de la Révolution — est issue, en grande partie, de la petite et moyenne bourgeoisie méridionale.

Prenons l'exemple de Montauban. Comment les réformés de cette ville se voyaient-ils ? « On peut, écrit le Consistoire en 1772, sans tomber dans l'exagération compter 6 000 protes-tants qui sont à peu près le tiers de la population actuelle : ceux qui restent dans la ville font tout le commerce du pays, les uns possèdent et dirigent des manufactures de draperie qui se répandent dans toute l'Europe, les autres achètent les étoffes des petites fabriques de Montauban et du Haut-Languedoc auxquelles il faut donner un nouvel apprêt et en font un commerce très considérable dans tout le royaume et chez l'étranger : de toutes les fabriques considérables, il n'y a que celles des Srs. Godoffre et Revellat qui appartiennent à des catholiques, et encore ce dernier a-t-il pour associés des protestants ». S'ajoutent 32 fabriques de farine, des soieries, des banques d'escompte. D'autres protestants sont de simples « propriétaires », « on les nomme communément bourgeois », ils vivent des revenus de leur terre. Mais ils manquent de capitaux car « les commerçants méprisent l'agri-culture et possèdent un domaine champêtre pour répondre de la dot de leur femme ou pour aller quelquefois se délasser de leurs travaux. Les anciennes persécutions ont mis les négo-ciants protestants dans l'habitude d'avoir tout leur bien dans leur portefeuille ou dans le commerce ». De nombreux paysans, fidèles du « Désert » depuis trente ans, étant « dans l'usage... de se marier et de faire baptiser leurs enfants par les ministres protestants ».

Petites villes de l'Ouest : un milieu protestant fort cultivé grâce aux contacts rochelais avec qui demeurent des liens synodaux. Des médecins, négociants, notaires, gros propriétaires, fermiers de rentes seigneuriales, dont le plus célèbre est le Dr Gallot, député du Tiers aux Etats Généraux où il défendit la cause réformée. En Saintonge, l'Eglise est entre les mains des notables, des « citoyens les plus recommandables par leurs lumières, leur zèle et le rôle qu'ils tiennent dans la société civile », dès 1760. Ici, les relations entre notables et pasteurs sont étroites et les Eglises réclament sans cesse de nouveaux « sujets ».

Ce milieu de bourgeoisie provinciale, insérée dans un monde protestant, affirme, malgré ses faiblesses, beaucoup plus nettement ses convictions que la haute bourgeoisie de Paris. Au fur et à mesure que nous progressons dans le siècle, le corps pastoral devient, lui aussi, bourgeois. Pas de grands bourgeois d'affaires, mais des fils de petits entrepreneurs du textile (Jeanbon-Saint-André, les Rabaut), de « bourgeois » (Alba-Lasource, Gaches), marchands-teinturiers (Bonifas-Laroque), de propriétaires de fortunes estimables qui leur permettaient éventuellement de vivre de leurs revenus (Olivier Desmont, B.-S. Frossard, J.-F. Pradel). M. Sonenscher, dans un article récent, a insisté sur l'ascension sociale rapide des Rabaut, des Court et d'Olivier Desmont et leurs alliances familiales avec le « capitalisme » marseillais (Solier), nîmois (Pellet), voire parisien (Boissière et Daure). « Négoce protestant et élite de l'Eglise réformée se confondaient donc et se sont intégrés dans la classe dirigeante de la France de la fin du XVIIIe siècle ». Ce sont les plus influents, mais ils restent minoritaires.

Plus que la bourgeoisie, c'est la « boutique » et surtout le « métier » qui forme l'âme des Eglises urbaines, ou même rurales. Les statistiques de Mours notent que sur 1 541 galériens, nous trouvons 695 artisans — dont 490 des diverses branches du textile, 48 artisans des cuirs, 93 du bois et de la pierre, artisans ruraux, il est vrai, pour la plupart. Leur distribution géographique est essentiellement languedocienne et vivaroise (de Montauban à Annonay), car, dans l'Ouest, les Eglises apparaissent à plus nette dominante rurale.

Que savons-nous des paysans ? Leur âpre fidélité est incontestable et, partout, ce sont les milieux ruraux, protégés par leur obscurité même, par leur stagnation économique aussi sans doute, qui ont reconstitué les Eglises. Bien que très largement majoritaires dans la population réformée, ils paraissent avoir moins souffert de la répression que les « occupés d'industrie ». Mours note 267 laboureurs, auxquels s'ajoutent 35 « travailleurs de terre et journaliers », 15 vignerons — ce chiffre très bas surprend un peu, surtout si l'on songe que 12 proviennent de l'Ile-de-France —, 14 jardiniers, 9 bergers (dont 5 pour le Bas-Languedoc et 3 pour les Cévennes). Leur répartition géographique est relativement homogène entre toutes les provinces. Mais la faiblesse relative de leur chiffre prouve bien ce que nous savons par ailleurs : l'insuffisant quadrillage — sauf cas exceptionnel — de l'ancienne France monarchique par les « forces de l'ordre », surtout en pays d'habitat dispersé comme le Poitou ou les Cévennes.

Ce monde rural a des faciès différents selon chaque province. A Lourmarin (Vaucluse) comme au Mas d'Azil, ce sont souvent les plus riches propriétaires qui sont protestants. Dans la banlieue montalbanaise (Le Fau, Albefeuille, Lagarde, Saint-Martial, Bio) existe une aristocratie paysanne, un groupe de « laboureurs » entre lesquels se sont multipliés les liens de famille et dont le niveau de fortune est important. Dans le Gard, à Aubais, et probablement ailleurs aussi, il était admis que « la proportion de gens aisés était, semble-t-il, plus forte parmi eux que parmi leurs compatriotes catholiques » et la plupart des terres leur appartiennent. Par contre, dans l'Ouest, Charente et surtout Poitou, ils étaient en général fort pauvres. Il en était, semble-t-il, de même en Vivarais, dans le Velay. Ici et là, on parle d'Eglises « sans notables » et c'est le cas bien connu de l'actuel département des Deux-Sèvres où les Eglises réformées, largement majoritaires dans la région de Melle, ne comprenaient que de très petits propriétaires et des métayers, parce que, semble-t-il, la noblesse locale, jadis importante, avait émigré ou s'était convertie — nous sommes au pays de Mme de Maintenon ! — et que l'économie industrielle et commerciale ne s'était pas développée. « Humble matériau humain d'une Résistance », écrit à leur sujet E.-G. Léonard.

Les Eglises devant la Révolution française, 1789-1800

C'est une période finalement assez mal connue et dont, jusqu'à ces dernières années, les historiens français parlaient peu. Dans quelles conditions, alors que les Eglises réformées achevaient une lente, quoique difficile reconstruction, se sont-elles à nouveau effondrées sous les coups d'une Terreur et d'une déchristianisation qui, au fond, n'étaient pas formellement dirigées contre elles ?

La détente entre Eglises et Etat monarchique, qui avait abouti à l'édit de 1787 généralement accepté par l'opinion, explique que le problème protestant n'ait pas été un des soucis majeurs des rédacteurs de Cahiers de doléances. Au niveau « paysan », on est silencieux, par exemple en Forez et en Bourgogne où n'existent pas de réformés, rarement hostile (Livré en Bretagne, Champs en Auvergne, Rhodes en Lorraine), et ce n'est guère qu'en Languedoc que l'on réclame un élargissement. D'après Mazoyer, 1 % des Cahiers seulement mentionnent la question. Dans les milieux où on a rédigé des Cahiers plus élaborés — dans les villes et les bourgs —, c'est le silence la plupart du temps, l'approbation (Chalon-sur-Saône), ou quelques réserves (Carcassonne).

Sur 438 Cahiers de bailliage ou de sénéchaussée, 152 (35 %) traitent de la question, dont 85 du Clergé, 32 de la Noblesse, 35 du Tiers. Dans son ensemble, le Clergé est réservé : 64 de ses Cahiers refusent de reconnaître les droits des non-catholiques, 29 acceptent l'édit de 1787, mais avec les restrictions proposées par les Remontrances de l'Assemblée de 1788, neuf réclament la répression contre les Assemblées religieuses, trois (Metz, Le Puy, Bordeaux) le retrait de l'édit. La Noblesse, là aussi, se montre libérale ; 14 Cahiers approuvent l'édit, dix réclament son élargissement, deux l'entière liberté de conscience, cinq l'accession des protestants à l'Ordre de Saint-Louis. Quant au Tiers, il approuve, au moins passivement, sauf en Franche-Comté, mais seulement trois Cahiers réclament une loi générale sur la liberté de conscience, onze la restitution des biens des religionnaires fugitifs, six le retour à l'Edit de Nantes. L'émancipation totale des protestants devait donc, à peu près nécessairement, se heurter à l'opposition d'une bonne partie du Clergé et au désir de la grande masse des Français de voir le catholicisme rester religion d'Etat.

En fait, dès la campagne électorale pour les Etats Généraux, les protestants, paysans et bourgeois, considéraient l'égalité politique comme un fait acquis. Ils participèrent en nombre aux diverses assemblées, furent parfois élus commissaires ou rédacteurs des Cahiers (Caen, Montauban, Poitou, Languedoc). Plusieurs d'entre eux — Rabaut-Saint-Etienne, le Dr Gallot, P. Nairac, Barnave, Boissy d'Anglas, Chambon-Latour, Voulland — furent élus députés. Pendant la crise de juillet-août, ils se mirent souvent en évidence dans les divers

Comités patriotiques ou milices bourgeoises qui assurèrent, tant bien que mal, ravitaillement et ordre public pendant ces mois troubles.

Sur le plan institutionnel, il n'y eut jamais, à vrai dire, de débat de fond. Le problème de la liberté religieuse — liberté de conscience et de culte — fut abordé par le biais de la Déclaration des Droits de l'Homme lors du vote (22 août 1789), après un long débat, de l'article X, mal rédigé et qui témoigne des hésitations de l'Assemblée : « Nul ne doit être inquiété pour ses opinions, même religieuses, pourvu que leur manifestation ne trouble pas l'ordre public. » Le texte constitutionnel du 3 septembre 1791 garantit « comme droit naturel et civil » la liberté « d'exercer le culte religieux auquel il [le citoyen] est attaché ». Le 24 décembre 1789, la Constituante — débattant des qualités requises pour être citoyen actif au moment de l'élaboration de la loi municipale — accepta que les non-catholiques fussent admis à tous les emplois civils et militaires. Et la définition du citoyen actif, de l'électeur, de l'éligible, ne porte aucune mention confessionnelle.

Par ailleurs, quelques mesures de réparation furent prises en faveur des « quatre seigneuries » du pays de Montbéliard et des luthériens alsaciens, on restitua aux ayant-droit des biens confisqués aux religionnaires fugitifs, tandis que la « loi Barère » reprise dans l'article II du titre II de la Constitution rendait la citoyenneté française aux descendants « d'expatriés pour cause de religion » qui « viennent demeurer en France et prêtent le serment civique ». Personne n'a songé au rétablissement de l'Edit de Nantes, dont certaines clauses archaïques et notamment les interdictions locales ou provinciales de culte eussent été une gêne pour tout le monde.

Obtenir l'égalité des droits et la liberté du culte était, au fond, tout ce qui pouvait unir les protestants. Ceci acquis — et définitivement, car aucun régime ne l'a plus jamais remis en cause, ni la Restauration, ni Vichy — il était fatal que les réformés se dispersent politiquement selon leurs aspirations, de la Vendée ou de l'émigration à un « sans-culottisme » plus ou moins affirmé. Mais, dans l'ensemble, les réformés furent favorables à la « Révolution bourgeoise » qui les rétablissait dans des droits dont ils étaient privés depuis le XVIIe siècle. Et la légende du « complot protestant » comme élément explicatif de la Révolution, développée par divers prélats émigrés (dont Mgr de Royère, évêque de Castres), des journaux comme l'Ami du Roi de Montjoie, puis des auteurs comme Jourdat (1787), Joseph de Maistre (1798) (et plus tard E. Renauld, 1899, ou Pouget de Saint-André, 1929), ne pouvait que conforter les réformés dans leur sympathie à l'égard des « immortels principes ». Cette option majoritaire a duré jusqu'à nos jours.

La Constituante ne songea jamais à organiser le culte réformé, mais autorisa tacitement les Eglises à s'organiser à leur gré. Le système synodal parut même, dans certaines régions, prendre un caractère quasi officiel. En mai 1790, les députés du Bas-Languedoc prêtèrent le serment « d'être fidèles à la Nation, à la Loi, au Roi et à la Constitution décrétée par l'Assemblée Nationale et sanctionnée par le Roi ». On notera que c'est la même forme de serment qui entraîna, dans l'Eglise catholique, le schisme constitutionnel. Quant au Synode du Périgord de la même année 1791, il envoya des députés au District, l'informant de sa tenue et l'assurant de sa fidélité à la « Nation ».

La liberté de culte promise par la Déclaration, la désaffectation d'églises et de chapelles à la suite de la Constitution civile du Clergé, permirent aux réformés, entre 1789 et 1793, de se mettre, ici et là, dans leurs « meubles » en créant une « société » ou une « compagnie ». On loua à Paris, Caen, Dieppe. On acheta à La Rochelle, Montauban, Bergerac, Alès, Nîmes, Uzès, Tonneins. Il ne semble pas qu'on ait vraiment construit. Dans beaucoup d'endroits, et notamment en Saintonge, les « maisons d'oraison » d'Ancien Régime parurent suffisantes aux fidèles. L'événement qui fit impression fut, le 22 mai 1791, la prise de possession, par le pasteur Marron et la Communauté parisienne, de l'église Saint-Louis du Louvre, en présence de nombreux fidèles, mais aussi de curieux et de « philosophes » désireux de manifester leur sympathie à cet acte de tolérance civile, le premier culte public célébré à Paris depuis le XVIᵉ siècle.

Jusqu'à la Terreur, les Eglises, jouissant de la protection d'un pouvoir libéral à leur égard, vécurent dans une tranquillité à peine troublée par les événements du printemps 1790 dans le Midi, et notamment à Montauban (10 mai) et à Nîmes (15 juin). Ces troubles qui, à notre sens, tiennent davantage à une opposition de classes entre une bourgeoisie patriote protestante et un « peuple » catholique aristocrate, ont été l'objet d'une abondante littérature. En fait, il s'agit bien d'un mouvement contre-révolutionnaire qui emploie cette opposition de classes que la crise économique a poussée à son point culminant. Un certain nombre d'ecclésiastiques, très probablement même une minorité, essentiellement urbaine, plus ou moins en liaison avec la Cour de Turin, ont jeté le poids de leur autorité dans la balance et transformé cette lutte sociale en guerre de religion. Mais, même dans le Midi, avec la bonne récolte de 1790, tout rentra rapidement dans l'ordre.

XV. LES CEVENNES

L'appui du relief : un pays fait pour la guérilla

to Jean-Richard Ducros

Coll. Joutard

XVI. LA TOUR DE CONSTANCE A AIGUES-MORTES

C'est un « haut lieu » pour les protestants français. Abraham Mazel réussit à s'en échapper a
dix-sept compagnons. Plus tard, Marie Durand y passa 38 ans. Les visiteurs peuvent encore y
la belle inscription dûe à l'une des nombreuses prisonnières : « Pour la foi, Résister »

Photo Jean-Richard Ducros   *Coll. Jou*

La dispersion politique a-t-elle commencé à ce moment-là ?
A Montauban — mais cela paraît être une exception —, quelques
nobles réformés sont considérés comme « aristocrates ». En tout état
de cause, « à la fin de 1791, les réformés de France apparaissent...
comme aussi divisés entre eux que les autres Français » ; il n'y a pas
eu de « groupe protestant » aux Assemblées révolutionnaires et, à chaque
vote important, la quinzaine de députés pouvant de près ou de loin
se réclamer de la Réforme se divisèrent ; en province, beaucoup de
protestants occupèrent des charges municipales ou administratives, ce
qui leur ouvrit la porte à la députation, d'autres furent juges de paix,
et ils optèrent dans des sens différents, ce qui créa souvent dans
les Eglises, après Thermidor, des hostilités difficilement surmontables.

Il y eut un protestantisme contre-révolutionnaire, dans l'émigration et même en Vendée, mais les recherches précises de
M. le pasteur Romane-Musculus montrent qu'il fut faible, encore
que le « gouvernement » des territoires révoltés ait cru devoir pratiquer
une politique libérale à l'égard des « non-catholiques ». Quelques-uns
— Laffont de Ladebat, législateur bordelais, entre autres — furent
« feuillants », mais la majorité de « ce qui comptait », c'est-à-dire la
bourgeoisie, la seule que nous connaissions bien, se trouva inégalement
divisée entre Gironde et Montagne et, « comme toujours, il est bien
difficile de dire ce que pouvaient penser les populations rurales,
c'est-à-dire 80 % de la communauté réformée » (D. Robert). Girondine
à Caen (sans passion), à Bordeaux, à Marseille et surtout à Nîmes, la
bourgeoisie réformée passe à la Montagne à Montauban, à Sainte-Foy,
dans le Bocage normand, peut-être grâce à une vision plus claire des
nécessités révolutionnaires ou par suite de l'action de personnalités
puissantes (Jay ou Jeanbon-Saint-André). Mais l'évolution rapide des
événements devait amener le heurt des Eglises nouvellement reconstituées à la déchristianisation.

Jusqu'à l'été de 1793, les Eglises s'étaient consolidées et le grand
fait avait été l'ouverture de lieux de culte dans des villes où il avait
été proscrit, tandis que le nombre des pasteurs augmentait — partiellement grâce à la venue de Suisses et de Néerlandais, quelquefois
d'ascendance huguenote. Dans la plupart des régions à forte densité
protestante, c'est la répression de l'« insurrection fédéraliste » et sa
conséquence immédiate, la mutation des pouvoirs publics pendant
l'automne 1793, donnant le pouvoir aux « sans culottes », qui marque
le début d'une persécution rarement violente à l'égard des Eglises
réformées, tout comme du Clergé constitutionnel, mais qui devait laisser
des traces. Une persécution à laquelle les protestants — contrairement

à ce qui s'était passé après 1685 — résistèrent fort mal ! Effectivement, en la circonstance, il n'y eut pas de « martyrs » — peut-être aussi la Révolution était-elle peu désireuse d'en faire. L'exécution des cinq pasteurs guillotinés — Alba-Lasource, Rabaut-Saint-Etienne, J.-B. Hervieux (de Meaux), Pierre Ribes (d'Aiguesvives), Pierre Soulier (de Sauve) a eu un caractère très nettement politique.

De l'automne 1793 à juillet 1794, dans des conditions qui tiennent souvent aux circonstances locales — il n'y eut jamais de persécution généralisée et délibérée —, le culte public cessa, le groupement local se disloqua et bon nombre de pasteurs abdiquèrent leurs fonctions. Certes, en divers endroits, le culte se poursuivit dans une semi-clandestinité (Sainte-Foy et ses environs, Besançon, Réalmont, Bergerac, Le Mas d'Azil, les campagnes du Montalbanais, peut-être Vinsobres dans la Drôme, et Saint-Jean-du-Gard). Ici et là, d'après R. Cobb, il y eut quelques tentatives de résistance, surtout dans la Drôme (P. Chuard à Chabeuil) et l'Ardèche (Pierre Astier), mais c'est bien peu de chose. Enfin, nous savons que le culte se poursuivit sans trouble à Paris, à la chapelle de l'ambassade de Suède et qu'ailleurs, dans le Gard et les Deux-Sèvres, subsista la tradition du « culte privé ». Peut-être y eut-il aussi des « actes pastoraux ». L'initiative de la fermeture des temples est très variée. A Bordeaux, ce sont les réformés eux-mêmes qui, prudents, prirent les devants. A Paris, c'est la Commune qui, le 3 frimaire an II (23 novembre 1793), y procéda ; dans le Gard, c'est le représentant Borie qui, le 22 pluviôse (10 février 1794), prit un « arrêté dans ce sens ».

La renonciation aux fonctions sacerdotales (abdication) est l'aspect le plus « spectaculaire » de cette déchristianisation. Sauf dans le Gard, où ces renonciations furent systématiquement exigées par Borie, elles ne le furent jamais par le législateur. D'ailleurs, à la Convention, sur les cinq pasteurs réformés restants, trois (Jeanbon, Jay, Bernard de Saint-Affrique) n'abdiquèrent pas, tandis que deux (Julien et Lombard-Lachaux) le firent. Il est curieux de noter que les deux seuls qui ne reprirent pas le ministère (Jeanbon et Bernard) étaient des non-abdicataires. Il n'y eut qu'une abdication dans le Castrais (Bonifas-Laroque), deux dans l'ensemble du Haut-Languedoc (Durand de Roque-couche et Momizan), aucun dans le Montalbanais, l'Ariège, le pays de Montbéliard. M. J.-D. Woodbridge a étudié de près, synode par synode, le caractère de ces abdications dans les différents synodes du Langue-doc. Conformément à l'opinion des contemporains, il distingue trois motifs : 1° un désir de sécurité pour l'Eglise ; le pasteur « suspend » simplement son ministère ; 2° une obéissance à la loi et à la « volonté générale » ; 3° une adhésion réelle aux cultes révolutionnaires. Bien entendu, il y a eu de fréquentes combinaisons des trois motifs, et le troisième pourrait être sérieusement nuancé, surtout si l'on tient compte du fait que beaucoup de pasteurs, avant 1789 déjà, étaient orientés vers la « raison et la morale ». Rares sont ceux qui, comme Julien de Toulouse à la Convention, parlèrent de « charlatanisme ». On peut citer toutefois Marron (Paris) qui qualifie la théologie d'« échafaudage de mensonges et de puérilités ». Au moment de la reconstitution des Eglises, les réformés, surtout dans le Midi, tiendront compte de ces divergences qui sont, à notre sens, plus que des nuances. Ajoutons que d'assez nombreux pasteurs, sans abdiquer formellement, rentrèrent dans la vie publique ou privée. Jeanbon-Saint-André en est un assez bon exemple, mais il y a aussi Silva Blanchon, J.-J. Rosseloty, Kœnig devenu officier, Astruc devenu médecin. Beaucoup firent carrière dans les administrations ou devinrent juges de paix.

R. Cobb a étudié d'assez près le rôle des protestants dans la déchristianisation. Seuls quelques pasteurs y ont participé, notamment en Charente et en Normandie. Par contre, beaucoup de réformés, pasteurs et fidèles, plus ou moins conquis à la fois par le « patriotisme » et par la « religion naturelle » des philosophes, acceptèrent sans trop de peine le culte de l'Etre suprême qui convenait assez bien à leur spiritualité et auquel ils s'efforcèrent, ici et là, de donner un grand sérieux, voire une certaine austérité. Beaucoup virent dans ce culte la fin à la fois des luttes confessionnelles et du sentiment d'être une « secte », sans rien sacrifier de l'essentiel de leurs convictions religieuses. Rares sont ceux qui ont un sens, même réduit, de l'authenticité du Calvinisme, sinon du Christianisme lui-même.

Cette non-résistance explique la lenteur de la reconstruction post-thermidorienne que nous ne connaissons guère que par les approches de D. Robert. La reconstitution n'a pas eu son Antoine Court, et la reprise s'est effectuée à partir d'initiatives locales. Assez paradoxalement, c'est à Paris que, quelques jours à peine après la chute de Robespierre, Marron reprit ses prédications. Le culte est rétabli en 1795 à Nîmes, Castres, Le Vigan, Clairac, La Tremblade, Rouen, Strasbourg, Montauban et dans quelques régions rurales. La plupart des Eglises sont rétablies en 1798, mais il existe quelques cas exceptionnels dont le plus caractéristique est celui de la Vendée, où il n'y aura pas de culte organisé avant 1806, mais aussi Marseille (1801), Caen (1803), Toulouse (1805).

L'Eglise de Thermidor est « congrégationnaliste ». Ce sont les « anciens » — souvent, mais pas toujours, ceux qui étaient en fonction en 1793 — qui appellent un pasteur et traitent avec lui. D. Robert note, et ceci est essentiel pour l'avenir, que, sauf dans le cas du Haut-Languedoc (Castres-Mazamet) où la « Commission permanente » formée de trois pasteurs et de laïcs se réunit en mars 1796 et convoque un Synode pour novembre, les liens entre les Eglises ne se renouent pas, encore qu'il ait pu y avoir au moins des Assemblées partielles, dans les Cévennes et le Montalbanais.

Le nombre des pasteurs a fortement baissé — des 3/7 depuis 1793 estime, après un rigoureux pointage, D. Robert, c'est-à-dire de 205 à 120, chiffre minimum — et, peut-être surtout, les meilleurs sont partis. Certains — dont le plus illustre est Jeanbon-Saint-André — l'ont fait sans espoir de retour, d'autres (Olivier Desmont, Rabaut-Pomier, B.-S. Frossard, J.-F. Pradel et autres) ne reviendront qu'après les Articles Organiques. Certains n'exercent qu'à mi-temps, d'autres sont des vétérans, déjà « émérites » avant la Terreur, car ce sont surtout les jeunes — ceux qui, autour de 1789, entraient dans le Ministère — qui sont partis. Tiédeur générale donc, particulièrement sensible dans le Sud-Ouest (Agenais, Montalbanais) et surtout l'Ouest (Charente, Poitou, Basse-Normandie) que l'on explique mal, sauf pour le Poitou où ce déficit est le résultat des guerres de Vendée.

Plus graves sont l'atmosphère de luttes intestines à l'intérieur des Eglises et surtout le fait que, d'une façon générale, celles-ci ont été « redressées » par des petits bourgeois plus ou moins favorables à la Révolution, même montagnarde, et que les « riches » se tiennent souvent à l'écart — ce qui n'est pas, dans l'immédiat, sans répercussions financières — et ne reviendront diriger les Consistoires qu'après les Articles Organiques. Prudents, ils attendent — comme d'ailleurs beaucoup de pasteurs — la stabilisation du régime et s'inquiètent, pas toujours à tort, de menaces « de gauche » — et notamment de l'interdiction par les pouvoirs publics du « culte au Désert », c'est-à-dire en plein air — ou « de droite » — c'est-à-dire d'un retour agressif du cléricalisme royaliste, qui se produisit effectivement pendant la Terreur Blanche, après les élections de l'an IV et, dans le Sud-Ouest, lors de l'insurrection royaliste de 1799.

L'absence de Synode susceptible d'arbitrer les conflits, mais aussi de « juger » les abdicataires avant leur réintégration — sauf dans le Haut-Languedoc — a eu des conséquences graves. Les oppositions politiques qui avaient dressé les uns contre les autres les protestants pendant la Révolution font que, même dans les bourgades, une partie des réformés — très importante à Bordeaux et à Nîmes — se refuse à réintégrer la communauté. Et, à Marseille, on ne peut reconstituer

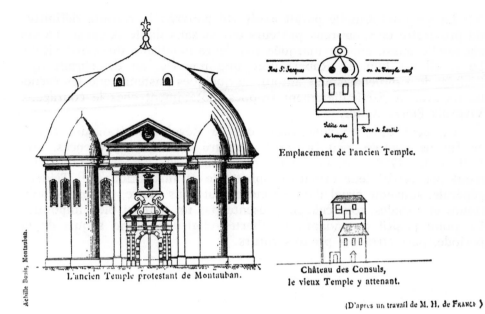

Emplacement de l'ancien Temple.

L'ancien Temple protestant de Montauban.

Achille Bouis, Montauban.

Château des Consuls,
le vieux Temple y attenant.

(D'après un travail de M. H. de FRANCE)

5. L'ANCIEN TEMPLE DE MONTAUBAN
Carte conservée à la Bibl. Soc. Hist. Prot. Fr., Paris
Photo Jenny Ecoiffier.

l'Eglise. Dans le Tarn, où trois pasteurs, après amende honorable devant leur Eglise, avaient été réintégrés « légitimement » par le Synode, l'Eglise se divise. A Mazamet, on préfère rester sans pasteur que d'avoir recours à Job Jaffard, révolutionnaire « engagé ». A Valleraugue, le pasteur Jacobin Molines, bien vu à la campagne, est honni par les bourgeois du cru ; à Montauban, au contraire, Silva Blanchon, homme « de droite », est, en 1798, en difficultés avec son consistoire, mais l'Eglise — divisée — attend 1801 pour avoir Pradel, très lié jadis avec Jeanbon-Saint-André et considéré comme « républicain ».

Ces difficultés ont-elles amené une baisse de la population réformée ? De Felice l'affirmait, D. Robert est plus hésitant. A notre sens, un déficit plus ou moins important n'est pas discutable dans certaines provinces, notamment le Poitou, l'Agenais et probablement le Béarn, résultat concomitant des guerres de Vendée, de la déchristianisation et de la reprise trop lente du culte. Par contre, la théophilanthropie de Larevellière-Lépaux — qui lui-même avait des parents protestants — n'a eu aucun succès dans les régions où existaient de forts groupements réformés et notamment à Nîmes.

La vie intellectuelle paraît avoir été pauvre ; la retraite définitive ou provisoire de nombreux pasteurs en est sans doute la cause. La vie spirituelle aussi, encore marquée par le rationalisme du XVIII° siècle. Le réveil est loin. D. Robert note une poussée, au demeurant fort limitée, de « millénarisme » autour de quelques pasteurs que les événements avaient particulièrement frappés, notamment chez le courageux Vivarois Pierre Astier.

On peut dire, en conclusion, que la Révolution française a été, en fin de compte, peu favorable, malgré certaines apparences, aux Eglises. En 1799, elles commencent à peine leur reconstruction, elles n'ont pas rebâti leur armature spirituelle et institutionnelle. Tiédeur générale, souvenir cruel d'un effondrement sans gloire, discordes politiques et sociales, tout cela ne présente pas un tableau bien imposant. Un point positif cependant : la liberté religieuse, grand acquis de la période, permettra les progrès futurs.

6

Les Réveils et la vie interne du monde protestant (depuis env. 1800)

Si discutable que puisse apparaître toute « coupure » en histoire, il a été jugé utile d'en placer une, au début du XIXᵉ siècle. Les décrets de l'Assemblée Constituante, suivant de près l'édit de Tolérance, fruit d'un lent mûrissement, avaient proclamé l'égalité religieuse entre les Français ; c'est seulement en fait au XIXᵉ siècle que cette égalité est passée dans les réalités — malgré des « hauts » et des « bas ». Examinons donc en premier lieu, après un exposé de la loi de 1802, ce que fut alors la vie des protestants « entre eux », puis les rapports qu'ils entretinrent avec les non-protestants et les régimes successifs.

La loi de 1802

Bonaparte — le fait est bien connu — a, dès après Marengo, voulu rétablir en France la paix religieuse. Il est moins connu que, au plus tard dès l'hiver de 1800-1801, il avait prévu que, de façon parallèle, les protestants seraient eux aussi dotés d'un statut légal comportant une égalité parfaite. La sincérité de ses intentions semble réelle. Non seulement, selon Las Cases, Napoléon, à Sainte-Hélène, a affirmé avec force : « ... je me promettais de traiter celui-ci [« le petit nombre », le protestantisme] avec une telle égalité, qu'il n'y aurait bientôt plus lieu à connaître la différence », mais, ce qui est plus probant, les souvenirs de plusieurs interlocuteurs ou familiers de Bonaparte, qui conservent pour nous l'écho d'entretiens du temps du Consulat (Bourrienne, Chaptal, Pelet de La Lozère, Roederer,

Thibaudeau) confirment que des propos du même genre ont, dès le temps des décisions, été tenus par le premier consul. Bonaparte, jugeant en « philosophe », croyait à la nécessité de lois prescrivant — au-delà d'une simple tolérance — l'égalité des diverses confessions. A ses interlocuteurs, il s'est seulement gardé de préciser que, dans une négociation délicate (novembre 1800 - juillet 1801) avec les envoyés de Pie VII, l'existence de minorités confessionnelles lui était utile pour refuser au pape les concessions qu'il n'entendait pas lui faire : Pie VII ne put obtenir que le catholicisme fût proclamé « religion dominante ».

Si la convention avec le pape est du 15 juillet 1801, la loi française qui l'applique date seulement du 8 avril 1802 (germinal an X). Ce délai relativement long provient des « précautions » que Bonaparte prit pour faire accepter la convention (« Concordat ») avec le pape à la portion réticente ou hostile des Français : le premier consul y fit unilatéralement ajouter des « Articles Organiques » concernant, les uns le culte catholique, les autres les deux cultes protestants ; la loi de germinal comprend à la fois le texte de la convention avec Rome et les deux séries d'Articles Organiques, présentées comme un tout. Dans quel esprit ont été conçus les Articles Organiques des cultes protestants, et quel est leur contenu ?

Si Bonaparte n'a pas eu l'intention de brimer (ou de traiter durement) les protestants, il faut ne pas perdre de vue la formation d'esprit et l'extrême réalisme du premier consul : c'est un stratège, expert dans l'art de l'appréciation des forces et de la manœuvre ; le statut qu'il a accordé (ou permis à son conseiller principal en la matière, Jean-Etienne Portalis, « le plus sage des Méridionaux », d'accorder), tient compte de la situation réelle des communautés protestantes en 1801-1802. Elles n'avaient point d'organisation, ni centralisée ni fédérale (les synodes réformés du temps de la monarchie n'ayant pas, sauf rare exception, repris leur fonctionnement) ; elles étaient souvent divisées par des discordes de nature politico-sociale. Aussi, différence importante avec le cas de Rome, Bonaparte n'a-t-il jamais prescrit, ni admis, de négociations entre ses conseillers et des représentants des deux confessions protestantes. Il a seulement ordonné, le 10 août 1801, de prendre l'avis de protestants « éclairés », choisis par le pouvoir —- ce qui sera fait, à Paris, à partir du mois d'octobre 1801 ; trois interlocuteurs, pas davantage, sont connus avec certitude (le pasteur P.-H. Marron, pasteur réformé de Paris; les deux « législateurs » Jean-Ulric Metzger, de Colmar, luthérien, et Pierre-Antoine Rabaut, dit Dupui ou le Jeune, troisième fils de Paul Rabaut, ex-girondin, du Gard). Ces personnages entendus, leur opinion et celle de leurs amis exprimée par la remise de mémoires, le pouvoir décidera sans se tenir pour obligé de se conformer, de quelque façon que ce soit, aux avis ainsi recueillis. Ajoutons que, dès (probablement) mars 1801, Bonaparte avait, de sa main, porté en marge d'un rapport qu'il exigerait « le serment » des ministres du culte, et un contrôle à l'égard de l'élection des ministres. Les mémoires remis à Portalis ont le vif intérêt de conserver le souvenir de ce que des protestants notables d'alors tenaient pour souhaitable ; ils n'ont par contre exercé qu'une très faible action sur le texte de la loi de 1802 : chaque fois qu'une idée des mémoires protestants a paru, à Portalis ou à Bonaparte, gênante ou dangereuse, elle a été écartée. Ainsi, en ce qui concerne les luthériens (l'étude vient d'être reprise avec talent par Marcel Scheidhauer), avant que Portalis ne reçoive chez lui J.-U. Metzger, un groupe d'Alsaciens dont faisait partie le « tribun » Christophe-Guillaume Koch, avait proposé de l'autorité dans l'Eglise une notion issue de la base ; Metzger fut l'organe d'un autre groupe, qui admettait que l'autorité dans l'Eglise fût déléguée d'en haut, par la volonté du pouvoir politique qui prendrait le relais des anciens seigneurs et magistrats des villes libres. Ce fut cette seconde interprétation que la loi retint. En ce qui concerne les réformés, Portalis avait tout d'abord (jusqu'au 22 novembre 1801) envisagé de leur donner la même organisation qu'aux luthériens. Des protestations de Rabaut-Dupui, des mémoires rédigés à Paris et à Nîmes, Portalis retint que les réformés souhaitaient une organisation à eux propre ; mais non point (Dupui s'y laissa un moment tromper) que des synodes réunis régulièrement leur semblaient, selon leurs traditions, indispensables : la loi de germinal n'en accordera qu'un simulacre.

Cette loi consacre l'égalité des Français devant la loi, et l'accessibilité de tous à tous les emplois publics, la magistrature consulaire exceptée. Les représentants des Eglises protestantes reçoivent un rang — modeste — dans les cérémonies publiques. Un peu plus tard (5 avril 1804) leurs pasteurs seront salariés (de 1 000 F à 2 000 F, selon la population des communes ; à Paris, 3 000 F). Par contre, les pasteurs — comme les évêques — doivent au gouvernement serment de fidélité. De même, la loi impose aux deux confessions protestantes des institutions ecclésiastiques différentes de leurs institutions traditionnelles. Leurs groupements locaux (« Eglises locales », ou paroisses), souvent très petits, sont regroupés de façon artificielle en « Eglises consistoriales » comptant, selon la loi, six mille âmes au moins chacune ; la « consistoriale », dirigée par un « consistoire » ayant rang officiel, sera l'unité la plus petite avec laquelle les autorités entretiendront des relations. Au-dessus de ces consistoriales, l'Eglise « luthérienne » est organisée plus uniformément qu'avant 1789, avec des « inspections » regroupant cinq consistoriales (chacune a un pasteur-inspecteur), et, degré suprême, trois « consistoires généraux » (Strasbourg, Mayence, Cologne) où l'autorité effective est exercée par un organe permanent, le « directoire » (donc, pour l'Alsace, le directoire de Strasbourg) formé de cinq membres dont trois, le président et deux autres, sont désignés par le premier consul ; le président du directoire est un laïc (le premier, Philippe-Frédéric Kern, magistrat, beau-frère de Koch, sera nommé dès décembre 1802).

Quant aux Eglises réformées, aucune organisation effective ne leur est accordée au-dessus du niveau des consistoires (plus de quatre-vingts) : chaque Eglise consistoriale reste isolée en face de l'appareil de l'Etat. La loi (art. 17) parle bien de « synodes » (un pour cinq consistoriales), mais elle précise (art. 31) que ces synodes ne pourront se réunir sans avoir été convoqués par le gouvernement : Bonaparte n'en voulait pas ! La raison principale paraît avoir été la crainte de voir, si les réformés obtenaient des synodes, les catholiques réclamer des « assemblées du clergé ».

Enfin, les membres laïcs des consistoires, les anciens (de six à douze, siégeant avec les pasteurs), doivent obligatoirement (art. 18) être « choisis parmi les citoyens les plus imposés » ; tous les deux ans, la moitié en est renouvelée, et le groupe d'électeurs n'est autre que le consistoire sortant renforcé d'un nombre égal de notables pris eux aussi « parmi les plus imposés » (art. 23). La loi, assurément, grâce au mot « parmi », permet un certain choix, nul consistoire n'est obligé de placer dans les charges d'ancien les plus riches : indignes ou incapables peuvent en être écartés ; il reste néanmoins que de telles clauses de nature financière ne s'accordent guère avec l'esprit de l'institution des anciens. Ce sont les consistoires qui appellent le ou les pasteurs : le gouvernement, sur l'avis du préfet, les « confirme » (art. 26) ; les pasteurs, comme les curés et desservants catholiques, ont ainsi un statut voisin de celui des fonctionnaires.

En dépit du caractère un peu étrange de certaines de ces mesures, l'on peut trouver à chacune d'elles son explication (nous l'avons montré en ce qui regarde les synodes). Il s'agit cependant, bien entendu, d'explications du point de vue du gouvernement, non pas de celui des intérêts (ou des vœux) des protestants. En sus de l'étroite surveillance permise désormais à l'administration, la loi de 1802 présentait donc, pour les Eglises, plusieurs inconvénients certains : isolement des consistoires réformés, rôle excessif des riches, direction de fait par les grandes villes (dans un synode, le poids des communautés rurales, largement majoritaires, se serait mieux fait sentir). D'autres encore apparaîtront plus tard.

Premiers pas sous les régimes autoritaires

La reconstruction après la crise

Les enquêtes des préfets à la suite de la loi de germinal permettent d'obtenir une estimation approchée du nombre des protestants — que confirment d'autres enquêtes générales (consistoires 1814-1817 — préfets 1819-1820). Pour la première fois, l'on a ainsi des données statistiques présentant quelque sérieux. Sur le territoire français d'après 1815 (c'est-à-dire le territoire actuel moins les deux Savoies et le comté de Nice), il paraît raisonnable d'accepter une estimation d'un peu moins de 500 000 réformés (470 à 480 000) et d'un peu plus de 200 000 luthériens (210 à 220 000). Leur répartition, prodigieusement inégale, sera évoquée plus loin.

L'organisation ecclésiastique nouvelle, celle des consistoires de six mille âmes (en principe), suscitait quelques difficultés d'application. Quand une ville comptait manifestement plus de six mille réformés, elle ne forma qu'une seule consistoriale : Paris, Nîmes, Mulhouse — et, jusqu'à fin 1813, Genève (les Strasbourgeois luthériens formèrent par contre quatre consistoriales). Plus fréquent était le cas où la consistoriale regroupait artificiellement plusieurs communautés locales de village ou de bourgade. Une instruction à ce sujet (fin octobre 1803) fut adressée par l'adjoint de Portalis, Darbaud, et Rabaut-Dupui, devenu secrétaire du consistoire de Paris : le consistoire commun compterait des anciens de chaque Eglise locale ; en fait, sans qu'il y ait eu de décision officielle jusqu'en 1852, chaque petite communauté locale conserva son propre groupe, non reconnu de l'Etat mais agissant, d'administrateurs laïcs (« diacres », consistoire « sectionnaire » ou « local »).

Sur le plan national, les réformés s'efforcèrent d'obtenir une organisation au-dessus du niveau des consistoires « acéphales » (Metzger) de six mille âmes ; l'on espérait une amélioration de la loi qui respectât mieux et traditions et vœux des intéressés. La variété des projets, ou plans, d'organisation est grande, selon les circonstances et selon la personnalité de leurs inspirateurs. Tout au début, juste après la promulgation de la loi, dans le mémoire dit des Fonctionnaires publics (juillet-août 1802 ; Rabaut-Dupui s'en est déclaré le rédacteur principal), l'on ose demander (sans le nom) un synode national organisateur, tenu une fois pour toutes. Par la suite, une telle demande n'est plus renouvelée : en effet, à la fin de 1803, Portalis avait sévèrement blâmé le préfet de la Drôme pour avoir laissé le pasteur de Crest, Lombard-Lachaux, ex-conventionnel montagnard, préparer un synode régional ! On proposa donc une commission centrale, des consistoires généraux ou (et) des pasteurs-inspecteurs ; Rabaut-Dupui suggérait, dès la fin de l'été 1802, les formes luthériennes, qu'il rejetait fin 1801. Quelques pasteurs parlèrent même d'épiscopat. Aucun de ces projets n'a entraîné de conséquences.

Après la loi de germinal, sans aucun doute possible, la direction des communautés protestantes est entre les mains des « riches » (se souvenir toutefois que le terme, selon les lieux, s'applique à des familles de richesse extrêmement inégale), associés à des « gens en place » (magistrats, fonctionnaires des préfectures). La loi le prescrivait ; l'esprit de la loi (sauf à Bordeaux, où un consistoire « petit-bourgeois » fut cassé par Portalis, septembre 1804) a été respecté sans conflits visibles. De Paris, Rabaut-Dupui écrivait, le 1er janvier 1803 : « ...on va s'occuper de former un nouveau consistoire dans le sens de la loi... les notables protestants sentent la nécessité et l'utilité de donner à notre culte de l'éclat et de l'authenticité, de manière qu'il inspire la confiance et le respect... » L'on voudra bien toutefois ne pas oublier que, dès la fin de la persécution, s'était dessinée une évolution du même type.

Ces anciens si « considérés », que valaient-ils ? Peut-on se faire une idée de leur zèle ? Nous connaissons à ce sujet plusieurs témoignages contradictoires. L'un, très favorable, de la femme du dévoué pasteur vaudois Alphonse Gonthier, à Nîmes de 1805 à 1813 : « ...Consistoire (de Nîmes) composé des laïques les plus distingués et des meilleures maisons de la ville ; c'est un intérêt précieux et nouveau pour nous (couple pastoral) de voir les personnes les plus absorbées par leurs propres affaires, s'associer aux pasteurs avec le plus vif intérêt pour tous les détails relatifs à l'église et aux pauvres ; s'occuper avec sollicitude de l'éducation... » (1805). En sens opposé, les amis d'un pasteur mal vu, Pierre Astier, de l'Ardèche, disaient dans une pétition que les anciens (nommés selon la loi) ne donnaient pas « l'exemple de la vertu » ; « il n'y a jamais eu d'exemples de tels consistoires » (1804) ; et Astier lui-même, « que la plupart des consistoires sont composés d'hommes immoraux, ennemis déclarés de tout culte » (entendre piété) (1814). Un témoignage plus mesuré dans une lettre d'un pasteur : « ...Quelques-uns des nouveaux anciens, sous un régime persécuteur, vivaient dans l'indifférence, connaissaient peu la situation et le besoin de nos Eglises. Ils y ont apporté un esprit d'administration publique, des mœurs, de la probité, mais non pas ce caractère d'administration religieuse, cette piété, cette charité chrétienne, qui font respecter et fleurir la religion. Souvent, ils y font plus de mal que de bien » (de Louis-André Lagarde, pasteur à Tonneins, 1811). La probité, au reste, était une vertu nécessaire, car les consistoires géraient les fonds (il était le plus souvent fait deux collectes distinctes pour les « pauvres » et pour le « culte », la caisse du culte versant au pasteur un supplément — considérable dans quelques villes — qui venait s'ajouter au traitement accordé par l'Etat).

Que peut-on, d'une façon plus générale, penser de la vie religieuse et des croyances ? Nous répondrions volontiers qu'il faut bien distinguer l'attachement à une « dénomination » protestante, luthérienne ou réformée selon les lieux — attachement dont les signes sont manifestes — et le caractère précis des croyances, lesquelles paraissent ne conserver plus grand-chose de l'enseignement des Réformateurs ; comme déjà à la fin du XVIIIe siècle, il s'est produit en quelque sorte une confusion entre les termes respectés de la tradition ecclésiastique et théologique et l'interprétation donnée à ces termes, dans une tendance « religion naturelle » ; si nous ne savons que bien peu de chose de ce que pensaient les fidèles, l'on a conservé un nombre non négligeable de sermons, l'on sait donc ce qui était couramment prêché.

Quelques exemples : voici une définition de la religion dans un sermon du pasteur Marron (1801, repris plus tard) : « ... La Religion, c'est-à-dire le profond sentiment de la grandeur et de la bonté de Dieu, l'immuable conviction de son universelle présence, le constant souvenir de nos destinées immortelles, l'espérance fondée, la légitime anticipation des biens de l'éternité. » Voici en quels termes Rabaut-Pomier, frère cadet de Rabaut-Saint-Etienne, aîné de Dupui, parle de la Sainte Cène : « ... Une cérémonie où le disciple de Jésus-Christ voit tracé d'une manière sublime l'éloge funèbre de son divin maître ; qui lui rappelle ce que le monde lui fait oublier trop souvent, cette suite non interrompue d'actions vertueuses, de vérités intéressantes, de préceptes sanctifiants qui ornèrent et rendirent utile la vie de son maître, et surtout cette mort héroïque qui devait servir de modèle à tous ceux qui veulent bien mourir... » Du Christ, le pasteur vaudois Bernard de Félice disait (1812) : « ... (le Sage) croit en Jésus-Christ, non parce qu'on le lui annonce comme le Sauveur des hommes, mais parce qu'il le reconnaît comme tel, dans sa doctrine, dans son exemple, dans sa vie, dans sa mort, dans tout ce qu'il a fait pour le genre humain... » De l'aumône, Jean Monod,

Génevois, dans un sermon qu'il prêcha huit fois de 1795 à 1829, s'écriait :
« ... Non, vous n'entendrez pas sans émotion Jésus qui se met à la place
des pauvres et qui vous demande du pain... Ainsi, ô suprême rémunérateur
de la Charité, nous méritons par elle que tu jettes encore sur nous des
regards de bienveillance et d'amour. Oh ! quel n'est pas devant toi le pouvoir
de la charité !... C'est elle, plus que toute autre, qui peut fléchir les compas-
sions divines en faveur des mortels... » Il est, pensons-nous, inutile, il serait
même cruel de trop insister : religion morale, morale un peu terre à terre !

Ces communautés dont nous venons d'essayer d'indiquer les tendances, il semble établi que, sous le Directoire et au début du Consulat,
elles étaient en maint endroit divisées par des sentiments de nature
politique, séquelle des « orages » de la Révolution ; après la loi de
germinal, ces discordes sont moins apparentes : nous pensons qu'elles
n'avaient cependant pas entièrement disparu, la preuve en est que
quelques pasteurs, trop compromis lors de la Terreur, ne purent
obtenir de poste, ou seulement un poste très modeste (ce fut le cas —
postes infimes — des deux pasteurs qui desservaient Nîmes en 1794).
Les pasteurs étaient cependant loin d'être en trop grand nombre,
puisqu'il en vint du « Refuge », et surtout du pays de Vaud (à Paris,
Jean Monod, né à Genève d'une famille vaudoise, arrivé en 1808 de
Copenhague, souche des Monod français).

Les discussions de caractère religieux, sous Napoléon, sont moins vives
et moins fréquentes qu'il n'en sera plus tard. Un petit nombre de pasteurs
— pour la plupart jeunes — avaient cependant une doctrine plus proche
de l'enseignement des Réformateurs, et quelques très petits groupes, dans
le Midi et en Alsace, tenaient, sans être complètement séparés de l'Eglise
reconnue et soutenue par l'Etat, des réunions de piété que l'on qualifiait
communément de réunions « moraves ». En sus, à l'intérieur même des
Eglises réformées, ont éclaté plusieurs conflits de nature religieuse, dont
le plus connu, « l'affaire Esaïe Gasc », concerne un ancien pasteur génevois
devenu professeur de dogmatique à la (nouvelle) Faculté de théologie de
Montauban, lequel fut taxé d'hérésie, dans les Cévennes, puis à Nîmes,
Montpellier et Toulouse, pour avoir enseigné l'arianisme et non la doctrine
athanasienne de la Trinité ; dénoncé en 1812, Gasc dut, l'année suivante,
accepter des « articles », rédigés par le pasteur-président de Nîmes, Olivier-
Desmont, qui soumettaient les professeurs de Montauban à la « doctrine
reçue dans nos Eglises », bref à un contrôle de la part de l'opinion des
pasteurs et des laïcs dirigeants ; l'affaire se termina par la mort subite
de Gasc, trois mois après, et son successeur, Daniel Encontre, fut l'un de
ses adversaires de la fin de 1812 ; il est clair que, si les synodes avaient été
autorisés, cette question doctrinale eût été de leur ressort : en leur absence,
on avait improvisé une procédure officieuse. Sur le fond du débat, retenir

de l'affaire Gasc que des attaques ouvertes, devant un auditoire de futurs pasteurs, contre une doctrine tenue pour fondamentale — la doctrine de la Trinité — choquaient, et de façon très vive, l'opinion protestante.

Les débuts du Réveil

L'époque de la Monarchie restaurée a été, nous le verrons, dans ses débuts, fort agitée en ce qui regarde le sort des protestants. Ce que nous avons à en dire dans le présent chapitre est moins tragique, et plus constructif : ce fut, à partir de 1818 surtout, un temps de changements structurels, le début de ce que l'on a coutume d'appeler le « Réveil ». Avant de toucher à ce sujet, mentionnons brièvement que, dans les phases où les rapports ont été les meilleurs entre le gouvernement et les protestants, l'on a recommencé, parmi les réformés, à demander une meilleure organisation ecclésiastique, moins atomisée — été 1814, avec un plan quasi « épiscopalien », œuvre surtout de Daniel Encontre, et plus encore de 1817 à 1821, avec de nombreux textes demandant la réunion des synodes. Pas plus de succès que sous l'Empire.

Qu'appelle-t-on le Réveil ? A première vue, le sens le plus général, le plus vague, paraît clair : l'on pourrait en dire que l'expression, qui date de l'époque même des faits, traduit le sentiment d'une transformation en bien, d'un progrès — et d'autre part (réveil) d'une transformation ressentie comme ayant rapport à un passé tenu pour meilleur que des temps plus proches. Ceci dit, restent deux acceptions différentes — et même très différentes, sans être opposées —, la première d'ordre religieux, théologique (je vais y revenir), la référence au passé s'y applique, en principe, au XVIᵉ siècle ; nous préférons dans cette acception que l'on dise « théologie du Réveil » ; l'autre, employée surtout en milieu protestant, plus vague, bien plus large, « ce qui s'est passé vers ce temps où le rôle du protestantisme en France reprend une importance plus grande », la référence au passé signifiant simplement ici que le sort des protestants s'est amélioré après de fâcheuses circonstances ; dans ce cas, il nous semble préférable que l'on dise « regain de vie », « renaissance », ou que l'on cite les dates (« période 1818-1830 » ou « 1818-1840 »). Question de vocabulaire, mais non pas insignifiante, car, lorsqu'on pense à une recrudescence de vie, au sens le plus simple, il vaut évidemment mieux ne pas employer une expression que le lecteur peut entendre comme comportant un sens théologique (et, si l'on jugeait que la transformation théologique avait suscité tous les autres progrès, il conviendrait évidemment de le préciser de façon claire). Nous nous efforcerons ici d'éviter toute possibilité d'erreur.

Quel est le sens théologique de l'expression « Réveil », dans notre vocabulaire « théologie du Réveil » ? Quant aux grandes lignes, ce sens est clair. Il s'agit — par réaction contre les idées imprécises, teintées de « religion naturelle », de la fin du XVIII° et de l'époque impériale — d'un retour conscient aux idées originelles de la Réforme ; du moins l'on croyait y revenir, car cette théorie est en fait teintée d'individualisme (la doctrine de l'Eglise ne joue plus du tout le rôle qu'elle jouait jadis) et d'un certain sentimentalisme d'origine piétiste (insistance sur le salut par le sang, sur la « nouvelle naissance »). Les théologiens du Réveil sont entre eux d'accord quant aux bases : christologie athanasienne, corruption de l'homme, satisfaction « vicaire » et salut par la foi dans le sacrifice du Christ, inspiration des Ecritures, peines éternelles. Par contre, de nombreuses questions les divisaient (qu'ils tenaient pour secondaires) : origine du mal et liberté de l'homme (« l'élection »), formes et limites de l'inspiration des Ecritures, baptême des petits enfants, enfin attitude du vrai croyant à l'égard des Eglises « de multitude » auxquelles s'appliquait la loi, Eglise luthérienne ou réformée : les vrais croyants doivent-ils s'en séparer pour former de petits groupes « indépendants » de l'Etat ? Les hommes du Réveil théologique ont presque toujours combattu sur deux fronts : ils polémiquaient entre eux en même temps que — tous d'accord ici à quelques nuances près — ils combattaient avec vigueur ceux qu'ils accusaient de rationalisme ou de théologie incertaine, indécise.

Les origines de la théologie du Réveil ne sont pas à tous égards connues : il semble certain cependant que des influences étrangères — britanniques surtout — y ont joué un rôle très important, et donc que la reprise des relations en 1814, et plus encore après Waterloo, entre Grande-Bretagne (Ecosse incluse) et Suisse romande ou France est un point capital ; dans l'ordre chronologique des faits, l'action des Britanniques s'exerçant souvent avec pour relais la Suisse romande. Parmi les questions qui sont l'objet de débats, mentionnons le rôle de l'action des étrangers (ont-ils hâté le mouvement, ou l'ont-ils véritablement suscité ?), celui du climat, devenu plus libéral que sous l'Empire (dans tout changement intellectuel, la liberté de propagande par la parole et par l'imprimé est capitale), enfin les rapports qui ont pu exister, aux tout premiers débuts de la théologie du Réveil (à Genève surtout) entre « l'illuminisme » et ce courant théologique.

Notons encore que la théologie du Réveil, bien qu'en progrès, était loin, vers 1830, d'être devenue majoritaire ; et qu'il a existé, dans

XVII. UNE ASSEMBLEE DU DESERT (XVIIᵉ SIECLE)
Estampe de L. Billoti

es familles entières sont venues, avec vieillards et enfants. En chaire, le pasteur prêche. Tout utour, les chevaux qui ont servi au transport. C'est encore le « Désert héroïque » et périlleux

Musée du Désert, Mas Soubeiran

XVIII.   En haut, CHAIRE DU DESERT

En bas, **COUPES EN ETAIN DU DESERT**

Musée du Désert, Mas Soubeiran

XIX. DEUX MEMBRES
DE LA DYNASTIE DES MONOD

En haut, le pasteur Adolphe Monod (1802-1856), venu de Naples à Lyon, devint l'un des artisans du Réveil

En bas, le docteur Gustave Monod (1803-1890), animateur de nombreuses œuvres protestantes. La famille Monod était d'origine vaudoise ; le pasteur Jean Monod, arrivé en 1808, fit partie de ces ministres qui vinrent combler après la Révolution les rangs clairsemés du pastorat français

Extrait de *Les œuvres du protestantisme français au XIXᵉ siècle*, dir. Frank Puaux, Paris, 1893, p. IX et 409)

Photos Jenny Ecoiffier

XX. DEUX TEMPLES FRANÇAIS

En haut, le temple de Caen. Aquarelle conservée à la bibliothèque
de la Société d'histoire du protestantisme français de Paris

En bas, le temple de Brive. Gravure de la fin du XIXᵉ siècle,
extraite de Frank PUAUX, *ouvrage cité*, page 50.

Photos Jenny Ecoiffier

le Midi surtout, une tendance que nous avons proposé d'appeler « pré-libérale », qui est une des formes de la renaissance du protestantisme français, mais est le plus souvent décrite comme étant en vive opposition religieuse à la théorie du Réveil telle que nous l'avons esquissée. Ce courant particulier est celui de Samuel Vincent, pasteur à Nîmes de 1809 à 1837, date de sa mort : les influences étrangères qu'il a subies sont allemandes (Bretschneider) ; il a du péché une notion plutôt optimiste (« ...dans ce combat à mort [l'homme] sait de quel côté il doit souhaiter la victoire ») ; beaucoup de ses formules paraissent montrer dans le Christ un exemple et un guide plutôt qu'un Sauveur (sans que Vincent rejette toutefois le terme de Sauveur, et sans qu'il s'explique bien clairement sur le sens de la mort du Christ, « acte mystérieux ») ; cependant, S. Vincent est moins éloigné de la théologie du Réveil par sa notion de la vie religieuse : il a un sens, que l'on peut, pensons-nous, qualifier de mystique, de l'union du croyant avec le Christ. S. Vincent aura pendant longtemps des disciples (plus ou moins conscients) dans le Midi. Il fut aussi — c'est le point le moins oublié — un des premiers à parler de la séparation des Eglises et de l'Etat comme d'un bien (sur un plan théorique, pour l'avenir), tout en restant pasteur « concordataire ».

Par quels procédés, ou par quelle suite d'événements, la théologie du Réveil s'est-elle diffusée à l'intérieur du protestantisme français ? Le sujet est loin d'être connu aussi bien qu'il serait souhaitable (les témoignages manquent souvent d'impartialité, les études de vues d'ensemble et d'esprit de synthèse) : bornons-nous à esquisser quelques grandes lignes.

Nous avons déjà fait allusion au rôle des protestants étrangers. Bien entendu, nul ne peut savoir si en France un réveil (au sens le plus vague du terme) se serait produit sans contacts avec l'étranger ; nous nous plaçons ici sur le terrain des faits tels qu'ils ont effectivement laissé des traces. Ces étrangers ont été soit britanniques, soit suisses — les Suisses provenant, au début, de milieux eux-mêmes animés par des Britanniques (Réveil de Genève), ou au service de groupements britanniques. Parmi les étrangers qui ont contribué au progrès en France de la théologie du Réveil, beaucoup — ce point est bien établi — n'étaient nullement des « professionnels » de l'action religieuse, pasteurs ou évangélistes, mais bien — au début surtout — de simples membres d'une Eglise, membres croyants, « convaincus » : avant 1814, prisonniers ou internés ; par la suite, la paix rétablie, touristes voyageant pour leur agrément, ou même hommes d'affaires. Repérer ces non-professionnels est une des difficultés du sujet : il est probable que tous ne sont pas encore connus ; quelques-uns n'ont été repérés que tout récemment par Mme Wemyss (exemple : la petite église de Nomain, Nord, née vers 1810 de l'action de prisonniers de guerre détenus à cet endroit) ; d'autres cas, par contre, sont connus depuis l'époque même des faits (exemple : l'action de l'avocat écossais Thomas Erskine sur le très jeune pasteur Adolphe Monod, de théologie encore hésitante, pendant son ministère à Naples, avant sa venue à Lyon).

L'activité des « professionnels » est, semble-t-il, moins mal connue — encore qu'elle soit loin de l'être de façon parfaite — et l'on peut présumer que c'est elle qui a eu le plus d'efficacité. Le terme de « Réveil », employé au singulier, ne doit pas tromper : ces « professionnels » n'ont pas été envoyés par une seule Eglise ou un seul groupement, mais bien — et de façon tout à fait indépendante — par plusieurs groupements ou associations (« sociétés ») d'opinions religieuses diverses, unis entre eux seulement par une certaine sympathie pour la France, et par la conviction que la théologie jusque-là dominante parmi les protestants français était mauvaise (« morte »), qu'elle ne pouvait susciter de vrais chrétiens. Sans entrer dans le détail d'une histoire passablement complexe, il convient de dire tout au moins que ces « missions » en France, bien que les wesleyens (méthodistes) les aient inaugurées beaucoup plus tôt en Normandie, dès 1791, ont pris plus d'importance et de continuité à partir de 1818-1819, après la Terreur Blanche. Quant à leur orientation, que les wesleyens étaient, en théologie, des arminiens (parmi eux Charles Cook à partir de 1818) ; que, du côté calviniste (au sens théologique : prédicateurs de l'élection souveraine), le nombre des missionnaires paraît avoir été un peu plus grand, bien que leur action soit un peu moins ancienne. Nous dirons plus bas un mot de la tentative de Robert Haldane à Montauban, de 1817 à 1819 ; à partir de 1819 travaillent très activement les envoyés de la « Société Continentale » britannique, la plupart suisses : parmi eux Ami Bost et son beau-frère Henri Pyt. Plusieurs des envoyés de cette Société étaient opposés au baptême des jeunes enfants. Félix Neff a reçu une aide matérielle de la Société, sans être son envoyé. Il convient de ne pas oublier la diversité de ces missionnaires de la théologie du Réveil, car elle a laissé des conséquences durables : elle a contribué en effet — sans la créer — à la grande diversité du protestantisme en France, diversité à la fois spirituelle et organisationnelle.

La théologie du Réveil a, dans une certaine mesure, pénétré à l'intérieur des Eglises réformées « concordataires » (à Paris, avec Frédéric Monod, qui y est « pasteur-adjoint » à partir de 1820). Mais — et ce point est très important — ce ne fut pas par ce seul « canal »

que le courant s'est diffusé. Capital a été le rôle des associations
(« sociétés », terme du temps) fondées en France à partir de 1818, en
profitant de lois plus libérales que sous l'Empire, d'après des modèles
britanniques (parfois suisses ou néerlandais). Ces sociétés, chacune
d'entre elles spécialisée dans un travail particulier, viennent compléter
l'action des Eglises en tout ce qui dépasse l'activité locale ; chacune
a à sa tête un comité central (parfois de nombreux comités régionaux
ou locaux) ; elles se procurent les ressources nécessaires par appel direct
auprès des fidèles (non pas auprès des consistoires).

Ces sociétés sont, par ordre de date : la Société Biblique Protestante (1818 ; c'est celle qui a eu le réseau de comités subordonnés
le plus serré et le plus actif : elle suscita un véritable enthousiasme et,
au début, unit des protestants de toute tendance) — la Société des
Traités religieux (1821-1822 : « traités » traduit l'anglais « tracts », nous
dirions : brochures) — la Société des Missions évangéliques parmi les
peuples non-chrétiens (1822-1823 ; ses débuts ont été modestes, mais
c'est celle qui a été le mieux étudiée, d'après ses archives) — le Comité
pour l'encouragement des Ecoles du Dimanche (1826 ; ne subsista pas
longtemps — l'œuvre sera fondée à nouveau en 1852 — à la date de
1826, ces écoles avaient peu de rapport avec ce qui a existé plus tard,
on y apprenait à lire aux enfants les plus déshérités) — la Société pour
l'encouragement de l'Instruction primaire parmi les protestants de
France (1829). Enfin, le rôle des protestants a été actif dans la Société
de la Morale chrétienne (1820), dont la majorité des membres étaient
des libéraux (en politique), adversaires du « cléricalisme ».

Les sociétés religieuses, indépendantes de l'Etat et des deux Eglises
officielles, ont groupé à la fois des réformés, des luthériens, des
étrangers de diverses dénominations, et des protestants séparés volontairement des Eglises luthérienne ou réformée (très peu nombreux
encore en 1830) : elles se recrutent suivant le zèle et la générosité ;
bien entendu, leurs dirigeants sont des gens riches, mais, outre l'origine
dénominationnelle plus variée que dans le cas des consistoires, l'activité dévouée paraît y avoir été bien plus grande : il s'agit là en
quelque sorte de la fleur du protestantisme français. En dehors de
leur activité propre (édition et vente de bibles, préparation de missionnaires pour l'outre-mer, brochures, etc.), les sociétés ont même permis,
lors de leurs assemblées annuelles, tenues à Paris au mois d'avril,
à de nombreux protestants de se rencontrer et, ces protestants étant
parmi les plus zélés, il y a eu là en quelque mesure (le gouvernement
s'en est-il bien rendu compte ?) un substitut des synodes absents.

Quel rapport exact les sociétés eurent-elles avec la théologie du Réveil ? L'on parle couramment des « sociétés du Réveil », ce terme doit-il être entendu au sens vague ou au sens théologique ? On ne le saura en toute certitude que lorsque toutes les sociétés auront été étudiées avec soin ; à titre provisoire, nous dirions que la création et le zèle de ces associations paraît à la fois un élément et une conséquence de la reviviscence du protestantisme — que la théologie du Réveil existe parmi les dirigeants, mais n'y joue qu'un rôle fort inégal d'une société à l'autre : c'est à la Société des Missions qu'il a été le plus fort (le président en était l'amiral Verhuell, Néerlandais, secondé par le Bernois Philippe-Albert Stapfer ; le directeur de la maison des Missions, le pasteur Jean-Henri Grandpierre, Neuchâtelois, sera une des têtes du Réveil parisien, au sens théologique) ; cependant, même aux Missions, l'on refusait les candidats qui se déclaraient « séparatistes », hostiles par principe à la loi de 1802. Dans les comités directeurs des autres sociétés, les positions religieuses étaient bien plus variées ; l'on a même de très bonnes raisons de penser que la participation à ces comités a contribué à amener certains hommes, appelés dans un comité local en raison surtout de leur situation sociale, à évoluer dans le sens d'une plus grande (et plus active) foi. Auguste de Staël, fils de Mme de Staël, lui-même croyant très dévoué (il enquêta contre la Traite), a dit à la séance annuelle de la Société Biblique, en 1823 : « ... Celui-ci, en devenant membre d'une Société Biblique [locale], n'avait cédé qu'à un mouvement irréfléchi d'obligeance ou de charité ; aujourd'hui, il ouvre les yeux sur la grandeur et la sainteté du but... Tel autre, déjà porté à la méditation des idées religieuses, mais pour qui la religion ne consistait que dans un sentiment vague du cœur, ou une noble occupation de l'esprit, a été amené à la foi chrétienne, en lisant la Bible et en la faisant lire... » Croyons-en Staël, qui connaissait très bien ce milieu : les « sociétés » en un sens filles du Réveil, y ont aussi beaucoup contribué.

Les associations, par le rôle que jouent leurs comités, ont encore accentué la direction ou prédominance des notables des grandes villes, de Paris tout spécialement.

L'on voit à la même époque renaître modestement une littérature protestante. Quelques livres originaux, à côté de nombreuses traductions (ceux de Samuel Vincent sont les plus intéressants). Des revues, à partir de 1818, date de fondation des *Archives du Christianisme*, mensuelle, qui, l'année 1824, passa sous la direction de Frédéric Monod, et devint ainsi l'organe de la « théologie du Réveil » ; Vincent publia (presque seul), de 1820 à 1824, les *Mélanges de Religion, de Morale et de Critique sacrée* ; les adversaires des idées de F. Monod écrivaient, de 1825 à 1828 et en 1830, dans la *Revue Protestante* dirigée par Charles Coquerel.

Les luttes internes

Les revues, nous venons de l'écrire, sont « engagées » dans un sens ou dans l'autre. Ceci nous conduit à dire un mot des luttes intérieures de l'époque des débuts du Réveil. Ces luttes ont été, en certains lieux, très vives : il s'agit presque toujours de l'opposition de pasteurs ou de consistoires (autorités « en place ») à la prédication, soit par un missionnaire d'une société étrangère, soit par un pasteur officiel, des idées de la « théologie du Réveil ». Si l'aspect le plus apparent est ainsi celui d'un conflit entre personnes, ce conflit a pour origine une division théologique. Du côté revivaliste, l'on reproche à la plupart des pasteurs et des anciens d'être « morts », adeptes d'une religion purement « naturelle », étrangers à toute foi vivante et vivifiante, bref, d'être peu chrétiens. Du côté opposé (chez certains : beaucoup de protestants hésitaient à prendre parti), on reproche au contraire aux « méthodistes » (c'est le terme de ce temps, il ne signifie jamais alors : wesleyen) d'avoir une foi dévoyée, mal orientée, de pratiquer une prédication dangereuse en ce qu'elle serait « exclusive » et rétrograde, en ce qu'elle rejetterait hors du vrai christianisme tous ceux qui n'ont pas les idées (tenues pour « particulières ») de leur clan ; bref, de manquer à la fois de bon sens et de charité ; bref, d'être peu chrétiens ! Il est difficile, on le voit, d'imaginer opposition plus radicale !

Ces conflits, la documentation qui les concerne est de précision très inégale. Elle paraît meilleure dans les dernières années avant 1830, au temps de Georges Cuvier, soit que celui-ci ait réuni des documents, soit que, le souvenir de la Terreur Blanche s'éloignant, l'on ait moins été porté à cacher les conflits à l'administration. Nous choisirons seulement quelques exemples.

Une série de conflits concerne la Faculté de théologie de Montauban, où se formaient la plupart des pasteurs réformés. A Montauban, où D. Encontre avait été nommé doyen à la place de B.-S. Frossard révoqué, vint s'installer pendant deux ans (été 1817 - été 1819) Robert Haldane ; gentilhomme écossais, fondateur avec son frère d'un réseau de chapelles de Réveil en Ecosse, il venait de Genève, où il s'était efforcé de gagner à ses idées les étudiants en théologie : une vingtaine d'entre eux, dont plusieurs Français, avaient suivi, Frédéric Monod servant d'interprète, des leçons où il expliquait l'Epître aux Romains ; ce séjour eut une très grande importance dans l'histoire des luttes du Réveil à Genève. Si, après Genève, Haldane se rend à Montauban, c'est dans le même but, atteindre aussi les étudiants de la « Genève du Midi ». Les deux ans que Haldane passa à Montauban ont été, dans leurs suites, appréciés de façon opposée. Selon le neveu de Haldane, son biographe, Montauban fut sauvée de l'erreur ; selon ses ennemis montalbanais les plus marqués, il aurait été rejeté, comme dangereux sectaire. La vérité paraît se situer entre ces deux opinions extrêmes. Haldane se fit à Montauban des amis, le professeur d'hébreu Bonnard, Vaudois, futur doyen, le pasteur Marzials ; il fit imprimer plusieurs écrits. Par contre il échoua auprès du doyen de 1817-1818, Encontre, dont il escomptait l'appui ; Encontre (mort à la fin de l'été de 1818), puis son successeur provisoire Frossard, lui refusèrent le droit de s'adresser aux étudiants. Encontre avait cependant une théologie de type traditionnel ; il paraît avoir jugé Haldane trop intolérant (il désavoua publiquement les conclusions polémiques d'un de ses opuscules), et craint que son immixtion dans les affaires de la Faculté ne provoquât des divisions profondes. Avant que Haldane n'ait quitté Montauban, la succession d'Encontre en tant que professeur de dogmatique avait été dévolue à un pasteur fort opposé aux idées de Haldane et même d'Encontre, Abel Alard, après un concours où les « juges » s'étaient répartis en deux camps égaux, la voix du président assurant la décision. Quelques années plus tard, Alard mort jeune, le même problème se posa de nouveau : à la fin de 1824, même partage des voix ! Cette fois le jury avait rédigé une confession de foi, que l'un des candidats, Ferdinand Fontanès, neveu de S. Vincent (qui était un des juges) refusa, par principe, de signer, bien qu'elle ne blessât pas sa conscience (il la signa, le concours terminé !) — or Fontanès, de l'avis général, était le meilleur candidat de la tendance opposée à la théologie du Réveil ! La chaire échut à Théodore Nazon, plus médiocre, et très vite (1829) vivement attaqué par les *Archives*. Le décanat, par contre, est exercé (depuis le début de 1825) par Bonnard, de la tendance « théologie du Réveil », qui protège les étudiants de cette même tendance : Montauban acquiert dès lors la réputation d'y être (relativement) favorable.

Dans un assez grand nombre de localités, la prédication de la théologie du Réveil a entraîné des schismes, et la formation de petites communautés « non concordataires ». Les secteurs régionaux sont à noter, car dans plusieurs cas ils sont restés soit fort longtemps, soit jusqu'à aujourd'hui, centres de « séparatisme » : le département du Nord, la Thiérache, la région de Saint-Quentin ; en Beauce, les confins Eure-et-Loir - Loiret ; la Basse-Normandie ; la vallée de la Dordogne (secteur de Sainte-Foy, Gironde, et de Montcaret, Dordogne) ; Orthez ; le plateau de la Haute-Loire, Annonay, Saint-Etienne ; Lyon, la Vaunage au sud de Nîmes ; Lourmarin (Vaucluse) — finalement l'Alsace. On notera l'extrême dispersion, due souvent à des circonstances fortuites.

Enfin, dans quatre cas, à peu près en même temps, vers 1829, éclatent des conflits entre un pasteur réformé officiel, fortement marqué par la théologie du Réveil, et son consistoire appuyé par les autres pasteurs : Lourmarin, consistoriale de Montcaret, Saint-Quentin (avec Guillaume Monod), enfin Lyon. Le conflit de Lyon est le moins oublié, et il est intéressant ; il ne faut cependant pas conclure de lui aux autres. A Lyon, le jeune pasteur Adolphe Monod, arrivé à la fin de 1827, entre, très vite, en conflit avec le consistoire et avec ses collègues (Lyon avait deux, puis trois pasteurs). A. Monod, brillant orateur romantique, jugé alors par tous d'une admirable éloquence, se trouvait en plein cours de conversion à la théologie du Réveil lorsqu'il arriva de Naples à Lyon, et son évolution devait se dessiner de plus en plus. On lui reprocha d'être « exclusif », brutal, effrayant dans sa prédication. Et aussi, peut-être plus encore — point longtemps oublié — d'avoir de son ministère une conception mal orientée : de ne pas consacrer son temps aux protestants de Lyon (qu'il tenait pour « morts »), de s'intéresser peu aux prosélytes (relativement nombreux) d'origine catholique ou irréligieuse (il les tenait pour mal convertis), pour s'occuper principalement d'une très petite communauté jusque-là séparée de l'Eglise officielle, qu'il estimait composée, elle, de chrétiens vivants. Vers la fin de l'hiver 1828-1829, Monod obtint le départ de Lyon du pasteur de cette communauté et le ralliement des « dissidents » : ce succès, aux yeux des anciens, aggrava son cas, car il confia des responsabilités à deux ex-dissidents ! Le consistoire chercha à le faire partir en le frappant à la bourse (avril 1830). Finalement, à la veille de Pentecôte, en 1831, Ad. Monod, n'ayant pu obtenir un « tri », une sélection des fidèles avant la communion (le tri entre les vrais croyants et les autres), fut suspendu, le 21 mai, par le consistoire ; il refusa de s'incliner, prêcha le jour de Pentecôte, le 22, puis se retira sans donner la Cène : ce qui fournit le motif de révocation ; il restera encore cinq ans à Lyon, pasteur d'une petite communauté séparée formée pour moitié environ des ex-dissidents d'avant 1829.

On le voit, aux environs de la révolution de Juillet, les conflits issus du Réveil tendaient plutôt à s'exacerber qu'à se calmer. Une plus grande confiance dans le gouvernement après la nomination de Cuvier a, semble-t-il, contribué à cette évolution.

Vers les changements

Du nouveau après 1830 ?

La révolution de Juillet ne marque pas, dans la vie religieuse des protestants en France, de changement radical, ni même très important. Les changements, nous les constaterons dans les points d'application de la vie religieuse rénovée, en particulier dans les efforts tendant à l'« évangélisation », efforts que la situation politique contribue, elle, aussi, à expliquer.

Les tendances religieuses ne présentent donc pas, au lendemain de 1830, de nouveauté capitale : notons cependant que la « théologie du Réveil » continue à progresser dans le corps pastoral (à la fois parmi les jeunes et par gain, « conversion » de pasteurs en fonction), en même temps qu'elle anime les groupes orientés vers l'évangélisation ; elle pénètre dans l'Eglise luthérienne. En face, l'opposition tend à devenir plus marquée, plus rude, plus visible au grand jour. A l'intérieur de cette tendance — que l'on appellera « libérale » — les nuances sont très nombreuses : celle qui tient le plus de place dans la presse et dans la vie publique est, à Paris, une nuance passablement marquée de « rationalisme » (allant beaucoup plus loin dans cette direction que S. Vincent) ; on y conteste franchement la notion de salut par la mort expiatoire du Christ et on n'hésite pas à y recourir à une polémique féroce (dès 1833, les *Lettres Méthodistes*, œuvre pseudonyme de Ch. Coquerel). Autre opposition : en Alsace, il apparaît un confessionalisme luthérien, qui ne combat pas la doctrine du Salut des théologiens du Réveil, mais leur reproche de ne pas accorder assez d'importance à l'Eglise ni aux symboles de la foi.

Des hommes de grand talent s'illustrent dans ces luttes théologiques et dans la prédication (ils commencent à être mieux connus, comme le protestantisme lui-même, en dehors du cercle étroit de leur communion). Citons parmi bien d'autres, dans l'Eglise réformée, les deux frères Frédéric et Adolphe Monod (Frédéric à Paris, Adolphe à la faculté de Montauban de 1836 à 1847) et le fondateur, à Paris, de l'association des Diaconesses de Reuilly, Antoine Vermeil (1799-1864) ; dans l'Eglise luthérienne, à Paris, Louis Meyer (1809-1867). A Nîmes, de la tendance S. Vincent, Ferdinand Fontanès. Parmi les libéraux parisiens, Athanase Coquerel père et, un peu plus radical, Joseph Martin-Paschoud.

La vie intellectuelle active et les discussions favorisent, dans un climat de liberté, le développement de la presse — en outre, il existe deux correspondances confidentielles entre pasteurs, dites « de Frontin » (théologie du Réveil ; elle donne des indications sur les « conversions » de pasteurs déjà en fonctions) et « Fontanès ». La presse périodique est très nettement engagée dans un sens ou dans l'autre, et l'on voit en 1831 s'ajouter, du côté « théologie du Réveil », aux *Archives* de Frédéric Monod, *le Semeur, journal religieux, politique, philosophique et littéraire* du banquier Lutteroth, membre de la chapelle Taitbout : *le Semeur*, beaucoup plus varié que les *Archives* dans les sujets qu'il aborde, fait ouvertement campagne en faveur de la séparation de l'Eglise et de l'Etat (Alexandre Vinet fut l'un de ses collaborateurs) ; *le Semeur*, qui vivra jusqu'en 1850, paraît avoir eu des lecteurs non-protestants et exercé une grande influence. Plus tard (fin 1838) un troisième périodique, l'*Espérance*, sera, surtout à partir de 1845, l'organe de l'orthodoxie dans le cadre « concordataire ». Du côté opposé, plusieurs périodiques se sont succédé : celui qui, à Paris, a duré et a joué un rôle est *Le Lien* des frères Coquerel (de 1840 à 1870) ; Martin-Paschoud publiait *le Disciple de Jésus-Christ* (noter la couleur polémique du titre : la théologie du Réveil serait opposée à l'enseignement du Christ).

L'on a, sous le régime de Juillet, vivement espéré une amélioration du statut légal des Eglises réformées. Dans les premières années, il s'agit uniquement de projets d'origine réformée, émanant de pasteurs et de quelques laïcs engagés. Le premier (« ardéchois » ou « Lanthois »), dès 1831, était d'esprit très traditionnel (synodes provinciaux et synode général : c'était dans les régions rurales que ce régime était le plus vivement regretté). Un peu plus tard, en 1834-1835, une commission principalement parisienne (dite « d'Aldebert », du nom du Nîmois établi à Paris, juriste, qui y joua le plus grand rôle) élabore un projet qui, tout en rétablissant le synode général, eût en fait officialisé un régime tout à fait nouveau : les pouvoirs des synodes auraient été de nature seulement administrative (donc, pensait-on, plus acceptables pour l'Etat) sans aucune autorité en matière de croyance, de dogmes ; chaque pasteur (comme en fait depuis la Révolution) aurait enseigné selon sa seule conscience. Le « projet d'Aldebert » contrariait ainsi tout ce qui était apparu de neuf ou de renouvelé depuis 1818 ou 1820 : il ne survécut pas aux conférences pastorales de 1835 et de 1836. Juste avant la révolution (été de 1847), cette fois dans le Midi, à Nîmes surtout, l'on prépare la réunion d'une assemblée générale sans pouvoir légal, « officieuse » ; cette assemblée pourra se tenir après la révolution-surprise de février, très vite (dès mai 1848), grâce aux préparatifs déjà faits.

La grande nouveauté de la vie religieuse, après Juillet, est l'effort tendant au développement, avec une tout autre envergure, et un caractère français, de ce qui avait été esquissé auparavant. Ces efforts d'évangélisation ont été très fortement marqués de « théologie du Réveil » (la prédication de conquête exige de fortes convictions) ; cependant, comme précédemment, les évangélistes n'ont pas tous les mêmes idées. Les organismes d'évangélisation sont, après 1830, nombreux, chacun étant parfaitement indépendant à l'égard des autres ; chacun a pour origine de fait un groupe d'initiateurs, qui tiennent à leur indépendance d'action. Ce serait poser un problème plutôt théorique que de se demander si un peu plus d'organisation n'eût pas été préférable — d'autant plus qu'aucun groupement (même la Société

Centrale) ne dépendit directement des Eglises « concordataires ». L'on peut — c'est un classement commode — distinguer d'un part des « sociétés » fondées par des protestants français (elles reçurent il est vrai une bonne partie de leurs ressources de l'étranger, mais la direction en était française, et tenait à le marquer), et d'autre part des sections missionnaires d'Eglises étrangères, grandes ou (Genève, Société Evangélique) petites.

Les méthodes d'évangélisation n'ont pas été concertées entre les divers initiateurs. L'on constate cependant que presque toujours l'action débute (en un lieu donné) par un actif colportage (évangiles ; brochures, de la Société des Traités ou autres). Assez souvent, après un fructueux colportage, est fondée une école élémentaire. L'installation d'un prédicateur (pasteur de formation universitaire, ou simple évangéliste) ne se fait qu'après le colportage, en tenant compte de ses résultats, — et soit parallèlement à la phase scolaire, soit après cette phase, si l'école a réussi. L'étendue de la tâche (par rapport aux possibilités des groupes d'évangélisation) permet de comprendre qu'il y ait eu « du travail pour tous », sans risque de double emploi ou de concurrence !

Les groupes et sociétés à direction française sont de beaucoup les plus actifs à partir de 1835 environ. Le plus ancien est le groupe strictement parisien de la « Chapelle Taitbout », à partir de l'hiver 1830-1831 : Taitbout, dans ses débuts, était une œuvre de conquête, qui cherchait à atteindre les Parisiens non-protestants ; on y utilisait, dans cet esprit, des formes en quelque manière laïques (salles louées, dont l'une avait servi auparavant aux saint-simoniens — prédicateurs en vêtements civils — chants nouveaux, ceux du « recueil Lutteroth »). Au début, la chapelle Taitbout gagna en effet au protestantisme des non-protestants notables ; par contre, après 1840, elle ne fait plus guère de conquêtes, c'est désormais une simple communauté non soutenue par l'Etat.

La Société Evangélique de France (on disait aussi : de Paris), organisée en 1833, a pour objectif la conquête dans la France entière (pas de salle à Paris). Le comité directeur, presque uniquement parisien, est formé d'hommes acquis à la « théologie du Réveil » (le premier rapport, 1834, mentionne « l'enseignement des vérités premières que les Ecritures renferment par des hommes qui les ont reçues dans leur cœur par la foi, et qui peuvent parler avec conviction ») ; séparés cependant par des nuances, à propos surtout des rapports avec l'Etat (les deux secrétaires généraux, au début, étaient Juillerat, pasteur réformé de Paris, et Audebez, pasteur de Taitbout). Frédéric Monod y joua un rôle capital : pasteur réformé (de 1820 à 1849), il était extrêmement indépendant d'esprit à l'égard des institutions de 1802 ; en 1840, dans une conférence pastorale, il dira : « ... je répondis que la Société travaillerait avec, sans ou malgré les Consistoires et les pasteurs... De préférence et partout où cela se peut, avec ;

si les Consistoires et les pasteurs veulent rester neutres, sans eux ; s'ils veulent s'opposer à l'œuvre de Dieu, malgré eux... » La Société Evangélique de Paris, après 1840 (le tournant se situerait vers 1843-1845) est donc critiquée du côté des orthodoxes attachés aux institutions de 1802, et dans leur organe, *l'Espérance* : on lui reproche de faire de ses convertis des « indépendants », non des réformés ! L'état le plus prospère de la Société, vers 1845-1846, indique (les rapports sont précis) près de cent quarante « agents » locaux et un budget d'environ 250 000 francs-or (dont une bonne partie collectée en Grande-Bretagne), c'est-à-dire presque la moitié des pasteurs et du budget des Cultes pour les Eglises réformées. Un certain fléchissement, dû à la réserve des « orthodoxes nationaux », correspond aux dernières années du régime de Juillet.

Ce fut, dans une certaine mesure au moins, contre la Société Evangélique (et celle de Genève) que se créèrent à partir de 1835 (Bordeaux) les diverses (régionales) Sociétés chrétiennes protestantes, rassemblées (début 1847, à Paris) en une Société centrale d'Evangélisation à branches régionales. L'esprit de ces sociétés est « national » (« attachement à l'Evangile, attachement à l'Eglise réformée de France »), la différence avec la Société Evangélique ne réside pas, pour l'essentiel, dans la doctrine, mais dans l'attitude envers « l'institution ». En fait, après 1850-1852, les relations seront moins tendues entre les deux sociétés ; la Société « Centrale » participera à l'action de conquête en milieu catholique mais s'occupera aussi de la desserte des très petites minorités protestantes (petits groupes isolés, provenant du déplacement de familles vers les villes, hors des « vieilles » régions, et trop faibles pour pouvoir tout de suite demander aux Cultes la création d'un « poste » nouveau de pasteur). D'esprit analogue, une petite Mission Evangélique luthérienne (Paris, 1840).

Quant aux sociétés étrangères, la Société Continentale britannique, en crise, se retire peu à peu de France (elle cède ses postes). Une nouvelle organisation intervient — d'abord entre Lyon, Dijon et Genève —, c'est la Société Evangélique de Genève, branche détachée (1832) de l'Eglise nationale de Genève ; non seulement elle forme à Genève, dans son école de théologie, de doctrine calvinienne, des étudiants français, mais elle exerce aussi en France une action directe de colportage et d'évangélisation.

Les Wesleyens (on commence à les appeler en France « méthodistes ») continuent et étendent quelque peu leur action : ils s'orientent à la fois, fait nouveau, dans le sens de la conquête et dans le sens de l'assistance à des groupes protestants mal desservis ou livrés à des pasteurs jugés de mauvaise doctrine — d'où (Gard) vives discussions (voir la Correspondance de Frontin). Une bonne part des wesleyens français seront ainsi d'anciens réformés.

L'Eglise Baptiste s'organise, à partir de 1832, dans le département du Nord, avec l'aide de baptistes américains ; elle a pour origine de petits groupes convertis par les missionnaires de la Société Continentale ; elle ne comprend guère, elle, que d'ex-catholiques ; peu à peu elle essaime en direction du sud, de la vallée de l'Oise.

L'on peut enfin mentionner — à la fin de la monarchie de Juillet — deux petites dénominations qui, plus que les autres, se recrutent parmi les protestants, en critiquant les Eglises déjà existantes : les « Frères », couramment appelés « Darbystes » du nom du fondateur, qui critiquent le ministère ecclésiastique en tant que tel, sorte de « dissidence dans la dissidence » par rapport aux groupes déjà indépendants des Eglises concordataires (Haut-Vivarais, montagnes de la Drôme ; plus tard Sud-Ouest, après 1840). Et, groupe très petit, les « Hinschistes » (« Eglise Evangélique de Cette », 1846, le sobriquet vient de Mme Armengaud née Hinsch), qui rejettent baptême et cène, et se font connaître dans le Midi par leurs œuvres sociales.

L'évangélisation protestante n'a pas obtenu de succès éclatants ; elle a cependant manifesté, fait connaître le protestantisme dans d'assez nombreuses régions d'où il avait disparu depuis le temps des persécutions, de là des réactions souvent vives. Presque toujours, il est resté quelque chose de ces efforts, une réimplantation, modeste sans doute, mais non pas simple feu de paille. Plus que le nombre même des convertis sortis d'un catholicisme sociologique, il y a lieu semble-t-il de s'attacher au nombre relativement grand des régions où un certain succès a été obtenu, et à la dispersion de ces régions à travers la France presque entière : du département du Nord à Cannes en passant par les vallées de l'Oise et de l'Aisne ; Bar-le-Duc ; la Basse-Bourgogne (Sens, Auxerre et environs) ; Montargis ; le secteur de Mantes ; les villes de la Loire de Blois à Angers ; en Bretagne, Rennes, Brest, Lorient ; Siouville (Manche, à l'ouest de Cherbourg) ; la vallée de la Saône et la Bresse ; la région lyonnaise de part et d'autre de Lyon ; la Haute-Vienne (région de Bellac) ; plusieurs parties des Charentes (en dehors des vieilles églises) ; Pau et Tarbes ; Decazeville (Lot) — et cette liste n'est nullement complète. L'on comprend que les milieux de l'évangélisation aient eu le sentiment d'un succès, et aussi qu'il se soit manifesté de vives réticences.

A côté des sociétés dont le but est l'évangélisation, continuent à exister une mission lointaine au Lesotho, et les sociétés bibliques, de brochures, d'enseignement. Il se crée quelques sociétés nouvelles : en matière biblique, la Société Biblique Française et Etrangère (1833), qui occupe, par rapport à la vieille Société Biblique Protestante, à peu près la même position critique que la Société Evangélique par rapport à la Société Centrale ; en matière de vie spirituelle et de bienfaisance, les Diaconesses (Paris-Reuilly, 1841 ; Strasbourg, 1842) créées par

Antoine Vermeil (les vœux prêtés par les sœurs ont été l'objet de violentes attaques !).

Quant à la Société des Intérêts Généraux... (1842), d'Agénor de Gasparin, ce fut une tentative pour donner à l'activité du protestantisme français comme une tête — l'échec à cet égard, en fut complet, Gasparin n'ayant guère été appuyé que par les hommes les plus violemment marqués de théologie du Réveil.

La Seconde République : espoirs et mutations

La Révolution de février 1848, inattendue, ouvre tout à coup de nouvelles perspectives et permet d'envisager la solution de problèmes qui n'avaient pas été résolus par la Monarchie de Juillet. L'organisation des Eglises protestantes est l'un de ces problèmes. On sait, en effet, que les protestants ne sont pas, alors, satisfaits par le statut légal qui leur a été accordé en 1802. Mais, jusqu'en 1848, leurs démarches en vue d'obtenir une révision de cette loi de germinal n'ont pas abouti.

Pourtant, en 1847, des libéraux du Midi prennent quelques initiatives. Un projet de réorganisation — mis au point par un magistrat de Nîmes, membre du consistoire, Gustave de Clausonne, et par le pasteur F. Fontanès, et avalisé officieusement par le consistoire de Nîmes — est présenté, au mois de juin 1847, aux conférences pastorales du Gard. Il propose la création d'une sorte de confédération entre les consistoires pour suppléer l'absence de synodes ; mais il est aussi animé d'un esprit oligarchique : les Eglises locales n'y jouent aucun rôle, et, dérogeant à la tradition d'égalité entre elles, il fait une distinction entre les « grands » consistoires (comme Nîmes...) qui désignent quatre représentants à la « conférence générale » (qui remplace le synode), et les « petits » consistoires, qui en nomment deux. Ce projet rencontre, d'ailleurs, de nombreuses résistances, ne serait-ce qu'en raison de son origine « libérale » : les orthodoxes y voient une machine de guerre destinée à s'opposer à leurs progrès dans l'Eglise. La plupart des réformés français restent, d'autre part, attachés au régime presbytérien-synodal, que le projet risque de faire tomber en désuétude.

La Révolution modifie les perspectives, et certains protestants agissent comme s'il allait être facile, désormais, de transformer l'organisation des Eglises. A Strasbourg, une sorte de « révolution ecclésiastique » provoque l'effondrement du Directoire luthérien qui est remplacé, provisoirement, par une « Commission directoriale » de tendance démocratique, désignée par des notables de la ville. Dans l'Eglise réformée, les choses se passent moins brutalement, mais la Révolution pousse un assez grand nombre de protestants à estimer que la séparation des Eglises et de l'Etat est au programme du nouveau gouvernement. Dès lors ils s'organisent, soit pour favoriser cette mesure, soit pour tenter de s'y opposer ; assez vite, on songe aussi à utiliser la liberté de réunion, nouvellement acquise, pour réunir un synode qui pourrait, au moins, préparer une révision de la loi de germinal. Il s'ensuit une très vive polémique dans les journaux protestants, d'autant plus que le problème est compliqué par les querelles théologiques. Depuis de nombreuses années, en effet, certains orthodoxes réclamaient qu'on en revienne à l'organisation originelle de l'Eglise, c'est-à-dire qu'un synode général adopte une confession de foi qui deviendrait obligatoire pour les membres de l'Eglise. Naturellement, les libéraux y étaient très opposés. Mais, si l'on réunit une assemblée — qui aurait tous les caractères d'un synode —, il est fort possible que les divergences provoquent un schisme ; si une confession de foi est placée en tête de la constitution de l'Eglise, bien des libéraux s'estimeront contraints de se retirer ; si l'assemblée n'accepte pas d'adopter une telle confession de foi, un certain nombre d'orthodoxes seront amenés à quitter une Eglise refusant de proclamer sa foi.

On constate un certain parallélisme dans l'évolution des deux Eglises réformée et luthérienne. Tandis qu'à Strasbourg la Commission provisoire s'efforce de préparer une assemblée pour l'automne, une grande réunion luthérienne se tient à Colmar, au mois d'avril. Elle décide de travailler à une fusion entre les réformés et les luthériens, sans obtenir une grande audience. Dans l'Eglise réformée, à la suite d'initiatives prises, surtout, par le consistoire de Nîmes — qui poursuit alors son action entreprise en 1847 —, une assemblée préparatoire de pasteurs et de laïcs se tient à Paris au mois de mai. Composée d'une manière qui la rend peu représentative, elle se contente de préparer un règlement pour la convocation d'une « Assemblée générale » (on évite le terme de « synode » pour ne pas déplaire au gouvernement, car la réunion reste officieuse), qui doit se réunir à Paris en septembre. Elle n'en décide pas moins, à une très forte majorité, de faire savoir qu'elle est favorable au maintien de l'union entre l'Eglise et l'Etat.

Au cours de l'été, la situation évolue : l'Assemblée constituante décide de conserver le Concordat. Aussi, lorsque les deux assemblées ecclésiastiques — luthérienne et réformée — se tiennent en septembre 1848, se préoccupent-elles seulement des modifications à apporter à la loi de 1802. Il sera question plus loin de l'assemblée luthérienne de Strasbourg. L'assemblée générale réformée s'ouvre à Paris le 11 septembre. Les libéraux y possèdent une courte majorité (le pasteur libéral de Lyon, E. Buisson, est élu président par 43 voix, contre 37 au pasteur orthodoxe de Nîmes, A. Borrel). Très vite les débats y prennent un tour agité, car une fraction des orthodoxes est bien décidée à mettre l'assemblée en demeure de se prononcer pour ou contre l'adoption d'une confession de foi qui serait — à l'instar de celle de La Rochelle, au XVIᵉ siècle — la nouvelle loi fondamentale de l'Eglise réformée.

La discussion est longue, passionnée, dramatique parfois. Les orthodoxes se fondent sur une argumentation ecclésiologique : l'Eglise est une association de personnes ayant en commun un minimum de croyances ; il est donc possible de rédiger un résumé de ces croyances et de demander aux membres de l'Eglise d'y adhérer. Les libéraux partent, quant à eux, d'une conception théologique : l'essence du protestantisme, disent-ils, est le libre examen : l'Eglise peut donc, sans difficultés, rassembler des individus aux opinions dogmatiques divergentes ; mais il est impossible de réclamer une adhésion à une confession de foi sans blesser les consciences. Les deux points de vue semblent donc inconciliables. En fait, pourtant, la plupart des orthodoxes souhaitent le maintien de l'unité — au moins extérieure — de l'Eglise réformée. Et seule une petite minorité — F. Monod et A. de Gasparin sont les plus actifs — est décidée à quitter une Eglise qui « refuserait de confesser sa foi ».

Aussi la majorité se rallie-t-elle à une formule transactionnelle (qui entraîne le départ des orthodoxes extrémistes) : on déclare le statu quo maintenu ; la Confession de foi de La Rochelle n'ayant jamais été abolie en droit, on peut la considérer comme toujours en vigueur, bien qu'aucun membre de l'assemblée ne l'aurait, selon toute vraisemblance, acceptée dans son intégralité. On adopte aussi une « Adresse aux Eglises », assez vague pour que les libéraux ne s'y opposent pas, mais qui contient assez d'affirmations positives pour que les orthodoxes n'éprouvent pas le sentiment de commettre une infidélité en s'y associant.

On peut y lire notamment : « [...] nous ne nous sommes pas arrêtés, grâce à Dieu, à une paix négative ; nous avons été heureux de nous rencontrer sur le seul fondement qui puisse être posé, savoir, Jésus-Christ et Jésus-Christ crucifié, notre rédempteur adorable [...] ». Elle ne conteste ni n'affirme la divinité du Christ, mais elle cite des versets de la Bible, soigneusement choisis pour qu'on puisse les interpréter de diverses manières : « [...] Jésus-Christ est toujours le même, hier, aujourd'hui, éternellement ; en lui habite corporellement toute la plénitude de la divinité, et il est toujours puissant pour sauver ceux qui s'approchent de Dieu par lui ».

L'Assemblée prépare, ensuite, un projet de réorganisation de l'Eglise ; les Eglises locales y seraient dirigées par des consistoires particuliers, élus au suffrage universel ; le consistoire général n'aurait plus qu'un rôle administratif. Il prévoit aussi la restauration du régime synodal : des synodes particuliers réunis tous les ans, et un synode général tenu tous les trois ans ; selon la tradition, les membres de ces synodes seraient désignés par les consistoires généraux.

Nous constatons l'existence d'une certaine similitude dans l'esprit qui anime les deux assemblées luthérienne et réformée. Mais l'accord du gouvernement est indispensable. Or, soit qu'il s'agisse d'une volonté politique de s'opposer à la réunion régulière de synodes, d'essence démocratique, soit que l'instabilité ministérielle ait conduit à un ajournement indéfini, le gouvernement ne sanctionne pas ces projets. Dans l'hiver 1850-1851 un Directoire luthérien, conforme à la loi de germinal, est remis en place ; tandis que le 2 décembre arrive sans qu'une décision ait été prise pour les réformés. On a bien autorisé, en 1850, la réunion d'un synode particulier dans le département de la Drôme ; mais il s'agit d'une initiative locale dépourvue de portée nationale.

Une « Eglise libre » se forme, cependant. F. Monod et A. de Gasparin, qui ont quitté l'assemblée réformée le 20 septembre 1848, s'attachent, en effet, à constituer une Eglise ayant à sa base une confession de foi. Ils n'ont, pourtant, que très peu de succès : sur un total d'environ 500 pasteurs attachés à l'Eglise réformée officielle, seuls 5 d'entre eux démissionnent pour se rallier à cette nouvelle Eglise. Aussi ses promoteurs se voient-ils contraints de se tourner vers les petites Eglises indépendantes qui, fondées le plus souvent sous la Monarchie de Juillet ont, en général, une confession de foi à la base de leur constitution. Mais F. Monod et ses amis ne parviennent pas à obtenir l'adhésion de toutes ces Eglises, certaines demeurant fidèles au régime congrégationaliste. Ils doivent, d'autre part, accepter des compromis pour grouper dans une même Union d'Eglises (et non une Eglise) d'anciennes Eglises indépendantes et les nouvelles Eglises constituées à leur appel. Et seules 14 Eglises locales (certaines n'ont qu'un tout petit nombre d'adhérents : 16 à Toulouse, 10 à Montendre, par exemple) sont représentées au premier synode ordinaire de l'Union des Eglises Evangéliques, réuni à Sainte-Foy en 1850. En réalité, cette Union ne dépasse guère la sphère d'influence de ses promoteurs et elle reste centrée sur Paris et sur le Sud-Ouest de la France ; en 1852 le nombre total des adultes membres de cette Union d'Eglises ne dépasse pas le chiffre de 1 000. Sa composition porte aussi, en germe, des difficultés dues au déséquilibre qui va peu à peu se faire jour entre le « librisme » aristocratique et intellectuel des grandes villes — comme Paris — et celui des petits villages du Midi plus orienté vers un piétisme à tendance fondamentaliste, peu ouvert aux courants intellectuels.

XXI. UNE ASSEMBLÉE PROTESTANTE DANS LA PRAIRIE D'ALÈS

Public surtout citadin. Dessin de M. Jules Salles, extrait de l'*Illustration*, 20 septembre 1856.

Bibl. Soc. Hist. prot. fr., Paris

Photo Jenny Ecoiffier

XXII. ASSEMBLEE DE LA CHAUME-D'AVON (DEUX-SEVRES)

Réunion annuelle tenue au XIXe siècle dans la paroisse de Bougon, sur l'emplacement des anciennes assemblées, avec la chaire du Désert. Public paysan, en net contraste avec celui, presque contemporain, de la planche précédente

Photo Jenny Ecoiffier

A partir de 1850, d'autre part, on assiste à un retournement des positions respectives de l'orthodoxie et du libéralisme. Jusqu'alors, les revivalistes apparaissaient comme des novateurs, comme des jeunes gens — exaltés parfois — qui voulaient remettre en honneur les doctrines du XVIᵉ siècle et aussi introduire de nouvelles formes de piété. Tandis que les libéraux représentaient, un peu, le vieux protestantisme huguenot issu du Siècle des Lumières, qui avait su résister à un siècle de persécutions. Cependant, au fur et à mesure de leur diffusion, l'aspect novateur des idées revivalistes s'estompe. Et une bonne partie de la génération qui arrive à l'âge d'homme vers 1850 ne se tourne pas vers le Réveil, qui se mue, peu à peu, en une orthodoxie, mais vers une nouvelle forme de libéralisme, influencé par la théologie germanique. Ces nouveaux libéraux sont, il est vrai, soutenus par les anciens libéraux, qui voient dans leur attitude une simple application du principe dans lequel ils tiennent à résumer le protestantisme : le libre examen. Mais alors, c'est au tour des libéraux d'apparaître comme des novateurs ; comme des étrangers inféodés non plus à l'Angleterre, à la façon des revivalistes, mais à l'Allemagne ; comme des destructeurs, non plus du vieux protestantisme français, mais de la foi chrétienne. Dès lors la majorité des protestants français — qui suivait auparavant l'avis des libéraux, l'Assemblée générale de 1848 l'a montré — va peu à peu se détacher d'eux pour se tourner vers les orthodoxes : en 1872, ceux-ci disposeront de la majorité au synode. Ce retournement se fait de manière progressive ; mais deux événements, survenus en 1850, permettent d'en prendre conscience : la démission d'E. Schérer de sa chaire à l'Oratoire de Genève, et la fondation de la *Revue de Strasbourg*.

Edmond Schérer était professeur d'exégèse dans cette école de théologie — dite l'Oratoire — fondée à Genève par des revivalistes, pour y former des pasteurs « orthodoxes » ; on y professait la théopneustie : la Bible, toute la Bible est intégralement inspirée par Dieu. Or, au début de l'année 1850, Schérer donne sa démission, en déclarant qu'il ne peut plus accepter cette théorie de l'inspiration plénière des Ecritures.

Il s'explique, d'ailleurs, dans une brochure intitulée *La critique et la Foi*. Il y expose que la doctrine de l'inspiration n'est pas affirmée dans la Bible ; qu'on y trouve des inexactitudes, des contradictions, et qu'il est donc nécessaire de faire un tri dans le texte de l'Ecriture. Désormais, « La Bible n'est plus pour lui [le chrétien] une autorité, mais elle est un trésor. Elle n'est plus la parole de Dieu, mais elle renferme cette parole. » Une telle attitude permet le développement d'une véritable exégèse scientifique telle qu'on la pratique en Allemagne ; et, aussi, le développement d'une véritable piété personnelle. D'ailleurs écrit-il, se révélant ainsi le disciple de Schleiermacher, on ne connaît Dieu « qu'après avoir entendu dans son cœur que nos péchés nous sont pardonnés » ; la seule hérésie est donc la négation du péché, et la religion se résume dans le sentiment de dépendance à l'égard du divin. Mais que reste-t-il alors du christianisme, quand on a retranché le dogme de l'inspiration ? « Il reste Jésus-Christ. Ce qui reste de l'Ecriture ? L'histoire de Jésus-Christ. Ce qui reste de la foi ? La personne de Jésus-Christ. C'est le commencement et la fin, le centre et le tout. » Jésus-Christ n'enseigne pas une doctrine, mais il manifeste Dieu : « l'œuvre de Jésus-Christ, c'est sa personne en action ». On le voit, Schérer, qui va peu à peu devenir l'un des chefs de la tendance libérale, n'est pas encore rationaliste ; par son aspiration à une religion plus individuelle, il est encore proche de la spiritualité revivaliste ; mais il a totalement rompu avec la dogmatique du Réveil.

En fait, Schérer participe au mouvement intellectuel qui conduit aussi Timothée Colani, alors orthodoxe et disciple de Vinet, à fonder la *Revue de Théologie et de Philosophie chrétienne* (connue sous le nom de *Revue de Strasbourg*) qui deviendra, peu à peu, le porte-drapeau de la théologie libérale en France. Tel n'est pourtant pas le projet de ses promoteurs : Edm. Schérer et A. Réville, par exemple, qui illustreront le courant libéral, mais aussi Edm. de Pressensé, Ch. Secrétan et Jean Monod, notamment, qui marqueront le courant orthodoxe. Cette nouvelle génération de pasteurs et de théologiens a été influencée à la fois par le revivalisme de Vinet et par la théologie allemande ; sans se croire identiques, ils s'estiment d'accord sur l'essentiel. Ils veulent développer les connaissances théologiques du corps pastoral français ; cela seul devant, selon eux, permettre de dépasser les aspects anachroniques de la querelle entre orthodoxes et libéraux. Ils souhaitent aussi adapter les formulations de la foi chrétienne à la nouvelle société que la révolution industrielle est en train de faire naître. A l'orthodoxie, ils reprochent d'être trop dogmatique, de considérer que la grâce s'empare du pécheur et le transforme sans réelle participation de sa part ; ils veulent aussi lui retirer sa timidité vis-à-vis de la science et de la recherche théologique. Au rationalisme, ils font grief de son origine non chrétienne, et de son mode de raisonnement, qui conduit à retirer aux Ecritures leur véritable valeur et à rabaisser Jésus-Christ au rang d'un homme ordinaire ; méconnaissant le péché, il interdit de ressentir la nécessité de la rédemption. Ils tiennent, quant à eux, à considérer le christianisme comme un fait : la vie et l'enseignement de Jésus-Christ et l'adhésion de l'âme du pécheur à cette révélation.

Très vite, pourtant, cet espoir de dépasser les vieilles querelles en s'unissant pour développer les connaissances théologiques et pour promouvoir une vie religieuse plus profonde, s'évanouit. Une partie des collaborateurs de la *Revue* — ceux qui vont demeurer dans le camp orthodoxe — rompent avec elle dès l'année 1851. Ils s'estiment en désaccord sur le mode de raisonnement de ceux qui vont diriger, en fait, le courant libéral ; ils les tiennent pour des rationalistes inconséquents que leurs principes doivent conduire, à terme, à mettre en question l'essence même du Christianisme. Ainsi, en 1851, les deux camps se sont-ils reformés. Sur de nouvelles bases, certes, puisque dans les deux tendances la fraction la plus novatrice reconnaît sa dette à l'égard de la théologie germanique. Mais les conditions sont réunies pour que la querelle reprenne et déchire, avec une violence inégalée jusque là, le protestantisme français.

L'exaspération des querelles

Le coup d'Etat du 2 décembre provoque, indirectement, quelques modifications dans la législation. Le 26 mars 1852, alors que les pouvoirs dictatoriaux de Louis-Napoléon expirent à la fin du mois, un décret « portant réorganisation des cultes protestants » est publié au *Moniteur* (il est complété, un peu plus tard, par une série de textes interprétatifs).

Pourquoi cette attention aux problèmes protestants de la part d'un gouvernement autoritaire, qui peut sembler avoir d'autres tâches plus urgentes à accomplir ? On peut citer la volonté de montrer que le nouveau régime est efficace et capable de résoudre les problèmes que quatre ans de République ont laissés sans solution. On doit plutôt y voir, nous semble-t-il, une tentative de reprise en main politique. Plusieurs insurrections républicaines de décembre 1851 se sont déroulées dans des régions où les protestants sont nombreux (Drôme, Ardèche, Gard, par exemple). Et, d'autre part, la structure de l'Eglise réformée est telle que le gouvernement ne peut pas obtenir le déplacement d'un pasteur dont les opinions politiques semblent suspectes. Ce fait choque particulièrement les préfets, accoutumés à voir dans les ecclésiastiques catholiques des auxiliaires dociles. D'où la volonté de renforcer l'autorité de l'Etat sur l'Eglise.

Pour les réformés, la principale modification concerne la reconnaissance officielle de l'Eglise locale, que le décret désigne, d'ailleurs, sous le nom de « paroisse » (et il la définit d'une manière discutable : « Il y a une paroisse partout où l'Etat rétribue un ou plusieurs pasteurs »). Son Conseil presbytéral est élu au suffrage universel par tous les hommes (protestants) âgés de 30 ans révolus ; il est renouvelable par moitié tous les trois ans. Les conditions de « cens » établies en 1802 sont donc abolies. Les consistoires, élus suivant un système complexe à plusieurs degrés, prennent — dans une certaine mesure — la place que les « colloques » tenaient dans la structure presbytérienne-synodale traditionnelle. Une des plus anciennes revendications des réformés est donc satisfaite. Mais le décret ne souffle mot des synodes. Au contraire, il semble vouloir les rendre, pour le moins, inutiles en créant, au-dessus des consistoires, un Conseil central des Eglises réformées. Il s'agit d'un organisme consultatif (« Le conseil représente les Eglises auprès du gouvernement et du Chef de l'Etat. Il est appelé à s'occuper des questions d'intérêt général dont il est chargé par l'administration ou par les Eglises [...] », art. 6). Ses membres sont nommés par le gouvernement. Dans l'Eglise luthérienne, le décret du 26 mars accroît aussi, nous le verrons, l'autorité centrale.

La querelle entre orthodoxes et libéraux prend une importance de plus en plus grande dans la vie de l'Eglise. Sa première caractéristique est une croissance graduelle de l'audience de l'orthodoxie.

Une illustration de ce fait peut être trouvée dans la désignation des professeurs de théologie. Le décret du 26 mars stipule, en effet, que les professeurs réformés seront, désormais, élus par les consistoires. Or, toutes les élections sont remportées par le candidat orthodoxe. En 1856, il obtient 47 voix et son principal adversaire libéral 45 ; toutefois, comme des voix se sont portées sur un autre candidat libéral, on peut encore penser que la tendance libérale conserve une courte majorité. Mais, dès 1860, la victoire orthodoxe est nette : 54 voix contre 43 (plus 5 voix à un candidat libéral secondaire) ; en 1864, les libéraux renoncent à présenter un candidat et, en 1866, le candidat libéral ne compte plus que 33 voix contre 61 à son adversaire orthodoxe. Il ne faut certes pas accorder à ces chiffres une valeur absolue ; mais ils indiquent bien une tendance.

Cette victoire progressive de l'orthodoxie s'effectue en deux temps. Jusqu'en 1860 les discussions entre théologiens sont importantes, mais elles n'ont pas encore une très grande répercussion au niveau des fidèles et les prédications dominicales des pasteurs n'en font guère mention. Après 1860, au contraire, les échos de la querelle parviennent jusque dans les paroisses rurales les plus reculées. C'est que, désormais, les positions doctrinales des libéraux mettent en question des points fondamentaux de la doctrine chrétienne. Dès lors les périodiques protestants accordent une très large place aux débats théologiques, des divisions affectent un grand nombre d'Eglises locales, les élections presbytérales — fort peu disputées auparavant — voient s'affronter des listes rivales et prennent, à Paris notamment, l'allure d'élections politiques, tandis que divers incidents locaux accroissent la tension.

Jusqu'en 1860, cette querelle est dominée par l'évolution de la pensée d'Ed. Schérer. Très vite elle se fait dans un sens radical, au contact, affirme-t-il, de la science exégétique allemande : quiconque la pratique, écrira-t-il à F. Monod, y perd « sa foi ou sa probité ». Rejetant toute autorité extérieure en matière de foi, il pose comme règle d'accepter pour vrai uniquement ce que sa conscience peut admettre. Y a-t-il, pourtant, une grande différence entre ce qu'il nomme sa conscience et ce que d'autres, avant lui, appelaient la raison ? Et ce tri qu'il veut opérer dans la Bible (entre ce que sa conscience accepte et ce qu'elle rejette) à l'aide de la science exégétique, il le pratique en plaçant à la base l'homme, sa raison et sa conscience, certes, mais n'est-ce pas là un retour à la religion naturelle, que manifeste, d'ailleurs, son refus de la transcendance ? Toujours est-il que Schérer est rapidement conduit à nier l'inspiration des Ecritures, la révélation, le péché originel, l'incarnation, la divinité de Jésus-Christ, la résurrection, la rédemption, etc. Dès lors, peut-on continuer à se considérer comme un membre de l'Eglise réformée, et même comme un théologien ? Schérer, esprit rigoureux, lucide, qui refuse toute concession, répond que, pour lui, ce n'est plus possible. En 1860 il décide de cesser toute activité d'ordre théologique ou ecclésiastique.

Tous ses amis libéraux, certes, ne vont pas aussi loin en 1860 ; pourtant un bon nombre d'entre eux évolueront comme lui par la suite. T. Colani cesse de publier la *Revue de Strasbourg* en 1869 ; peu après il abandonne aussi la théologie et cesse d'appartenir à l'Eglise. A. Réville quitte le pastorat en 1873 pour devenir, quelques années plus tard (1880) professeur d'histoire comparée des religions au Collège de France. Félix Pécaut avait même connu une évolution plus rapide : il n'exerce des fonctions pastorales que quelques mois en raison de ses convictions dogmatiques. Il publie en 1859 *Le Christ et la conscience* où il soutient que Jésus, homme ordinaire, n'a même pas connu la perfection morale. Mais, comme il avait cessé ses fonctions pastorales depuis plusieurs années, son livre — comme ses publications postérieures où il tente de définir ce que pourrait être la « religion de l'avenir » (cf. *De l'avenir du théisme chrétien considéré comme religion*, 1864) — provoquent moins de remous dans l'Eglise. Plus tard, au temps de J. Ferry, il sera directeur de l'Ecole Normale Supérieure de Fontenay-aux-Roses et cherchera à définir les bases d'une « foi laïque ».

En face de ce qu'ils considèrent comme des attaques, des « négations », les orthodoxes réagissent de deux façons. Quelques-uns, tel F. Monod, tentent de maintenir les positions les plus traditionnelles, comme l'inspiration plénière des Ecritures. Mais la plupart, qui connaissent autant que les libéraux la théologie allemande, Edm. de Pressensé (membre de l'Eglise « libre »), Jean Monod et un peu plus tard Ch. Bois ou Fréd. Lichtenberger notamment, ne se satisfont pas d'une attitude défensive. Sur le problème de l'inspiration des Ecritures, ils reconnaissent que la Bible renferme des inexactitudes de détail, mais ils affirment que l'inspiration réside non pas dans les textes mais dans la personne des écrivains sacrés. D'une façon générale, ils sont aussi tributaires de la pensée germanique et veulent élever le niveau des connaissances théologiques en France.

A partir de 1861 la *Revue Chrétienne* publie, sous les auspices d'Ed. de Pressensé, un Bulletin théologique qui devient en 1870 — après la disparition de la *Revue de Strasbourg*, ce qui ne manque pas d'être significatif — la *Revue de Théologie*. Les orthodoxes reprochent surtout aux libéraux de se poser comme les seuls détenteurs d'une méthode scientifique, alors que les affirmations qu'ils reproduisent sont souvent contestées, en Allemagne, par d'autres exégètes. Ils ne sont pas « orthodoxes » au sens étroit du terme, et ils sont aussi influencés par la pensée de Schleiermacher. Mais, comme l'écrit Ed. de Pressensé en 1861 : « Il nous est impossible de concevoir le christianisme en dehors de l'acceptation décidée de ce qu'on a appelé jusqu'ici les dogmes fondamentaux. » Il « croit fermement à la rédemption, c'est-à-dire au Salut de l'Humanité perdue opéré par le sacrifice de l'Homme-Dieu. » Cherchant une définition de la théologie évangélique, il écrit : « Nous l'appellerions la théologie de la conscience, parce que tout en conservant le principe formel de la théologie de la Réforme, qui est l'autorité des Saintes Ecritures, elle insiste avec vigueur sur l'accord de la conscience et de la vérité. »

Après 1860, deux camps s'affrontent dans le protestantisme ; même alors cependant, le détail de la querelle n'est connu que de quelques théologiens. Pour la majorité des protestants français, les choix sont différents. L'adhésion au libéralisme implique, plutôt, un attachement au libre examen, une certaine ouverture d'esprit vers l'étude scientifique des questions religieuses, et le refus d'une autorité ecclésiastique. L'orthodoxie, pour ceux qui l'adoptent, n'est pas une adhésion à la lettre de la théologie du XVI° siècle, mais plutôt la volonté de rester chrétien, un attachement à certaines formulations dogmatiques, comme la divinité de Jésus-Christ par exemple, et aussi la volonté de mettre en demeure les théologiens qui rejettent ce qui est, pour eux, les fondements du christianisme, de choisir entre leurs opinions dogmatiques et leur appartenance à l'Eglise réformée. Bientôt la querelle se cristallise autour du problème du miracle et de la foi dans le surnaturel. Les orthodoxes affirment que l'on ne peut pas se dire chrétien si l'on repousse le

surnaturel ; au nom du libre examen les libéraux soutiennent naturellement le contraire. Les conférences pastorales de Paris du printemps
1864 sont l'occasion d'un grand débat à ce propos. Après de très vives
discussions, les orthodoxes (traditionnellement en majorité) parviennent
à faire voter une déclaration — rédigée par F. Guizot — qui illustre
bien leur volonté de s'opposer aux libéraux les plus extrémistes.

Les libéraux modérés, quant à eux, refusent de se désolidariser
des libéraux extrémistes et affirment que l'Eglise réformée n'a pas de
doctrine précise. Dès lors les conditions sont réunies pour qu'une
scission de fait se produise, tandis qu'une certaine anarchie s'installe.
Dans telle Eglise le consistoire, par le biais d'un règlement électoral,
exclut les libéraux du droit de suffrage ; ailleurs ce sont les orthodoxes
qui font les frais de l'opération. En 1865 le consistoire de Nîmes —
libéral en majorité — refuse de reconduire l'accord traditionnel qui
permettait à la minorité orthodoxe (environ 1/3 des fidèles) d'être
représentée au consistoire. A Paris, bien que les orthodoxes ne disposent que d'une très faible majorité, le consistoire estime de son
devoir de ne nommer que des pasteurs orthodoxes. Les deux camps
en viennent à ne plus pouvoir siéger dans la même assemblée. Les deux
séries de conférences pastorales de Paris et de Nîmes — dont l'existence
palliait partiellement l'absence de synode — connaissent une crise.
En 1864 les orthodoxes se voient contraints de quitter les conférences
pastorales du Gard et de fonder leurs propres « conférences évangéliques du Midi » ; tandis qu'en 1866 les libéraux sont exclus des
conférences pastorales de Paris.

Le développement de cette agitation conduit les orthodoxes à
réclamer avec insistance au gouvernement la convocation d'un synode
national dont les décisions, officielles, s'imposeraient à tous, du moins
l'espèrent-ils. Les libéraux, qui se savent en minorité, s'y opposent,
comme de juste. Après bien des hésitations, le gouvernement impérial
semble résolu, au printemps 1870, à convoquer un synode. Mais le
déclenchement de la guerre franco-prussienne empêche la convocation
officielle.

Sous la IIIe République

Nouvelles bases et schisme

Le 19 novembre 1871, Thiers, alors président de la République,
signe le décret de convocation d'un synode général de l'Eglise réformée.
Un synode luthérien, rendu nécessaire par la perte de l'Alsace-Lorraine,

est également convoqué, peu après ; mais comme les débats y sont peu animés, nous insisterons plutôt sur le synode réformé.

Les libéraux (en théologie), leur premier moment de stupeur passé, s'élèvent alors avec violence contre la délimitation des circonscriptions des synodes particuliers ; selon la tradition réformée, en effet, ce sont les synodes particuliers, dont les membres sont désignés par les consistoires, qui élisent les membres du synode général. Et ils affirment que l'administration a voulu favoriser les orthodoxes. Un découpage électoral est, certes, toujours discutable. Pourtant, les documents conservés aux Archives Nationales montrent que l'administration des cultes a cherché à être équitable. D'ailleurs, les orthodoxes disposeront au synode d'une majorité d'environ 3/5, qui correspond à la majorité obtenue par les candidats orthodoxes, dans les dernières années du Second Empire, lors des élections des professeurs de théologie.

Après avoir protesté, les libéraux acceptent pourtant de participer aux élections. Ils font, il est vrai, des réserves préalables quant à l'autorité dogmatique du synode, mais ils participent à son organisation, et ils décident d'y siéger. Le synode se réunit donc dans le temple du Saint Esprit à Paris, du 6 juin au 10 juillet 1872. Les débats y sont, naturellement, passionnés car les orthodoxes réclament l'adoption d'une Déclaration de foi, dont l'acceptation serait imposée à tous les nouveaux pasteurs lors de leur consécration. Ils sont prêts, cependant, à proposer un texte « large » que tous les libéraux modérés pourraient signer : ils espèrent, en fait, que ceux-ci se sépareront des libéraux extrémistes. Les débats, malgré la présence des ténors des deux camps, n'apportent guère d'éléments nouveaux, quant au fond. Et, le 20 juin, une Déclaration de foi, rédigée par Ch. Bois, est adoptée par 61 voix contre 45. Les orthodoxes ne sont donc pas parvenus à entamer la solidarité libérale, les libéraux modérés ayant affirmé que, pour leur propre compte ils acceptaient les termes de cette Déclaration, mais qu'ils en refusaient le principe. Dans son passage principal elle proclame : « l'autorité souveraine des Saintes Ecritures en matière de foi — et le salut par la foi en Jésus-Christ, Fils unique de Dieu, mort pour nos offenses et ressuscité pour notre justification ».

Le synode met aussi au point un projet de réorganisation de l'Eglise, qui suscite peu de controverses. Le point le plus délicat est celui des conditions religieuses de l'électorat paroissial. On décide, le 26 juin, que seront électeurs : « [...] tous ceux qui déclarent rester attachés de cœur à l'Eglise protestante réformée de France, et à la vérité révélée telle qu'elle est contenue dans les Livres sacrés de l'Ancien et du Nouveau Testament ». Cette formule, à laquelle les libéraux modérés ne se sont pas opposés, est adoptée par 77 voix et 24 abstentions. Lorsque le synode se sépare, les orthodoxes sont donc assez satisfaits et ils espèrent que les mesures adoptées vont bientôt passer dans les faits.

Le synode luthérien, quant à lui, se tient du 23 au 29 juillet 1872. Il procède à une réforme interne, adoptée à l'unanimité. Deux synodes, l'un à Paris et l'autre à Montbéliard, se réuniront désormais tous les ans, et un synode général se tiendra tous les trois ans ; les inspecteurs ecclésiastiques sont, cependant, maintenus et l'on précise que la Confession d'Augsbourg reste la base de la constitution légale de l'Eglise. Cette organisation sera mise en pratique assez rapidement (1879).

Dans l'Eglise réformée, l'application des décisions du synode ne se réalise pas. L'opposition des libéraux préoccupe le gouvernement. Il temporise donc. Il provoque bien la réunion d'une seconde session du synode, en novembre 1873, afin qu'un tri puisse être fait entre les mesures applicables rapidement et les mesures qu'il faudrait présenter à l'Assemblée Nationale. Mais les libéraux refusent de participer à cette seconde session. La scission de l'Eglise réformée est donc consommée en fait sinon en droit et, malgré diverses tentatives de réconciliation, elle se prolongera jusqu'en 1938.

Les orthodoxes, pourtant, ne s'y résignent pas facilement. Certains d'entre eux commettent l'erreur d'utiliser leurs bonnes relations avec quelques membres des gouvernements de l'Ordre Moral pour tenter de l'emporter. Ils obtiennent, le 28 février 1874, l'autorisation officielle nécessaire pour la publication de la Déclaration de foi. Forts de cette publication, les consistoires à majorité orthodoxe rayent des listes électorales ceux des protestants qui n'acceptent pas de souscrire aux conditions religieuses de l'électorat adoptées en 1872. Mais les consistoires libéraux n'appliquent pas ces modalités électorales pour le scrutin de 1874. Le ministre (de Cumont) casse alors les élections libérales comme entachées d'illégalité. Les libéraux refusent de se soumettre, ne procèdent pas à un nouveau scrutin et conservent dans leur sein les membres élus en 1874. C'est le début d'une longue bataille juridique puisque les libéraux font appel au Conseil d'Etat, arguant que ces conditions religieuses de l'électorat (à la différence de la Déclaration de foi) n'ont pas été sanctionnées officiellement par le gouvernement.

Dans les deux camps les modérés tentent, pourtant, de trouver un terrain d'entente qui permettrait une réunification de l'Eglise. Un projet de conciliation est mis au point en 1876. Adopté par les orthodoxes, il échoue en raison de l'intransigeance de certains libéraux et du refus de leurs amis modérés de se désolidariser d'eux. Dès lors, les espoirs de réunification s'évanouissent et les orthodoxes, bien décidés à mettre en application le régime synodal, s'acheminent vers l'organisation de synodes officieux — ils se réuniraient sans avoir été convoqués par le gouvernement — propres à leur tendance. Mais les libéraux refusent de se soumettre. Ayant été plus unanimement républicains que les orthodoxes, ce sont eux maintenant qui sont le plus volontiers écoutés par les milieux dirigeants.

En 1879, la reconstitution du Conseil Central (avec 8 orthodoxes et 6 libéraux) et la nomination par le gouvernement Waddington d'un libéral modéré (Viguié) et d'un libéral avancé (Bonet-Maury) à la Faculté de théologie de Paris récemment créée (1877), décident les derniers hésitants à accepter la création d'une organisation officieuse orthodoxe. A la fin de 1879 et en 1881, les deux premiers synodes (officieux) structurent l'orthodoxie réformée. De leur côté les libéraux, à « l'Assemblée » de Nîmes (1882), adoptent une organisation plus lâche. Ce fait, ajouté aux démissions de pasteurs libéraux avancés (Jules Steeg, Frédéric Desmons notamment), contribue à affaiblir leur tendance. Lors de la division de Paris en paroisses, mesure qu'ils réclamaient depuis longtemps, une seule d'entre elles, l'Oratoire, est à majorité libérale.

Les « nouvelles théologies » (fin XIXᵉ - début XXᵉ siècle)

A partir de la fin du XIXᵉ siècle surgissent de nouvelles théologies qui veulent dépasser l'antagonisme orthodoxie - libéralisme. Leurs promoteurs sont, au départ, à peu près tous orthodoxes. Leur évolution va les rendre critiques vis-à-vis non seulement du contenu traditionnel de certaines croyances, mais aussi et surtout du système d'autorité qui est propre à tout mode de pensée à prétention orthodoxe. Pour beaucoup leur démarche va évoquer le « cas » Schérer, et on ne se fera pas faute de prédire à Aug. Sabatier ou W. Monod, par exemple, un aboutissement semblable. En fait la situation socio-culturelle est assez différente. Certes dans les domaines de l'exégèse des textes, de l'approche du psychisme humain, voire même de l'étude des sociétés, la validité des démarches scientifiques s'est, en trente à quarante ans, confirmée. Il n'est donc guère étonnant que, de nouveau, des hommes élevés dans un milieu tout à fait orthodoxe n'estiment intellectuellement plus tenables les positions qui leur ont été enseignées. Mais en même temps le positivisme philosophique a commencé à reculer, de même qu'une conception strictement scientiste de la science. Peu à peu est mise en valeur une saisie intuitive de l'esprit s'articulant avec la science. En France les noms de Boutroux et de Bergson marquent notamment cette évolution. D'autre part si le processus de laïcisation se poursuit (mais un protestant peut l'interpréter de façon positive), l'expansion missionnaire réalisée au cours du XIXᵉ siècle et le développement d'organisations internationales de jeunesse, fort actives (Alliance Universelle des Unions Chrétiennes de Jeunes Gens ou U.C.J.G. créée en 1855, Fédération Universelle des Associations Chrétiennes d'Etudiants ou « Fédé » autonome à partir de 1895) donnent à cette génération une certaine confiance dans l'avenir du christianisme. Celui-ci peut se confronter au monde nouveau qui s'élabore : il perdra certaines de ses formes devenues anachroniques et en revêtira de nouvelles qui sauvegarderont sa spécificité. Tout ceci explique que les nouvelles théologies de cette époque cherchent davantage à réinterpréter le christianisme traditionnel qu'à le mettre fondamentalement en question.

Le premier de ces courants est le symbolo-fidéisme au sein duquel on doit distinguer deux tendances : le symbolisme critique d'Auguste Sabatier et le fidéisme d'Eugène Ménégoz.

Auguste Sabatier, issu d'un milieu rural de piétistes ardéchois, est nommé professeur de dogme réformé à la Faculté de Strasbourg (1867). Expulsé en 1873, il est professeur à la Faculté de Paris dès sa création. En 1880, il publie dans l'*Encyclopédie des Sciences Religieuses* l'article « Jésus-Christ » qui suscite de vives controverses dans la presse orthodoxe. Plus que le contenu, on reproche à l'auteur sa méthode. En effet, au lieu de commencer par donner des affirmations dogmatiques — méthode déductive — il procède de façon inductive, allant des saisies historiques de Jésus et des questions qu'elles soulèvent (plausibilité des sources, chronologie, etc.) à l'œuvre et à la personne du Christ. En 1897, il publie l'*Esquisse d'une philosophie de la religion*, ouvrage qui tente d'élaborer une théorie de la connaissance religieuse. Ce livre a un grand retentissement, y compris en dehors du protestantisme. En 1904 paraît un ouvrage posthume, *Les religions d'autorité et la religion de l'Esprit*, qui veut comparer des sociétés religieuses (protestantisme et catholicisme) et analyser leur système de référence.

Pour Sabatier, « le raisonnement *a priori* [peut] servir à nous apprendre les possibilités abstraites des choses..., mais si on tient à savoir... ce que Dieu réellement a fait, il sera toujours plus modeste et sûr de le demander à l'observation patiente des phénomènes et de leur succession régulière qu'aux raisonnements *a priori*. La philosophie de la religion ne peut plus avoir que deux sources : la psychologie et l'histoire » (*Esquisse...*, réédition de 1969, p. XXIX). Par sa méthode, Sabatier se sépare donc de l'orthodoxie stricte. Mais sa volonté de définir théoriquement la connaissance religieuse (distincte pour lui de la connaissance scientifique, mais produisant une certitude égale) montre qu'il veut trouver des structures de pensée aptes à éviter le retour de l'évolution de certains libéraux de la génération précédente. L'objet de la connaissance religieuse est transcendant, donc toutes les notions théologiques ne peuvent être qu'inadéquates. Le symbole est ce qui tente d'exprimer de façon sensible l'invisible et le spirituel.

Collègue de Sabatier à la Faculté de Théologie de Paris, le luthérien Eugène Ménégoz, originaire d'un milieu alsacien très orthodoxe, affirme dans plusieurs publications que le chrétien est sauvé par la foi seule, indépendamment des croyances.

Pour lui, cette assertion se situe dans la ligne du *sola fide* de Luther (le salut par la foi et non par les œuvres). De même que, chez Luther, la foi n'est pas indépendante des croyances : « la foi qui sauve est psychologiquement influencée par les croyances... Mais les croyances, vraies ou fausses, n'entrent pas en ligne de compte dans le jugement que Dieu porte sur nous ; nous sommes sauvés par la foi seule. » Les croyances constituent un « moyen pédagogique » de premier ordre pour produire la foi (et donc leur contenu n'est pas indifférent, mais relatif).

Ces deux tendances, considérées comme complémentaires, sont réunies sous le terme de symbolo-fidéisme. La *Revue Chrétienne* contribue à la diffusion de ce courant. Les étudiants en théologie de Paris (moins nombreux toutefois que ceux de Montauban où le collège professoral reste orthodoxe) subissent son influence. Celle-ci est assez forte à partir des années 90 et atteint son maximum à la veille de la première guerre. Peut-être la perspective assez intimiste, voire individualiste, de Ménégoz a-t-elle été plus facilement intégrée par le « pasteur moyen » ou le laïc s'intéressant à la théologie que les problèmes théoriques soulevés par Sabatier, et cela malgré la notoriété plus grande de ce dernier.

La « théologie de l'expérience » a été fondée par César Malan fils, son principal représentant est Gaston Frommel, Suisse d'origine alsacienne, professeur à la Faculté de Genève, auteur notamment de trois volumes sur *L'expérience chrétienne* : l'expérience de la sainteté faite par le chrétien est due à l'initiative de Dieu. Elle est antérieure à l'idée réfléchie, et les formules théologiques en sont les nécessaires transcriptions, plus ou moins exactes.

Voulant sauvegarder la liberté de l'être humain, Dieu se révèle dans la partie obscure de la conscience : le subconscient (dont parlent alors les psychologues comme Pierre Janet, etc.). A l'individu de transformer cette expérience profonde en vie chrétienne. De même que les progrès de l'expérimentation scientifique sont dus à une soumission aux faits toujours plus grande, de même « c'est le progrès de l'obéissance à son objet qui relie l'expérience chrétienne rudimentaire à l'expérience chrétienne intégrale et complète ». Cependant pour le christianisme, « l'objet de l'expérience (à la différence de celui de l'expérience scientifique) n'est pas une chose (ou une personne considérée comme chose) mais une personne..., une action divine personnelle ».

A la différence de Sabatier et Ménégoz, Frommel reste considéré par les orthodoxes comme l'un des leurs, et la revue (modérée) *Foi et Vie* contribue à diffuser sa pensée, bien que l'orthodoxie stricte estime que sa théologie comporte certains dangers. L'influence de Frommel sur de jeunes pasteurs, orthodoxes ou libéraux, ne fut pas négligeable. Ainsi, parmi les autres représentants de ce courant théologique, trouve-t-on Henri Bois, orthodoxe modéré, et Georges Fulliquet, libéral modéré.

La théologie de l'espérance et de l'action — c'est ainsi que nous désignons l'expression théologique du christianisme social — est d'abord amorcée par Tommy Fallot qui revendique le « droit au salut » en insistant sur l'enracinement des êtres humains dans leur milieu social. Là, la théologie tente de s'articuler avec l'approche sociologique de la réalité. Si Fallot s'estime proche théologiquement d'un Ed. de Pressensé, ses disciples Wilfred Monod (*L'Espérance chrétienne*, 2 volumes, 1899 et 1901) et Elie Gounelle (*Essai de dogmatique solidariste*, 1902) sont notamment influencés par Sabatier et Frommel. Ils insistent, d'autre part, sur la « solidarité » qui doit lier les êtres humains entre eux et qui est absente quand des chrétiens oppriment ou exploitent d'autres personnes. Pour eux, le salut personnel de chacun ne peut se réaliser sans le « salut social » de l'ensemble. Ils citent Paul : « Je voudrais être anathème pour mes frères. »

Les chrétiens sociaux estiment que les Eglises ont perdu souvent la dimension sociale de l'Evangile qui est reprise sous une forme laïcisée par certains socialistes (Vandervelde, Jaurès, etc.) à leur insu conduits par l'Esprit. La régénération des chrétiens est donc dans un christianisme socialement pratiqué, dans l'espérance du Royaume de Dieu. Si les êtres humains « ne peuvent pas faire descendre le ciel sur la terre (car ceci sera l'œuvre du Messie au dernier jour), ils peuvent rapprocher la terre du ciel et préparer le retour du Seigneur » (W. Monod).

Le mouvement chrétien social et ses publications (l'*Avant-Garde*, la *Revue du Christianisme Social*) diffusent ces préoccupations qui suscitent certaines réserves, aussi bien dans les milieux orthodoxes que dans les milieux libéraux.

Ainsi les « nouvelles théologies » de cette époque veulent dissocier partiellement le christianisme de son cadre métaphysique traditionnel pour pouvoir l'articuler avec les nouvelles démarches des sciences humaines et sociales. Schématiquement, elles situent la spécificité du christianisme d'une part dans son élément proprement spirituel, voire mystique, d'autre part dans ses applications pratiques.

Les problèmes ecclésiastiques et la séparation des Eglises et de l'Etat

A la fin du XIXᵉ siècle les luthériens, très atteints par la perte de l'Alsace et de la Moselle, ont réussi à maintenir leur unité, bien qu'étant traversés par des courants théologiques identiques à ceux des réformés. Ils ont des communautés essentiellement à Paris et dans la région de Montbéliard. Leur pasteur le plus connu est Félix Kuhn.

L'Union des Eglises évangéliques libres (ce dernier adjectif rajouté en 1883) s'est bien développée. Certains de ses pasteurs, cependant, ont rallié l'orthodoxie réformée, notamment Eugène Bersier, auteur d'une importante réforme liturgique.

L'organisation orthodoxe se développe. Elle groupe en 1890 environ 550 Eglises sur un peu plus de 750. L'orthodoxie populaire des campagnes, forgée dans la lutte contre la propagande catholique, est sensible même dans certaines paroisses urbaines à cause du développement de l'immigration rurale. Beaucoup de grandes familles protestantes, d'autre part, se considèrent comme dépositaires de la tradition du Réveil. Les orthodoxes ont ainsi plus de troupes et plus de moyens financiers que les libéraux. Cependant, à partir de 1893 (fondation par Louis Lafon de l'hebdomadaire *la Vie Nouvelle*), une tendance conciliatrice se développe au sein de l'organisation orthodoxe le « centre droit » (qualification ecclésiastique et non politique), plus ou moins influencé par les nouvelles théologies. La montée des attaques anti-protestantes favorise un certain rapprochement. Deux « Conférences fraternelles » se réunissent à Lyon. La première (1896) permet la constitution d'une commission mixte orthodoxes - libéraux. La seconde (1899) met la droite en minorité lors d'un vote sur le Conseil Central (128 pour, 72 abstentions, 3 contre). Les orthodoxes stricts refusent alors une troisième conférence et polémiquent contre le centre droit dans l'hebdomadaire officieux orthodoxe, *Le Christianisme au XIXᵉ siècle*. Cependant, sur un plan local, Fallot crée une « Union des pasteurs du Diois » comprenant orthodoxes et libéraux.

Au début du XXᵉ siècle la séparation des Eglises et de l'Etat devient une hypothèse plausible. Cela pose des problèmes pratiques assez redoutables : quelle liberté la future loi va-t-elle donner aux Eglises ?

Le protestantisme va-t-il avoir la vitalité nécessaire pour subvenir à ses propres besoins ? Les luthériens, les réformés des régions affaiblies par l'exode rural (Basses-Alpes, Cévennes, Lozère) redoutent la séparation. Le peuple protestant a fortement conscience de son protestantisme, mais souvent il ne va pas régulièrement au culte. Va-t-il manifester son attachement aux Eglises ? Les responsables aimeraient le savoir. Mais la « base », qui n'a pas l'habitude de s'exprimer publiquement, reste muette et la correspondance des journaux continue à être monopolisée par des pasteurs et des notables laïcs.

Les désaccords ecclésiastiques s'amplifient. La grande question est : va-t-il être créé une ou deux union(s) d'Eglises réformées ? La « droite » estime que deux Eglises distinctes existent déjà, et que l'organisation officieuse orthodoxe est, seule, la véritable héritière de l'Eglise réformée historique (celle de Calvin et des persécutions). Il faut donc avant tout renforcer ses structures et n'avoir avec les libéraux que des liens assez vagues. Le doyen de la Faculté de Montauban, Emile Doumergue, et le pasteur de Paris, Benjamin Couve, défendent ce point de vue partagé par les grands bourgeois parisiens et l'orthodoxie populaire du Midi. Certains libéraux avancés s'accommoderaient aussi de deux unions d'Eglises. Mais la plupart des libéraux et le « centre droit », représentant certains éléments populaires mais surtout la petite et moyenne bourgeoisie plus ou moins intellectuelle, soutiennent que la situation a évolué depuis 1872. Une seule union d'Eglises est possible et souhaitable. Pour la constituer, il faut convoquer un synode national. Ou alors — position de repli — on peut maintenir provisoirement le statu quo : une seule Eglise officielle avec deux tendances fortement organisées. Un des enjeux du débat : y aura-t-il, ou non, une caisse commune ? Ayant moins de membres fortunés, étant moins habitués à cotiser, les libéraux vont avoir plus de difficultés financières que les orthodoxes qui d'ailleurs ont constitué en vue de la séparation un « trésor de guerre ».

Au synode orthodoxe officieux de Reims (mai 1905), la convocation d'un synode national avec les libéraux est rejetée (65 contre, 34 pour). Mais, contre la direction orthodoxe, une assemblée réunissant orthodoxes et libéraux « devra être convoquée » (51 pour, 50 contre). On semble donc s'acheminer vers la position de repli des partisans de la conciliation. D'ailleurs, pour montrer qu'ils ont, eux aussi, évolué depuis 30 ans, les libéraux adoptent à leur assemblée de Montpellier (novembre 1905) une déclaration de principes qui parle de Jésus-Christ comme du « Sauveur » et mentionne son « triomphe sur la mort » (le terme de résurrection faisait problème). Mais lors d'une nouvelle session du synode orthodoxe officieux (Orléans, janvier 1906), l'appareil orthodoxe reprend ses troupes en main. Un ordre du jour (57 pour, 38 contre) renvoie l'assemblée à une date postérieure à l'organisation des associations cultuelles en « groupements autonomes », c'est-à-dire quand tout sera fini. De plus la Déclaration de foi de 1872 devra figurer en tête des statuts de chaque association cultuelle. Enfin les bases d'une organisation ecclésiastique assez fortement centralisée, réduisant l'autonomie des paroisses, sont jetées. Le « centre droit » proteste ; deux de ses membres, E. Gounelle et W. Monod, démissionnent. Pourtant il hésite : la recherche de l'unité des réformés doit-elle aboutir à une nouvelle rupture ? Mais les libéraux ne peuvent plus attendre : la loi de séparation est votée depuis décembre 1905 ; l'heure est critique. Etant donné les décisions des orthodoxes, ils doivent, eux aussi, s'organiser.

Finalement, contrairement aux prévisions de l'appareil orthodoxe, les décisions d'Orléans, en gros confirmées à Montpellier (juin 1906) par le premier synode de l'Union des Eglises orthodoxes constituée selon la loi de Séparation, amènent la constitution autour de W. Monod, d'E. Gounelle et du pasteur libéral modéré Charles Wagner, d'une troisième Union d'Eglises. Fondée à Jarnac (octobre 1906), cette union se veut trait d'union entre orthodoxes et libéraux. Sa Déclaration de principes se fonde sur « l'aspiration des réformés » vers une « unité fraternelle ». Elle proclame notamment « la foi en Jésus-Christ, fils du Dieu vivant... qui sauve parfaitement tous ceux qui, par lui, s'unissent à Dieu, et leur impose le devoir de travailler à l'édification de la Cité de Justice et de Fraternité ». Le nouveau groupement souhaite que les Eglises locales puissent avoir une double appartenance (à son union et soit à l'union orthodoxe, soit à l'union libérale). Interdite par le synode orthodoxe de Paris (mai-juin 1907), celle-ci est réalisée avec la majorité des Eglises libérales.

Après la séparation, la presque totalité du protestantisme français vit sous le régime presbytérien synodal. Les protestants considèrent ce régime, caractérisé par sa pyramide d'assemblées, comme très démocratique. En fait ce sont souvent les personnes les plus disponibles et les plus cultivées qui arrivent en haut de la pyramide, c'est-à-dire celles qui appartiennent — au moins par leur genre de vie — à la bourgeoisie. Autre problème : le morcellement du protestantisme est plus net que jamais. Chez les réformés, l'affiliation de chaque Eglise locale à une union n'a pas toujours répondu à sa tendance réelle. L'influence du pasteur, l'insuffisance de l'information, la situation géographique (une Eglise hésitera à s'intégrer à une autre union que les

Eglises de son voisinage), la situation matérielle précaire jouent un rôle dans la décision d'affiliation.

Les luthériens n'ont guère changé ; ils possèdent environ 60 Eglises locales et un peu plus de 70 pasteurs. Les réformés sont divisés, nous l'avons vu, en trois unions d'Eglises. L'Union des Eglises réformées évangéliques (dont les membres sont appelés « les évangéliques ») groupe la grande majorité des anciennes Eglises orthodoxes, elle est de loin la plus nombreuse (440 églises, 410 pasteurs environ). Seule elle a une caisse centrale. Un certain nombre d'Eglises pauvres la rallient, en partie à cause de promesses de secours financiers. Les Eglises réformées unies (ex-Eglises libérales) groupent un peu plus de 100 églises et 120 pasteurs. Des pasteurs libéraux quittent le pastorat lors de la séparation, certains continuant à prêcher comme laïcs. Enfin l'Union nationale des Eglises réformées (dont les membres sont appelés les « jarnaçais ») a un peu plus de 80 Eglises et de 100 pasteurs, sans compter Eglises et pasteurs libéraux possédant la double appartenance. Malgré quelques réticences de part et d'autre, une fusion entre « jarnaçais » et « libéraux » aura lieu en 1912. Le nouveau groupement (« Union des Eglises réformées ») rassemblera environ 230 Eglises et 240 pasteurs. Les orthodoxes prévoient alors une évolution des « jarnaçais » vers la « gauche » théologique. En fait, ce sera plutôt le contraire qui se produira, bien que des hommes comme Gounelle et Monod soient considérés comme des libéraux par leurs adversaires des années trente. Notons enfin, qu'environ 25 Eglises locales — certaines importantes comme Lyon, Bordeaux, Paris - Passy — ne sont entrées, après la séparation, dans aucune union d'Eglises.

Le protestantisme déjà séparé de l'Etat avant la loi de 1905 continue à avoir sa vie propre. L'Union des Eglises Evangéliques Libres (environ 50 Eglises et pasteurs), que les « évangéliques » espéraient voir rejoindre leurs rangs, ne veut pas choisir entre eux et les « jarnaçais ». Le souci de sauvegarder sa spécificité la fait insister sur la profession personnelle de la loi. L'Union des Eglises évangéliques méthodistes, dont le pasteur le plus connu est Matthieu Lelièvre, se constitue sans difficultés avec environ 30 Eglises et pasteurs. De leur côté les baptistes se bornent à constituer une amicale ; en 1911 cependant, ceux du Nord formeront une union dans laquelle entrera l'Eglise de Paris, avenue du Maine, fondée par Philemon Vincent. Les baptistes du Midi resteront en dehors et développeront leurs contacts avec les baptistes suisses ; Ruben Saillens, auteur de « la Cévenole », assure la permanence de leur œuvre missionnaire.

Notons que les réformés évangéliques représentent une légère majorité de la population protestante, mais certaines de leurs Eglises, comme par ailleurs certaines Eglises libérales, n'ont guère de vitalité. Ferveur et militantisme religieux apparaissent plus chez les « jarnaçais » et les membres des petites Eglises.

Pour les Eglises « multitudinistes », la situation de séparation comporte une large part d'inconnu. Certains protestants craignent un effondrement du protestantisme : la suppression du budget des cultes ne risque-t-elle pas d'entraîner la suppression de la moitié des postes pastoraux, le déclin des œuvres, etc. ? Pour d'autres, au contraire, le changement de situation doit être l'occasion de réformes structurelles : réforme de l'activité diaconale, réforme des études de théologie, disparition de la distinction tranchée entre pasteurs et évangélistes, ou même pour quelques-uns comme Paul Passy, quasi-suppression du « professionnalisme pastoral ». Dès 1903 W. Monod avait, de son côté, proposé un vaste « programme » de réformes sociales, ecclésiastiques et dogmatiques. En fait il n'y a alors ni effondrement ni renouvellement. Unions et Eglises locales cherchent à se mettre en règle avec la loi, à trouver les moyens indispensables à la survie. Gestion, problèmes administratifs vont prendre beaucoup de temps et d'énergie aux pasteurs et aux conseillers presbytéraux. Au total l'essentiel du protestantisme ecclésiastique et non-ecclésiastique (œuvres, sociétés diverses, mouvements de jeunesse) est sauvegardé, mais au détriment d'un possible renouveau. Une innovation cependant : la création de la Fédération protestante de France. Cette fédération est la seule idée retenue du « programme » de W. Monod. Un Conseil provisoire commence à agir auprès des pouvoirs publics en 1905-1906. L'Assemblée Constituante a lieu en octobre 1909 à Nîmes. Excepté les baptistes, les divers courants sont représentés. Mais les éléments à caractère doctrinal du projet de « message » sont enlevés à cause de l'opposition des « évangéliques ». La F.P.F. est alors essentiellement conçue comme une association à but pratique. Les liens assez lâches qu'elle établit entre les Eglises en font plus une confédération qu'un véritable organisme fédéral. Jusqu'en 1927, elle sera présidée par un laïque des Eglises libres : Edouard Grüner.

Des tentatives de réaménagement ont lieu à la même époque. Ainsi en 1910 la Société Centrale et la Société Evangélique forment ensemble la Société Centrale Evangélique. L'ex-Société Centrale, plus forte et active notamment dans le bassin houiller du Nord et du Pas-de-Calais, prédomine dans la nouvelle Société, elle intègre les champs d'évangélisation de l'ex-Société Evangélique dans le Limousin et l'Yonne. Trois ans plus tard un important Congrès de l'évangélisation réunit des participants de divers horizons ecclésiastiques. L'évangélisation du monde ouvrier est à l'ordre du jour. Elle est notamment tentée dans des « Solidarités » et « Fraternités » fondées par des chrétiens sociaux — notamment E. Gounelle — à partir de la fin du XIXe siècle, plus ou moins en collaboration avec la Mission Populaire Evangélique (créée juste après la Commune par le Rév. Mac All). Centre d'activités non seulement religieuses mais aussi morales, sociales et culturelles, Solidarités et Fraternités cherchent à créer un milieu favorable à l'éclosion d'un « christianisme authentique ». L'évangélisation est assez nettement distinguée du prosélytisme. Mais ces œuvres, et d'autres moins novatrices, sont insuffisantes et souvent se développent trop tard. A Paris, par exemple, Belleville avait obtenu en 1890 le temple qu'il lui aurait fallu en 1870 et l'œuvre, équipée comme cela aurait été nécessaire en 1890, n'apparaîtra qu'après 1920.

Autre problème : l'ampleur de l'exode rural dépeuplant peu à peu les îlots qui constituaient les « réservoirs » protestants. Assez localisés ces « îlots » couvraient au total à peu près la superficie de trois départements. La dispersion de beaucoup de ruraux protestants sur un territoire trop vaste a créé des problèmes très difficiles à résoudre. Des milliers de protestants ont quitté des régions où ils avaient l'habitude d'un encadrement religieux stable pour s'installer dans une localité, une région, où il n'y a pas forcément de temple, de pasteur. Si l'un et l'autre existent, les migrants doivent se faire connaître, se lier à des familles d'une autre origine géographique, d'un milieu social et culturel différent du leur, consentir parfois à des déplacements assez longs. En retour, ils peuvent être déçus par un message, une formulation, des comportements différents de la vie et des paroles religieuses auxquelles ils ont été habitués et qui constituent pour eux le véritable protestantisme. Tout cela aurait réclamé une attention spécifique de la part des responsables mais, accaparés par les querelles ecclésiastiques puis par les problèmes posés par la séparation, ils n'ont pas voulu ou pas pu, en général, la lui accorder. Une exception : les mouvements de jeunesse. Au début du XX⁰ siècle, les Unions chrétiennes ont une vitalité certaine. Jeunes contremaîtres, et surtout jeunes employés de bureau, souvent d'origine rurale, forment la majorité de leurs membres urbains. Les étudiants s'organisent à part, à partir de 1898. Ils publient la revue *Le Semeur* (1902), assurant ainsi le renouvellement futur des cadres ecclésiastiques. Les premières troupes d'Eclaireurs Unionistes apparaissent enfin en 1911-1912.

La guerre et les années Vingt

Neuf ans après la séparation, quand les problèmes qui en ont résulté commencent à être surmontés, les Eglises protestantes se trouvent confrontées à de nouvelles difficultés : quatre années de guerre, le labeur de la reconstruction et la première grande inflation monétaire en France depuis la Révolution.

La guerre amène la mobilisation d'environ 500 pasteurs, missionnaires et évangélistes (à peu près la moitié de ce corps) ; 42 d'entre eux sont tués ainsi que 49 étudiants en théologie (sur 150), de nombreux fils de pasteurs et étudiants, futurs cadres du protestantisme. On ne connaît pas le nombre global des morts protestants, mais on sait que l'infanterie, qui recrutait ses cadres parmi les fonctionnaires et les hommes de troupe parmi les ruraux, essuya les plus lourdes pertes. Le protestantisme étant encore alors à majorité rurale et comptant beaucoup de fonctionnaires, il semble qu'un nombre proportionnellement assez élevé de ses jeunes hommes ait été tué (une enquête en cours permettra dans quelques années de le dire avec plus d'exactitude). Après la guerre, le même personnel va continuer à se partager les responsabilités dans les Eglises. La gérontocratie (déjà importante lors de la crise de la séparation) va s'accentuer. Autre caractéristique : les femmes de pasteur, jusque là souvent confinées dans un travail d'aide de leur mari, indispensable mais obscur, vont dans plusieurs cas remplacer leur époux. Certes, à son retour, elles devront plus ou moins rentrer dans le rang, mais peut-être ces années-là ont-elles été à l'origine de la relative évolution qui s'est produite ensuite dans ce domaine. Notons enfin que la guerre et l'occupation allemande éprouvent fortement les populations protestantes du Nord et de l'Est. Temples et Fraternités sont détruits, ils seront assez vite reconstruits, en partie grâce à une aide américaine.

La guerre conduit certains à trouver dérisoires les divisions du protestantisme français. Dès 1916, un appel en faveur de l'union est lancé par des aumôniers. Deux autres appels sont rédigés dès la fin des hostilités. Une assemblée générale des protestants réformés est notamment réclamée. W. Monod propose qu'elle aboutisse à une « Eglise réformée de France » à caractère fédéral, chaque tendance gardant une autonomie interne. Les orthodoxes refusent, mais acceptent que les statuts de la Fédération protestante de France (F.P.F.) parlent d'entreprises communes à un niveau religieux (et pas seulement moral et social).

La victoire de 1918 amène, d'autre part, le retour à la France des communautés protestantes d'Alsace et de Moselle. Pour faciliter la réadaptation des départements recouvrés, le gouvernement français renonce à y introduire la loi de séparation. Ces communautés, dont les particularités administratives constitueront un obstacle à l'union confessionnelle avec les luthériens et réformés de « l'intérieur », entrent en 1919 à la F.P.F., qui accueille également la Fédération des Eglises baptistes.

On ne constate plus au XX° siècle de mouvements collectifs en faveur du protestantisme. D'autre part, les Sociétés d'évangélisation ont des difficultés financières. En 1920 la Société Centrale Evangélique et la Mission Populaire Evangélique créent un organisme de coordination, « l'Union pour l'Action Missionnaire », qui absorbe la presque centenaire Société des Traités Religieux. Pour soutenir « l'Union », le pasteur Freddy Durrleman, aidé de sa femme, fonde « La Cause » dont le but est de « mobiliser » des laïcs (des classes moyennes urbaines et de la bourgeoisie) résolus à travailler, chacun selon sa spécialité, « à la rénovation protestante et à la conquête évangélique ». L'évangélisation, le soutien des disséminés, la formation de laïcs constituent ses activités. A partir de 1922 la Cause obtient un statut d'égalité avec les deux sociétés fondatrices de « l'Union ». Elle se développe, parfois peut-être au détriment de ses associés. De là des méfiances réciproques qui aboutissent en 1926 à une rupture.

La « Brigade de la Drôme », née en 1922-1923 d'un mouvement de réveil de quelques Eglises de la Drôme, est d'abord animée par Victor Bordigoni puis par Henri Eberhard et Jean Cadier. Les « brigadiers » tiennent de nombreuses réunions, puis organisent des Conventions. Une « Ecole » et une publication, *Le Matin Vient*, sont créées en 1925. Très vite la « brigade » est appelée à présider des réunions dans d'autres régions de France et parfois à l'étranger. A son exemple, un groupe un peu semblable se crée en Gardonnenque. Drôme et Gardonnenque sont des régions où la densité protestante reste assez forte. C'est au « peuple protestant » que veulent s'adresser ces revivalistes. Sans mettre en cause les institutions ecclésiastiques, ils prêchent le renouveau de la vie intérieure et la communion spirituelle avec Dieu. Adressé à des ruraux, leur message a une tonalité antimoderniste assez forte : l'évolution de la société vers une laïcisation, et assure-t-on, une socialisation, de plus en plus poussée, est décrite sous de sombres couleurs. Ces activités revivalistes dureront jusqu'à la guerre de 1939-1945.

Les années Vingt voient aussi la constitution des deux organisations œcuméniques : « Vie et Action », et « Foi et Constitution », dont la réunion donnera le Conseil Oecuménique des Eglises. Cet œcuménisme réunit, pour le moment, diverses familles protestantes et des Eglises orthodoxes.

Animé par l'archevêque luthérien suédois Nathan Söderblom, la Conférence de Stockholm (août 1925) crée le mouvement « Vie et Action » (Life and Work), aussi appelé « Christianisme pratique ». Ce mouvement veut rechercher un christianisme « réellement pratiqué » dans les questions sociales, morales, internationales, etc., sans mettre en cause au départ les divergences doctrinales. L'idée de base consiste à envisager l'unité à partir de l'action. Les Français jouent un rôle important dans ce mouvement.

Mais les problèmes doctrinaux se posent aussi. Le mouvement « Foi et Constitution » (Faith and Order) a, lui, pour but d'amorcer un rapprochement dans les problèmes touchant à la « Confession de Foi de l'Eglise » et à son gouvernement. Sa Conférence constitutive (Lausanne, 1927) affirme dans son message aux Eglises : « Dieu veut l'unité... Bien que nous puissions justifier les origines de notre état de désunion, désormais nous devons besogner avec repentance et foi pour relever les remparts détruits. » Sans être négligeable, le rôle des Français, dans ce mouvement, est moins important.

Nouveaux courants théologiques et relative unification des réformés français

La première guerre mondiale a sonné le glas de bien des espoirs. Pour une nouvelle génération la recherche d'une articulation entre la théologie et les démarches scientifiques, le primat donné à l'expérience, l'espérance d'un Royaume de Dieu préparé par la construction d'une société nouvelle, tout cela ne peut plus avoir cours. Aux théologies cherchant une conciliation plus ou moins étroite avec la « pensée moderne », vont s'opposer des théologies se voulant intransigeantes. Aux démarches à dominante inductive vont s'opposer des démarches à dominante déductive.

Longtemps isolé, le théologien néo-calviniste Auguste Lecerf voit peu à peu, surtout lors des années 30, des étudiants et des pasteurs subir son influence. Son *Introduction à la dogmatique réformée* (2 vol., 1931-1938) étudie « la nature, le fondement et la spécificité de la connaissance religieuse ». D'autres livres d'auteurs appartenant à la même école de pensée (notamment les jeunes théologiens génevois Jean de Saussure et Max Dominicé) sont publiés à la même époque.

Lecerf réagit fortement au début de l'influence des sciences sociales. Ainsi, par exemple, il accuse E. Durkheim d'avoir voulu réduire la théologie et la religion à une « servitude insultante ». Il polémique également contre les courants théologiques de la fin du XIXe et du début du XXe siècle qui ont produit, selon lui, une « religion du sentiment » où la seule certitude est l'émotion subjective. Pour Lecerf la révélation divine contient une « splendeur de vérité » qui nous permet d'accéder à une certitude d'ordre intellectuel. En ce sens, la théologie est la « science de la religion ».

Il définit le *soli Deo gloria* calvinien ainsi : « Dieu ne dépend d'aucune manière ni en aucun sens des créatures, ni dans l'ordre du réel, ni dans l'ordre de la pensée mais... au contraire sa volonté décrétive a l'empire souverain sur toutes choses et sa volonté préceptive l'autorité suprême sur toutes les intelligences, en sorte qu'il est l'auteur, la cause première et la source de tout bien. »

D'abord objet d'études très critiques dans les revues, le Barthisme commence à être mentionné de façon élogieuse à la fin des années Vingt. Dans les années Trente des jeunes pasteurs, des étudiants notamment, assurent sa diffusion sous la direction de Pierre Maury. Les principaux relais sont l'enseignement de Maury à la Faculté de théologie, la revue *Foi et Vie* dont il est directeur (avec comme collaborateurs Charles Westphal, Albert Finet, etc.), la « Fédé » (avec notamment Suzanne de Dietrich) et son organe *Le Semeur*, les enseignants anciens fédératifs. L'éphémère revue *Hic et Nunc*, créée par de jeunes intellectuels, notamment Roger Jézéquel et Denis de Rougemont, mène dans la même optique une critique « iconoclaste » du protestantisme établi. Les oppositions se manifestent d'ailleurs assez vivement. Si les jeunes Barthiens admettent en partie — nous allons voir pourquoi — le travail scientifique d'exégètes d'autres tendances (ainsi les recherches de Maurice Goguel), ils s'en prennent vivement aux théologiens et pasteurs partisans de démarches inductives comme W. Monod. De leur côté certains « anciens » ont tendance à sous-estimer la portée de ce nouveau message théologique et traitent de « galopins » leurs contestataires. L'absence de génération intermédiaire (due à la guerre de 1914-1918), l'attitude de Barth face aux événements politiques, l'essoufflement de la « vieille orthodoxie » du XIXᵉ siècle vont permettre à ceux qui se réclament du Barthisme (et/ou du néo-calvinisme) d'accéder dans une large part aux postes de commande dès 1938.

Karl Barth, théologien suisse, publie en 1919 un commentaire de l'Epitre aux Romains qui fait sensation dans les milieux de langue allemande. A partir de 1921 il enseigne successivement la dogmatique à Göttingen, Münster, Bonn (d'où il est expulsé en 1935 par le régime nazi), et à Bâle où il prend sa retraite professorale en 1964.

La théologie de Barth a évolué. Celle qui marque surtout de son emprise la jeune génération protestante française des années Trente possède deux caractéristiques : être une théologie de la crise, employer une méthode dialectique. Pour Barth, la Révélation de Dieu est la crise du monde. Dieu est, en effet, le « tout autre », sa différence qualitative avec l'être humain est infinie. Ce dernier, y compris en ce qu'il a de meilleur, doit subir le jugement de Dieu, qui signifie pour lui et pour son univers mental le néant, la mort. A ses adversaires qui trouvent qu'il néglige l'incarnation de Dieu en Jésus-Christ, Barth réplique que, pour lui, en s'incarnant, Dieu n'entre pas réellement dans l'histoire mais touche seulement le monde « comme la tangente touche un cercle, sans le toucher ». C'est pourquoi la religion est considérée comme une tentative « d'effacement délirant des distances », la « divinisation de l'homme et l'hominisation de Dieu ». Voulant parler de Dieu de façon positive, l'être religieux l'enferme en fait dans les cadres de sa mentalité humaine, pécheresse. Donc, selon Barth, seule la méthode dialectique peut parler de Dieu sans avoir prise sur lui : la thèse et l'antithèse doivent être énoncées sans jamais donner de synthèse, on ne saurait, en effet, énoncer une conclusion sur Dieu. La foi est un creux, un vide, un soupir, une attente. Elle est aussi une espérance : le oui est le sens caché du non, le jugement de Dieu s'accomplit en vue de la grâce.

Le Barth des années Trente amorce, cependant, une certaine évolution. L'influence de Kierkegaard, sensible dans les années Vingt, s'estompe. L'introduction à la *Dogmatique chrétienne* publiée en 1927 est réécrite et devient en 1932 le tome 1 de la *Dogmatique de l'Eglise* (*Kirchliche Dogmatik*). Si la connaissance n'introduit pas la foi, la foi produit une connaissance d'elle-même qui met en évidence une vérité à la fois incompréhensible dans sa genèse et pleine d'intelligence dans son fait.

Pour Barth et ses disciples, la théologie barthienne — redécouverte de la Parole de Dieu — s'explique par elle-même. Pour un historien le Barthisme possède, comme tout mouvement théologique, un net enracinement socio-culturel. La crise que produit le jugement de Dieu sur l'ensemble de la création permet implicitement de rendre intelligible l'ébranlement de la civilisation occidentale consécutif à la première guerre mondiale et à ses suites. L'attestation, opérée par le libéralisme théologique, des valeurs de la société occidentale, l'accent mis par le christianisme social sur le rôle positif des efforts humains, tout cela est maintenant moins crédible, notamment pour certains jeunes. Le Barthisme assume — et dans une certaine mesure rationalise — l'angoisse de la jeunesse. Au sein même de la détresse présente il lui propose d'avoir confiance et espoir dans un « Tout autre », non compromis — puisque « tout autre » justement — dans la débâcle des valeurs.

La théologie de la crise se nourrit donc des bouleversements politiques, économiques et culturels, de l'atmosphère générale de crise qui existe en Europe (et en France notamment) dans les années Trente. Elle n'est pas un simple reflet de la crise mais constitue plutôt, au sein de cette crise et en étant marquée par elle, une tentative de rencontre nouvelle avec la Bible.

La méthode dialectique mise en œuvre par les barthiens constitue également une tentative de répondre au défi lancé par la laïcisation de la culture. Le Barthisme admet, qu'en tant que « religion », le christianisme soit — comme toute œuvre « humaine » — objet d'analyse. Dans ce domaine quelques barthiens français, par exemple, sont les premiers protestants à admettre en partie la critique de la religion faite par la psychanalyse. De même la Bible, comme parole humaine, peut être l'objet d'exégèse scientifique. Mais la Révélation divine, touchant le monde sans le pénétrer, n'a aucune épaisseur ni spatiale ni temporelle. Pour les barthiens, aucune démarche historique, sociologique, psychologique, etc., ne peut donc valablement en rendre compte. Pareillement la Bible, comme Parole de Dieu, échappe à toute investigation scientifique. Là donc, seule la théologie est la véritable « science de la foi », tentative qui n'est pas sans analogie avec l'entreprise néothomiste qui a lieu, à la même époque, dans l'Eglise catholique.

Mais, à cause de la laïcisation culturelle, la théologie n'est plus « science de la foi » que pour les croyants. Cette situation est, en partie, responsable de ce qui a été appelé la « redécouverte de l'Eglise » par le mouvement barthien. Cette insistance sur « l'Eglise » n'a, en effet, rien d'évident dans les présupposés théologiques du Barthisme. Kierkegaard, nous l'avons vu, n'avait-il pas été d'abord une des principales références du mouvement ? L'évolution des barthiens est très compréhensible dans une perspective de sociologie de la connaissance : pour maintenir un savoir dont la réalité et les axiomes ne sont plus postulés par la société globale, il faut valoriser au maximum l'organisation particulière chargée de le transmettre. Comme l'a écrit, un peu brutalement sans doute, Peter Berger : « Si l'on doit croire ce que la néoorthodoxie veut que l'on croie, dans la situation contemporaine, alors il faut plutôt veiller à se tenir bien serrés les uns contre les autres, à rester profondément unis à ses compagnons dans la foi. » Cela, et le barthisme et le néo-calvinisme le pensent également. De là notamment l'importance de l'ecclésiologie dans ces théologies déductives. A la même époque enfin, le Pentecôtisme, mouvement de réveil dont l'origine remonte au Réveil du pays de Galles (1904) et à celui de Los Angeles (1906) s'introduit en France. Un jeune Anglais, Douglas Scott, fonde les premières « Assemblées de Dieu » françaises au Havre, à Rouen, à Liévin, à Calais, à Lyon. Invité par des pasteurs, Scott prêche en 1932 en Ardèche. Influencés par lui, ces pasteurs — notamment Louis Dallière — veulent faire retrouver à leur institution ecclésiastique une ardeur spirituelle inspirée de la vie de l'Eglise primitive et de ses charismes. Certains, bientôt, sont amenés par conviction à renoncer au baptême des petits enfants. Les « réveillés » vont-ils devenir schismatiques ? Des conflits éclatent, que l'unité de 1938 ne résoudra qu'en partie.

A l'heure du rapprochement œcuménique, les divisions des réformés français apparaissent à beaucoup de plus en plus anachroniques. L'année de la Conférence de Lausanne (1927), le Comité Drôme-Ardèche de la F.P.F. émet un vœu demandant qu'un Congrès manifeste le rapprochement spirituel des diverses tendances du protestantisme français. L'assemblée de la F.P.F. de 1929 reprend en partie cette demande à son compte. Début de réponse, des « Journées spirituelles » ont lieu à Valence en 1930. Mais au total cette tentative de rapprochement en dehors des appareils ecclésiastiques échoue.

Le problème de l'unité reste cependant à l'ordre du jour, favorisé par le développement d'une psychologie œcuménique. D'autres raisons jouent également. Ainsi une prise de conscience a lieu concernant les problèmes démographiques (l'exode rural est aggravé par un certain malthusianisme) et les modifications de la carte protestante, cela grâce aux travaux du pasteur Pierre Lestringant. On constate que de petites localités où résident quelques centaines de protestants possèdent deux pasteurs de deux unions différentes alors que dans des zones urbaines — la région parisienne notamment — des milliers de protestants sont sans pasteur. Les suppressions de postes (102 entre 1905 et 1934) rendent d'autant plus difficiles les transferts. Autres facteurs : la chute du franc en 1926 et surtout la grave crise économique des années Trente amènent des déficits croissants, alors que les augmentations du traitement pastoral deviennent dérisoires par rapport au coût de la vie. Dans les synodes la question financière entraîne des débats de plus en plus longs. Notons aussi que le clivage orthodoxie-libéralisme, qui est à l'origine des divisions ecclésiastiques, tend à être remplacé par d'autres clivages théologiques qui ne correspondent plus à ces divisions : A. Lecerf, par exemple, est membre non de l'Union « évangélique », mais de l'Union des Eglises Réformées. D'ailleurs les laïcs influents souhaitent souvent l'unité qui leur paraît aller dans le sens de l'efficacité. Les jeunes Barthiens désirent aussi l'unité car pour eux la « nature » de l'Eglise est d'être « une ».

A partir de 1933 le processus d'unification s'engage. Il concernera au bout du compte quatre unions d'Eglises (les « évangéliques », les réformés, les libristes et les méthodistes), outre quelques Eglises indépendantes (Bordeaux, Lyon, Le Havre, etc.). Au départ, après avis favorable de leurs synodes, une « Délégation mixte » travaille, avec notamment les pasteurs André Numa Bertrand, Marc Boegner et E. Gounelle du côté « réformé », Maurice Rohr et bientôt Jean Cadier du côté « évangélique ». Dès janvier 1934 un début d'opposition se manifeste dans certains milieux « évangéliques » du Midi, où l'on veut maintenir la Déclaration de foi de 1872. Là, les anciens clivages théologiques subsistent plus nettement que dans les villes, et les négociations commencées sont considérées comme l'émanation des vues des comités directeurs parisiens. Au début de 1935, la Délégation mixte publie un projet de Déclaration de foi dont la trame reste le texte de 1872 modifié et complété. Un préambule, devant être lu lors des consécrations pastorales, indique que le futur pasteur n'est pas invité à « s'attacher à la lettre des formules » (« qui suivent ») mais à « proclamer le message du Salut qu'elles expriment ». Les diverses parties du projet sont adoptées au synode « évangélique » de Saintes (juillet 1935) (pour : de 48 à 56 voix, contre : de 8 à 15 voix) comme bases susceptibles d'amélioration. Les Eglises libres et les Eglises méthodistes se joignent aux discussions en cours. Un texte légèrement modifié est mis au point en 1936. La Déclaration affirme la « perpétuité de la foi chrétienne à travers ses expressions successives » (Symbole des Apôtres, Confession de La Rochelle, etc.), « l'autorité souveraine des Saintes Ecritures, telle que la fonde le témoignage intérieur du Saint Esprit ». Elle déclare mettre « à la base de son enseignement et de son culte les grands faits chrétiens affirmés dans l'Evangile » et montrer « sa foi par ses œuvres » (un paragraphe notamment est d'inspiration chrétienne-sociale). Le préambule est conservé sur demande des « réformés ».

En 1937, on étudie les questions de statuts, de discipline et les conditions religieuses de l'électorat. Il est décidé de distinguer entre « membres des paroisses » (baptisés ayant reçu l'enseignement catéchétique) et « membres responsables » (fréquentant le culte, prenant part à la Cène, participant activement à la vie de l'Eglise), seuls électeurs. Cette distinction ne sera cependant guère respectée dans la pratique. En même temps les opposants forment un « Comité d'Entente évangélique » animé notamment par Henri Bruston. L'union est proclamée par l'Assemblée Constituante de l'Eglise réformée de France à Lyon (25-29 avril 1938). Marc Boegner, déjà président de la F.P.F. depuis 1929, est nommé président. L'E.R.F. groupe les « réformés », la plupart des « évangéliques », et environ la moitié des Eglises libres et des Eglises méthodistes. Notons que cette unification relative a lieu l'année suivant les Conférences œcuméniques d'Oxford (« Vie et Action ») et d'Edimbourg (« Foi et Constitution »), qui décident leur fusion en un mouvement unique.

Les séquelles du passé, le refus du « dirigisme » ecclésiastique, la conception du « petit troupeau » devant garder sa pureté conduit les opposants « évangéliques » à vouloir maintenir l'Union réformée évangélique. Leur synode constituant a lieu à Saint-Jean-du-Gard (août 1938). Ce groupe comprend environ 45 Eglises, la plupart implantées en Cévennes. Sa base est essentiellement paysanne, des membres de la bourgeoisie d'affaires du Midi et de la petite noblesse languedocienne fournissent les cadres. Sa prétention à être la continuation de l'Union « évangélique », alors qu'il ne rassemble que 1/8 de ses Eglises, amène un conflit juridique portant notamment sur l'attribution des biens. Le Conseil d'Etat le tranche en faveur de l'Eglise réformée de France en 1943 et 1945.

Les derniers développements

Une minorité dispersée

Sans doute cette restauration de l'unité réformée laissait en dehors une cinquantaine de paroisses des Eglises Réformées Evangéliques (qui deviendront en 1948 les Eglises Réformées Evangéliques Indépendantes ou E.R.E.I.), toutes implantées dans le Midi et en particulier dans le Gard (31 postes), ainsi qu'une vingtaine des Eglises Libres, une quinzaine des Eglises Méthodistes, une trentaine des Eglises Baptistes, et bien évidemment l'Eglise Evangélique Luthérienne de France, avec ses deux inspections, celle de Paris (16 paroisses) et celle du « pays » de Montbéliard (55 paroisses). Sans doute aussi, l'Eglise Réformée de France (E.R.F.) représentait la plus grosse part du protestantisme de « l'intérieur », avec ses 513 postes paroissiaux répartis sur l'ensemble du territoire national, sauf dans l'Est. Mais au lieu d'une mosaïque de paroisses, sans lien les unes avec les autres puisqu'appartenant à des Unions d'Eglises différentes, se dresse maintenant une Eglise réformée avec ses seize « circonscriptions » ou régions ecclésiastiques (y compris celle de l'Algérie), ayant chacune à sa tête un conseil régional : le régime presbytérien-synodal donne le pouvoir — quelquefois théorique — à une hiérarchie d'assemblées (assemblée de paroisse dans l'Eglise locale, synode régional et national). Elles élisent et contrôlent des conseils (presbytéral, régional, national), qui ont la charge d'exécuter les décisions des assemblées dans l'intervalle des sessions et sont toujours responsables devant elles de leurs actes. La moitié au moins des délégués aux synodes est toujours constituée par des laïcs. A l'intérieur de chaque région, les paroisses sont groupées en consistoires (de deux à six par région) — une remise à jour des colloques du XVIIᵉ siècle —, dans lesquels les pasteurs et les anciens sont appelés à travailler en équipes.

Ce remembrement des réformés facilite la diffusion du renouveau doctrinal et permet de supporter l'épreuve de la seconde guerre mondiale. Dès l'écroulement de juin 1940, le protestantisme français se trouve à nouveau morcelé : les prisonniers qui, dans les Stalag et les Oflag, redécouvrent l'Eglise, la communauté paroissiale, et prennent conscience d'une unité spirituelle réelle : « Nous souhaitons ardemment que l'unité du protestantisme français que nous vivons si simplement en terre d'exil soit manifestée aussi dans notre patrie... » (Oflag X D, 1942) ; la zone occupée où les synodes régionaux peuvent encore être convoqués ; mais une assemblée générale annuelle, sous la présidence de Maurice Rohr, vice-président du Conseil national de l'E.R.F., tient lieu en 1941 et 1942 de Synode national et prend toutes les décisions indispensables à la vie des paroisses. Quant au Conseil de la Fédération, il siège presque au complet à la « rue de Clichy », dirigé avec sagesse, courage et fermeté par le vice-président André-N. Bertrand d'août 1940 à mars 1943, durant le séjour de Marc Boegner en zone non occupée. Pour mener à bien la « politique de présence » auprès du gouvernement de Vichy, le président de la Fédération est à Nîmes où se sont également installés les bureaux de l'E.R.F. et qui devient ainsi la « capitale » provisoire du protestantisme français. C'est aussi en zone Sud, à Périgueux, que se trouve la direction des Eglises d'Alsace et de Lorraine.

Période difficile à traverser pour un protestantisme qui sort de plusieurs décennies de divisions, de débats doctrinaux, d'affrontements souvent violents et dont la restructuration est toute fraîche. La forte personnalité et la conviction de la plupart des présidents de régions, la tranquille assurance et le courage de nombreux laïcs et pasteurs encouragent à la fermeté les responsables des Eglises vis-à-vis de la politique menée par Vichy et les autorités d'occupation.

Dès 1941, Marc Boegner n'hésite pas à exprimer publiquement son inquiétude concernant « l'existence physique d'un protestantisme sans enfants » et l'effritement accéléré de vieilles paroisses rurales ; il s'appuie sur les travaux du doyen Pierre Lestringant, et encourage le pasteur Paul Conord, puis à partir de 1960 la Commission de sociologie de la Fédération, à apporter une réponse lucide à cette question simple : combien y a-t-il de protestants en France ?

Certes depuis le XVIᵉ siècle, les protestants sont en France une minorité. Mais jusqu'à la 2ᵉ guerre mondiale, malgré l'exode rural et la dénatalité, ils pouvaient se masquer la réalité, et poursuivre l'illusion d'une « France protestante », avec ses « réservoirs » ruraux, le Poitou et la Saintonge, le Tarn, les Cévennes et le Bas-Languedoc, l'Ardèche, la Drôme et les hautes vallées du Queyras et du Briançonnais, sans parler des « bastions » du pays de Montbéliard et des départements concordataires. L'exode rural qui arrache à l'agriculture 1 million 300 000 personnes entre 1954 et 1962 touche durement ces réservoirs protestants, et certains sont en grande partie vidés... La diminution a été telle dans les deux départements charentais que le nombre des postes pastoraux a diminué de plus de moitié depuis 1939. Entre 1938 et 1965, les protestants réformés de la Drôme sont passés de 25 000 à 23 000 et ceux de l'Ardèche de 27 500 à 14 000. En 1938, les communautés rurales représentaient plus de 65 % de la population de l'E.R.F. ; en 1968, la proportion n'est plus que de 38 %. Ces mutations dans les structures sociales entraînent une évolution des mœurs et des mentalités des protestants ainsi qu'une mise en question des données traditionnelles de la vie ecclésiastique.

Moins urbanisé que la société globale en 1938, le protestantisme de « l'intérieur » l'est autant trente ans plus tard. Car la proportion des protestants vivant dans les villes de plus de 100 000 habitants est la même que celle de l'ensemble de la population française (40 %). Cette évolution s'est réalisée dans une période plus courte, donc avec une intensité plus vive. Le protestantisme participe à l'existence d'ensembles urbains qui peuvent présenter des styles très divers, suivant la densité qui est elle-même très variable : c'est ainsi que les réformés représentent près de 10 % de la population de Nîmes ou de Valence, mais seulement 1,5 % dans la commune de Grenoble et 1 % dans celle de Lyon. On peut donc parler dans certains cas d'une « pulvérisation » du protestantisme dans des masses urbaines de plus en plus importantes. Les paroisses urbaines prennent un caractère composite : en 1954, sur les 3 282 protestants grenoblois, 1/4 est né dans l'Isère et 1/8 seulement à Grenoble, les autres proviennent de 73 départements métropolitains et de 17 pays d'Europe avec une prédominance de Suisses, d'Allemands et d'Italiens des Vallées vaudoises, auxquels s'ajoutent en 1962 un certain nombre de rapatriés d'Algérie.

Il existe aussi des zones de grande dissémination, en particulier ce vaste « croissant infertile » qui prend en écharpe le Cotentin et la Bretagne, la vallée de la Loire, la Champagne et la Lorraine jusqu'au bassin de Briey. On peut y ajouter le rebord occidental du Massif Central (Creuse, Corrèze, Cantal) et la zone du Forez. C'est une véritable « diaspora » avec quelques paroisses de ville moyenne, des ecclésioles de petites villes, de microscopiques îlots campagnards, et ici et là des familles totalement isolées, témoins des fidélités anciennes, ou des mouvements migratoires et du hasard des nominations administratives.

Certes les protestants sont maintenant présents dans tous les départements français, mais ils sont de plus en plus disséminés. Ils forment une minorité relativement stable (entre 750 000 et 880 000 personnes), avec une légère augmentation, conséquence du renouveau général de natalité, d'un plus grand nombre de membres « rattachés » vers 1954-56, mais aussi depuis quelques années des progrès spectaculaires des divers mouvements pentecôtistes et de ceux plus modestes des Eglises baptistes. Par contre, durant la dernière décennie, les réformés accusent une perte de substance, soit par dilution des migrants dans les nouvelles banlieues (« Chaque année, se perd, par dilution dans l'agglomération parisienne, l'équivalent de deux paroisses rurales », écrit le pasteur Louis Simon en 1974), soit par abandon d'une institution trop traditionnelle pour les uns ou trop progressiste pour les autres... Mais cette apparente stabilité est trompeuse. Car la vigoureuse expansion démographique de la société française accentue le caractère minoritaire des protestants.

LES PROTESTANTS EN FRANCE (1950-1974)

	1950	1960	1974	
Population protestante	754 300 (1)	780 000 (2)	744 960 (3)	882 600 (4)
Pourcentage de la population totale	1,8 %	1,7 %	1,4 %	1,7 %

(1) Statistiques fournies par Emile-G. Léonard dans *Le protestant français*, pp. 81-82 ; mais les chiffres concernant les « professants » ont été corrigés.

(2) Cf. François-G. Dreyfus, « Le protestantisme français en 1962 », *Christianisme social*, n° 9-10, 1962. L'auteur reprend ici un dossier statistique qu'il avait préparé pour l'Assemblée du Protestantisme de Montbéliard en 1960.

(3) Cf. Tableau de la page 323.

(4) Aux chiffres précédents sont ajoutés ceux qui concernent les « non-rattachés ». Ces derniers ont été d'ailleurs intégrés dans les statistiques de 1950 et de 1960.

N.B. — Ces chiffres doivent être utilisés avec précaution. Car, en dehors de l'Alsace qui a des statistiques officielles, ceux de « l'intérieur » ne sont souvent que des évaluations, en particulier pour l'E.R.F. Ils permettent néanmoins d'obtenir un ordre de grandeur.

Stratégie et structures nouvelles

Confrontées aux bouleversements de la société française et aux mutations subies par le petit ensemble protestant, face au danger de « vaporisation » — suivant l'expression du pasteur Pierre Bourguet — quelles vont être les réactions des différentes Eglises ?

Elles sont loin d'être univoques, car ces Eglises ne vivent pas dans des conditions identiques et leur perception des « défis » de la société globale est variable. Certaines ne se sentent pas tellement concernées, sans doute en raison de leur faiblesse numérique : elles ont toujours été « pulvérisées » et n'ont pas connu la griserie des grands nombres. D'autres sont des Eglises de « professants » qui vivent en petites communautés solidement groupées, avec une grande souplesse d'organisation. Quelques-unes sont implantées dans des périmètres souvent étroits : c'est ainsi que les Mennonites ont presque tous leurs lieux de culte (23 sur 26) dans les neuf départements de l'Est — dont 12 en Alsace et Moselle — ; les Eglises Libres, les Méthodistes, ont la quasi totalité de leurs paroisses au sud de la Loire et les 3/4 de celles des E.R.E.I. sont localisées dans les Cévennes-Languedoc. Les luthériens de Paris vivent une diaspora urbaine et ceux de Montbéliard sont solidement enracinés dans un « pays » limité, dont la personnalité est bien marquée. Diversité géographique du luthéranisme français, mais unité d'une organisation originale, addition du régime presbytérien-synodal et d'un épiscopat administratif (deux inspecteurs ecclésiastiques). Les E.R.E.I., comme les méthodistes et les Eglises libres, n'ont pas de raison de modifier le régime synodal qui est le leur, et les baptistes leur congrégationalisme qui laisse la plus grande indépendance à chaque Eglise locale. Les luthériens comme les E.R.E.I. justifient d'ailleurs le maintien de leur organisation par une attitude de fermeté et de rigueur doctrinale face aux changements du « monde ».

L'importance relative de l'Eglise réformée (elle rassemble 68 % des protestants de « l'intérieur »), son implantation nationale l'obligent à prendre au sérieux les mutations de la société ainsi que les modifications de mentalité et de comportement. Aussi n'est-il pas étonnant que dès 1945, Pierre Maury consacre un rapport aux « tâches essentielles de l'Eglise », à la nécessité d'un plan à long terme, d'une « stratégie », en établissant un bilan rigoureux de la situation matérielle et spirituelle des Eglises réformées et en dressant le programme d'une action de maintien et de conquête de ces Eglises. Pendant plus de 25 ans, ce thème de la stratégie intervient dans les ordres du jour de tous

— Le voilà cet enfant, qui vous a fait tant de mal, qui trouble la paix de vos jours!

XXIII. JEAN-FREDERIC OBERLIN

Cette lithographie montre un baptême célébré par le pasteur qui anima si fortement le
monde protestant alsacien du XIXᵉ siècle

XXIV. DEUX ŒUVRES POPULAIRES PROTESTANTES DU XIXᵉ SIECLE

En haut, salle du faubourg Saint-Antoine

En bas, Bateau-missionnaire

Extrait de Frank Puaux, *ouvr. cité*, p. 378 et 383

Photo Jenny Ecoiffier

les synodes nationaux sans exception. Le pasteur Paul Conord en devient le responsable ; il anime une commission d'études qui prépare la réflexion du Conseil national et les décisions des synodes. Les différents présidents du Conseil national de l'E.R.F., Marc Boegner (jusqu'en 1950), Pierre Maury (1950-53), Pierre Bourguet (1953-68), tout comme Jacques Maury, font preuve d'une parfaite continuité dans la poursuite de cette œuvre de longue haleine ponctuée par quelques décisions importantes concernant le gouvernement de l'Eglise (1961), l'essai des « Eglises consistoriales » (1962) et la mise en place des « grandes régions » (1969). L'utilisation au mieux des hommes et des ressources oblige les Synodes réformés à définir le pouvoir de décision des conseils régionaux et national ainsi que de leurs présidents, dans le cadre du régime presbytérien-synodal, tout en refusant une forme larvée d'épiscopat. Une « Eglise consistoriale », à l'intérieur d'une « zone humaine » urbaine ou rurale, doit faciliter les relations entre les Eglises locales et des groupes isolés, résoudre les problèmes de la dissémination et réaliser une pastorale d'ensemble, en y associant les œuvres, institutions et mouvements implantés dans le secteur considéré. Cette structure de relations, d'unité, d'entreprises communes prend le contrepied de l'individualisme protestant et des réflexes congrégationalistes. Après neuf ans d'essais et de réflexion, le Synode national de 1971 charge les Conseils régionaux de la susciter dans le cadre des huit grandes régions. Celles-ci remplacent les 15 circonscriptions mises en place « provisoirement » en 1938 (la XVIe avait disparu en 1962 en même temps que l'Algérie devenait indépendante). Ces nouvelles structures ecclésiastiques répondent à trois raisons essentielles : à l'intérieur de chaque région, avoir un équilibre entre grandes agglomérations, villes moyennes, paroisses rurales et zone de dissémination ; permettre, au niveau régional, une décentralisation effective des pouvoirs exercés par le Conseil national ; enfin, offrir un cadre régional à la future « Eglise évangélique en France » issue de l'unité des quatre Eglises luthéroréformées (E.C.A.A.L., E.E.L.F., E.R.F., E.R.A.L.). Mais ce projet, curieusement baptisé « Esquisse pour l'union des Eglises évangéliques », aboutit en 1969 à un constat d'échec.

C'est à l'Assemblée du protestantisme à Montbéliard en 1960, que Georges Casalis expose avec vigueur « les tâches d'avenir des Eglises protestantes en France » et lance un vibrant appel pour la constitution de cette Eglise évangélique. Le seul résultat, modeste, mais certainement utile, est la mise en place d'un organisme appelé « les quatre Bureaux » puisqu'il rassemble régulièrement les bureaux des quatre Eglises luthériennes et réformées. Montbéliard reste une étape marquante dans l'histoire de la Fédération protestante : en premier lieu, Marc Boegner abandonne une présidence dont il a eu la charge pendant 31 ans. Durant cette période, il a donné à la Fédération une audience de plus en plus large auprès des protestantismes français et étrangers, auprès de l'Eglise catholique, et aussi des pouvoirs publics. Le pasteur Charles Westphal le remplace jusqu'en 1970 où un laïc, Jean Courvoisier, lui succède. Par ailleurs à Montbéliard sont admis pour la première fois des délégués des Oeuvres et des Mouvements du protestantisme qui, trois ans plus tard, à l'Assemblée d'Aix-en-Provence, s'organisent en six Départements.

Au cours des dernières décennies, la Fédération s'était déjà élargie en recevant de nouveaux membres : tout d'abord les Eglises Réformées Evangéliques qui, après avoir accepté d'ajouter dans leur titre « Indépendantes », y entrent en 1948 ; puis la Mission Populaire évangélique de France en 1963, l'Eglise Apostolique en 1972 et la Mission Evangélique des Tziganes de France en 1975, premier pas (peut-être ?) vers l'entrée dans la Fédération d'autres groupes pentecôtistes. Il faut aussi noter un départ : celui des Eglises Evangéliques Libres, en 1965, pour des motifs de doctrine.

Les thèmes choisis pour ces Assemblées du protestantisme — « Une Eglise pour le monde » à Aix en 1963, « Formes nouvelles d'une Eglise pour les autres » à Colmar en 1966 (rapport Keller), « Quel développement et pour quel homme ? » à Grenoble en 1969, « Eglise et pouvoirs » à Caen en 1972 et enfin en 1975, à Paris, « Situation et vocation du

---

Sources { (XVe Assemblée du Protestantisme (Paris, 1975).
Gérard DAGON, *Petites Eglises de France*, fasc. 1 à 5, 1967-1973.

ass. = assemblée — l.c. = lieu de culte.

(1) Eglises membres de la Fédération Protestante de France. — (2) Eglise de la Confession d'Augsbourg d'Alsace et de Lorraine. — (3) Eglise Evangélique Luthérienne de France. — (4) Eglise Réformée de France. — (5) Eglise Réformée d'Alsace et de Lorraine. — (6) Eglise Réformée Evangélique Indépendante. — (7) Fédération des Eglises Evangéliques Baptistes de France. — (8) Eglise Apostolique. — (9) Mission Evangélique des Tziganes de France. — (10) Mission Populaire Evangélique de France. — (11) Eglises et communautés évangéliques non rattachées à la Fédération Protestante, dont la liste ne prétend pas être exhaustive. — (12) Association Evangélique d'Eglises Baptistes, Eglises Baptistes Indépendantes, Mission Evangélique Baptiste, etc. — (13) Union de l'Eglise Evangélique Méthodiste et les Eglises Méthodistes de France. — (14) 42 par. sédentaires et 60 par. mouvantes. — (15) A ces postes, il faut ajouter 145 centres d'action sociale. — (16) « Officiers » et employés rétribués par l'A.S. — (17) dont 27 à temps partiel. — (18) Ce total général n'est qu'indicatif, car il est difficile d'additionner des membres des Eglises de « multitude » (tableau A) et des membres d'Eglises ou de communautés à caractère « professant » (tableau B).

PROTESTANTS, EGLISES ET COMMUNAUTES EVANGELIQUES EN 1975

Dénomination	Nombre connu de fidèles	Sympathisants non rattachés	Nombre de paroisses	Nombre de pasteurs	Ministères spécialisés
A (1)					
E.C.A.A.L. (2)	229 200		211	225	20
E.E.L.F. : (3)					
— Inspection de Paris	10 000	5 000	26	18	3
— Inspection de Montbéliard	30 800		22	29	1
E.R.F. (4)	309 490	90 000	471	643	87 (17)
E.R.A.L. (5)	48 470		55	63	6
E.R.E.I. (6)	2 800	7 645	45	33	
F.E.E.B. (7)	2 500	10 000	41	40	10
E.A. (8)	400	200	10	8	
M.E.T. (9)	16 000	20 000	42 + 60 (14)	242	
M.P. (10)	2 500	600	16	25	
TOTAL	652 160	133 445	999	1 326	127
	785 605				
B (11)					
Armée du Salut	3 500		42 postes (15)	921 (16)	
Darbystes (Assemblées des Frères)	19 000		125 ass.		
Eglises Adventistes	7 000		120	111	
Eglises Baptistes (12)	4 000		75	50	
Eglises Ev. Arméniennes	1 000	4 000	18 l.c.	8	
Eglises Ev. Libres	3 500		37 l.c.	35	
Eglises Ev. Mennonites	3 000		28		
Eglises Méthodistes (13)	1 800	200	21	20	
Pentecôtistes (Assemblées de Dieu)	40 à 50 000		497 ass.	230	
TOTAL	92 800	4 200	963	1 375	
	97 000				
TOTAL GÉNÉRAL (18)	744 960	137 645	1 962	2 701	127
	882 605				

protestantisme dans la société française contemporaine » —, ont tous eu un très grand retentissement en France et dans de nombreux pays étrangers, en particulier celui sur « Eglise et pouvoirs ». La Fédération est véritablement devenue aujourd'hui le lieu de rencontre, de dialogue et de confrontation indispensable pour la vie des Eglises et des communautés protestantes en France, carrefour des grands courants théologiques mais aussi des grandes interrogations éthiques et politiques qui agitent les Eglises et le monde, les protestants qui sont dans les Eglises et ceux qui n'y sont plus.

Du barthisme triomphant aux contestations

Durant la 2ᵉ guerre mondiale, les pasteurs et les laïcs encouragés par la « Lettre à mes amis français » de Karl Barth, ceux qui, impatiemment, attendent le dernier numéro de *Foi et Vie* ou de *La correspondance fédérative* — qui pendant quatre ans double ou supplée *Le Semeur* —, ceux-là n'hésitent pas à l'heure du choix.

Dès la Libération, le barthisme n'est plus réservé à quelques « galopins » ou à une poignée d'intellectuels et de théologiens. Son influence devient prédominante grâce à quelques hommes Pierre Maury, Charles Westphal, Jean Bosc, Roland de Pury et d'autres, tous anciens « fédératifs », et les trois premiers ayant assuré successivement la charge de secrétaire national de la « Fédé » des étudiants.

Pierre Maury, introducteur de la pensée de Barth en France, prêche dès 1934 dans la paroisse de l'Annonciation à Paris, où il collabore pendant de longues années avec Marc Boegner. A la mort d'Auguste Lecerf, il est chargé en 1943 de l'enseignement de la dogmatique à la Faculté de théologie de Paris ; et de juin 1950 à juin 1953, il exerce la présidence du Conseil national de l'E.R.F. Par ses prédications et son enseignement, il entraîne des générations entières de pasteurs et de laïcs dans le grand mouvement du renouveau théologique que représente l'œuvre de Barth. Il a dirigé la revue *Foi et Vie* avant guerre ; Charles Westphal la reprend en 1945 ; Jean Bosc lui succède en 1957 et la dirige jusqu'à sa mort. Cette revue de théologie et de vie religieuse a été, et reste durant cette période un des véhicules du barthisme. En 1952, Jean Bosc remplace Pierre Maury dans la chaire de dogmatique réformée. Roland de Pury, un des responsables de *Hic et Nunc* en 1930, pasteur à la rue Lanterne à Lyon, poursuit par sa prédication et sa catéchèse, ses conférences et ses ouvrages, la formation de nombreux laïcs et diffuse la théologie de la transcendance et de la libération.

La « Fédé » continue à être sous influence barthienne : Georges

Casalis, ancien étudiant à la Faculté de théologie de Bâle, en est le secrétaire général pour la zone Sud pendant la guerre, et André Dumas assume cette responsabilité jusqu'en 1950. Dans les camps d'été de la Chalp d'Arvieux (dans le Queyras), dans les congrès annuels, par la revue du *Semeur,* des générations d'étudiants et de lycéens entrent en familiarité avec la nouvelle théologie, apprennent à lire ou à relire la Bible comme la Parole de Dieu et à user de la sainte Cène avec liberté, découvrant une nouvelle approche de l'Eglise et de son unité. Les deux ouvrages de Suzanne de Dietrich — *Le renouveau biblique* et *Le dessein de Dieu* (1945) — sont un succès de librairie, et on ne peut les séparer d'un intérêt grandissant pour les études bibliques.

Pendant une dizaine d'années, parallèlement à la reconstruction matérielle du pays, une véritable reconstitution de l'Eglise s'effectue dans le protestantisme réformé, poursuivant ainsi la démarche entreprise en 1938. Les Synodes régionaux et nationaux consacrent leurs travaux à des questions fondamentales : le baptême et la confirmation, la formation et les ministères, la paroisse et le membre d'Eglise, l'évangélisation, etc. En 1949, à la suite d'une étude sur le ministère pastoral de la femme, le Synode national accorde une autorisation de consécration à celle qui devient ainsi la première femme pasteur.

Durant cette période, la vie religieuse des protestants se renouvelle. Tout d'abord, l'évangélisation : le protestantisme a conscience qu'il a un message à apporter au peuple de France après la tourmente. A Paris, l'équipe de Gouvieux organise pendant l'hiver 44-45 de grandes réunions publiques à la salle Wagram, à la salle Pleyel, au Palais de la Mutualité. Dans d'autres villes, des efforts semblables sont inaugurés : à Lyon, Nîmes, Bordeaux, etc. A partir de 1946, le pasteur Frank Barral parcourt le Massif Central avec une roulotte ; des stands bibliques se montent sur les foires et les marchés. La Mission Populaire crée de nouvelles « Fraternités » et poursuit son action originale dans les banlieues ouvrières. Ensuite des laïcs, de plus en plus nombreux, prennent des responsabilités dans les paroisses et quelquefois stimulent leur pasteur. Beaucoup plus d'hommes participent au culte et la fréquentation de la sainte Cène s'accroît d'année en année ; les laïcs obtiennent, parfois avec difficulté, qu'elle soit distribuée plus fréquemment : ici tous les mois ou tous les quinze jours, ailleurs chaque dimanche. Ils sont assez souvent les artisans d'un renouveau liturgique qui n'est que l'aspect cultuel d'un renouveau communautaire où sont retrouvées la prière en commun et la lecture spontanée de la Bible. Le premier centre de formation de laïcs est créé au Nouvion (Nord) en 1951, et il est suivi par celui de Glay (pays de Montbéliard) en 1953 et par celui de Villemétrie (Essonne) en 1954, que dirige André de Robert jusqu'en 1969. Quant à la paroisse, elle est redécouverte comme « communauté missionnaire, le lieu où la Parole est prêchée et où les sacrements sont administrés » (Pierre Maury, 1945). Enfin la jeunesse protestante est nombreuse, vivante. Elle ne peut conserver le statut de « jeunesse d'Eglise » qui lui avait permis de subsister pendant la guerre, particulièrement dans la zone Nord. Les mouvements de jeunesse ont repris leurs activités. L'existence du Conseil Protestant de la Jeunesse (C.P.J.) permet de garder des liens avec les Eglises et les paroisses locales. En 1950 les mouvements mettent en place, de leur propre initiative, « l'Alliance des équipes unionistes ». Toutefois, les Unions chrétiennes de jeunes gens (U.C.J.G.) conservent leur autonomie.

Si la plupart de ces traits s'appliquent surtout aux protestants réformés, les membres des autres Eglises issues de la Réforme sont aussi concernés par ce mouvement de retour aux sources. Les luthériens relisent les écrits de Luther et ils lancent une nouvelle édition en langue française de ses œuvres principales ; ils créent une revue, *Positions luthériennes*, qui marque nettement, comme son nom l'indique, la fidélité confessionnelle aux grandes affirmations du premier des Réformateurs. Il est certain que l'émergence d'une nouvelle « orthodoxie » barthienne ne peut que durcir les attitudes des autres Eglises. C'est ainsi que les « libéraux » se regroupent et constituent en 1949 l'Alliance libérale française, sous la présidence d'André Siegfried et du docteur Albert Schweitzer, et dont le journal bi-mensuel *Evangile et Liberté* est le porte-parole. Mais le dogmatisme outrancier de certains barthiens n'est pas mieux ressenti par les « orthodoxes » réformés, essentiellement des membres des E.R.E.I., mais aussi quelques-uns de ceux qui, à l'intérieur de l'E.R.F., sont issus de l'ancienne « Eglise réformée évangélique ». Ils sont hérissés par « la restauration de la notion d'Eglise » et par des tendances ou des pratiques qu'ils jugent « catholicisantes », telle la recherche liturgique. Marc Boegner est très sensible au danger d'une nouvelle orthodoxie et il s'en explique à plusieurs reprises : « Il ne saurait être question, par des votes majoritaires, d'assurer à une partie de l'Eglise une sorte de situation dominante », et il rappelle que les différents tempéraments qui constituent l'Eglise Réformée doivent être respectés, car le pluralisme a été la condition de l'unité de 1938.

Le triomphe du barthisme aboutit dans les années 1955-60 à la mise en place d'une « institution », avec tout ce que cela représente d'ordre et de sécurité, d'administration efficace, de finances bien gérées, d'une hiérarchie de conseils et d'assemblées auxquels l'application de la « Discipline » évite les « erreurs de parcours », mais aussi d'une Eglise réduite à une certaine uniformité dans la prédication, la catéchèse, le style de vie et la réflexion.

Cet ensemble bien structuré subit un premier ébranlement pendant la guerre d'Algérie, où sont ressentis la « dégradation du climat démocratique », le non-respect de « l'autre » (le musulman ? le protestant d'Algérie ?), la menace de guerre civile et les bouleversements de la vie politique. Certes, pendant huit ans, les Eglises et la Fédération, les mouvements et les groupes ne restent pas muets. Mais les débats dans les assemblées, les discussions dans les paroisses permettent à plusieurs de découvrir l'absence d'unité du protestantisme et l'existence de clivages non-théologiques ; mais aussi de percevoir que des prises de position politique sont le résultat de clivages théologiques nouveaux. A travers les questions posées par la « guerre juste », l'insoumission et la désertion, l'ordre social est mis en doute et, pour un certain nombre de membres de l'Alliance des équipes unionistes, le discrédit n'épargne pas les autorités dans les Eglises. Le terme de la guerre laisse espérer la fin des tensions et des divergences dans l'Eglise : en fait, il n'en est rien ; le retour à la paix marque le début d'une série de crises.

1962 reste une date-charnière pour le protestantisme français : Marc Boegner prononce pour la 31ᵉ année ses dernières prédications de carême. Le Conseil national de l'E.R.F. enregistre en trois ans le renouvellement des trois quarts de ses membres et le départ des « fondateurs » de l'unité de 1938. 1962, ce sont aussi les « suites » de l'Assemblée de Montbéliard qui, aujourd'hui, peut apparaître non comme un point de départ, mais comme l'aboutissement de quinze ans de renouveau ecclésiologique, comme la fin de l'influence barthienne qui ne reste le courant principal que chez les plus de trente ans d'alors. Les générations plus jeunes, dans un climat de contestation des « Eglises établies », sont disponibles envers des théologies nouvelles.

L'influence des théologiens allemands ou américains dans le protestantisme français est en relation directe avec le moment de leur traduction. La pensée de Dietrich Bonhoeffer (pendu par les nazis en 1945) est présentée pour la première fois en 1960 dans la revue *Etudes théologiques et religieuses* de Montpellier. En 1963 paraît la traduction de *Résistance et soumission* qui se situe immédiatement au cœur de la recherche théologique, avec sa proposition du « christianisme non-religieux » qui a un très grand retentissement : ce christianisme sera action, manière de vivre plutôt que prédication. « L'Eglise n'est l'Eglise que lorsqu'elle existe pour les autres. » Cette *Théologie de la réalité* de Dieu dans la réalité du monde fait l'objet d'une étude d'ensemble d'André Dumas en 1968. André Malet consacre sa thèse à Rudolf Bultmann, *Mythe et logos* qui paraît en 1962. Quelques articles, dont un dans *Le Semeur* en 1959, ont fait connaître dans le protestantisme français les recherches de cet exégète sur la « démythologisation » des témoignages du Nouveau Testament pour retrouver le « noyau » du message authentique. La première traduction de Paul Tillich est faite par Jean-Paul Gabus en 1960, et son ouvrage fondamental *La théologie de la culture* paraît en français en 1968. Ce titre résume l'essentiel de sa pensée : il n'y a pas de divorce entre culture et foi. Les théologiens de « la mort de Dieu », Harvey Cox et Gabriel Vahanian, sont traduits de l'américain, le premier en 1968 avec *La cité séculière*. Enfin, il faut souligner le succès très rapide de la *Théologie de l'espérance*, traduit en 1970, dont l'auteur, Jürgen Moltmann, se tourne résolument vers l'avenir, dont la promesse est liée à la Révélation. La foi et l'espérance sont inséparables et elles luttent pour la transformation du monde présent. Cette théologie eschatologique débouche donc sur une action politique. Cette irruption de théologies nouvelles entraîne des tensions et un éclatement de la théologie, mais aussi du protestantisme : « Nous avons perdu l'illusion d'une Eglise sans conflits » (Gérard Delteil au Synode national en 1970 dans son rapport « Civilisation nouvelle et rassemblement de la communauté chrétienne »).

Les premières crises touchent la jeunesse et plus particulièrement l'Alliance des équipes unionistes qui regroupe depuis 1950 la plupart des mouvements de jeunesse d'inspiration protestante. En 1963, l'Alliance, pour être « présente au monde », revendique une plus large autonomie. Trois ans de discussions souvent difficiles sont marqués par une contestation des institutions ecclésiastiques, et aboutissent en mai 1966 à une distinction entre une « alliance des militants » et une « alliance des mouvements ». Des étudiants de la « Fédé » — essentiellement parisiens et bordelais —, « prennent le pouvoir » en 1962, éliminent les anciens fédératifs (théologiens ou enseignants) de la direction de la F.F.A.C.E., puis assurent la direction du *Semeur* : ils lui donnent un style en même temps satirique et iconoclaste, se lancent dans des excès, au moins verbaux, destinés à effaroucher les « bourgeois », et en font un outil de contestation systématique des autorités établies. A la suite de cette crise, la « Fédé » disparaît, mais le mouvement des « Eclaireurs unionistes » poursuit son invention, malgré des malaises et des tensions, pour rester au service des adolescents.

Une autre crise, celle du corps pastoral, n'a pas attendu la guerre d'Algérie. Au synode régional de Crest, dans la Drôme, en 1947, ce « malaise pastoral » est clairement analysé et des « réformes de structures » sont demandées par de jeunes pasteurs de la région Alpes-Rhône. Marc Boegner, en 1950 (Synode national de Nîmes), ne cache pas l'inquiétude que lui cause « la santé spirituelle des pasteurs, qui est compromise ». *La flamme et le vent*, roman d'Henri Hatzfeld paru en 1952, illustre ce malaise et pose une question lucide et angoissée sur la signification du ministère pastoral traditionnel face à la dissémination, à la routine et à l'effondrement spirituel d'Eglises locales. La multiplication des ministères spécialisés (33 en 1957, 63 en 1962), dans les « grands ensembles » à Nancy, Sarcelles ou Fontenay-sous-Bois, dans l'Université à Toulouse ou Montpellier, dans le tourisme, le milieu rural ou industriel, etc., est une réponse à ce « malaise » fait de découragement ou d'amertume. Mais cette réponse ponctuelle est sans doute insuffisante, car le thème de la diversification des ministères reparaît avec acuité en 1968 (Synode national de Royan) ainsi que celui de la réforme des études de théologie : elle aboutit à la mise en place en 1972 de l'Institut protestant de Théologie qui unit les deux Facultés de Paris et de Montpellier dans une nouvelle définition des enseignements et des stages. Cette réforme répond en partie à la contestation des étudiants en théologie qui s'expriment dès 1964 ; en mars 1968, ils se mettent en grève à Montpellier, puis à Paris et à Strasbourg : certains veulent « se consacrer entièrement au service des Eglises à condition de pouvoir le faire dans des ministères qui leur permettent de partager la vie des hommes pour chercher avec eux comment vivre l'Evangile », d'autres refusent d'être « pasteur de paroisse » et veulent exercer un métier profane, tout en poursuivant une réflexion théologique. De 1968 à 1973, le « malaise » s'exprime par le départ de 38 pasteurs de l'E.R.F. qui renoncent à l'exercice de leur ministère pour l'une des quatre raisons suivantes : un engagement politique ou social trop marqué ; des problèmes personnels (psychologiques ou conjugaux) ; un désarroi devant les mutations de l'Eglise ; enfin, et surtout, un souci de « décléricaliser » le ministère. Cette dernière préoccupation suscite par ailleurs l'expérience originale de quelques pasteurs qui exercent une profession en même temps qu'un ministère pastoral non rétribué.

La notion de paroisse territoriale n'échappe pas à la crise : elle apparaît à plusieurs comme un « ghetto » et elle est battue en brèche en particulier au cours du colloque « Eglise-Monde » (1964). Car le modèle de la paroisse rurale, où le territoire est une unité de vie, n'est plus adapté à l'expansion urbaine. Le rapport de Paul Keller propose en 1966 « les formes nouvelles d'une Eglise pour les autres », avec la présence originale d'une « Eglise locale » à l'intérieur d'une

« zone humaine » où les ministères sont en même temps diversifiés et complémentaires. Mais le culte dominical est-il le seul mode de rassemblement cultuel et festif pour cette communauté minoritaire et dispersée ? Il n'est plus dans certains cas le centre privilégié de la vie religieuse et sociale de la communauté, relayé par d'autres modes de rencontre autour de la Parole et des sacrements. Cette remise en question de la paroisse n'est pas étrangère à la constitution de « communautés sauvages » ou « de base », ainsi que de groupes informels qui, en dehors des Eglises locales et des institutions ecclésiastiques, rassemblent des protestants et quelquefois des catholiques, en majorité adolescents et jeunes adultes : ils essaient de retrouver les traits essentiels des *ecclesiae* du Ier siècle, y compris le partage du sacrement de la sainte Cène.

Eclatement de la théologie, contestation des institutions et malaise pastoral, recherche de nouvelles structures et nouvelles formulations de la foi, tout ce bouillonnement, cette remise en question des habitudes, des certitudes et du langage secouent le protestantisme français et plus particulièrement l'Eglise Réformée, plus fragile parce que multitudiniste et pluraliste.

Dans une attitude de défense, certaines Eglises et communautés évangéliques cherchent refuge et sécurité dans une orthodoxie néo-calviniste ou dans un renouveau congrégationaliste et piétiste ; elles se raidissent dans un certain conservatisme et dans un « intégrisme » doctrinal et éthique. Calvinistes et évangéliques expriment leurs refus et leurs affirmations dans la *Revue Réformée* ou dans *Ichthus* et se réjouissent de la réouverture en 1974 de la Faculté de théologie d'Aix-en-Provence. Deux autres groupes — E.P.E.E. (Equipe prière, écriture, évangélisation) et A.N.C.R.E. (Action pour le combat et le réveil de l'Eglise) —, veulent exprimer les réactions des « silencieux » du protestantisme.

La contestation des « grandes Eglises » n'est certainement pas étrangère à l'essor spectaculaire du Pentecôtisme (42 assemblées en 1940, 497 en 1972) dont la prédication simple et directe, le parler en langues, et la guérison des malades rencontrent un accueil très favorable dans les milieux populaires d'un catholicisme traditionnel, mais aussi parmi des membres désorientés des Eglises protestantes. Le mouvement de Pentecôte participe au « réveil » des Tziganes parmi lesquels la « Mission Evangélique » implante de plus en plus de paroisses « sédentaires » ou « mouvantes ». Le « renouveau charismatique » insiste, lui aussi, sur la présence et l'action du Saint Esprit. Son extension est rapide, car à l'automne 1973 une centaine de groupes existe en France.

C'est un mouvement interconfessionnel, mais les protestants et les catholiques qui y participent — pasteurs et prêtres, moines et laïcs — n'ont pas l'intention de quitter leur Eglise respective où, çà-et-là, se produit un renouveau biblique, liturgique et communautaire.

Un œcuménisme « populaire »

Au lendemain de la seconde guerre mondiale, après avoir participé aux mêmes choix politiques et aux mêmes dangers, des protestants et des catholiques veulent poursuivre une commune recherche théologique et un partage spirituel. L'unité visible de l'Eglise devient pour eux une exigence évangélique : « qu'ils soient un... ».

Des pasteurs et des laïcs — étudiants, enseignants —, le plus souvent « fédératifs » et barthiens, organisent des groupes de recherche, de méditation, de réflexion théologique et d'intercession, en commun avec des catholiques dont plusieurs sont membres de la « paroisse universitaire ». A Grenoble, le groupe des « Chrétiens dans la cité » mène pendant près de 25 ans (1945-1968) une expérience sans doute unique qui associe un œcuménisme « populaire » vécu et un témoignage civique sur tous les grands problèmes sociaux et politiques de cette époque. La « Semaine de prière pour l'unité » — due à l'initiative d'abord de deux anglicans, puis en 1932 de l'abbé Paul Couturier —, tend à se généraliser à partir de 1944, à Lyon comme à Paris, à Amiens, à Montauban et à Grenoble, et rassemble à la fin de chaque mois de janvier un nombre de plus en plus important de fidèles protestants et catholiques, quelquefois orthodoxes. L'Assemblée d'Amsterdam (août 1948) et la naissance officielle du Conseil Oecuménique des Eglises — dont Marc Boegner est élu co-président —, stimulent cette recherche en commun malgré l'« avertissement » du Saint-Office du 5 juin 1948 qui rappelle aux catholiques l'interdiction de participer sans autorisation à toute réunion œcuménique. Celles-ci prennent donc un caractère « privé » et, face à l'opposition de certains évêques, quelques groupes deviennent « clandestins »...

Cette recherche de l'unité suppose une prise de conscience et une information, en même temps qu'un approfondissement théologique grâce aux conférences et aux prédications de Marc Boegner et de Pierre Maury, de Charles Westphal et de Jean Bosc, ainsi qu'à leurs articles qui paraissent dans le Semeur, Foi et Vie et dans l'hebdomadaire Réforme à partir de mars 1945.

Le groupe des Dombes, fondé en 1937 par le père Remillieux, le pasteur Richard Bäumlin et l'abbé Couturier, permet à des théologiens luthériens, réformés et catholiques, pasteurs et professeurs de théologie, prêtres et religieux, de mener dans la liberté et la discrétion d'un monastère cistercien une recherche originale, d'abord par « échanges de vues », puis par comparaison des grandes affirmations dogmatiques, enfin à partir de 1956 en élaborant des « thèses » communes (14 thèses jusqu'en 1972), en particulier sur l'intercommunion (1967) et l'eucharistie (1971), entreprise à laquelle participent entre autres Jean Bosc et le pasteur Henry Bruston, co-président de cette communauté provisoire. Le groupe des « Avents », dans le Tarn, animé par le père Fabre, permet aussi des rencontres et des échanges entre chrétiens de diverses confessions, avec une prédominance de laïcs. L'Institut œcuménique de Bossey, près de Genève — fondé en 1946 et dirigé par le professeur Hendrik Kraemer et Suzanne de Dietrich —, offre à de nombreux protestants français l'occasion d'élargir leur horizon ecclésiastique aux limites de l'Eglise universelle.

Le renouveau communautaire dans les Eglises de la Réforme donne naissance à deux expériences de vie monastique, Taizé et Pomeyrol, qui deviennent des lieux privilégiés pour un œcuménisme vécu. En 1940-44, Roger Schutz, pasteur suisse, fonde une communauté dont il devient le prieur. En 1949, sept frères prennent leurs vœux de célibat, obéissance et pauvreté. Ils sont 45 en 1961, 70 en 1974 qui ont « la passion de l'unité du corps de Christ », originaires d'une dizaine de pays d'Europe ou d'Amérique, et de plusieurs confessions : réformée, luthérienne, épiscopale, congrégationaliste — une douzaine sont pasteurs — et catholique (ils sont douze en 1974). A Pomeyrol, près de Tarascon, quatre « sœurs » réformées, dont Antoinette Butte, s'engagent à vie en 1950 dans une vocation de prière, de pauvreté, de célibat et de soumission mutuelle. Elles sont une dizaine en 1973 et offrent à des protestants comme à des catholiques un lieu de silence et de retraite. De fondation plus ancienne (1841), la communauté des Diaconesses de Reuilly, à Versailles, rassemble une centaine de sœurs et forme un foyer de spiritualité.

La Cimade (cf. chapitre VII), devenue service œcuménique d'entraide, unit, dans une même vocation de lutte contre le désordre et l'injustice, des protestants, des orthodoxes et des catholiques, et dans les années 50 organise des sessions régulières de formation à l'œcuménisme.

Mais la position officielle du Vatican se durcit avec l'instruction du Saint-Office du 20 décembre 1949 *De motione œcumenica* et quelques jours plus tard c'est la promulgation de l'Année Sainte, appel au « grand retour » ; puis la publication de l'encyclique *Humani generis*

(12 août 1950) et en novembre la proclamation du dogme de l'assomption corporelle de Marie. Parmi les protestants, certains sont confirmés dans leur opposition systématique à tout dialogue avec Rome et avec des catholiques ; d'autres se raidissent, tel le nouveau président du Conseil national de l'E.R.F., le pasteur Pierre Bourguet, qui dès le Synode national du Havre, en juin 1954, marque sa méfiante prudence et donne un coup de frein à un œcuménisme « sentimental » : cette attitude s'exprime dans la déclaration très réservée du Synode national de Strasbourg (1955) au sujet de la « politique extérieure » de l'E.R.F. vis-à-vis du catholicisme. En particulier la suspicion « cévenole » rend pendant quatre ans le dialogue difficile avec la communauté de Taizé, et l'accord de 1958 ne supprime pas les réactions de méfiance viscérale du « Midi » languedocien et provençal exprimées à l'automne 1960 dans deux synodes régionaux, à la suite d'un colloque consacré à l'évangélisation et tenu, sous la présidence du prieur, entre neuf évêques et 65 pasteurs... Ce sont aussi les trois synodes régionaux du « Midi » qui ont exprimé leur émotion devant l'accentuation du caractère trinitaire de la « base doctrinale » du Conseil œcuménique (acceptée à l'Assemblée de New Delhi en 1961) ; car ils craignent une remise en cause du « pluralisme » de 1938.

L'œcuménisme officiel

L'ouverture du concile de Vatican II, en octobre 1962, marque la fin de cette période de crispation dans les relations œcuméniques en France. Le dialogue avec les catholiques prend un tour très détendu et quelquefois enthousiaste, mais il n'est pas le fait de la totalité du protestantisme français. Il est essentiellement assumé par les quatre Eglises membres du Conseil œcuménique, les deux Réformées (E.R.F. et E.R.A.L.) et les deux Luthériennes (E.E.L.F. et E.C.A.A.L.). L'E.R.F. doit elle-même tenir compte d'un certain anti-catholicisme, ou à tout le moins de sérieuses réticences qui s'expriment avec vivacité dans les Cévennes ardéchoises et gardoises ainsi que dans les plaines languedociennes et qui rejoignent les attitudes intégristes ou conservatrices de la tendance « évangélique » du protestantisme, soutenues par quelques articles du *Christianisme au XX*^e *siècle* et par l'anti-œcuménisme de principe d'*Evangile et Liberté* comme de *Tant qu'il fait jour*.

En 1962, la « Semaine de prière pour l'unité » connaît un véritable « engouement » et en 1963 l'« ouverture œcuménique » de l'Eglise romaine se traduit par une très large participation du clergé diocésain et paroissial, ainsi que des religieuses, aux nombreuses manifestations qu'une enquête — sans doute partielle — permet de préciser : 163 conférences avec plusieurs dizaines de milliers d'auditeurs, 195 veillées de prières, des rencontres de genre varié (journées d'études, expositions, soirées de jeûne, etc.). En dehors de la semaine de prière, plus de 190 groupes interconfessionnels sont signalés entre pasteurs et prêtres comme entre laïcs. Dans les années suivantes, cette semaine de prière est l'occasion d'un approfondissement spirituel authentique.

Quelques protestants français participent aux sessions du Concile, soit comme observateur-délégué, tel le pasteur Hébert Roux, soit comme invités : le professeur Oscar Cullmann des Universités de Paris et de Bâle, célèbre exégète du Nouveau Testament, les frères Roger Schutz et Max Thurian, de Taizé, ainsi que le pasteur Boegner.

Des structures de dialogue se mettent en place : une « Commission des relations avec le catholicisme » (janvier 1963) — à l'initiative de la Fédération protestante, animée par Hébert Roux, puis par Georges Appia à partir de 1968 —, ainsi qu'un réseau de correspondants régionaux. Un des premiers résultats de ce « dégel » est une traduction commune (catholique et protestante) du « Notre Père » adoptée en 1966 par les Réformés et les Luthériens. Créé en février 1968, un « Comité mixte de travail et d'étude » composé de 12 membres — 6 catholiques et 6 réformés et luthériens, désignés par leurs Eglises respectives — consacre sa première tâche à la question lancinante des mariages mixtes : ils ne sont certainement pas « la pire des choses » et il semble même qu'ils sont bien souvent un gain pour le protestantisme. Mais leur nombre est important puisqu'ils représentent en général les deux tiers des mariages bénis dans le protestantisme (65,2 % de mariages mixtes dans l'E.R.F. de 1945 à 1965 et 70,8 % en 1974 dans l'ensemble des Eglises membres de la Fédération). Le premier acte du Comité mixte est de publier une « Pastorale commune des foyers mixtes » puis d'aborder « les problèmes de l'intercommunion » (1969) et ceux de l'eucharistie ; et il publie en 1972 des textes d'accord sur le baptême et le mariage. Ces relations interconfessionnelles aboutissent à une possibilité de coopération, à l'invitation de deux observateurs protestants à l'Assemblée plénière de l'Episcopat français à Lourdes en 1970, et à la présence d'observateurs catholiques lors des Synodes nationaux luthériens et réformés. Plus de cent « biblistes » orthodoxes, catholiques et protestants participent pendant dix ans (1964-1975) à la traduction œcuménique de la Bible (T.O.B.) en langue française, entreprise qui reste sans équivalent.

Le pasteur Boegner estime que la majorité des protestants français ne lit plus la Bible (*L'Exigence œcuménique*, p. 225). Néanmoins, il faut noter une rénovation de l'étude biblique, l'entreprise originale des Equipes de recherche biblique (E.R.B.), créées en 1961, qui vulgarisent les méthodes et les résultats de l'exégèse biblique contemporaine par des publications et l'animation de groupes permanents ou de sessions de travail de plus en plus nombreux ; la publication par l'Alliance biblique française en 1971 d'une traduction du Nouveau Testament en français courant *Bonnes nouvelles aujourd'hui*. Enfin ce n'est pas un hasard si la XVᵉ Assemblée de la Fédération protestante, à Paris en 1975, comporte une « journée biblique » où Esaïe 53 suscite quatre lectures successives : spontanée, fondamentaliste, historico-critique et structurale.

Le dialogue avec les catholiques ne saurait supprimer — malgré l'échec de « l'esquisse pour une Eglise évangélique » — la recherche d'une plus grande unité entre les Eglises protestantes : les travaux luthéro-réformés ont abouti à l'adoption de trois textes d'accord doctrinal (« Thèses de Lyon ») sur « Parole de Dieu et Ecriture sainte », « la Cène du Seigneur » et « le baptême ». De plus les quatre Eglises décident de créer un « Conseil permanent des Eglises réformées et luthériennes » (juin 1972). Quant à la « vieille » « Société des Missions Evangéliques de Paris » — créée en 1822 —, elle conserve toujours son caractère interconfessionnel et international. Mais, à la suite de l'autonomie des « jeunes Eglises » indigènes, de nouvelles structures sont nécessaires ; sous l'impulsion d'Henry Bruston, elle devient un organisme multiracial d'« Action apostolique commune » qui associe les Eglises d'Outre-Mer et celles d'Europe (Réformés, Luthériens, Baptistes et Evangéliques Indépendants de France et de Suisse romande).

L'œcuménisme contesté

Cet œcuménisme officiel continue de susciter des oppositions très fermes de la part des protestants « évangéliques », fondamentalistes ou calvinistes traditionnels, qui considèrent que ce dialogue est un reniement ou une trahison et qu'il ne peut aboutir qu'à des compromis, à des abandons et une absorption du « petit troupeau » par la puissante Eglise romaine.

Par ailleurs, la lenteur de cet œcuménisme institutionnel, son manque d'audace et sa pesanteur provoquent des lassitudes et des mouvements d'humeur dans des petites communautés marginales, dites informelles, qui se multiplient très vite (peut-être plus de 150 en 1970), en relation avec les mutations rapides et la grande mobilité du milieu urbain, et contestent en même temps une société dont elles dénoncent les injustices, et les institutions ecclésiastiques qui n'ont plus d'intérêt. Dans ces communautés de base dont l'existence est souvent provisoire, se développe un « œcuménisme sauvage » ou « séculier » où l'unité entre chrétiens devient une réalité et l'intercommunion une règle de vie. Cet œcuménisme « spontané » s'affirme de plus en plus, au niveau local, dans des relations quotidiennes de chrétiens, avec ou sans pasteur et prêtre, dans des groupes de foyers mixtes, d'études bibliques, ou de réflexion théologique. Des essais de catéchèse commune sont tentés ici et là.

Ce même refus de l'institution et d'un œcuménisme des Eglises « historiques » se retrouve chez ces milliers d'adolescents et de jeunes adultes qui prennent le chemin de Taizé. Peu à peu un phénomène de « pèlerinage » s'est développé sur cette colline de Bourgogne. En août 1962, l'église de la Réconciliation est inaugurée ainsi qu'une crypte catholique, et trois ans plus tard un centre orthodoxe prend place dans ce dialogue interconfessionnel. A Pâques 1970, le frère Roger Schutz annonce « la joyeuse nouvelle du concile des jeunes » et sa préparation dure quatre ans, attirant de plus en plus de participants : 2 500 en 1970, 40 000 en 1974 à l'ouverture du concile — du 30 août au 2 septembre — ; ils ont de 16 à 25 ans et sont originaires de 120 pays. Ce concile va durer plusieurs années. Les opinions suscitées par Taizé sont diverses et bien souvent contradictoires ; mais il est indiscutable que le concile des jeunes est le seul endroit en France qui est capable de rassembler autant de protestants côte-à-côte avec d'autres croyants, des hippies et des militants politiques venus des cinq continents. Que vont-ils chercher à Taizé ? Cette question rejoint celle qui était le thème de réflexion proposé pour l'Assemblée du Mas Soubeyran en 1975 : « Qu'êtes-vous allés voir au Désert ? » Deux rassemblements, deux visages du protestantisme français, combien différents pour ne pas dire diamétralement opposés. Et pourtant n'est-ce pas là deux formes de « pèlerinage » dont les participants sont, les uns et les autres, en recherche d'un enracinement et d'une espérance ?

7

L'État, l'opinion et les protestants, depuis le début du XIXe siècle

Face aux régimes autoritaires

Une fois l'égalité religieuse proclamée à nouveau en 1802, le problème est désormais celui-ci : cette égalité, les pouvoirs la respecteront-ils, sera-t-elle appliquée, réelle, efficace ? D'autre part, de façon durable, l'opinion et les mœurs admettront-elles l'égalité des cultes, pousseront-elles les pouvoirs publics à la consolider ? Si ces deux ordres de problèmes semblent aujourd'hui anachroniques, ce fait ne diminue évidemment pas leur importance dans le passé.

La « bienveillance » de Napoléon.

Du temps de Napoléon, les intentions du gouvernement ne paraissent pas douteuses. Il convient cependant de bien comprendre qu'aux yeux du premier consul le statut des protestants n'était qu'un fragment de l'ensemble de la loi sur les cultes, que ce statut n'avait pas été étudié avec le seul dessein de satisfaire la minorité protestante : il dépendait en quelque sorte de celui des catholiques. Les meilleures preuves en sont l'absence de synodes afin d'éviter les « délibérations ambitieuses » — mot de Portalis, décembre 1803 — d'assemblées du clergé ; et, sur un plan beaucoup plus modeste, l'explication que les textes suggèrent d'une disposition bizarre, les six mille âmes par consistoire : il n'y avait qu'une cure, avec curé inamovible, par justice de paix, soit en moyenne 8 500 à 9 000 personnes (plus tard, en 1808, un consistoire israélite pour 2 000 âmes) — l'on s'est simplement efforcé de tenir compte du nombre et de la dispersion, plus ou moins grande !

Ces précisions données, il ne semble pas que la « bienveillance » (limitée) de Napoléon se soit jamais démentie. L'on peut certes discuter de l'importance qu'il convient d'attribuer à des déclarations publiques de l'empereur, où, en tonnant contre l'intolérance, il fait l'éloge des protestants (1807, après Tilsit et une intrigue « catholique intégriste » à Paris ; 1810, à Bréda, lors d'un voyage dans une région où était très profonde l'influence du pape) : ces déclarations visent surtout, semble-t-il, des groupes catholiques que Napoléon cherche à rendre plus dociles, les colères de l'empereur y sont à demi-feintes ! De même jusqu'à quel point l'invitation d'une vingtaine de pasteurs au couronnement impérial dénotait-elle une bienveillance particulière ? Au minimum, c'était une marque de courtoisie, que vint confirmer une réponse très aimable de Napoléon, le 7 décembre 1804, aux paroles du doyen des pasteurs, Ami Martin de Genève. En 1808-1810, le gouvernement impérial créa à Montauban une Faculté de théologie, afin que les jeunes gens n'aient plus à se rendre à Lausanne (où l'établissement ferma), ou à Genève. Il paraît certain d'autre part — encore que le sujet soit bien mal connu faute d'études précises — que, d'un bout à l'autre de l'Empire, le rôle local des notables protestants (comme maires, adjoints, administrateurs) a été très important partout où leur nombre comptait : ce rôle leur sera, après la chute de Napoléon, vivement reproché, en tant qu'indice de favoritisme !

Le point le plus délicat dans l'étude de la période impériale — il ne faut y toucher, croyons-nous, qu'avec une très grande prudence — est le suivant : à plusieurs reprises, sous l'Empire, ont couru des bruits de réunion entre communion catholique et communions protestantes, de religion chrétienne unique, qui serait à tout le moins favorisée par la volonté de l'empereur.

Ces bruits, deux recueils imprimés en ont parlé dès la fin de 1806 (l'un publié par Rabaut-Dupui, l'autre par un ex-prêtre constitutionnel devenu sympathisant de la Réforme, Liquois de Beaufort). Néanmoins, nous ne pensons pas que, jusqu'aux travaux de feu le chanoine Bindel (1940) et aux nôtres, on ait attribué à ces « bruits » ni leur persistance ni leur diffusion véritables : nous avons montré qu'ils ont couru à plusieurs reprises (sans changement essentiel) et qu'un grand nombre de gens habituellement bien informés les ont pris tout à fait au sérieux.

A quelles dates ? Tout d'abord au moment de l'annonce du couronnement de Napoléon et de la venue de Pie VII à Paris (été-automne 1804, avec une reviviscence au début de 1805) : à ce moment, si fortes étaient les rumeurs que certains pasteurs, appelés au couronnement, ont craint que leur convocation à cette solennité ne cachât quelque dangereux traquenard (une délibération, transcrite dans le registre du consistoire de Paris, précisa dans quel esprit ils acceptaient de s'y rendre !). Ensuite, en 1806-1807, lorsque la victoire d'Iéna et ses suites ont brusquement développé le pouvoir de Napoléon en Allemagne, région mixte du point de vue confessionnel. Et enfin à partir de l'hiver 1810-1811, le pape étant alors, en fait, prisonnier de Napoléon, et l'ambiance des rapports pape-empereur bien différente.

Ces bruits — c'est à dessein qu'un terme très vague a été employé — sont connus sous des formes variées, plutôt selon les personnes que selon les dates ; le terme « réunion », le plus fréquent, dissimule donc des notions diverses. Certains craignaient un ordre de ralliement pur et simple des dissidents au catholicisme (au moment du couronnement, à nouveau avant Friedland). D'autres, dont Rabaut-Dupui, Beaufort, et aussi Marron (qui discutait par écrit, jusqu'en 1812, avec un chanoine de Notre-Dame), pensaient à une fusion comportant des concessions sérieuses de part et d'autre : du côté protestant, l'on considérait comme un minimum la suppression du célibat sacerdotal et de la confession auriculaire, et l'on eût envisagé comme un point de ralliement possible certains articles au moins de la confession d'Augsbourg. Enfin, un troisième aspect, ou un complément du deuxième, était l'idée d'une religion « nationale » unique, imposée et plus ou moins protégée par Napoléon (« comme le roi d'Angleterre », écrivait le pasteur de La Rochelle en 1809). L'on saisit aisément la complexité d'un tel ordre de problèmes.

Il ne paraît pas non plus facile d'interpréter ces « bruits » : plusieurs interprétations — qui s'excluent — peuvent en être données ! La plus insignifiante consisterait à rapprocher les « bruits de réunion » des déclarations publiques de 1807 et 1810 à allure d'algarade, citées ci-dessus : c'est-à-dire à penser que soit Napoléon lui-même, soit les éléments les plus anticléricaux de son personnel (Fouché, par exemple) faisaient courir de tels bruits à l'usage, en fait, des catholiques ou de certains d'entre eux : pour faire peur, et nuire à la formation d'un « parti » fidèle avant tout au pape malmené par Napoléon. Cette interprétation modérée ne nous paraît pas s'imposer dans l'état actuel de la documentation : l'on peut tout aussi bien penser que, parmi les conseillers de Napoléon, certains lui suggéraient d'unifier les cultes chrétiens, et que Napoléon a pu envisager cette politique comme possible, cela plus particulièrement, mais non uniquement, après ses succès foudroyants de 1806 en Allemagne (il existe encore des indices jusqu'à l'hiver 1812-1813, jusqu'aux dernières tentatives de l'empereur auprès du pape). Dans les deux hypothèses — et ceci du moins semble sûr — les bruits auraient été « orientés », consciemment lancés. Le fait que nombre de protestants notables les aient pris fort au sérieux ne paraît pas douteux non plus : dupes si la première interprétation est la bonne, dans le deuxième cas ils auraient simplement été bien informés ; quant à l'attitude de ceux qui se jugeaient informés, les textes montrent qu'elle aurait elle-même été très diverse, si les bruits de réunion avaient pris corps. Nous ne pensons pas que l'on puisse conclure de façon plus nette, sauf apparition de documents nouveaux.

Si l'on essaie de porter un jugement d'ensemble en ce qui concerne les relations des protestants avec le régime napoléonien, nous dirions volontiers qu'au début l'on s'est réjoui de l'esprit égalitaire de la loi, sans toutefois aller dans le privé jusqu'à l'enthousiasme débordant des « adresses » officielles — que, vers la fin, il existe des signes de désaffection, mais non pas, sauf à Genève alors française, d'opposition ouverte — qu'enfin la chute de Napoléon, en avril 1814, ne suscita dans les rangs protestants ni grave inquiétude, ni vif regret ; il en sera tout autrement dès les premiers mois de 1815, à la suite de l'attitude de certains des chauds partisans de la monarchie restaurée : les protestants — ceux du Gard surtout — auront alors tendance à idéaliser quelque peu le régime déchu, celui du dictateur glorieux qui se voulait l'héritier de la Révolution et avait maintenu l'égalité des cultes.

La Terreur Blanche.

La monarchie restaurée confirma, par la Charte de 1814, liberté des cultes et droits des protestants, tout en accordant à la religion catholique le titre de « religion d'Etat » ; deux réformés, Boissy d'Anglas et Chabaud-Latour, avaient fait partie de la commission qui prépara la Charte.

Au début de la Première Restauration, aucune trace de sérieuse inquiétude parmi les protestants (qui demandent à nouveau, on l'a vu, une réorganisation de leur statut légal). Les choses, cependant, devaient très vite évoluer dans un sens défavorable, cela tout particulièrement dans la région où les réformés étaient le plus nombreux et le plus influents, Nîmes et partie du Gard, « la forteresse », « le boulevard », comme le dira pittoresquement un texte d'octobre 1815 : dans cette région, si divisée depuis 1790 au moins, les ennemis des réformés posèrent l'équivalence protestants = ennemis du roi. Des indices en existent dès avant le passage du comte d'Artois à Nîmes (où il reçut le 10 octobre 1814 les délégués des consistoires), mais ils deviennent précis et nombreux vers janvier-février 1815, autour de la date anniversaire de l'exécution de Louis XVI. Une chanson en languedocien terrorise les protestants de la classe modeste, ceux qui ne vivaient pas « à part », dans leurs belles maisons ou leurs « campagnes » : il y est question de faire du boudin avec le sang de Calvin et de se laver les mains dans le sang des protestants ! Bref, l'on en vient, dès ce moment, à redouter un massacre ! Que ces faits n'aient existé que dans une zone assez limitée, cela est sûr ; qu'ils aient existé, avec un caractère populaire, cela n'est pas moins bien établi ; de même que la gravité qui leur a été, au moins localement, attribuée. L'interprétation de ces faits n'est par contre pas clairement établie.

Premier point : dans quels milieux ? Il est hors de doute que les manifestations injurieuses (et, après Waterloo, les violences) étaient le fait du « bas » peuple (la « populace » disent les sources protestantes), le même milieu nîmois qui, en 1793-1794, s'en prenait aux bourgeois réformés en tant que « girondins ». Il convient toutefois de se demander si ces attitudes brutales de « la base » n'ont pas été amplifiées, soutenues, utilisées par un état-major d'un niveau social élevé ? Cette interprétation, courante dès 1815, serait venue naturellement à l'esprit des chercheurs depuis que (1948) le Père Guillaume de Bertier a révélé les secrets des papiers de son ancêtre, Ferdinand de Bertier, le chef des « Chevaliers de la Foi » : sans doute, ces précieux papiers ne contiennent rien sur le Gard, mais n'a-t-on pas détruit un lot d'archives qui, après le changement de la politique royale en 1816-1817, aurait pu paraître bien compromettant ? Il semble raisonnable de croire que les protestants d'alors n'avaient pas tort de supposer un comité central « ultra », catholico-royaliste, un « Gouvernement occulte » — que le mouvement anti-protestant, qui avait sa force dans les milieux populaires, a été ainsi encadré et soutenu.

Deuxième point, plus subtil ; l'attitude anti-protestante n'aurait-elle pas été exploitée ? Lorsque l'on parle le plus de massacre, c'est à la veille et au moment du retour de l'île d'Elbe. Ce retour, on le sait, a été préparé. Les ennemis de la Restauration n'auraient-ils pas cherché à utiliser l'antagonisme entre catholiques et protestants, à le grossir pour susciter au roi des difficultés ? D'assez nombreux textes provenant de fonctionnaires de Louis XVIII donnent cette explication. L'on peut juger que c'était l'intérêt des ultras de l'avancer — et, le plus souvent, les sources protestantes n'y font allusion que pour s'en moquer. Cependant, un mémoire du consistoire d'Anduze (ville où ne sévit pas la Terreur Blanche de 1815), rédigé en septembre 1815, paraît bien la prendre en considération : « ... On apprit en 1814 qu'à Nîmes, Alès, Uzès, Sauve, la populace osait molester, par des discours et des actes injurieux, les réformés... la confiance se raffermit lors du passage de Monsieur... Mais les insinuations malignes et les provocations ne tardèrent pas à recommencer dans la ville de Nîmes... Le fanatisme parut se ranimer mais les maux dont il pouvait être la source frappèrent surtout l'imagination lors de l'apparition de Buonaparte. A cette époque, tous les esprits étaient naturellement inquiets... ceux du peuple parmi les protestants furent vivement agités par le bruit qui se répandit, on ne sait par quelle infernale manœuvre, qu'ils étaient menacés d'une nouvelle Saint-Barthélemy. Il fut impossible aux pasteurs et aux consistoires de désabuser le plus grand nombre... » « L'infernale manœuvre », ce serait une provocation issue des ennemis du régime, pour susciter une guerre civile qui ne pourrait que nuire aux intérêts du roi et de ses partisans. Une autre interprétation serait de dire que l'on a d'abord chanté, avec l'accord de chefs occultes, des refrains ineptes et injurieux pour rabattre la « morgue » des protestants, et que, plus tard, à force de brailler, on s'est pris au jeu et qu'on a prononcé des mots très graves, non pas pour nuire au roi, mais pour préparer (par la peur) la fuite ou la conversion des réformés, c'est-à-dire, croyait-on, servir le roi. Si opposées que soient les deux versions, noter qu'elles ne s'excluent pas nécessairement, qu'elles peuvent être toutes deux vraies, non pas certes des mêmes individus, mais dans la même région divisée, dangereuse.

Troisième point, non moins délicat : l'hostilité envers les protestants, à Nîmes et aux environs, avait-elle un caractère vraiment et uniquement confessionnel ? — ou partiellement politique (on les accusait de bonapartisme, était-ce un simple prétexte ?) — ou partiellement social (lors des troubles de 1815, les morts et blessés sont le plus souvent des gens très modestes, mais exactions et pillages frappent les gens aisés : aspect destructif marqué). Ces diverses questions ne sont pas aisées à résoudre.

Il paraît du moins certain que l'on ne peut comprendre les terribles violences de l'été de 1815 qu'à la lumière des sentiments, réactions et attitudes de l'hiver précédent. Les haines ne changèrent pas, mais les circonstances (deux changements d'autorité, plus la tentative des royalistes du Midi de résister à Napoléon en mars 1815) favorisèrent leur explosion violente, une évolution brutale vers la tragédie, vers le sang — du moins à Nîmes et dans une partie du Gard (la Gardonnenque, Uzès).

Après le retour de l'île d'Elbe et la capitulation des royalistes du Midi (8 avril 1815), l'affaire d'Arpaillargues (un peu à l'ouest d'Uzès) : le 11 avril, des volontaires royalistes rentrant chez eux (armés et en troupe, contrairement à la capitulation) sont reçus en ennemis par les habitants protestants du village, barricadés parce qu'ayant peur (quatre abattus, deux achevés) ; avant l'arrivée des « miquelets », le bruit avait couru à Arpaillargues, probablement à la suite d'une provocation bien précise, peut-être simplement du climat de haine et de peur, que ce groupe de royalistes venait de commettre des viols et de massacrer de nombreux pasteurs !

Après Waterloo et la seconde chute de Napoléon, le pouvoir tombe, dans le Gard, aux mains des volontaires royalistes de mars 1815 et de leurs protecteurs, cette fois avoués : la période de mi-juillet à mi-octobre 1815, avec une nouvelle flambée en novembre (pillage du petit temple de Nîmes à sa réouverture, le 12), fut, à Nîmes, à Uzès et en Gardonnenque (pas dans le reste de la France, sauf quelques exceptions), une période terrible pour les réformés : meurtres, pillages (ménages modestes comme domaines riches), interruption du culte, extorsions d'argent, et même attentats contre des femmes. Ces tristes événements de 1815, cette « Terreur Blanche » nîmoise, nous ne voudrions pas leur consacrer trop de place : ils semblent véritablement d'un autre temps. Plutôt que d'essayer de décrire dans le détail ces faits — à la fois affreux et surprenants — l'on peut citer, comme cela a été fait plusieurs fois depuis 1878, une lettre du pasteur-président de Nîmes datée du 30 décembre 1815, donc de quelque temps après les derniers épisodes tragiques, lettre où un homme qui était sur place (il assistait au culte du 12 novembre) et qui n'était nullement ennemi de la Restauration (un de ses fils était capitaine dans la Garde Royale de Nîmes) a tenté de fournir une vue d'ensemble :

« ... vous n'aurez pas été surpris de mon silence. Mais l'horizon... quoique moins obscur, n'est pas tout à fait éclairci. Nous sommes convaincus des bonnes intentions du Roi et de S.A.R. Mgr le Duc d'Angoulême [revenu à Nîmes à mi-novembre] ... j'ai reçu une lettre du Prince ... du 10 de ce mois, elle est pleine de bonté, de candeur... Pour nier la vérité des horreurs qui se sont commises dans notre ville et aux environs, il faut vouloir s'aveugler volontairement... [ce passage vise surtout les Genevois].

La journée du 12 novembre fut comme le signal d'un nouveau massacre de Vassy (sic) et a prouvé à toute l'Europe qu'on est plus acharné contre les Réformés que contre les Bonapartistes ... Toutes nos meilleures maisons ont disparu et le nombre [des émigrés] en augmente tous les jours...

Notre pauvre peuple est accablé de misère et de propos menaçants. Il ne peut ni sortir pour travailler, ni avoir du pain et du repos qu'en se livrant entre les mains de ses ennemis... On a vu plusieurs fois des vingtaines de ces malheureux aller à la messe où on les rebaptise comme s'ils étaient ou Juifs ou païens...

Voilà, monsieur, l'état de désolation où l'on nous a réduits. Et l'on viendra nous dire après qu'on exagère, que la passion s'en met, que les protestants du midi sont des rebelles, tandis qu'on les a désarmés sans résistance, qu'on les a pillés, rançonnés, outragés, tués, chassés de leurs temples sans oser (sic) se plaindre avec une patience digne des premiers siècles de l'Eglise et que la terreur qui les épouvante les empêche même de porter leurs plaintes en justice et de dénoncer leurs dévastateurs et leurs bourreaux. Plus de deux mille personnes ont été rançonnées, plus de deux cents ont été tuées, plus de quatre-vingt-dix campagnes [= propriétés rurales riches] ont été dévastées et brûlées, plus de cent cinquante maisons l'ont été aussi, plus de trente ou quarante femmes ou filles ont été mises nues, fouettées jusqu'au sang et blessées si grièvement qui huit ou neuf en sont mortes ou chez elles ou à l'hôpital. L'emprunt des cent millions a été réparti d'une manière si peu équitable que sur cent soixante-quatorze contribuables pour payer 400 000 francs, on a mis cent quarante-sept protestants, dix juifs et dix-sept catholiques romains. Il faut espérer que la justice se fera jour et que le roi connaîtra la vérité, que le fanatisme sera contenu, que la liberté du culte sera protégée et que la calomnie sera confondue ... Priez Dieu pour l'Eglise... »

Ce texte émouvant reste sobre. Notons que l'estimation des morts par Olivier-Desmont, à peu près la même que celle du colonel Ross (envoyé de Wellington, en janvier 1816), est parmi les estimations élevées ; que par contre, celle qui concerne les attentats sadiques est relativement modérée. Notons aussi la grande importance attribuée à l'émeute du 12 novembre, où les réformés, rouvrant sur ordre le plus petit de leurs temples de Nîmes, ancienne chapelle des Ursulines, furent molestés et le commandant militaire, le général Lagarde, ou de La Garde (ancien émigré, retour de Russie comme le duc de Richelieu), très gravement blessé en tentant d'intervenir (il guérira). Le plus fort de la Terreur se situe plus tôt, jusque vers la mi-octobre ; mais l'émeute du temple frappa beaucoup ; elle succède à une phase plus calme ; et surtout, s'en prenant à un temple en pleine ville, elle visait manifestement les réformés en tant que groupe confessionnel. Si sérieuse qu'elle ait été, cette émeute eut pour les protestants « l'avantage » imprévu, par son aspect confessionnel comme par son caractère de rébellion (on avait tiré sur le commandant nommé par le roi), d'attirer un peu mieux l'attention du gouvernement (jusque-là peut-être mal informé) sur la situation dramatique de Nîmes.

Un peu plus tard, de part et d'autre de la mi-décembre, sont connues à Nîmes les deux « Lettres Anglaises » des 28 novembre et 10 décembre 1815, où deux groupes différents de Britanniques (le comité commun aux trois dénominations dissidentes — et un groupe « de gauche » comprenant aussi des Anglicans) offraient leur appui, à titre fraternel, aux Languedociens persécutés ; ces deux lettres apportèrent un réconfort moral bien utile aux protestants de la zone dévastée (en outre, dans les années 1816-1817, ces offres seront suivies de dons pécuniaires appréciables, environ six mille livres sterling) ; par contre, cette intervention de l'étranger eut l'effet non souhaité de susciter à nouveau contre les réformés l'irritation et la méfiance (qui se calmaient) des fonctionnaires de Louis XVIII, dans le Midi tout au moins. Les séquelles de la Terreur Blanche devaient être relativement longues à s'apaiser. Après la fin des violences, au début de 1816, le corps pastoral subit une épuration (dont la victime la plus notable fut Benjamin-Sigismond Frossard, doyen de la Faculté de Montauban, privé du décanat et de sa charge de pasteur). C'est seulement en mars 1817, six mois après le renvoi de la Chambre « Introuvable », que le préfet du Gard sera remplacé. C'est de 1817 à 1819 que les pasteurs révoqués ou bien, dès auparavant, obligés de se cacher (ce cas existait dans le Gard), seront replacés, le plus souvent (il y a exception pour un des plus suspectés, Bruguier, de Ners) dans un poste différent de leur poste de 1815. Quant aux conséquences à longue portée de la crise de 1815-1816, il n'est pas exclu qu'elle soit une des raisons principales de l'association de fait entre réformés du Midi et partis de gauche, qui a duré jusque tout près de nous. Soulignons le caractère régional de la crise (frappant, il est vrai, une des régions où les protestants « comptaient » le plus). La crise doit s'expliquer par les jalousies anciennement éveillées par ce rôle, l'absence d'une autorité ferme représentant le gouvernement central, l'exploitation des haines par les ennemis de la Restauration. Dans le reste de la France, les protestants ont été seulement inquiets.

Alertes sous la Monarchie restaurée.

Par la suite, dans la « période libérale » de la Restauration (1817-1821), les protestants ont généralement jugé que le gouvernement se montrait plus impartial à leur égard. Lainé, en sus de la réintégration de la plupart des pasteurs révoqués, facilite la construction de temples en faisant donner des subventions à partir de 1818 (l'Etat versant plus ou moins selon la plus ou moins grande aisance des communautés) et en prescrivant aux préfets de suggérer que cette construction se fasse sans trop tarder (le culte en plein air, ou dans des locaux de hasard, rappelait trop, aux yeux du ministre, le temps des persécutions). Fin 1818, la Cour de Cassation casse un jugement qui frappait d'amende un réformé de Lourmarin (Vaucluse) pour n'avoir pas décoré (on disait « tenturé ») sa maison au passage de la procession de la Fête-Dieu ; nouvel arrêt l'année suivante, « toutes chambres réunies » ; les frais de ces procès sont couverts par des souscriptions dans la France entière. En 1819, Decazes, successeur de Lainé à l'Intérieur, crée un Conseil (officieux) de dignitaires et de parlementaires protestants, dans le but semble-t-il de s'assurer un appui ; ce Conseil ne se réunira que pendant un an environ, en 1819 et 1820.

Lorsque les « Ultras » parviennent au pouvoir, de fin 1821 à fin 1827 (Villèle, et à l'Intérieur Corbière), les protestants sont à nouveau inquiets ; ils se plaignent d'assez nombreuses mesures de détail, et — surtout — soupçonnent que l'on envisage en haut lieu de modifier leur statut légal : apparemment étaient-ils bien renseignés, car il subsiste encore plusieurs notes secrètes qui envisagent de restreindre

« la protection » assurée aux protestants, de « resserrer les Eglises Protestantes dans les limites des droits que les lois du Royaume leur ont accordés », de surveiller de plus près l'élection des consistoires. Toutefois, ces notes n'aboutirent à aucune mesure générale concrète. A cette même époque, les missionnaires non-concordataires ont rencontré assez souvent des difficultés de la part de l'administration (Ami Bost reçoit en 1822 interdiction de revenir en Alsace ; le préfet de l'Isère, en 1823, refuse à Félix Neff de rester à Mens ; en 1826-1827, un envoyé de la Société Biblique Britannique est surveillé par la police) : il ne semble pas cependant qu'il se soit agi, contre les non-concordataires, d'une « politique » générale, ni concertée (d'autres n'ont pas été tracassés ; Neff, chassé de l'Isère, fut bien reçu dans les Hautes-Alpes). Le gouvernement Villèle ne paraît pas avoir songé à interdire ce type de « missions » en France, dont cependant les Articles Organiques — et pour cause ! — ne disaient mot : il a respecté, dans l'ensemble, l'esprit de la Charte parlant de liberté religieuse (art. 5).

Villèle tombé, le successeur de Corbière à l'Intérieur, Martignac, nomma Georges Cuvier (le savant) directeur des Cultes non-catholiques (janvier 1828 ; il le restera jusqu'à sa mort, du choléra, mai 1832). Cuvier était un luthérien du Montbéliard ; sa désignation fut bien accueillie, malgré, tout au début, un conflit avec les pasteurs réformés (Cuvier, par circulaire, avait demandé aux pasteurs-présidents des appréciations confidentielles sur les pasteurs de leur circonscription — de nombreux consistoires protestèrent, et Cuvier fournit aussitôt, par messages privés, des apaisements : loin de lui la pensée de porter atteinte à l'égalité des pasteurs !). L'administration des Cultes par Cuvier n'a pas laissé de décisions d'importance vraiment capitale : mais les décisions de détail sont le plus souvent prises selon les vœux des intéressés, et Cuvier, ce grand classificateur, laissera dans les bureaux un ordre tout nouveau — dossiers classés, décisions préparées et mûries selon des plans d'ensemble.

Sous la Restauration, les rapports entre milieux catholiques et milieux protestants (au sens le plus large) sont, d'une façon générale, très froids, sinon hostiles. Polémique assez dure (attaques de Lamennais, de Mgr d'Astros évêque de Bayonne ; vives ripostes des pasteurs Samuel Vincent, Pyt, Audebez) ; prosélytisme réciproque (les « missions » catholiques ont souvent un aspect anti-protestant ; par contre, la « théologie du Réveil » est très vivement anti-catholique ; en dehors de son action, quelques cas de rattachement au protestantisme à partir de 1825 à Lyon et dans la région lyonnaise). Un cas extrême serait celui de la « société » nîmoise : les notables catholiques et les notables protestants invités à la préfecture y venaient bien, mais à des jours différents !

Progrès et problèmes sous le régime de Juillet

A l'opposé de la Restauration, le régime de Juillet a bénéficié de jugements en général très favorables. Si l'on s'accorde à penser que la révolution de Juillet ne doit rien aux protestants en tant que groupe, l'on fait valoir — avec raison — que la Charte révisée de 1830 ne donne plus au catholicisme le titre de « religion de l'Etat », que Louis-Philippe, combattu par beaucoup de notables catholiques, a très bien accueilli à la Cour la haute société protestante, que son fils aîné épousa (1837) une princesse luthérienne. Sans doute ne faut-il pas aller trop loin : tous les protestants ne seront pas toujours satisfaits sous le régime de Juillet. Il reste cependant clair que dans leur ensemble, ils ont eu le sentiment de bénéficier d'une liberté plus grande et que le rôle politique de François Guizot a été sans commune mesure avec tout ce qui avait existé depuis plus de deux siècles. Meilleures relations donc, dans l'ensemble, avec le pouvoir et avec l'administration, sans que certains autres éléments de vie (aide matérielle de protestants étrangers) aient disparu — ainsi paraît s'expliquer le sentiment d'euphorie. Ajoutons que, comme la Restauration, le Second Empire à ses débuts sera « mal vu » des protestants ; que l'orléanisme persistera un temps relativement long dans une partie de la haute société protestante. Bonnes relations, cela n'implique naturellement pas favoritisme, ni absence d'esprit critique. De même, ne pas imaginer que Guizot, aux Affaires Etrangères, ait mené une politique qui fût guidée par des intérêts protestants : dans certains cas (affaire du Sonderbund suisse, affaire Pritchard), il a bien au contraire agi contre ces intérêts !

L'impartialité du gouvernement de Juillet se manifeste, sur un plan matériel, par la création de « postes » rétribués de pasteur (dans l'Eglise réformée surtout, la plus mal desservie : leur nombre s'accroît presque de moitié) — par l'aide efficace pour la construction des temples (en 1848, il y a des temples à peu près partout où c'était nécessaire). Les progrès sont particulièrement importants en matière scolaire : Guizot et Pelet de la Lozère ont été, le fait est bien connu, de très actifs ministres de l'Instruction Publique ; si la « loi Guizot » de 1833 concerne l'ensemble de l'enseignement du premier degré, l'activité des deux ministres protestants a tout naturellement soutenu celle de la Société pour l'Encouragement de l'Instruction primaire (complétée parfois par un mécénat local) : les rapports de la Société sont très riches en données à la fois sur le triste état de l'enseignement primaire vers 1829-1830, et sur les créations — nombreuses — d'écoles primaires nouvelles, créations qui ont valu semble-t-il aux protestants une situation plutôt avantageuse.

En second lieu, le gouvernement se soucie désormais davantage du détail des affaires protestantes : Guizot, en 1834, crée une commission (présidée par S. Vincent) pour examiner la question de l'enseignement théologique (on parle, à cette commission, de créer une nouvelle Faculté à Paris, avec ou sans suppression de celle de Montauban, dès l'origine mal vue des Nîmois — Guizot ayant quitté l'Instruction Publique, rien ne fut fait). Quelques années plus tard (hiver 1839-1840), le garde des sceaux Teste (député catholique du Gard) convoque une autre commission pour étudier l'organisation intérieure de l'Eglise réformée ; au début de 1840, il envoie à tous les consistoires un projet qui, s'il ne parle pas des synodes, dénote une étude sérieuse des difficultés suscitées au niveau local par la loi de Germinal (le « projet de 1840 » proposait notamment — « conseils presbytéraux » — la reconnaissance des « consistoires sectionnaires » de chaque Eglise locale, au-dessous des consistoires de six mille âmes — ce qui ne sera fait qu'en 1852). Ce projet de 1840 suscita des orages, car, dans sa version révisée par le Conseil d'Etat, il aurait limité la liberté de réunion religieuse aux « cultes reconnus », donc aux deux Eglises concordataires. Sur le moment, il ne sortit rien de ce projet.

Ce sont deux aspects opposés de l'action du gouvernement de Louis-Philippe qui ont suscité le mécontentement parmi certains groupes protestants. D'une part, les libéraux ont reproché au gouvernement de favoriser leurs adversaires en ne nommant à la Faculté de Montauban que des orthodoxes prononcés, certains même suspects de sympathies pour la « dissidence » ecclésiastique : Prosper Jalaguier (1834), Adolphe Monod (1836), Guillaume de Félice (1839), César Bonifas (1844) — dans la direction opposée, une seule nomination, Michel Nicolas (1838). Montauban devient une forteresse orthodoxe !

D'autre part et en sens contraire, les succès — limités mais non négligeables — de l'évangélisation suscitent, à partir surtout de 1842, de vives réactions de la part de l'opinion catholique et de l'administration. Ces réactions peuvent s'expliquer par l'impression que des conversions « en série », en groupe, commençaient à s'opérer ; aussi par l'ardeur, peut-être excessive, de certains propagandistes : le pasteur Napoléon Roussel fit scandale par sa *Religion d'Argent* et plusieurs autres brochures-pamphlets (à l'accusation de suivre une religion « d'argent », les catholiques répondaient en parlant de « l'or anglais »,

ou de « l'or genevois », abondamment répandu en France !). L'hostilité
soulevée par la « propagande protestante » pouvait trouver dans les lois
un certain appui. En effet, si la Charte parlait de liberté religieuse, le
Code Pénal napoléonien, dans trois de ses articles, édictait que les
réunions (quelles qu'elles fussent — discussion, prière, culte) devaient
obtenir l'autorisation du maire de la commune. Ces articles étaient
susceptibles d'interprétations diverses : les protestants agents des sociétés d'évangélisation ne contestaient pas qu'en vertu du Code Pénal
ils eussent l'obligation de déclarer préalablement et de façon précise
au maire le lieu, la date, l'heure des réunions, bref, de l'informer ;
mais ils estimaient que le maire ne pouvait s'opposer aux réunions,
hormis quelques cas bien déterminés (tel le manque de solidité ou
d'hygiène du local, créateur de péril). L'administration, au contraire,
soutenait souvent que les maires pouvaient interdire, en cas d'insécurité bien évidemment, mais aussi pour motif d'ordre public : motif
vague, qui permettait à un maire malveillant de prétendre l'ordre
public en danger, et, sans autre fondement, d'interdire les réunions
religieuses ! Dans ce cas, c'étaient finalement les tribunaux qui déci-
daient si l'opposition du maire avait ou non été bien fondée.

A partir de 1842, deux cas d'interdiction des réunions et du culte
ont parmi les protestants un profond retentissement : ce sont les
affaires de Senneville (commune de Guerville, près de Mantes, 1842)
et de Villefavard (Haute-Vienne, 1844). Dans les deux cas, le mouvement
revêtait un aspect collectif, et le préfet (Versailles, Limoges) s'était
alarmé de ce que la Société Evangélique avait pris le relais de la secte
schismatique de l'ex-abbé Châtel, secte très mal vue du gouvernement.
Toujours est-il que, du moins dans les milieux proches des sociétés
d'évangélisation (les libéraux du Midi se mêlèrent très peu de ces
affaires), la liberté religieuse fut jugée en péril, et que des pétitions
réclamant cette liberté furent adressées au gouvernement Soult-Guizot,
où Guizot avait charge des Affaires Etrangères. Après une circulaire
d'esprit plutôt bienveillant du ministre Martin du Nord (fin février
1844) et un débat à la Chambre (avril), le ministre finit par prescrire
d'autoriser (fin juin) le culte à Villefavard. Il semble bien que dans
ce conflit, le débat parlementaire a été décisif (la Chambre n'avait pas
écarté les pétitions, contre l'avis du ministre). Au début de 1845,
malgré décision défavorable de la Cour de Cassation, le culte put
reprendre aussi à Senneville.

Ces incidents de 1842-1844, leur suite directe — et plus grave —
n'apparaîtra qu'après le Deux Décembre. Ce qu'il convient de noter
dès maintenant, c'est que le moindre succès de l'évangélisation protes-

tante — non prévue par la loi de germinal ! — pouvait susciter, dans l'atmosphère d'alors, des problèmes administratifs et juridiques sérieux.

L'entracte de la Seconde République

La Révolution du 24 février 1848 surprend beaucoup les protestants. Ils ne tardent pas, pourtant, à appuyer le nouveau régime. Ses premières décisions politiques, son grand respect pour toutes les libertés, et donc pour la liberté religieuse, son peu de liens directs avec la hiérarchie catholique, vont dans un sens qui ne peut que leur plaire. Ainsi, dans le courant du mois de mars 1848, la plupart des périodiques protestants publient-ils des articles favorables au gouvernement républicain. A la même époque, il n'est pas rare de voir des pasteurs, aux côtés de prêtres et parfois de rabbins, participer aux cérémonies de plantations d'arbres de la liberté (« Je ne viens pas bénir l'arbre mais vous », déclare à cette occasion le pasteur A. Vermeil). Et, d'une façon générale, il semble que les protestants français s'accommodent sans peine de la démocratie et du suffrage universel ; n'adhèrent-ils pas, il est vrai, à la doctrine du sacerdoce universel ?

Dans les premiers mois de la Seconde République, bon nombre de protestants pensent que le nouveau gouvernement va procéder à une séparation des Eglises et de l'Etat. Les souvenirs de la Première République, et quelques déclarations de Lamartine le leur laissent supposer. De ce fait, certains protestants se lancent dans l'action politique. Le pasteur de Paris, A. Coquerel, qui se présente aux élections d'avril 1848 (il est élu en 1848 et réélu en 1849), se répand ainsi dans les clubs. Avec ses amis libéraux (en théologie), il est très vivement opposé à la séparation, n'hésitant pas à la comparer, dans son journal Le Lien, à la Révocation de l'Edit de Nantes (n° du 1ᵉʳ avril 1848) — ce qui ne laisse pas de surprendre quelque peu —, et à affirmer que la séparation conduirait l'Eglise à sa ruine. A l'opposé, les revivalistes ardents du « Groupe du Semeur » ne sont pas moins actifs. Très hostiles à l'union entre l'Eglise et l'Etat — qu'ils assimilent, avec Alexandre Vinet, à un « adultère spirituel » — ils développent toute une polémique dans leur journal, fondent une société pour agir en ce sens, la Société pour l'application du christianisme aux questions sociales, prennent la parole dans les clubs, se présentent aux élections, sans succès d'ailleurs. Au centre, les orthodoxes modérés — ils s'expriment dans les Archives du Christianisme et dans L'Espérance — ne semblent guère désireux de hâter la séparation. Ils ne la considèrent pas comme un malheur, certes, mais l'union avec l'Etat leur semble commode, dépourvue de contrepartie blessante pour leur conscience et, surtout, elle est pour eux la marque de la réintégration du protestantisme français dans la communauté nationale. Aussi, tout en conservant leur sang-froid, s'abstiennent-ils de toute action qui pourrait hâter cette séparation.

D'ailleurs, l'émotion qui s'empare alors du protestantisme français nous semble, rétrospectivement, un peu vaine. Le gouvernement s'est déterminé, lui, en fonction de l'Eglise catholique. Et, dès l'été 1848, cette question est tombée dans l'oubli. Mais elle a provoqué une vive agitation dans les rangs du protestantisme français et elle est à l'origine de la réunion des deux assemblées générales du protestantisme évoquées dans le chapitre précédent.

Quant à l'attitude politique des protestants, elle n'est pas toujours facile à décrire, les situations locales jouant souvent un rôle très important lors des choix. A se limiter aux hommes connus, on risque de présenter une image déformée, car on citerait plutôt des conservateurs comme Th. Morin ou le général Dautheville. Mais ces hommes ne peuvent pas être considérés comme les porte-parole du protestantisme français. Au niveau des groupes, remarquons simplement que, dans le Sud-Est de la France, les autorités locales tiennent souvent les protestants pour des opposants.

Le sous-préfet d'Alès écrit ainsi, le 20 mai 1853 : « La Gardonnenque qui, avant 1848, était essentiellement orléaniste, fut depuis le foyer de la démagogie. Pays de libre examen en matière religieuse, il fut, par cela même, plus accessible aux prédications socialistes. » Le préfet de l'Ardèche affirme quant à lui, le 26 juin 1852, que, dans son département, le gouvernement n'a plus à redouter que « l'esprit d'opposition inhérent au caractère de la religion protestante. Cet esprit, souvent intolérant et toujours absolu, soutenu par une discipline sévère, qui fait de chaque commune ou fraction de commune protestante une véritable société secrète. » De son côté, le procureur général de Toulouse déclare, évoquant l'arrondissement de Castres : « En présence d'une gentilhommerie à la fois agricole et catholique, s'élève une bourgeoisie commerçante et industrielle, qui appartient en majorité au protestantisme et qui, après avoir fait de l'opposition radicale sous la Monarchie, de l'utopie et presque du socialisme sous la République, tenterait peut-être, si elle en avait les moyens, de faire de l'opposition républicaine sous l'Empire. »

On pourrait multiplier les citations de ce type. En fait, il faut plutôt se demander si la doctrine du sacerdoce universel, ou la participation à une Eglise organisée suivant l'ordre presbytérien-synodal conduit à préférer la démocratie, comme semblent le croire les administrateurs que nous venons de citer. C'est possible. Mais nous pensons plutôt que la crainte de l'Eglise catholique et de ses alliés est la principale raison des choix politiques des protestants. La Terreur Blanche est encore dans toutes les mémoires huguenotes et elle guide certaines réactions.

Un exemple nous permettra de préciser notre pensée. Dans le département du Gard, les protestants forment environ le tiers de la population. Ils représentent donc une force avec laquelle l'administration et les légitimistes doivent compter. Or, dans les régions où ils rassemblent la très grande majorité de la population (cantons de Saint-André-de-Valborgne, de Saint-Jean-du-Gard, d'Anduze, par exemple), ils se sentent en sécurité et ils ne se conduisent guère en opposants. Mais, dans les régions mixtes (cantons de Vauvert, de Sommières, de Saint-Mamert, notamment), les huguenots craignent vivement l'alliance du Trône et de l'Autel ; ils ont donc tendance à se classer à gauche : les vieilles craintes dominent encore les réactions. Et, au niveau départemental tout au moins, les autorités ont souvent tendance à tenir les protestants en suspicion.

Pourtant, dans le département de l'Hérault, les huguenots n'ont pas la même attitude. Bien que nombreux dans certaines communes, ils ne rassemblent guère que 5,6 % de la population totale en 1850. Ils sont aussi les héritiers — spirituels — des camisards, et leur enfance a été bercée par les récits de la résistance opiniâtre à une autorité oppressive. Mais, dans ce département, ils ne constituent pas une force organisée. Et comme, d'autre part, l'administration lutte contre leurs ennemis principaux, les légitimistes, ils sont plutôt enclins à soutenir le gouvernement. Le préfet ne s'y trompe pas : le nouveau maire de Montpellier, nommé au début de l'année 1852, Pagézy, n'est-il pas un grand négociant protestant ? Un tel choix aurait été impensable dans le Gard. Mais, sous cette apparente diversité, c'est la même crainte de l'Eglise catholique que nous retrouvons. D'ailleurs, dans les régions où les passions politico-religieuses sont beaucoup moins fortes, dans l'Ouest ou en Alsace par exemple, les protestants ne sont pas regardés, collectivement, comme des opposants.

Vis-à-vis de l'évangélisation protestante et de l'égalité des cultes, la Seconde République se révèle, à ses débuts, comme assez satisfaisante pour les protestants. Un des premiers actes du gouvernement provisoire n'est-il pas, le 10 mars 1848, la publication d'un arrêté provoquant la mise en liberté de toute personne détenue en raison d'actes relatifs au libre exercice d'un culte ? Et, pendant toute la période,

Faculté de Montauban - Une chambre d'étudiant.

XXV. LA FACULTE DE THEOLOGIE DE MONTAUBAN
Carte postale

Une chambre d'étudiant à la fin du XIXe siècle, dans ce qui était alors l'un des principaux centres d'enseignement supérieur protestant

Photo Jenny Ecoiffier

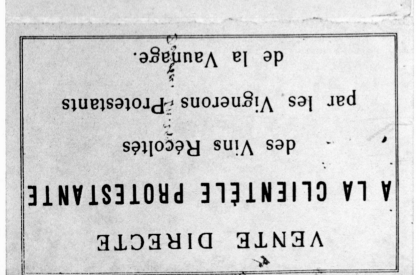

XXVI. BUVARD PUBLICITAIRE (FIN DU XIXᵉ SIECLE)

Pas plus qu'aucune autre religion, le protestantisme n'a été à l'abri de cette « contamination des affaires », dont il ne peut d'ailleurs en tant que tel être tenu pour responsable

Bibl. Soc. Hist. prot. fr., Paris

Photo Jenny Ecoiffier

la législation exemptera les réunions religieuses de l'autorisation préalable. Jusqu'au milieu de l'année 1849, les réunions protestantes ne sont guère troublées. Elles remportent un certain succès, notamment à Paris (L. Pilatte se dépense beaucoup dans le quartier de la rue Mouffetard), à Gommecourt (Yvelines), à Mamers, Auxerre, Sens et dans plusieurs villages de l'Yonne, dans le Nord des Charentes et dans la Drôme ; dans la région de Louhans (Saône-et-Loire) et en Haute-Vienne, l'évangélisation protestante, commencée sous la Monarchie de Juillet (cf. *supra*, p. 349) poursuit son développement. Dans tous ces cas, l'autorité ne tente pas réellement de s'y opposer. Les petites « sectes » d'inspiration protestante, souvent tracassées par le régime précédent (les baptistes implantés au Nord de l'Aisne, par exemple), peuvent, elles aussi, reprendre leurs réunions sans être inquiétées.

A partir de la seconde moitié de l'année 1849, la situation se modifie. L'évolution du gouvernement dans un sens de plus en plus conservateur ne peut manquer d'avoir des répercussions dans ce domaine. L. Pilatte est alors condamné pour ses réunions à Paris (on les assimile à un club, or il laissait des femmes et des enfants assister à ses prédications, ce que la législation sur les clubs interdisait). D'une façon générale, il n'est pas rare que les autorités locales tentent de découvrir un moyen qui, en dépit de la législation libérale, leur permettrait de s'opposer aux réunions religieuses protestantes. C'est le cas principalement à Montjavoult (Oise), Sainte-Opportune-la-Campagne (Eure), Alençon, Chablis (Yonne), Estissac (Aube), Neuville-de-Poitou (Vienne), Tarsac (Charente), La Tour-d'Aigues (Vaucluse), Saint-Michel [l'Observatoire] (auj. Alpes-de-Haute-Provence) et aussi en Haute-Vienne. Pourtant, lorsque les protestants font appel à l'autorité centrale, ils obtiennent gain de cause le plus souvent. L'ancienne législation répressive n'ayant pas été remise en vigueur, les ministres des cultes qui se succèdent ordonnent de respecter la loi et de maintenir l'égalité entre les différents cultes. Mais il est clair que, pour la plupart des administrateurs locaux, l'évangélisation protestante est un danger : en s'attaquant à la religion dominante, le catholicisme, et en semant le doute dans l'esprit de pauvres paysans, incapables — selon eux — de comprendre la controverse théologique, elle sape le principe d'autorité. Les évangélistes protestants se comportent donc, à leur avis, comme des complices, conscients ou inconscients, des socialistes.

Pourtant, pendant la Seconde République, l'évangélisation protestante remporte quelque succès. Faut-il voir là le résultat de cette alliance entre le Trône et l'Autel qui, esquissée dès 1849, donnerait une vigueur nouvelle aux forces de résistance à l'Eglise catholique ? La chronologie semble, de prime abord, le confirmer. Et, dans près de la moitié des cas recensés, une volonté d'opposition politique ou une mésintelligence avec la hiérarchie catholique — qui peut aussi être enracinée dans une forme d'anticléricalisme politique — ne fait guère de doute. Il se peut, aussi, que bien des conversions collectives, par leur aspect de transgression des ordres de l'autorité spirituelle, aient été favorisées — fût-ce au niveau inconscient — par l'alliance entre la hiérarchie catholique et un pouvoir civil jugé réactionnaire. Mais l'aspect proprement religieux ne doit pas, pour autant, être négligé, car l'opposition politique aurait pu s'exprimer par d'autres canaux, et le choix d'une opposition confessionnelle ne saurait être tenu pour neutre. D'ailleurs, les autorités reconnaissent, en général, que les évangélistes n'abordent pas de thèmes politiques dans leurs prédications. Et il est clair qu'il y a un lien direct entre les progrès de l'influence protestante et l'état de la liberté religieuse.

L'attitude des autorités civiles nous renseigne aussi sur la place que l'on veut bien accorder au protestantisme dans la société française. Dans un pays où le fait religieux n'est pas encore marginalisé — l'appartenance confessionnelle n'est pas encore perçue comme un choix relevant exclusivement de la conscience individuelle —, le protestant est encore un peu l'a-normal. Toléré dans les régions où il est implanté depuis des siècles, dans les Cévennes ou en Alsace par exemple, il ne doit pas chercher à accroître le nombre de ses frères dans les régions non encore atteintes par la « maladie ». Le virus de libre examen et de mise en question de l'autorité — fût-elle spirituelle — risquerait d'atteindre tout le corps social et de ruiner la puissance de la hiérarchie sociale.

Soupçons et oppositions sous le Second Empire

Bien qu'effectué pour des raisons totalement étrangères aux questions religieuses, le Coup d'Etat du 2 décembre modifie, dans une assez large mesure, la situation du protestantisme français.

Toutefois, on peut aussi trouver des protestants parmi les partisans du nouveau régime. Achille Fould, banquier d'origine israélite converti au protestantisme, avait probablement prêté de l'argent à Louis-Napoléon : il est ministre de décembre 1851 jusqu'à sa mort en 1867. Le général (puis maréchal) Randon est ministre de la Guerre de 1859 à 1867. Boudet, ancien avocat, est ministre de l'Intérieur de

1863 à 1865. Mais, en fait, les protestants sont peu nombreux dans les cercles dirigeants du Second Empire. Et une partie importante de la grande bourgeoisie protestante boude ce régime de parvenus, à commencer par Guizot ou L. de Maleville (qui a rompu avec Louis-Napoléon dès 1849). Il est clair que, pour le gouvernement, le consistoire de Paris — ainsi d'ailleurs que celui de plusieurs grandes villes de province, comme Nîmes par exemple — et les milieux dirigeants du protestantisme en général, ont des sympathies orléanistes. En certains lieux, on les soupçonne même de préférer la République, « démocratique et sociale », ou simplement libérale.

Les administrateurs qui formulent ces jugements ont-ils raison ? Il est assez difficile de répondre à cette question. Ces hommes ont souvent tendance à généraliser à partir de quelques cas particuliers. Ils ont pu, d'autre part, être influencés par l'attitude de certains groupes protestants au moment du Coup d'Etat. Il est vrai que la carte de la Résistance en décembre 1851 ne recouvre pas la carte de l'implantation protestante. Pourtant, dans la Drôme, l'Ardèche et le Gard, les insurrections républicaines se sont souvent déroulées dans des régions où les protestants étaient nombreux. S'il est clair que tous les insurgés n'étaient pas protestants, il est net, également, que dans certaines régions mixtes du Sud-Est de la France, le mouvement a pris, parfois, une coloration confessionnelle.

Les protestants l'ont, d'ailleurs, reconnu. L'amiral Baudin, qui allait être nommé peu après président du Conseil Central des Eglises Réformées (créé pour surveiller l'Eglise), s'adresse, au début de l'année 1852, au pasteur Gardes, de Nîmes, pour lui demander toute la vérité sur l'attitude politique des protestants du Gard. Cette simple demande révèle qu'à Paris les protestants du Midi étaient suspects. Le pasteur Gardes lui répond le 6 février 1852. Il écrit notamment : « Les agents des sociétés secrètes [...] parcoururent les villages et les hameaux ; ils disaient « Venez défendre la République [...] ». Ils ajoutaient dans les pays protestants : « Vos frères courent des dangers : on veut renouveler les pillages et les meurtres de 1815 ». Les masses protestantes donnèrent dans le piège et prirent les armes. Mais ils ne furent pas les seuls insurgés [...]. On prétend que notre peuple est communiste et, en général, il se distingue par plus d'aisance, d'activité, d'industrie [...]. Notre peuple est anti-légitimiste. « Plutôt Brama qu'Henri V », me disait un ex-président de club. »

Cette lettre évoque seulement l'attitude des protestants du Gard. Mais, d'une façon générale, elle semble pouvoir se rapporter aussi aux protestants de la Drôme, de l'Ardèche et de la Lozère. D'ailleurs, quelques pasteurs furent inquiétés : Jaquier de Clairac (Lot-et-Garonne) ; Giraud de Rouillé (Deux-Sèvres) ; Nicati de Salavas (Ardèche), moins en raison de ses opinions personnelles qu'à la suite de la participation d'un nombre important de ses paroissiens à l'insurrection républicaine ; deux évangélistes en poste à Saint-Michel [L'Observatoire] (Alpes de Haute-Provence) sont également arrêtés puis expulsés du département, deux pasteurs de Bourdeaux (Drôme), ainsi que l'instituteur de Bouvières, sont interrogés, et ne doivent leur mise hors de cause qui à leur « coopération » avec la police ; etc.

En Alsace, dans l'Ouest et dans le Sud-Ouest de la France, au contraire, les protestants ne manifestent guère de sentiments républicains. C'est que, dans ces régions et plus particulièrement dans l'Ouest, le bonapartisme a aussi une tonalité anti-cléricale ; car les paysans y sont, le plus souvent, dominés par une hiérarchie catholique liée aux légitimistes. En fait, derrière l'apparente diversité des réactions, nous retrouvons la crainte de l'Eglise catholique et de ses alliés. Mais l'administration centrale, plus attentive aux réactions des protestants du Sud-Est — les Cévennes ne sont-elles pas la citadelle huguenote ? — semble estimer, au début du Second Empire, que les protestants sont des opposants de gauche.

Au début du Second Empire, le gouvernement se montre donc plutôt hostile aux protestants. Il ne faut pas voir là le reflet d'une haine personnelle de Napoléon III. Il avait, d'ailleurs, vécu de nombreuses années dans des pays protestants, et il est fort loin d'être dévot. Mais le nouveau régime a besoin de l'appui de l'Eglise catholique et, pour un temps, il épouse ses querelles. D'autre part, les serviteurs du gouvernement paraissent quelque peu hantés par le spectre du socialisme ; or, nous savons que les évangélistes protestants, qu'ils tiennent pour des révolutionnaires religieux, leur semblent les alliés objectifs des révolutionnaires politiques. Un exemple illustre bien cette défaveur. Au début de l'année 1852, le ministre de l'Instruction publique et des cultes, Fortoul, décide d'interdire aux protestants et aux israélites de se présenter au concours d'entrée à l'Ecole Normale Supérieure, dans la section des lettres. Cette mesure, vivement combattue par A. Fould (!) en conseil des ministres est, certes, rapportée rapidement. Elle n'en est pas moins révélatrice d'un état d'esprit.

Le décret du 25 mars 1852, relatif au droit de réunion, est tout aussi significatif. La Seconde République avait accordé un régime exceptionnel aux réunions religieuses : elles seules pouvaient se tenir sans entraves. Or, le décret précité rétablit la loi du 10 avril 1834 dans toute sa rigueur : les réunions, de quelque nature qu'elles soient, doivent être autorisées. Il s'agit, il est vrai, d'une mesure visant à empêcher les adversaires politiques du gouvernement de se concerter. Mais, très vite, les administrateurs locaux, soutenus le plus souvent par l'autorité ministérielle, comprennent le parti qu'ils peuvent en tirer pour s'opposer à l'évangélisation protestante. Et jusqu'en 1859 — date à laquelle le décret du 19 mars attribue au seul Conseil d'Etat le droit d'autoriser l'ouverture de nouveaux lieux de culte — les tracasseries, allant parfois jusqu'à l'emprisonnement de pasteurs, les poursuites judiciaires et les lourdes amendes pour tenue de réunions non autorisées ou pour injures envers la religion catholique (mais comment faire de l'évangélisation protestante sans critiquer les dogmes catholiques ?), seront monnaie courante. Il ne faut certes pas exagérer l'importance de ces difficultés. Leur apaisement, à la suite du refroidissement des relations entre le gouvernement et l'Eglise catholique, montre bien leur aspect conjoncturel. Les mesures répressives n'ont, au total, frappé que quelques milliers de protestants. Le petit nombre de personnes emprisonnées (pasteurs et laïcs) et l'assez faible durée de leur détention ne permettent pas de parler de persécutions. Mais il nous est facile, aujourd'hui, de raisonner froidement. En 1852, les huguenots ne pouvaient guère savoir que les problèmes cesseraient dans les années 1860. Et l'on comprend qu'ils aient vu dans ces mesures les prodromes d'une application de la loi de germinal « à la rigueur », prélude à une véritable persécution.

Un exemple, celui de la Haute-Vienne, fera mieux comprendre ce dont il s'agit alors. Dans le petit village de Villefavard (arrondissement de Bellac), nous l'avons vu, une grande partie des habitants étaient passés au protestantisme dès 1844, et le mouvement s'était étendu à quelques villages environnants. Depuis 1846, les néo-protestants n'avaient guère été inquiétés et leurs villages n'avaient pas été le théâtre d'une agitation politique particulière pendant la Seconde République. Pourtant, dès 1852, les autorités locales décident, en accord avec l'évêque de Limoges, d'entreprendre une action pour éliminer le protestantisme de cette région.

Fin 1852, on utilise donc un prétexte pour fermer les écoles et suspendre 12 instituteurs et institutrices. Certains seront, ensuite, poursuivis et condamnés pour ouverture d'école clandestine, car ils tenteront, malaisément, de donner quelques leçons à domicile. Puis on découvre que les réunions religieuses n'ont pas été autorisées officiellement, et les temples sont fermés en 1853 et 1854. Lorsque les protestants demandent une autorisation en bonne et due forme, on la refuse, en invoquant le motif, très vague, de l'ordre public. Mais les évangélistes ne se découragent pas, ils continuent à présider des réunions, en plein air le plus souvent, au « désert » en quelque sorte. Des procès s'ensuivent où laïcs et ecclésiastiques sont condamnés à de lourdes amendes. Au début de 1856, on semble s'acheminer vers l'emprisonnement, car les amendes n'ont pas été acquittées (en 1854, des évangélistes en poste en Saône-et-Loire avaient été incarcérés pour ce motif), lorsque le gouvernement — à la suite de très nombreuses interventions, dont certaines venues des cercles gouvernementaux britanniques — révise sa position en renonçant aux amendes et en autorisant la réouverture des temples. Mais les écoles resteront fermées jusqu'en 1861.

Les difficultés les plus importantes se situent alors par ailleurs à Alençon, Mamers, Franvillers (Somme), Fresnoy-le-Grand (Aisne), Estissac (Aube), Saint-Maurice-aux-Riches-Hommes (Yonne), Sainte-Opportune (Eure), Vendôme, Maubeuge, Saint-Michel [L'Observatoire] (Alpes de Haute-Provence), Neuville-de-Poitou (Vienne) et Elbeuf. Les baptistes de la région de Chauny (Aisne) sont contraints à une semi-clandestinité.

Pourtant, nous l'avons vu, les tracasseries cessent vers 1860, au moment où le régime ne s'appuie plus de la même façon sur l'Eglise catholique. Il faut noter aussi — sans que nous voulions voir une liaison nécessaire entre ces deux faits — que l'évangélisation protestante ne remporte plus guère de succès pendant les années 1860. Les difficultés n'ont donc pas été durables. Mais les protestants ont craint pour leur liberté : la place qu'ils ont accordée à ces problèmes dans leurs journaux, malgré les risques que cela pouvait comporter, en est un signe.

Quant au visage qu'offre le protestantisme français dans les années 1860, il n'est pas facile à dessiner. Sans doute ses violentes dissensions internes — retracées dans le chapitre précédent — nuisent-elles à son rayonnement. Au point de vue politique, on peut, naturellement, signaler quelques protestants parmi les membres actifs du parti républicain, comme J.J. Clamageran (il sera sénateur inamovible et ministre sous la IIIe République) et d'autres protestants qui acceptent d'être des candidats officiels, comme Ch. Seydoux, constamment réélu entre 1852 et 1869. Il semble, cependant, que la majorité des protestants se tiennent plutôt dans une prudente réserve, l'attitude du gouvernement vis-à-vis de l'Eglise catholique ne leur « dictant » plus leur conduite.

Les rapports entre les protestants et les catholiques restent franchement mauvais pendant le Second Empire. On peut, là encore, citer des exemples contraires. Guizot ne défend-il pas — faisant fi de l'indignation qu'il ne manquerait pas de provoquer parmi ses coreligionnaires — le pouvoir temporel du pape, dans le temple de l'Oratoire le 20 avril 1861 ? Il déclare notamment : « Une perturbation déplorable atteint et afflige une portion considérable de la grande et générale Eglise chrétienne [...]. Quelles que soient entre nous les dissidences, les séparations mêmes, nous sommes tous chrétiens et frères de tous les chrétiens. La sécurité, la dignité, la liberté de toutes les Eglises chrétiennes importent au christianisme tout entier [...] ». Mais ses phrases, aux résonances œcuméniques, ne suscitent alors aucun écho favorable, bien au contraire. Le ton est plutôt donné par le Père Ventura qui affirme aux Tuileries, devant Napoléon III, en 1858 : « [...] La réforme du XVIᵉ siècle, cet immense crime des temps modernes [...], cette œuvre infernale qui a couvert de ruines la moitié de l'Europe [...] ». Les protestants, il est vrai, répliquent en traitant de superstition païenne le culte des saints et d'hallucinations, voire de supercheries, les apparitions de Lourdes, par exemple ; tandis qu'ils ne cessent d'annoncer la ruine prochaine du catholicisme, décidément incapable, à leurs yeux, de répondre aux aspirations de la société moderne. Le pasteur E. Castel écrit, ainsi, en 1855, à propos de la proclamation du dogme de l'Immaculée Conception : « Le catholicisme, qui n'est guère plus que le papisme, est évidemment en pleine décadence. Par la proclamation tout à fait irrégulière et intempestive d'un dogme qui n'a aucune raison d'être, sinon l'autocratie pontificale, et qui fera plus d'incrédules que Voltaire, il s'est décidément lancé, tête baissée, dans une voie qui aboutit à l'abîme, c'est-à-dire à l'idolâtrie. Il va donc voir s'éloigner de lui, plus que jamais tous ceux qui ne veulent pas renoncer au christianisme [...] ».

La troisième République

Avènement de la République.

La Guerre de 1870 occasionne quelques difficultés aux protestants. Il est vrai que l'adversaire prussien est majoritairement protestant et ne manque guère une occasion de le rappeler. On en trouve l'écho jusque dans le roman d'E. Zola, *La Débâcle*, où l'auteur décrit ainsi un officier prussien : « Déjà, Otto levait le bras [...]. Il allait parler avec la véhémence de ce froid et dur protestantisme militaire qui citait des versets de la Bible [...] ». Dès le début de la guerre des journaux ultramontains, tels *Le Monde* ou *L'Univers*, appellent à une véritable croisade anti-protestante. Dans un mandement, l'évêque de Nîmes demande à Dieu « que personne, parmi nous, ne nourrisse de secrètes sympathies et ne fasse des vœux clandestins pour le succès de ceux que nous allons combattre ». L'allusion aux protestants est claire. Et les défaites françaises font monter le ton de la polémique, puisqu'on en vient à accuser les protestants de trahison.

Le *Paris-Journal* du 23 août écrit que si l'Alsace ne résiste guère aux Prussiens, cela tient à l'action occulte des luthériens de Strasbourg. *Le*

Figaro du 28 août affirme : « Le Midi de la France présente à cette heure un spectacle assez singulier ; [...] il y a des pasteurs [...] qui ont ouvert dans leurs temples des souscriptions pour les blessés prussiens protestants [...]. Dans certaines petites villes [...], des protestants ont fait ouvertement des vœux pour nos ennemis et crié : Vive la Prusse. »

Naturellement, les protestants réfutent ces calomnies avec indignation. Et de citer ceux des leurs qui s'illustrent dans les combats : le colonel Denfert-Rochereau, l'amiral Jauréguiberry, le colonel de Monbrison, tué à Buzenval, ou le peintre F. Bazille, mort à Beaune-la-Rolande. Au moment de la Commune, on accuse aussi les protestants français et le protestantisme en général, d'être, pour le moins, les complices objectifs des Communards. Pourtant, quand on étudie les réactions protestantes entre mars et juin 1871, on constate une très grande hostilité envers la Commune de Paris, ce qui ne surprendra pas si l'on se souvient que le protestantisme français est, alors, massivement rural.

Quant aux choix politiques des protestants, ils sont assez complexes. D'une façon générale, le Second Empire n'est guère regretté dans leurs rangs. Et, quelle que soit leur tendance théologique, les journaux protestants se félicitent de sa chute en septembre 1870. Ch. Luigi écrit ainsi, dans *L'Eglise Libre* du 9 septembre : « Les succès persévérants de ce bandit [Napoléon III] ont été pendant de longues années [...] une insulte à la conscience humaine ». Le problème vient plutôt de l'attitude politique de certains hommes politiques protestants. Quelques-uns se rangent, en effet, dès 1871, dans le camp des monarchistes : Guizot et son gendre C. de Witt, ce qui ne surprendra guère, mais aussi le général de Chabaud-Latour ; tandis que d'autres, sans être fondamentalement monarchistes, se classent à droite, aux côtés des catholiques cléricaux : L. de Maleville ou F. Mettetal, par exemple. Pire — pourrait-on dire —, Chabaud-Latour accepte de figurer comme ministre de l'Intérieur, dans un gouvernement de l'Ordre Moral (de juillet 1874 à mars 1875), avec à ses côtés, en tant que sous-secrétaire d'Etat, C. de Witt. Or, ce gouvernement, fort clérical, entrave quelque peu l'évangélisation protestante, et le ministre de l'Intérieur protestant est aussi président de la Société Biblique de France, dont le but principal est l'évangélisation ! De plus, ces hommes politiques conservateurs, qui rallient le camp clérical, font partie du groupe orthodoxe en théologie. Peut-on, pour autant, en conclure que les orthodoxes se classent à droite et les libéraux à gauche ? Un tel jugement serait superficiel. On trouve aussi à l'Assemblée Nationale des orthodoxes républicains, comme Alf. André, W. Waddington ou Edm. de Pressensé. Et le très conservateur Pagézy, élu sénateur en 1876 et qui se range aussitôt dans le camp clérical, est libéral (en théologie). Il ne faut pas commettre l'erreur de tenir compte seulement des noms célèbres. En réalité, la plupart des protestants, orthodoxes comme libéraux, voient dans l'alliance entre quelques orthodoxes et les conservateurs cléricaux une sorte de scandale.

La pétition contre le rétablissement de la monarchie, adressée aux députés protestants, et signée par plus de 5 000 protestants (dont 320 pasteurs et plus de 1 000 anciens de conseils presbytéraux et de consistoires) à l'automne 1873, avait recueilli — comme les journaux libéraux l'ont écrit eux-mêmes — une égale faveur dans les deux camps théologiques.

Si l'on tient parfois les libéraux comme plus républicains que les orthodoxes, c'est aussi parce qu'on remarque le nombre relativement important de protestants (ou d'anciens protestants) libéraux dans l'entourage de J. Ferry (Steeg, Pécaut, Buisson, notamment). Mais, répétons-le, l'exemple de quelques individus n'est pas probant. Et quand on étudie, dans le détail, le comportement politique des groupes protestants, on ne constate pas de réelle différence entre les groupes orthodoxes et les groupes libéraux. On peut donc estimer que, dans leur ensemble, les protestants appuient les républicains dans les années 1870-1880.

D'ailleurs, un des chefs du courant orthodoxe, J. Pédézert, écrit, en janvier 1875 : « La grande majorité des orthodoxes ne sépare point l'Evangile d'une large liberté. On a dit de la France qu'elle est (sic) centre-gauche. Nous croyons bien que l'orthodoxie se trouve, en général, dans cette moyenne opinion ». Le principal journal libéral, *La Renaissance*, reconnaît aussi, dans son numéro du 9 janvier 1875, que les clivages théologiques ne recouvrent pas les clivages politiques.

Il reste que, dans la période dite de l'Ordre Moral, l'évangélisation protestante rencontre quelques difficultés. Certains évoquent alors les mauvais jours du Second Empire. Mais cette comparaison, polémique, vise plutôt à mettre en difficulté les protestants conservateurs, car les deux situations sont bien différentes. Certes, la législation répressive — qui exige une autorisation préalable pour toutes les réunions — est encore en vigueur. Mais, si certains protestants crient à la persécution, c'est d'abord parce qu'après le changement de régime, le maintien d'une telle législation fait scandale, et surtout parce que, sous le gouvernement de Thiers, entre février 1871 et mai 1873, on avait cessé de combattre l'évangélisation protestante. L'Ordre Moral contraste donc avec la période antérieure, et apparaît comme un retour en arrière. Mais, à la différence de ce qui se passait au début du Second Empire, les « atteintes à la liberté religieuse » peuvent être vivement dénoncées dans les journaux religieux, comme dans les journaux politiques. Elles font un peu figure de scandale ; les ministres — qui les laissent faire plus qu'ils ne les ordonnent — semblent gênés et réduits à la défensive. Et — le ton de la presse en fait foi — il n'y a pas une véritable inquiétude dans les rangs protestants, mais plutôt un étonnement presque incrédule devant ce retour en arrière qui ne saurait être que temporaire.

Ce qui choque peut-être le plus, c'est de voir des protestants participer aux gouvernements qui tentent de limiter l'évangélisation protestante. Mais la liste des tracasseries reste assez limitée. En voici quelques-unes. Dès l'été 1873, le colportage biblique est surveillé et entravé (retrait d'autorisation, etc.). Le pasteur Fourneau d'Avallon et le pasteur Perrenoud de Tonnerre sont condamnés à une amende pour avoir présidé des réunions sans autorisation ; dans l'Yonne, le nouveau préfet interdit les réunions religieuses que son prédécesseur tolérait ; dans le Var et en Saône-et-Loire, deux évangélistes sont condamnés à une amende (16 francs). En 1874, on interdit l'ouverture de nouveaux lieux de culte en Haute-Vienne (à Compregnac et Roussac). Mais le climat est très différent de celui qui prévalait dans les années 1850 où certains administrateurs locaux entamaient une véritable lutte contre le protestantisme.

En 1875 à la suite d'incidents dans la Nièvre, le garde des sceaux écrit : « ... tant qu'il ne ... sera pas démontré que les réunions religieuses n'ont été qu'un prétexte à des désordres ou à des manifestations politiques, nous ne vous empêcherons pas de prier en commun ». Réponse qui eût été impensable au début du Second Empire. Ces affaires doivent donc être replacées dans leur contexte politique.

Face à l'Opposition catholique.

Après l'échec du « 16 mai », le personnel administratif et politique comprend une proportion relativement forte de protestants ou de personnalités issues du protestantisme, notamment le diplomate William Henry Waddington (dont le ministère, en 1879, comprenait 5 protestants sur 9 ministres), l'ingénieur Charles Freycinet, quatre fois président du Conseil, et Léon Say, économiste et financier, lié à la Haute Banque protestante. Ces protestants exercent une influence dans plusieurs courants mais leur poids principal se situe au centre gauche. L'engagement politique des protestants d'alors n'est pas le fait d'une seule minorité « d'élites ». Dans le Gard, la Drôme, l'Ardèche, le Poitou, les Charentes, des protestants énergiques et combatifs négligent un peu une Eglise à leurs yeux trop statique et préoccupée de querelles internes, au profit d'une militance politique. Ils donnent un encadrement local à la République et, à certains endroits, beaucoup de maires sont protestants. Plus généralement, l'idéologie de l'époque tend à faire considérer par beaucoup de gens l'attachement à l'idéal républicain et la pratique cultuelle comme inconciliables. Parfois, la lutte contre la « tyrannie cléricale » apparaît comme la forme nécessaire et suffisante du protestantisme. Par ailleurs, des laïcs et même certains pasteurs sont des francs-maçons actifs. Le cas le plus célèbre est celui de Frédéric Desmons qui quitte le pastorat en 1881, et devient ensuite, à plusieurs reprises, Grand Maître du Grand Orient.

Une coupure existe donc souvent entre le protestantisme politiquement engagé et le protestantisme institutionnel, les appareils qui se veulent apolitiques même si la lecture de leur presse officieuse révèle en fait des positions politico-sociales implicites. Mais s'il n'existe pas de « politique protestante », il faudrait analyser dans quelle mesure le fait d'être protestant, même marginal par rapport aux organisations religieuses, peut guider dans sa pensée ou son action tel militant républicain, tel haut fonctionnaire, telle personnalité politique. Peut-être a-t-il existé un « homo politicus » protestant même si celui-ci reste à définir.

Sur un plan plus général, l'influence des protestants dans les années 80 paraît s'expliquer par le fait qu'entre le Seize Mai et le Ralliement (partiel) des années 1890-1895, les catholiques pratiquants forment des milieux opposants qui doivent être ramenés à la « situation commune ». Il existe contre eux une certaine suspicion. Mais le catholicisme, qui incarne des valeurs stables dans une société à changement rapide, garde une nette emprise sur une grande partie de la population. Il apparaît donc peu opportun de mettre en avant uniquement des libres penseurs, des anticléricaux incroyants. Jadis persécuté, perçu comme une religion démocratique et séculière, le protestantisme apparaît comme un allié. Il occupe, quoique très minoritaire, une position clef entre les deux blocs. La politique scolaire de Jules Ferry constitue, à cet égard, un exemple particulièrement frappant. Cette politique, notons-le, est peu appréciée des appareils ecclésiastiques dont la stratégie consiste à créer des écoles protestantes et à les faire communaliser (tout en leur maintenant un caractère protestant) au bout de quelques années. Des pasteurs importants, comme Eug. Bersier, vont donc être assez défavorables aux nouvelles lois. Cependant, les protestants fourniront pour une bonne part le personnel dont Ferry a besoin pour laïciser progressivement l'école. On connaît les noms de Ferdinand Buisson inspecteur général de l'Enseignement primaire, Jules Steeg co-rapporteur de la loi organisant cet enseignement, et Félix Pécaut nommé au poste clef de directeur de l'Ecole Normale de Jeunes Filles de Fontenay-aux-Roses (l'enseignement des jeunes filles a été longtemps l'apanage des congrégations). Ils appartiennent tous les trois à « l'extrême gauche » (théologique) libérale. D'autres assument divers postes moins élevés. Cette participation de protestants contribue à rendre moins crédible l'accusation « d'école sans Dieu », alors que par ailleurs les milieux libres penseurs ne suspectent pas l'attachement de ces protestants à la laïcité. Mais une nouvelle fois, nous constatons un décalage entre les protestants jouant un rôle public et les autorités religieuses, même si celles-ci décident finalement, en général, de remettre à l'Etat les écoles protestantes. Il faut d'ailleurs comprendre leur réticence. La perte de la mainmise sur la transmission du savoir signifie pour un appareil ecclésiastique une perte de pouvoir et peut, à terme, menacer dans un groupe socio-religieux minoritaire, la conscience d'une identité spécifique. A ce niveau, les luthériens seront plus encore affectés que les réformés par la perte de leurs écoles.

L'enseignement montre les liens du politique et du culturel. Là aussi, on constate alors un certain rayonnement du protestantisme. Numériquement faible entre deux blocs importants, il n'en exerce pas moins une certaine attraction sur une partie de ceux qui sont insatisfaits par l'un ou l'autre bord. Renan et Taine ont pratiqué à son égard la politique de la main tendue. Certains libres penseurs spiritualistes, anticléricaux sans être antireligieux, se montrent intéressés par le protestantisme. Par exemple, le philosophe Charles Renouvier s'en rapproche de plus en plus. Par ailleurs, chaque année, quelques prêtres se convertissent et une école spéciale les forme au pastorat. A la fin du siècle, deux pasteurs seront bien connus du public « cultivé », Aug. Sabatier considéré comme le grand représentant des courants théologiques novateurs (à un tel point que Bergson prendra un temps Loisy pour son disciple) et qui apparaît, grâce à ses articles du *Temps*, comme un des directeurs de conscience de la III° République ; Charles Wagner, auteur de livres moralisateurs ou spirituels, dont le succès en France sera doublé d'un succès, plus important encore peut-être, aux Etats-Unis. Mais, parallèlement à un protestantisme éclairé et calme, bien vu de l'intelligentsia, l'opinion publique perçoit aussi un protestantisme dévot dont la vitalité lui paraît plus agressive. La propagande tapageuse de la « maréchale » Booth, animatrice de l'Armée du Salut en France, l'activité de certaines « dames d'œuvres » de la bonne société protestante sont évoquées sous une forme romancée et polémique dans l'œuvre d'Alphonse Daudet, *l'Evangéliste*.

Les milieux financiers protestants sont prospères, même si la réputation de quelques-uns d'entre eux est atteinte par le scandale des cuivres (1889) qui provoque le suicide de Denfert-Rochereau, frère du défenseur de Belfort. Parmi les « grandes familles », citons les Mallet (Jules Mallet est régent de la Banque de France) alliés notamment aux Vernes, aux Hottinguer, aux Delessert et aux André (dont un représentant négocia en 1871 la reddition de Paris avec le roi de Prusse). Ces derniers sont également alliés aux Neuflize, eux-mêmes alliés aux Mirabaud, etc. Dès 1881, Zola entame le procès de cette « haute société protestante » aux ramifications internationales. Peu d'hostilité cependant se manifeste à leur encontre. Elle est plutôt un signe de fierté pour certains protestants qui y voient, conjointement au poids politico-social et au relatif rayonnement culturel du protestantisme, une preuve de la supériorité de leur confession. En 1888, le pasteur Decoppet peut écrire dans une revue américaine : « La minorité protestante occupe partout dans la patrie française une place très supérieure à celle qui, numériquement, devrait lui appartenir... et jouit d'une excellente réputation. Si les formes du catholicisme sont maintenues dans notre pays, les principes protestants ont pénétré profondément la société française... (Ce) fait prépare... le triomphe du protestantisme en France ».

Cette analyse — qui majore l'importance du protestantisme — est partagée par les milieux nationalistes qui, eux, s'en inquiètent au lieu de s'en réjouir. Les attaques antiprotestantes se développent dans les « régions mixtes », où il est reproché aux protestants de monopoliser l'administration. Le développement de l'antisémitisme, la reprise de l'expansion coloniale, l'antagonisme franco-anglais qu'elle suscite, contribuent à donner une relative ampleur à la campagne antiprotestante. A cause du Ralliement, d'autre part, une partie de la droite catholique n'attaque plus de front le système républicain lui-même, elle se met à faire la distinction entre un régime « judéo-protestant » et la « République Nationale » dégagée de cette double emprise qu'elle appelle de ses vœux. Divers épisodes de l'expédition de Madagascar en 1895 fournissent raisons ou prétextes aux accusations anti-protestantes qui s'amplifient lors de « l'affaire Dreyfus » (lors de la campagne de revision à partir de l'automne 1897).

Les protestants sont accusés de former un « parti » qui s'insinue partout. Le triomphe de ce parti, séditieux et créateur d'anarchie, amènerait ensuite une réaction despotique. Certes, il existe de « bons » protestants de vieille souche française, mais ceux-ci sont manipulés, à leur insu, par des éléments semi étrangers. Maurras accuse de « cosmopolitisme » la « dynastie des Monod ». Des évangélistes sont dénoncés comme « espions » au service de pays anglo-saxons, etc. Quelques hommes ambitionnent de devenir le « Drumont de l'antiprotestantisme », notamment Georges Thiebaud (*Le parti protestant*, 1895) et Ernest Renauld (*Le péril protestant*, 1899) ; ils demandent notamment un « numerus clausus » dans l'attribution des postes aux protestants. Cependant, pour la majeure partie du courant nationaliste, la « campagne antiprotestante » doit rester au second plan, derrière l'antisémitisme.

Les protestants réagissent de plusieurs façons : ils tentent de diminuer leurs divisions (« conférences fraternelles » entre réformés 1896 et 1899). Dès 1894 est créé un quotidien protestant *Le Signal* (il disparaîtra en 1908) chargé de faire connaître l'opinion moyenne du protestantisme vis-à-vis des questions politiques et sociales. *Le Signal* montre un souci d'honnêteté et de fidélité républicaine, mais il hésite sur l'attitude à adopter devant la montée de l'anticléricalisme. D'une manière générale, les protestants ripostent en resserrant leur alliance avec le « bloc » et en approuvant la lutte qu'il va mener contre les congrégations. Ils contre-attaquent en accusant leurs adversaires de vouloir provoquer une « nouvelle Saint Barthélemy ». Ils intentent aussi des procès en diffamation, obligeant par exemple un éphémère quotidien antiprotestant, *La Délivrance*, à cesser de paraître (novembre 1904). La période faste de l'antiprotestantisme est alors finie.

Si elle n'a pas déclenché les accusations antiprotestantes, la campagne en faveur de la révision du procès du capitaine Dreyfus les a intensifiées. Elle est lancée, en effet, à l'automne 1897 par le vice-président du Sénat, Scheurer-Kestner, Alsacien d'origine protestante. Il est appuyé par l'avocat Louis Leblois (fils d'un pasteur libéral) et par l'historien Gabriel Monod. Créée au début de 1898, la Ligue des Droits de l'Homme est notamment animée par Francis de Pressensé. Fils de pasteur, il n'a conservé que peu d'attaches avec le protestantisme ; ses adversaires le nommeront souvent, cependant, le « pasteur de Pressensé ». Beaucoup d'intellectuels, un certain nombre de pasteurs et une partie importante du « peuple » protestant du Midi s'engagent activement dans le camp révisionniste. Les régions à assez forte densité protestante — Cévennes, Gard, Charentes, Poitou — sont celles où le recrutement de la Ligue des Droits de l'Homme est nettement plus populaire qu'ailleurs. Le pasteur lui-même exerce parfois la fonction de secrétaire de section. Un des plus connus, Louis Comte, est d'ailleurs suspendu par le gouvernement à cause de ses activités ligueuses. L'affaire Dreyfus rappelle à pas mal de protestants les persécutions dont leurs ancêtres furent victimes. Mais si l'engagement d'une part

importante des protestants dans le camp révisionniste n'est pas douteux, il existe aussi, dans le protestantisme, une minorité antidreyfu-
sarde assez active composée par le milieu monarchiste protestant du
Midi, des membres de la banque et des milieux d'affaires, quelques
intellectuels comme Armand Lods et Edouard Vaucher et des luthériens
du pays de Montbéliard. Les notables laïques de plusieurs Eglises
locales désapprouvent l'engagement de leurs pasteurs. Certains refusent
de payer leur cotisation habituelle aux œuvres dont les agents manifestent leurs idées révisionnistes.

Une partie de la presse protestante, en gros la presse indépendante
des appareils ou représentante de petites Eglises (*Le Signal*, *La Vie
Nouvelle*, *La Revue Chrétienne*, *L'Eglise Libre* par exemple) prend
position en faveur de la révision. Par contre, la presse officieuse des
institutions ecclésiastiques : *Le Protestant* (libéral), *Le Christianisme
au XIXᵉ siècle* (orthodoxe), *Le Témoignage* (luthérien) refusent de le
faire ; le ton de ces deux derniers est même plutôt antidreyfusard
par « respect de la chose jugée ». Les autorités ecclésiastiques enfin ne
croient pas devoir sortir du silence alors habituel en ces matières. Au
total, cependant, malgré les réserves des uns, voire même les oppositions des autres, l'engagement des protestants en faveur de la révision
du procès de Dreyfus est un fait important. D'abord, il constitue un
des rares cas où des milieux protestants relativement populaires ont
pu et su manifester publiquement une position. Ensuite, l'attitude
dominante du protestantisme, accentuée par l'image non nuancée qui
en a été donnée, a constrasté très nettement avec l'attitude dominante
du catholicisme.

Les protestants et les problèmes sociaux

Il nous faut revenir plusieurs années en arrière pour examiner
maintenant l'attitude des protestants face aux problèmes sociaux. Au
début de la IIIᵉ République, ceux qui ont la possibilité de s'exprimer
montrent une hostilité sans nuance au socialisme. En général, les
pasteurs acceptent et diffusent l'idéologie de la bourgeoisie protestante
qui considère l'ordre établi et les inégalités entre les classes comme
voulus de Dieu. Le libéralisme économique est, comme le libéralisme
politique, valorisé. Mais des milieux patronaux luttent pour une certaine
intervention de l'Etat dans la protection des travailleurs et développent
l'idée que le patron doit à l'ouvrier « plus que le salaire ». Les milieux
industriels protestants alsaciens avaient été très actifs dans ce sens
avant 1870 et l'un de leurs membres, Jules Siegfried, fait voter à la

Chambre en 1894 une loi sur les habitations ouvrières. D'une manière générale, des protestants fondent, durant tout le XIXe siècle, de nombreuses institutions de « bienfaisance » (diaconats, orphelinats, hospices, sociétés de secours mutuels et d'assistance par le travail, etc.), qui leur permettent parfois de bénéficier d'un relatif préjugé favorable chez certains membres des classes populaires, notamment les couches « inférieures » du prolétariat et des classes moyennes. Mais à la fin du siècle, la structuration progressive des courants socialistes et du mouvement ouvrier conduit peu à peu le patronat protestant à manifester plus ouvertement des réactions de classe au détriment de ses vertus philanthropiques et de son éloge de la démocratie. D'autre part, des ruraux immigrés et des ouvriers protestants se trouvent attirés dans l'orbite du socialisme, ils cessent d'avoir des pratiques religieuses.

Issu du milieu industriel alsacien, le pasteur Tommy Fallot est un des premiers à prendre conscience de la condition du prolétariat. En 1878, il affirme qu'une certaine base d'accord peut exister entre le « véritable » christianisme et le « véritable » socialisme. Il forme en 1882 une petite association qui groupe des ouvriers et des étudiants. Par ailleurs, il anime la « Ligue Française de la Moralité Publique » qui réclame l'abolition de la prostitution réglementée mais aussi une réforme du Code civil donnant des droits plus importants aux femmes. La ligue est un lieu de contact entre protestants et libres penseurs comme le sénateur Béranger. A la même époque, l'économiste protestant Charles Gide élabore ses théories sur la coopération. Il considère une future « République coopérative » comme une voie moyenne possible entre la société capitaliste existante et la société collectiviste que prônent les socialistes révolutionnaires. Des protestants nîmois — Edouard de Boyve, Auguste Fabre, etc. — fondent quelques coopératives et autres œuvres (caisse d'épargne, Bourse du Travail, Ecole Professionnelle, etc.), c'est « l'Ecole de Nîmes » qui publie l'*Emancipation*. En 1887-1892, de jeunes protestants fondent « l'Association la paix par le droit ».

Plusieurs pasteurs estiment que ces entreprises, marginales par rapport au protestantisme institutionnel, sont insuffisantes. Ils fondent en 1888 l'Association protestante pour l'Etude pratique des Questions sociales (A.P.E.Q.S.) dont ils confient la présidence à Fallot. Ce dernier croit toujours à un « socialisme protestant » mais il lui paraît tactiquement nécessaire « d'embourgeoiser momentanément » l'A.P.E.Q.S. Celle-ci se déclare « neutre » vis-à-vis des « diverses doctrines économiques et sociales » ; elle organise notamment des Congrès qui effectuent un travail de sensibilisation complété par une Revue, créée en 1887 et qui prend bientôt le titre de *Revue du Christianisme Social* (R.C.S.).

Invoquant son état de santé, Fallot se retire en 1893 dans la Drôme. Bientôt, des jeunes pasteurs trouvent timorée l'orientation de l'A.P.E.Q.S. Les contacts établis lors de l'affaire Dreyfus leur permettent de partager l'utopie d'un « socialisme d'éducation » qui existe alors dans les milieux intellectuels de gauche. Certains participent aux « Universités populaires ». D'une façon plus spécifique, ils fondent quelques « maisons du peuple chrétiennes sociales » ou « Solidarités » dont le théoricien est Elie Gounelle. A la Solidarité coexiste avec des activités religieuses un complexe d'œuvres sociales et morales allant du « restaurant de tempérance » sans alcool au « cercle des travailleurs solidaristes » qui débat de questions sociales et économiques. Dans le Nord, quelques contacts sont établis avec des socialistes et des anarchistes. Un « socialisme évangélique » accordant une validité relative à une « lutte des classes différente de la haine des classes » est prôné. Cette position met parfois les chrétiens sociaux en difficulté avec leurs bailleurs de fonds, des bourgeois protestants ouverts. Leur publication — *l'Avant-Garde* (1899-1911) — critique le « protestantisme bourgeois » et tente de créer un dialogue entre chrétiens protestants et socialistes idéalistes. Le leader socialiste belge Emile Vandervelde suit avec sympathie cette tentative. Mais la séparation des Eglises et de l'Etat crée des problèmes qui absorbent l'ensemble du protestantisme français et arrêtent le développement du courant chrétien social.

De la séparation à la première guerre mondiale

Aux élections de 1902, les protestants sont en grande majorité aux côtés du « Bloc » ; ils considèrent souvent la lutte contre les congrégations comme une mesure de défense républicaine. Mais les dirigeants ne souhaitent pas la séparation même s'ils prennent alors conscience de sa possibilité. Certes, elle peut être bénéfique : on espère que des associations catholiques de tendance gallicane vont se fonder et que sans doute, à terme, certaines seront attirées dans l'orbite protestante. Mais l'on craint aussi des difficultés financières et les problèmes ecclésiastiques qui seront amenés par la séparation, comme la limitation de la liberté d'action des institutions ecclésiastiques qui risque d'être impliquée par la future loi. Le petit protestantisme français ne va-t-il pas faire les frais du « divorce » entre le catholicisme et la « société moderne » ?

Disposant de bonnes informations sur les intentions gouvernementales, les orthodoxes se déclarent « favorables en principe » à la séparation au synode officieux d'Anduze (fin juin 1902). Mais ceux qui vont demander au protestantisme institutionnel de dénoncer de lui-même le Concordat vont se voir opposer une fin de non-recevoir. Tout en voulant faire contre mauvaise fortune bon cœur, certains orthodoxes voient la séparation s'inscrire dans un mouvement de laïcisation de la vie sociale qu'ils jugent négatif. Ainsi, le pasteur Couve affirme : « Laïcité, neutralité... cela peut être une nécessité imposée par la diversité des croyances et par le souci de la paix publique, mais au point de vue chrétien, cela est attentatoire aux droits de Dieu, si la religion est vraie, elle doit être partout... La laïcisation à outrance, l'omission volontaire du nom sacré dans toute manifestation de la vie publique... (sont) une leçon d'irreligion... (La) séparation... achèvera de déchristianiser la vie publique de notre pays... qui (risque) de faire cette expérience absolument nouvelle d'un Etat sans Dieu, d'une vie nationale athée ». Un pasteur — Ch. Luigi — d'une petite Eglise déjà séparée de l'Etat lui réplique : « Déchristianiser... cela suppose que la vie publique en France était donc chrétienne... Qu'était-ce donc que cette religion officielle... imposée par des gouvernements monarchiques dans l'intérêt de leur politique, et comment Dieu était-il présenté au peuple français ? Ah ! Certes, de manière à le... déshonorer, à former des générations d'incrédules qui sont écloses aujourd'hui. »

De leur côté, les libéraux se tiennent souvent sur la réserve. Si certains de leurs pasteurs sont favorables à la séparation — Louis Comte notamment la réclame — leur conseiller juridique, Philippe Jalabert, estime que le maintien du régime concordataire ne nuirait pas à la liberté de l'Eglise.

L'Eglise luthérienne est cependant le seul groupement protestant officiellement hostile à la séparation. Outre les options théologiques propres à cette Eglise (doctrine des deux règnes), il faut noter qu'elle est sociologiquement très affaiblie par la perte des départements d'Alsace et Moselle ; les luthériens peuvent se demander comment ils vont supporter cette nouvelle « épreuve ». A un niveau juridique, d'autre part, le régime concordataire est, pour eux, plus satisfaisant que pour les réformés. Il a été modifié et adapté à la situation nouvelle par la loi du 1ᵉʳ août 1879. Tout en donnant leur position, les luthériens affirment d'ailleurs qu'ils se soumettront à la loi qui sera votée.

Hésitants au plan des principes, les responsables protestants, et spécialement les dirigeants orthodoxes, savent ce dont ils peuvent s'accommoder et ce dont ils ne veulent à aucun prix. Dès l'hiver 1902-1903, ils tiennent des réunions non publiques, animées notamment par le pasteur Elisée Lacheret. Y sont secrètement élaborés les principes de base du projet de loi rédigé ensuite par le député radical Eugène Réveillaud. Ce dernier, ancien prosélyte, est un laïc orthodoxe

actif, membre influent par ailleurs du Grand Orient ; son fils est au
cabinet d'Emile Combes (président du Conseil depuis juin 1902 et
charentais comme Réveillaud). Dès ce moment-là, le jeune haut fonctionnaire Louis Méjan, frère du pasteur François Méjan (qui sera
nommé fin 1903 « agent général » des Eglises orthodoxes), joue un rôle
important. En avril 1903, l'ex-protestant Francis de Pressensé dépose
à la Chambre un projet qui inquiète vivement les dirigeants des Eglises.
Fin juin, Réveillaud réplique par la proposition de loi élaborée dans
les conditions que nous avons dites. Au même moment, une Commission
parlementaire se met au travail. Le gouvernement Combes, peu après
la rupture des relations avec le Vatican, dépose un projet de loi qui
comporte certaines clauses fort gênantes pour le protestantisme (octobre 1904). Les protestants réagissent avec une relative unité ; des
délégués des différentes Eglises (sauf l'Eglise luthérienne) sont reçus
ensemble par la Commission parlementaire (décembre 1904). Le quotidien *Le Siècle* (son directeur et son rédacteur en chef sont d'origine
protestante) lance, d'autre part, une enquête sur la séparation. Raoul
Allier — membre d'une Eglise déjà séparée — coordonne cette campagne de presse et publie de novembre 1904 à mars 1905, 22 articles
qui, réunis en volume, sont adressés à tous les parlementaires. L'enquête
elle-même dure jusqu'en septembre 1905.

La chute de Combes (janvier 1905) et la rédaction par Louis Méjan
d'une partie importante du texte d'Aristide Briand, rapporteur de la
Commission parlementaire, contribuent à ce que la loi établissant en
France le régime de séparation (décembre 1905) ne contienne rien
d'inacceptable aux yeux des protestants. Pour que les Eglises (locales)
puissent jouir des biens mobiliers et immobiliers qui leur sont dévolus,
il faut qu'elles forment — dans les anciennes circonscriptions des
Etablissements publics du culte — des « Associations pour l'exercice
du culte ». Une telle disposition peut poser des problèmes d'articulation entre le théologique et le juridique : Eglise locale et association
cultuelle, conseil presbytéral et comité directeur sont deux réalités à
la fois distinctes et confondues. Cependant, lors de la préparation de
la loi, la grande préoccupation des protestants avait consisté à éviter
que les associations cultuelles se voient interdire leur regroupement
en Union possédant une direction centrale. La loi adoptée laisse toute
latitude sur ce point. Les divers courants du protestantisme français
se constituent donc en Unions d'Eglises. Se conformant à la nouvelle
loi — et là encore, leur attitude contraste avec celles des catholiques —
ils reçoivent dévolution des biens et, pendant une petite période transi-
toire, le maintien d'une partie de l'assistance financière de l'Etat. Les

problèmes amenés par la séparation — en dehors de l'importante question budgétaire — tiennent à leurs divisions ecclésiastiques et non aux dispositions de la loi.

Après la séparation, les Eglises protestantes doivent se réorganiser. Le temps semble donc peu propice à une ouverture vers l'extérieur. Pourtant, certains protestants tentent de dialoguer avec des catholiques, des libres penseurs et des socialistes.

La plupart des protestants éprouvent une vive méfiance vis-à-vis des catholiques. Dans les régions « mixtes », on se fréquente peu, l'appartenance confessionnelle détermine pour une large part les relations sociales, notamment professionnelles. La presse protestante considère, en général, l'Eglise catholique romaine comme une grave déformation du christianisme. Obscurantisme culturel et volonté de puissance lui sont notamment reprochés. Certains articles sont cependant plus nuancés. Rompant avec l'hostilité réciproque dominante, des intellectuels tentent d'établir certains contacts. Dès 1892, le catholique Paul Desjardins avait fondé « l'Union pour l'action morale » regroupant des catholiques proches des courants « néo-chrétien » ou démocrate chrétien, des libres penseurs spiritualistes et des protestants. Ces « hommes de bonne volonté » devaient défendre une conception commune du devoir. Au début du XXᵉ siècle, un des animateurs de l'Union, le pasteur Paul Sabatier, a des contacts assez étroits avec le mouvement moderniste, préfiguration — selon lui — d'une réforme interne au catholicisme. D'autre part, à partir de 1905, s'opère un rapprochement entre le Sillon et les Unions Chrétiennes de Jeunes Gens, dirigées notamment par le pasteur Edouard Soulier. Ces contacts s'intègrent bientôt dans le projet de Marc Sangnier de créer un « plus grand Sillon ». Des rencontres communes ont lieu pour la « défense de la civilisation chrétienne » ou la « moralisation de la démocratie ». Sangnier cherche aussi à avoir des rapports avec l'Ecole de Nîmes. Mais le mode de collaboration qu'il envisage, ses projets politiques, sa conception « catholique » de la démocratie suscitent, chez nombre de protestants, une certaine méfiance. La condamnation du Sillon venant après celle des Modernistes achève de convaincre beaucoup d'entre eux que l'Eglise catholique est incapable de changer.

A la base, les rapports pratiques sont nombreux entre protestants et libres penseurs. Une enquête de *Foi et Vie* en 1903-1904 s'inquiète du danger que représente la « contamination » des idées libres-penseuses dans nombre de paroisses protestantes. Mais cette même revue ne néglige pas le dialogue qui peut s'établir. Elle organise, pour débattre des « problèmes spirituels » comme de « questions du temps présent », des conférences ouvertes. Boutroux, notamment, participe à une réflexion sur « l'expérience religieuse et la foi » (1908). A la même époque, des contacts plus structurés ont lieu dans le cadre de « l'Union de libres penseurs et de libres croyants pour la culture morale » créée par le pasteur Jean-Jacques Kaspar et animée notamment par le philosophe libre penseur Gabriel Séailles. Cette Union est surtout composée d'intellectuels réformistes voulant contrôler le peuple, en l'éduquant et non en le réprimant. Elle cherche en outre à trouver une méthode commune pour aborder les problèmes culturels séparant croyants et agnostiques. Durkheim, par exemple, expose sa théorie sociologique de la religion et le pasteur Marc Boegner répond en indiquant l'intérêt et les limites qu'il trouve à une semblable conception.

Malgré la réunification du socialisme français en 1905, la volonté de se confronter avec ce mouvement s'avère moins forte que pendant la période précédant la séparation. Parlant à la Chambre de l'évolution des Eglises, Jean Jaurès reproche aux « Eglises réformées » (en fait, cela s'appliquait aux seuls « évangéliques » ou orthodoxes) d'avoir « fortifié l'autorité disciplinaire » et réduit « au minimum la liberté des fidèles ». Deux intellectuels, cependant, Raoul Biville (réformé) et Paul Passy (baptiste) fondent en 1908 « l'Union des socialistes chrétiens » qui rassemble l'aile gauche du courant chrétien social. De son côté, Elie Gounelle, maintenant animateur principal du christianisme social français, tente de fonder une fédération internationale de ce mouvement (Congrès de Besançon, 1910 ; un Congrès plus important prévu à Bâle en 1914 n'aura jamais lieu à cause de la guerre).

Les problèmes internationaux prennent, à partir de 1911, de plus en plus d'importance. Les protestants semblent, en majorité, être partisans d'un pacifisme modéré, conciliable avec un patriotisme raisonnable. Des relations individuelles, notamment des échanges temporaires de jeunes, de familles à familles, constituent un moyen de compréhension entre protestants français et allemands. La ligue « La Paix par le Droit » est animée par Théodore Ruyssen qui souhaite une solution pacifique du problème alsacien. Allant plus loin, les socialistes chrétiens voient leur chef, Paul Passy, révoqué de l'Ecole Pratique des Hautes Etudes pour avoir prôné une désertion collective si la « loi des 3 ans » était appliquée. D'autres protestants s'interrogent. Certains milieux luthériens et évangéliques pensent de plus en plus que toute concession aux adversaires de la France ne peut que produire une « fausse paix ». Le protestantisme de droite, alors moins structuré que la gauche chrétienne sociale, trouve cependant quelques porte-parole. Ainsi, Gaston Riou (qui, par ailleurs, était radical) publie *Aux écoutes de la France qui vient*, où il affirme avec force la « mission nationale » du protestantisme et son attachement aux « traditions françaises ». Cependant, comme le constate une éphémère publication de jeunes protestants de droite, *La Bonne Cause* (1911-1913), l'antiprotestantisme de certains milieux nationalistes continue à rebuter la plupart des protestants.

Quand la guerre éclate, les protestants français, quelles que soient leurs positions antérieures, ont à peu près tous la conviction que la

France a été agressée. Ils croient que la mobilisation russe a été postérieure à la mobilisation allemande et sont indignés par la violation de la neutralité belge et sa caution par les milieux intellectuels et ecclésiastiques allemands. « Plus nous avions fait confiance à nos frères d'outre-Rhin, écrira W. Monod en 1919, et plus notre désillusion a été tragique ». Les protestants participent donc à la mentalité « d'union sacrée ». Mais, évolution notable, leur présence parmi le personnel politique est faible. Gaston Doumergue, ministre des Colonies du Cabinet Viviani (et futur président de la République) est la personnalité politique protestante la plus notable. Par contre, dans l'armée, plusieurs officiers supérieurs, parfois d'origine alsacienne, sont protestants, les plus connus étant le général Nivelle et l'amiral Gauchet.

Le patriotisme des protestants français n'est pas, alors, mis en cause. On sait que Barrès se loue, au contraire, de la participation des « diverses familles spirituelles » de la France à la défense du sol national. Le rôle des aumôniers — catholiques et protestants — contribue par ailleurs à diminuer l'anticléricalisme. Mais certains publicistes catholiques de droite, notamment Frédéric Masson, accusent le protestantisme (en tant que corps de doctrine) et Martin Luther d'être à l'origine du pangermanisme. Deux pasteurs luthériens, Nathanaël Weiss et John Vienot, répondent longuement à ces accusations.

En 1917, diverses interventions veulent se placer au-dessus des partis en présence pour faire progresser la cause de la paix. En mai et en septembre-octobre, l'archevêque luthérien suédois Nathan Söderblom propose aux protestants des pays belligérants de participer à une Conférence religieuse commune qui s'abstiendra de revenir sur les origines de la guerre. La réponse de la Fédération Protestante de France (février 1918) montre que ses dirigeants reprennent à leur compte la politique de Clemenceau écartant toute paix de compromis. Elle affirme que les soldats français meurent pour la libération de leur pays et pour « le rétablissement total du droit » et déclare que le rétablissement de la paix doit avoir pour complément la mise en lumière des causes de la guerre, la France ayant été « victime d'une injuste agression ». L'Armistice conclu, Söderblom relance son initiative. La F.P.F. lui répond de nouveau (mars 1919) que la préparation de l'avenir implique d'établir « les responsabilités... dans les origines de la guerre, (et) aussi dans la façon dont cette guerre a été systématiquement conduite en violation de tous les principes du droit des gens ». Certains protestants, dans le Midi notamment, souhaitent alors, semble-t-il, une politique moins sévère à l'égard de l'Allemagne. Ils n'ont guère la possibilité de l'exprimer publiquement, la plupart des

organes de presse protestants partagent en effet l'orientation de la
F.P.F.

L'entre-deux-guerres

Les résultats de la guerre de 1914-1918 modifient le visage du
protestantisme français. Nous avons déjà indiqué l'importance du
« retour » des communautés d'Alsace et Moselle. Signalons ici que la
Société des Missions de Paris, qui assume déjà la direction de plusieurs
champs missionnaires importants en Afrique (Lesotho, Zambèze, Séné-
gal, Gabon), dans l'île de Madagascar et en Océanie, doit faire face
aux problèmes résultant de l'expulsion des missionnaires allemands du
Cameroun. Dès 1917, la Société envoie sur place une équipe dirigée
par un aumônier militaire, en 1919 elle adopte ce nouveau champ ;
mais par suite de difficultés financières, elle ne pourra faire de même
au Togo que dix ans plus tard. D'une façon générale, le travail missionnaire s'effectue dans le cadre du régime colonial qui va, peu à peu,
être remis en question par certains. La Société demandera à ses agents
de protester contre les abus de l'administration mais refusera qu'ils se
placent hors de la légalité coloniale.

L'ensemble des problèmes politico-religieux va peser d'un grand
poids dans la vie du protestantisme français de l'entre-deux-guerres.
Le choc de la guerre, la Révolution bolchévique, des problèmes plus
spécifiquement français comme l'application de l'impôt sur le revenu
accentuent le conservatisme social d'une partie importante de la
bourgeoisie protestante. Dans les milieux d'affaires mais aussi chez
certains éléments intellectuels dont la condition sociale baisse progressivement, l'attachement aux « valeurs démocratiques » diminue. On
constate aussi une réaction tardive mais manifeste à la laïcisation de
la société. L'évolution d'un homme comme Raoul Allier est, à cet égard,
significative.

Les caractéristiques générales de cette période sont la diminution
de l'importance politico-sociale du protestantisme et de son rayonnement culturel. Les divisions politiques entre protestants augmentent :
la droite notamment se structure et se manifeste plus activement. Les
liens des dirigeants des Eglises avec le monde des affaires et de la
banque restent forts. En 1935, deux chrétiens sociaux dresseront la liste
des « deux cents familles » protestantes, influentes dans la vie des
Eglises. En dépit de certains oublis, elle est significative.

Les relations avec l'importante communauté protestante allemande
sont au premier plan. Une organisation internationale d'origine anglo-

saxonne, « l'Alliance Universelle pour l'Amitié Internationale par les Eglises », tente d'obtenir une certaine réconciliation. Mais à la réunion de La Haye (septembre 1919), mis à part deux pasteurs méthodistes, les Français ne viennent pas. Les délégués allemands reconnaissent tenir « personnellement la violation de la neutralité belge comme moralement mauvaise ». Cependant, à l'Assemblée Générale de la F.P.F. (novembre 1919), la méfiance vis-à-vis de l'Allemagne reste grande. Par contre, il est pris position en faveur de la S.D.N. Trois ans plus tard (août 1922), un accord est réalisé à Copenhague lors d'une nouvelle réunion de « l'Alliance Universelle ». Un désarmement modéré et le recours, en cas de conflit, à des instances internationales d'arbitrage sont préconisés. En France comme en Allemagne, certains milieux protestants nationalistes critiquent vivement l'accord. Il va être rendu caduc cinq mois plus tard par l'occupation de la Ruhr.

Söderblom, qui considère qu'un rapprochement franco-allemand est vital pour la paix et critique tout ce qui peut lui nuire, prend publiquement position contre cette occupation. La F.P.F. répond que « la France ne nourrit pas les noirs desseins qu'on lui attribue. Elle réclame tout simplement son dû ». Pour les dirigeants du protestantisme, l'Allemagne a perpétué des « hostilités déguisées » en refusant de remplir les « obligations imposées par le traité » de Versailles. Des pasteurs et des laïcs de tendance chrétienne-sociale protestent contre cette « confiance sans réserve » vis-à-vis du pouvoir, affirment que le différend aurait dû être soumis à la S.D.N. et que les mesures prises « réduisent des populations entières au chômage, au froid et à la famine ». Après la victoire du cartel des gauches, les troupes françaises se retirent peu à peu de la Ruhr. Cependant, la F.P.F. hésite à participer au Congrès constitutif du mouvement œcuménique du Christianisme pratique (Stockholm, août 1925), animé par Söderblom. Il faut toute l'habileté de ce dernier et les pressions de ses amis chrétiens-sociaux pour le convaincre de ne pas rester à l'écart. La relative détente due à la politique de Briand et les accords de Locarno favorisent la conclusion d'un nouveau compromis entre W. Monod et Deissmann à Berne (août 1926) lors d'une réunion du Comité de continuation de Stockholm. Cet accord, bien que critiqué, permettra des relations publiques correctes entre protestants allemands et français jusqu'à l'arrivée au pouvoir de Hitler.

Les responsables chrétiens-sociaux jouent un rôle de premier plan dans ces relations. La Fédération du christianisme social, créée en 1922 (et complétée en 1928 par l'entrée de l'Union des socialistes chrétiens) est animée par E. Gounelle et présidée par Ch. Gide devenu professeur au Collège de France et membre du Conseil Economique du travail créé par la C.G.T. Le Congrès de Stockholm montre la vitalité du christianisme social français qui y joue un rôle important. Au nom de la F.P.F., Gounelle présente le rapport sur « l'Eglise et les problèmes économiques, industriels et sociaux », qui produit une forte impression. W. Monod rédige la première version du Message final qui déclare que les Eglises sont favorables aux « aspirations du peuple ouvrier vers un ordre équitable et fraternel ».

Les activités sociales du protestantisme se diversifient. *Foi et Vie* a créé, juste avant la guerre, une « Ecole de service social », le pasteur baptiste Philémon Vincent anime des publications populaires (*La Pioche et la Truelle*, puis *La Solidarité Sociale*). L'Armée du Salut construit à Paris un « Palais de la Femme ». Par ailleurs, les événements de la Ruhr amènent la création d'un mouvement pacifiste modéré : « Les Chevaliers du prince de la paix » (futur « mouvement chrétien pour la paix ») fondé par un officier des troupes d'occupation, plus tard pasteur, Etienne Bach. Le mouvement se développe notamment dans la moyenne bourgeoisie protestante, où on est souvent à la fois favorable à la paix et fier des services rendus au pays pendant la guerre de 1914-1918.

La droite protestante existait à l'état latent. Elle manifestait parfois son existence en utilisant divers moyens de pression, notamment financiers, sur les institutions ecclésiastiques. Après la guerre 1914-1918, elle se renforce et s'organise peu à peu. Jusqu'alors, elle possédait peu d'idéologues. Elle va en trouver grâce à l'évolution de certains intellectuels et notamment de trois pasteurs qui s'étaient d'abord situés dans l'orbite du christianisme social : Freddy Durrleman, animateur du mouvement « La Cause », Edouard Soulier qui, entré au Parlement avec le « Bloc National » de 1919, sera député de Paris jusqu'en 1936, et Louis Lafon, chroniqueur régulier au *Temps*. Contraint de quitter, à la suite d'une crise rédactionnelle, la direction d'*Evangile et Liberté* (hebdomadaire officieux de l'Union des Eglises Réformées), en février 1925, Louis Lafon trouve rapidement des fonds auprès d'une partie de la bourgeoisie protestante, inquiète de la politique du cartel. Dès mai 1925, il fait reparaître *La Vie Nouvelle*, hebdomadaire qu'il avait dirigé jusqu'en 1912. Mais l'orientation a changé. *La Vie Nouvelle* prône un pouvoir exécutif fort et une politique extérieure dure. La démocratie (telle que la concevait la IIIᵉ République), la laïcité scolaire, la franc-maçonnerie se trouvent vigoureusement combattues. Sur le plan économique et social, Lafon et ses collaborateurs récusent toute intervention de l'Etat et notamment les lois sociales. Ils défendent un

« capitalisme chrétien » où on assisterait à l'extension de la propriété privée, à la mise en place d'un actionnariat ouvrier progressif et à la transformation des rapports sociaux de production par une conversion réelle des patrons et des ouvriers. A plusieurs reprises, le modèle proposé est celui des Etats-Unis d'avant la crise économique. On rappelle que la civilisation américaine a subi une influence notable du protestantisme puritain. Parallèlement à l'hebdomadaire, est fondée « La Ligue des Huguenots » ; très similaire, celle-ci ne se développera guère.

Certains des éléments les plus à droite du protestantisme pensent, après la mise à l'index de l'Action Française par le Vatican, que le moment est venu pour eux de s'affirmer. Créée en 1930, « l'Association Sully » va surtout s'implanter à Paris et dans le Midi. Elle groupe à la fois des notables et des militants, notamment quelques groupes étudiants assez actifs. Elle souhaite rassembler tous les royalistes protestants, se réfère à la pensée de Maurras mais affirme plus nettement encore être l'héritière d'un royalisme huguenot spécifique. Un triumvirat formé de l'industriel alsacien Eugène Kuhlmann, de Louis de Seynes (fils du député royaliste Jules de Seynes) et du colonel de la Tour-Dejean dirige l'A.S. Auguste Lecerf, artisan du renouveau calviniste, en est membre. Mais son idéologue principal est Noël Vesper (pseudonyme du pasteur Nougat). Pour lui, de même que le protestantisme a représenté un retour à l'Eglise primitive, le royalisme constitue un retour aux principes générateurs de la Nation française. Les deux actions sont solidaires.

Au tournant des années vingt et trente, le problème de l'enseignement préoccupe particulièrement certains protestants. La laïcisation de la transmission du savoir contribue à confiner les Eglises dans la « sphère privée ». Le projet d' « école unique », auquel a participé le protestant Gustave Monod, et sa première réalisation, la gratuité du lycée, semblent entachés d'optimisme « rousseauiste » à la droite protestante comme à certains tenants des nouvelles théologies. Les pasteurs députés Ed. Soulier et Jean Autrand tentent de s'y opposer. Ce projet est également combattu, quoique de façon plus modérée, par le groupe enseignant de la Cause animé par Raoul Allier. Ce dernier cherche, par ailleurs, à réfuter les théories sociologiques et ethnologiques de Durkheim et de Lévy-Bruhl qui lui paraissent hostiles au christianisme. En 1932, les protestants, critiques ou adversaires de l'Ecole publique, demandent, à la Semaine Protestante du Havre, la réorganisation des écoles protestantes. Un comité, animé par le pasteur Paul Schmidt, va tenter d'obtenir la réouverture de certaines d'entre elles. Les « membres et amis chrétiens de l'enseignement » actifs, surtout dans les milieux d'instituteurs protestants du Gard, sont eux favorables à la laïcité.

La crise économique n'épargne pas le protestantisme. Les mouvements de jeunesse, par exemple, sont touchés et plusieurs U.C.J.G. doivent fermer. En 1932 a lieu la liquidation financière de la maison d'édition protestante « Je Sers », d'origine baptiste, faisant perdre une vingtaine de millions à l'épargne protestante. Pourtant, la crise elle-même est assez peu analysée par le protestantisme français. Pour le *Christianisme au XX° siècle*, cette crise est due principalement à « l'absurdité d'une mystique productiviste », son résultat peut être bienfaisant en remettant à la première place les « valeurs spirituelles ». *La Vie Nouvelle*, de son côté, met en cause le développement du rôle social de l'Etat et « la haute finance internationale surtout juive, allemande, anglo-saxonne ». La F.P.F. incite les Eglises à constituer divers organismes de secours aux victimes du chômage, et demande aux industriels et aux commerçants de consentir à des « sacrifices » pour maintenir l'emploi. Seul le mouvement chrétien social, disposant d'informations de première main grâce à ses relations avec le B.I.T., tente de mener une analyse systématique. La *R.C.S.* publie près de 40 études sur ce sujet, et une nouvelle publication, la seconde *Avant-Garde* (1928-1940), popularise les thèses chrétiennes sociales. Pour deux jeunes professeurs d'économie politique qui donnent le ton, André Philip et Georges Lasserre, la crise montre la faillite du capitalisme libéral, et la solution de l'économie dirigée reste inefficace « tant que subsistera l'appropriation privée des grandes entreprises ». Est prôné un système partiellement collectiviste où les « institutions coopératives et syndicales des classes travailleuses » prendraient directement en main la gestion des industries collectivisées, évitant ainsi le risque d'un totalitarisme étatique (conclusions du Congrès du Chambon, 1933). Mais de telles analyses conduisent la droite et de jeunes Barthiens à accuser le mouvement chrétien social de lier le christianisme à une « doctrine sociale humaine » et de privilégier des sujets de « politique séculière et rousseauiste ».

Autre problème essentiel ; la tension internationale : « l'Alliance Universelle » tente de profiter de la relative accalmie de la fin des années Vingt pour obtenir des Eglises l'engagement de refuser tout concours à une guerre « engagée après un fin de non recevoir opposée par leur pays à l'intervention statutaire de la Société des Nations » (résolution d'Avignon, septembre 1929). La droite se mobilise contre ce texte. Les synodes luthérien et réformé évangélique refusent de le signer. Les réformés lui donnent une formulation nettement plus vague. Seules deux petites communautés, les méthodistes et les libristes, l'entérinent.

Mais pour certains jeunes, le pacifisme juridique sous-jacent à cette résolution est dépassé. Le « Mouvement de la Réconciliation », animé par Henri Roser, prône un pacifisme intégral. Quelques objecteurs de conscience (Jacques Martin, secrétaire de la Fédération des Etudiants, Philippe Vernier) sont emprisonnés. Les adversaires de l'objection insistent sur les « dangers » représentés par le « bolchevisme » et le nazisme. Le problème divise le protestantisme français. La gauche réclame un service civil, la droite le bannissement à vie des objecteurs. L'Eglise luthérienne de France, les Réformés Evangéliques, la Société des Missions décrètent l'incompatibilité entre l'objection de conscience et le ministère pastoral. Les pacifistes rétorquent en dénonçant le profit effectué par la « finance protestante » grâce aux « industries de guerre ». De son côté, La Cause regroupe dans le « Groupe Amiral de Coligny » ceux qui sont résolus à « défendre la patrie » contre tous ceux qui « travaillent à la détruire ».

La montée des périls internationaux et des totalitarismes, le développement de nouvelles théologies favorisent des tentatives de rapprochement œcuménique au niveau des intellectuels. Jusqu'alors, le modèle catholique de l'œcuménisme, l'unionisme, s'intéressait davantage à l'orthodoxie et à l'anglicanisme qu'au protestantisme. D'autre part, le modèle œcuménique protestant dominant avait été aconfessionnel (l'appartenance de chacun à telle ou telle confession comptant moins que l'objectif commun — chrétien — du groupe) ; modèle vivement condamné par l'encyclique *Mortalium Animos* (janvier 1928). Notons cependant la création par Abel Miroglio dès 1927 du « groupe chrétien d'Ulm » et de « l'Amitié » (groupement de professeurs) qui tentent de dépasser ces modèles. Pendant les années Trente, si l'ignorance mutuelle — parfois doublée d'une certaine hostilité — demeure encore largement répandue, des convergences apparaissent dans certains milieux. La nouvelle situation politique amène des interventions communes (sur le problème juif notamment), et des alliances diverses ont lieu (collaborateurs protestants à *Esprit*, équipes *Terre Nouvelle*). Par ailleurs, on assiste à un rapprochement, au moins méthodologique, entre partisans de la théologie barthienne qui réévaluent la dogmatique et refusent l'aconfessionnalisme, et certains néo-thomistes (De Lubac, Congar et son livre : *Chrétiens désunis*, 1937) qui opèrent une relecture de la Bible et des Pères de l'Eglise. Des groupes — du côté protestant, la « Fédération des Etudiants » (F.F.A.C.E.) notamment — se rencontrent et comparent leurs positions. Une lente évolution commence de s'opérer.

La progressive union de la gauche dans le Front Populaire est suivie avec sympathie par une part importante des protestants, notamment dans le Midi. Les militants de « l'Union des socialistes chrétiens » développent leur action. Certains constituent, avec le petit groupe des « communistes spiritualistes » créé par le pasteur Henri Tricot en 1927, un « Front commun des chrétiens révolutionnaires » interconfessionnel dont l'emblème (la faucille et le marteau sur une croix) fait scandale. Leur mensuel *Terre Nouvelle* a, pendant quelque temps, un certain impact. La majorité des protestants est cependant beaucoup moins engagée. Si plusieurs partisans de la théologie barthienne votent à gauche, ils veulent d'un autre côté séparer totalement leur discours chrétien d'un discours politico-social. Remarquons, d'autre part, qu'il n'y a pas de protestant dans le personnel dirigeant du Front Populaire, même si André Philip est en 1936 le premier député français qui s'affirme publiquement socialiste militant et chrétien convaincu.

Au bord opposé, La Cause regroupe divers courants du centre droit et de la droite protestante. André Siegfried, René Duchemin (président de la Confédération Générale de la production française), François de Witt-Guizot, René Gillouin participent à certaines de ses activités. Lors du Front Populaire, La Cause organise des manifestations qui dénoncent le mouvement soviétique des « Sans Dieu » et d'une manière plus globale le marxisme et le communisme, considérés comme des adversaires « absolument irréductibles » du christianisme : « Le communisme a déclaré la guerre sans merci à la chrétienté. La chrétienté lui fera la guerre ou elle périra » (F. Durrleman). Le gouvernement réagit en supprimant les émissions religieuses que La Cause détenait depuis 1928 à Radio-Paris (poste nationalisé en 1934) et en les confiant à la F.P.F. plus apte, affirme-t-il, à permettre aux différentes tendances du protestantisme français de s'exprimer. Boegner et la F.P.F. acceptent ce transfert, ce qui, pour La Cause, prouve « la collusion du Front populaire, des protestants rouges et du Conseil de la Fédération protestante ». Cependant, la droite protestante n'est pas la seule que des tensions opposent aux dirigeants du protestantisme. L'adhésion de la branche française de « l'Alliance Universelle » au « Rassemblement Universel pour la Paix » (dirigé par lord Cecil et Pierre Cot) est désavouée. L'Alliance doit se retirer du R.U.P. et le pasteur Jules Jézéquel, vice-président du R.U.P., démissionner de son poste de secrétaire général de l'Alliance.

Divisés sur l'attitude à prendre face aux problèmes sociaux, le christianisme social et les nouvelles théologies (néo-calvinisme et surtout barthisme) combattent ensemble « l'Etat totalitaire ». La *R.C.S.* et *Foi et Vie* publient de nombreux textes informant les protestants du combat de l'Eglise Confessante en Allemagne et dénonçant l'hitlérisme. La résistance des Barthiens au nazisme est avant tout théologique, mais elle est d'autant plus déterminée que leur théologie insiste fortement sur la « transcendance divine » jugeant les « idéologies humaines » et considère comme « idolâtre » toute doctrine qui tente de modifier l'universalisme de la Révélation. L'antimodernisme barthien, son énergique affirmation de l'objectivité de la tradition chrétienne (Eglise primitive et réformateurs) va donc fournir un cadre idéel approprié à bien des protestants — notamment de jeunes pasteurs — pour lutter contre le nazisme et le fascisme. Cependant, même pour ceux qui s'estiment au clair sur les principes, la politique à suivre face à l'Allemagne réarmée n'a rien d'évident et les accords de Munich divisent les protestants antihitlériens.

Les protestants depuis la 2ᵉ guerre

L'Eglise-sentinelle

La guerre de 1939 n'est pas accueillie avec plus d'enthousiasme par les protestants que par le reste de la population française. Mais, pour la plupart, ils sont sensibilisés à l'existence du national-socialisme, de l'antisémitisme et du danger de la « peste brune » pour la société et pour les Eglises. Depuis sept ans, des journaux régionaux, tel *le Nouvel Echo de la Drôme et de l'Ardèche* (tirage : 20 000 ex.), *l'Ami chrétien des familles*, mensuel luthérien du Pays de Montbéliard, ou *le Nord protestant*, leur ont apporté des informations qui leur permettent d'être parfaitement lucides sur la réalité du nazisme et les perspectives d'un Etat totalitaire et raciste. Aussi, en mai 1940, Suzanne de Dietrich déclare-t-elle avec force : « Je crois au caractère satanique du totalitarisme hitlérien » (*Correspondance fédérative*). Le Synode national de Montauban écoute avec attention, en février 1940, le rapport du pasteur Pierre Lestringant qui marque avec netteté les limites de la soumission du chrétien à l'Etat : « Lorsque celui-ci poursuit une politique de mensonge et d'oppression, ou quand il s'acharne à déraciner la foi des cœurs, les chrétiens ont le devoir strict de rester soumis à leur Seigneur ». Les protestants d'Alsace-Lorraine ont été évacués vers le Limousin et le Périgord, et leur situation difficile suscite l'aide des mouvements de jeunesse qui créent à cet effet un « Comité inter-mouvements auprès des évacués » (Cimade).

Ainsi que tout le pays, les protestants sont « saisis de vertige devant le désastre » de la campagne de France, « stupéfaits de l'écroulement national ». Mais dès le dimanche 14 juillet 40, quelques pasteurs ont une prédication lucide et vigoureuse : Roland de Pury à Lyon, Gédéon Sabliet à Bourdeaux, Charles Westphal à Grenoble, et d'autres, marquent leur refus du nouveau régime ou, à tout le moins, leur méfiance. Henri Clavier, professeur de la Faculté de Théologie de Strasbourg, rappelle avec fermeté le 29 septembre à Montpellier, puis à Clermont-Ferrand, que « la parole de Dieu n'est pas prisonnière » et qu' « il faut obéir à Dieu plutôt qu'aux hommes ». Roger Chapal et Henri Hatzfeld expriment leurs convictions aussi bien par le poème que par le sermon. Ces pasteurs, avec d'autres, poursuivent pendant quatre ans une prédication « engagée » et courageuse.

La ligne de démarcation casse le protestantisme et ses institutions, tout au moins jusqu'en mars 1943. Le président du conseil de la F.P.F. et du conseil national de l'E.R.F., Marc Boegner, est à Nîmes où il applique une « politique de présence » dans la zone non-occupée et auprès du gouvernement de Vichy. Le pasteur A.N. Bertrand reste à Paris : il assume des responsabilités équivalentes dans la zone Nord et intervient auprès des autorités d'occupation. Plusieurs questions graves se posent très rapidement devant la conscience et la fidélité à l'Evangile des uns et des autres : le sort de la jeunesse, les lois antisémites et la « relève ».

Le 20 août 1940, les mouvements de jeunesse d'inspiration protestante sont suspendus en zone occupée et ils ne peuvent sauvegarder leur existence qu'en devenant des groupes paroissiaux de jeunesse rattachés très étroitement aux Eglises. En zone Sud, la crainte est vive devant la menace réelle d'une « jeunesse unique » à caractère fasciste : les différents mouvements s'unissent en un « Conseil protestant de la jeunesse » (C.P.J.), présidé par Marc Boegner, et demandent « sans hésitation mais sans illusion » (Georges Casalis) leur agrément au Secrétariat Général de la Jeunesse à Vichy, tout en déclarant dans une note jointe à cette demande (septembre 1941) : « Les mouvements du C.P.J. apprennent à leurs membres qu'en aucun cas l'obéissance à un seigneur humain ne peut être préféré à l'obéissance au seul Seigneur du ciel et de la terre ». Malgré les alarmes de l'hiver 41-42 et de l'été suivant, les mouvements — E.U., U.C.J.G. et U.C.J.F., « Fédé » étudiante et lycéenne — peuvent poursuivre leurs activités de présence et d'entraide (en particulier en accueillant de nombreux adolescents étrangers et/ou juifs dans les camps d'été et de Pâques), toujours menacés d'être corrompus par l'équivoque et la confusion du régime de Vichy.

Dès l'automne 40, les Eglises et leurs fidèles ne peuvent qu'être

alertés par la loi antisémite du 3 octobre : le conseil de la F.P.F. puis
le conseil national de l'E.R.F., tous les deux à l'unanimité, donnent
mandat à leur président commun pour qu'il prenne une position ferme.
Le 26 mars 1941, le pasteur Boegner écrit une lettre à l'amiral Darlan,
vice-président du Conseil, et une autre au grand-rabbin Schwartz à qui
il exprime « la douleur que nous ressentons tous à voir une législature
raciste introduite dans notre pays et à constater les épreuves et les
injustices sans nombre dont elle frappe les Israélites français ». Ce
message, diffusé spontanément à des dizaines de milliers d'exemplaires,
a un grand retentissement. Quelques semaines plus tard, à l'issue d'une
information sur l'Eglise et la question juive, le Synode national d'Alès
« approuve les décisions et actes du Conseil national. Il remercie son
président pour son action et lui renouvelle l'assurance de sa confiance
pour la poursuivre ». Et le message du Synode aux pasteurs et fidèles
affirme que « l'Eglise doit sauvegarder avant tout son indépendance
spirituelle ». Les démarches se multiplient (lettres et visites au maréchal
Pétain, à Pierre Laval), surtout au cours de l'été tragique 1942 marqué
par les violences du Vélodrome d'Hiver (« Les Eglises de Jésus-Christ
ne sauraient garder le silence devant ces événements », lettre personnelle du pasteur Bertrand à Fernand de Brinon, délégué général du
gouvernement auprès des autorités d'occupation), par la « livraison »
des étrangers juifs à l'Allemagne et leur transport « comme du bétail »
vers les camps d'extermination. « Le respect de la personne humaine
a été maintes fois foulé aux pieds (...). Aucune défaite ne peut contraindre la France à laisser porter atteinte à son honneur » (lettre de
Boegner à Pétain, du 20 août 1942).

   Au mois d'avril, le message du Synode national de Valence avait
déclaré avec force que « l'Eglise a reçu de Dieu le mot d'ordre de
résister à l'assaut de toute doctrine et de toute idéologie, de toute
menace et de toute promesse qui porteraient atteinte à l'enseignement
de la Bible (Ancien et Nouveau Testament). (...) Elle sait que la justice
de Dieu exige le respect de toute personne humaine ». Cinq mois plus
tard, le 22 septembre, le Conseil national de l'E.R.F. adresse aux fidèles
une déclaration poignante et demande qu'elle soit lue le 4 octobre dans
toutes les paroisses : « L'E.R.F. ne peut garder le silence devant les
souffrances de milliers d'êtres qui reçurent asile sur notre sol. (...)
L'Evangile nous ordonne de considérer tous les hommes sans exception
comme des frères. (...) L'Eglise se sent contrainte de faire entendre le
cri de la conscience chrétienne. (...) Elle demande aux fidèles de se
pencher avec compassion sur la détresse de ceux qui souffrent (...) ».

   Malgré la diversité de leur situation respective et leur éloignement,

XXVII. ALBERT SCHWEITZER

Le pasteur, célèbre à tant d'égards, est ici photographié devant la porte du temple de Günsbach (Haut-Rhin), où il vient de célébrer un culte en février 1949

Coll. de Mme Marie Woytt-Secrétan

XXVIII. LE PASTEUR MARC BŒGNER

En réunion avec le pasteur Martin Luther King à La Mutualité, Paris, le 24 octobre 1965. Au seco
plan, les pasteurs Bourguet et Hébert Roux

Photo Jean Pottier

les deux conseils font preuve durant ces trois années d'une réelle unité et de continuité dans leur témoignage. Ils ont pu trouver en Marc Boegner un président qui a su avec vigueur et dignité multiplier les interventions au nom du protestantisme français. Mais quelles furent les réactions et les attitudes des protestants, des laïcs et des pasteurs, des Eglises locales et de leurs fidèles ?

Pétainistes et collaborateurs

Certains d'entre eux ne sont pas absents de l'entourage du maréchal : le général Brécard, secrétaire général du chef de l'Etat, René Gillouin, chargé de mission, M. Arnal, directeur-adjoint des Affaires politiques, l'amiral Platon, secrétaire d'Etat aux Colonies, puis auprès du chef du gouvernement (pétainiste en 1940, il devient en 1942 partisan de la collaboration avec l'Allemagne et antisémite), etc. Ils sont l'expression d'une frange de la grande bourgeoisie qui a eu très peur en 1936 et qui souhaite un régime nationaliste et autoritaire, pour ne pas dire maurrassien. « Dans le protestantisme comme ailleurs, il y a eu des traîtres, des lâches, des « synarques » infatués, des possédants apeurés et des impuissants » (Emile G. Léonard). Il n'est pas étonnant qu'à chacune de ses interventions, le pasteur Boegner subisse les reproches souvent violents de quelques-uns et reçoive des menaces anonymes. La lettre au grand-rabbin provoque la colère et la protestation d'un groupe de laïcs de Montpellier ainsi que de Montflanquin dans le Lot-et-Garonne. Un pasteur de la banlieue Nord de Paris reproche à la déclaration du 22 septembre 42 d'être un document politique ; or « l'Eglise n'a ni le droit, ni la compétence » d'apporter une information sur des questions politiques ou sociales « concernant le présent siècle ». Quant aux Juifs, « ils se sont déclarés eux-mêmes les pires ennemis de Dieu et du Christ. (...) En quoi l'Eglise chrétienne devrait-elle chercher à atténuer des souffrances sans doute voulues par Dieu pour briser, d'une part, l'incurable orgueil de ce « peuple au col roide », et, d'autre part, vraisemblablement, pour l'amener à la repentance ? Enfin, comment considérer les Juifs en général comme les frères des Français ? ». La diversité d'opinion de ses paroissiens sur la question juive est un argument de plus qui justifie pour ce pasteur le refus de lire en chaire ce document. D'autres pasteurs adoptent la même attitude et le Synode national suivant, en mai 1943 à Paris, réagit avec fermeté et décide que « les messages adressés aux fidèles par le Conseil national doivent être lus en chaire par les pasteurs ». Ceux qui s'opposent le plus violemment aux prises de position des conseils de la Fédération et de l'Eglise Réformée participent au petit groupe

« Sully » qui prétend être tout à la fois protestant, royaliste et nationaliste, et rassemble quelques « notables » et « petits nobles » du Sud-Ouest (le Tarn et la Gironde), du Languedoc (Montpellier) et de Provence (Aix et Lourmarin), ainsi qu'une poignée de Parisiens. Son porte-parole, le pasteur Nougat (alias Noël Vesper), dénonce publiquement Marc Boegner comme protestant indigne et mauvais Français, et adopte des positions favorables au régime de Vichy et à l'antisémitisme, au S.T.O. et à la collaboration. Sa colère se déchaîne contre les « thèses de Pomeyrol » et le message consacré au S.T.O. En définitive, ces protestants « collaborateurs » ne sont qu'une très faible minorité, et certains finissent tragiquement (l'amiral Platon et le pasteur Nougat sont sommairement exécutés à la Libération).

Les « Thèses de Pomeyrol »

La résistance spirituelle, qui est une réalité dès l'été 40 pour quelques pasteurs, enseignants et fonctionnaires, — le plus souvent barthiens et membres de la « Post-Fédé » (mouvement d'études et de recherches qui regroupe les anciens de la « Fédé ») —, ainsi que pour quelques étudiants, trouve son expression dans les « thèses de Pomeyrol ». Elles sont rédigées les 16 et 17 septembre 1941 par une quinzaine de personnes, aux trois quarts « post-fédératives », avec une majorité de pasteurs et de théologiens (Jean Cadier, Georges Casalis, Henri Clavier, Paul Conord, Jean Gastambide, Roland de Pury, André de Robert, André Vermeil, etc.) et trois laïcs : Madeleine Barot qui dirige la « Cimade » à Nîmes, Suzanne de Dietrich qui vient de Genève, et René Courtin professeur à la Faculté de Droit de Montpellier. Visser't Hooft et M. Barot ont pris l'initiative de ce groupe de travail « pour rechercher ensemble ce que l'Eglise doit dire aujourd'hui au monde ». Huit thèses abordent les rapports réciproques de l'Eglise et de l'Etat (1 à 4), les limites de l'obéissance à l'Etat (5), le respect des libertés essentielles (6) ; elles prennent position contre l'antisémitisme (7) et la collaboration (8). Les 80 participants du Congrès de la Post-Fédé, qui se tient dans le même lieu du 18 au 21 septembre, sont les premiers à commenter ce document et vont le diffuser dans la zone Sud, à Paris et à Genève où ces thèses sont publiées par le service d'information du Conseil Œcuménique. En même temps audacieuses et prudentes, elles suscitent des réactions violentes dans certains milieux de la bourgeoisie bien-pensante ; et le groupe « Sully » n'hésite pas à diffuser des contre-thèses où sont affirmés la nécessité du châtiment pour les Juifs et le besoin de la repentance pour l'Eglise !

Devant ces réactions, certains jugent bon de réduire ces thèses, de les « raboter » et d'en faire un texte banal... Néanmoins, l'original est étudié dans de nombreux conseils presbytéraux et consistoires où il alimente une réflexion « confessante ».

Le problème juif et la CIMADE

Le problème juif et les mesures antisémites du gouvernement de Vichy accentuent la mobilisation de nombreux protestants qui participent à des « chaînes » de secours et d'hébergement, à la fabrication de faux papiers ou au passage des fugitifs vers la Suisse. La « Cimade », qui s'occupe maintenant des réfugiés et des étrangers, est présente en octobre 40 dans le camp d'internement de Gurs (près de Pau), puis dans ceux de Rivesaltes (Pyr.-Or.), Brens (Tarn), Noé et Récébédou (Hte-Garonne), Nexon (Hte-Vienne), et dans celui des Milles (près d'Aix-en-Provence), dont le pasteur Henri Manen est le courageux aumônier. Elle ouvre ensuite des centres d'accueil, tel celui du « Coteau fleuri » près du Chambon-sur-Lignon (Hte-Loire), celui de Marseille, ou celui de Vabre dans le Tarn. Lorsque la « chasse au Juif » est déclenchée en août 1942, la « Cimade » en fait évader, les cache dans des presbytères protestants et catholiques ou dans des fermes isolées, les fait entrer en Espagne (à partir de Toulouse) ou en Suisse. Elle installe ses bureaux à Valence, non loin des zones sûres du Haut-Diois, de Bourdeaux et de Dieulefit — « lieu d'asile » et de libre expression (voir Pierre Emmanuel, *Qui est cet homme*, p. 329-334) ; à la charnière de la Drôme et de l'Ardèche, cette ville de Valence est une étape essentielle entre le Chambon, « nid de Juifs en pays huguenot », et le « refuge » génevois, en passant par les presbytères de Romans et de Grenoble, et par celui d'Annecy où le pasteur Paul Chapal travaille en étroite collaboration avec l'abbé Folliet, aumônier de la J.O.C., et peut compter sur l'accueil discret de la Trappe de Tamié et du couvent de Chavanod. La frontière est franchie soit par Annemasse et Douvaine avec des équipières (Madame André Philip, Madeleine Barot, Suzanne Chevalley, Geneviève Pittet, etc.), soit par la haute montagne avec des passeurs, étudiants ou pasteurs (André Morel, Emile Fabre, Georges Casalis, etc). Des protestants, tel Roland de Pury, se retrouvent aux côtés des catholiques qui ont créé « l'Amitié chrétienne » : le R.P. Chaillet, Jean-Marie Soutou et Germaine Ribière. Ils viennent en aide aux Juifs et ils participent avec l'abbé Glasberg et Madeleine Barot au sauvetage de centaines d'enfants lors des grandes rafles de Lyon du mois d'août 1942. Œcuménisme spontané dans le refus de l'antisémi-

tisme, mais aussi dans ces *Cahiers du Témoignage chrétien*, où catholiques et protestants unissent leurs certitudes pour que la France
« ne perde pas son âme ».

Au Mas Soubeyran, le 6 septembre 1942, les 70 pasteurs qui
participent à l'Assemblée du Désert témoignent de leur angoisse. Ils
appartiennent à des Eglises protestantes très diverses et ils demandent
au président de la Fédération d'user de son influence et d'intervenir
énergiquement. Certes, au cours des années 1940-41, plusieurs fidèles
sont irrités par son titre de « conseiller national » de Vichy et par un
certain jeu de l'opportunisme vis-à-vis du maréchal Pétain et de son
gouvernement. Mais il est vrai que durant ces mois de 1942, Marc
Boegner n'hésite pas à adopter une politique courageuse, celle d'un
« contestataire de l'injustice faite à l'homme » ; et il la maintient jusqu'à la Libération.

Le message du conseil de la Fédération du 14 avril 1943, consacré
à la « relève » et au S.T.O., provoque à nouveau la colère des « bien-
pensants » et du groupe « Sully » : Noël Vesper accuse l'Eglise d'apporter son appui aux Juifs, aux francs-maçons et aux communistes ! Et tel
pasteur retraité du Sud-Ouest n'hésite pas à qualifier ce message de
« crachat »... (Cf. « *Sully* », juin 1943). Par contre, le 16 mars puis le
5 mai 1944, les deux conseils de l'E.R.F. et de la F.P.F. rejettent la
demande d'un haut fonctionnaire allemand, le Dr Reichl, qui souhaite
« une déclaration sur les bombardements et le terrorisme », analogue
à celle des cardinaux et archevêques.

Cette attitude de protestation, de résistance, n'est sans doute pas
celle qui est adoptée par l'unanimité des protestants français. L'anti-
communisme de certains, la lâcheté de quelques-uns, l'indifférence de
beaucoup font que ces pasteurs et ces laïcs, hommes et femmes, engagés délibérément dans le combat spirituel contre le nazisme et l'antisémitisme, ne forment qu'une minorité, mais qui n'est pas négligeable.
Dans des paroisses aussi différentes que celle de Belfort, de Saint-
Brieuc, du Vigan dans le Gard, ou de Marseille, des pasteurs luthériens,
méthodistes ou réformés prennent les mêmes risques pour les mêmes
raisons spirituelles. De plus, l'opinion protestante est sensible, sans nul
doute, à de vieux réflexes : le souvenir des persécutions subies détermine une solidarité spontanée avec la minorité juive ; les « bibliens »,
lecteurs de l'Ancien Testament, se découvrent une parenté spirituelle
avec le « peuple élu » de l'Ancienne Alliance. Vieux réflexe aussi que
celui de la « résistance » à un régime autoritaire et de la clandestinité
où sont retrouvés en même temps les anciennes « caches », les chemins
du « refuge » et celui des maquis.

Maquis et déportation

La présence des protestants dans les maquis est plus ou moins importante selon les régions et l'implantation de la population réformée. Dans la Montagne Noire comme dans le massif de l'Aigoual, dans le Diois et le Vercors comme dans le Queyras, des protestants sont passés de la résistance spirituelle et du refus du S.T.O. à la résistance armée. La carte des maquis de l'Ardèche est à l'image de celle du protestantisme et celui de Tréminis, dans le Trièves, soutenu par des protestants de Grenoble, est créé par des étudiants en théologie de la Faculté de Montpellier dont deux, Joseph Laroche et René Lescoute, sont arrêtés et meurent en déportation. Certes, il est quelquefois difficile de mesurer la part d'une forte tradition républicaine et socialiste de ces protestantismes cévénol et drômois dans la décision de prendre les armes pour recouvrer la justice et la liberté. Mais, pour plusieurs, leur engagement est inséparable de leur conviction spirituelle. Professeur de première supérieure au lycée de Marseille, président national de la « Post-Fédé », Jacques Monod entre dans le mouvement « Combat » durant l'été 1941 et devient un des responsables marseillais du Mouvement de Libération. En janvier 1944, il est suspendu par Vichy et il est recherché par la Gestapo. A la veille de s'engager dans un maquis du Cantal où il se fait tuer le 20 juin à Chaudesaigues, il écrit le 7 juin une lettre destinée à ses élèves et à ses amis de la « Post-Fédé » : « (...) Je demande à Dieu maintenant qu'il me pardonne mes fautes, et cette décision que je prends librement aujourd'hui ; car, je le sais, le recours à la violence a besoin d'être pardonné. Mais je pars sans haine, et convaincu que nous, chrétiens, n'avons pas le droit de laisser les seuls incroyants offrir leur vie, au nom d'un simple idéal politique, dans une lutte où sont engagés, avec le sort de la nation, le sort de l'Eglise et le destin spirituel de nos enfants (...) ». En juin 1944, le pasteur Daniel Atger devient l'aumônier des 300 jeunes protestants dispersés dans les « camps » du plateau du Vercors, et il est aidé dans ce ministère par deux étudiants en théologie, André Sabliet et André Vernier, qui sont tués le 21 juillet dans les combats de Vassieux. Jean Cavaillès avait participé avec Jacques Monod au groupe chrétien de l'Ecole Normale entre 1924 et 1931. Maître de conférences de philosophie à la Faculté de Strasbourg, puis à Clermont-Ferrand et à Paris, il est cofondateur en mars 1941 du mouvement « Libération » avec Emmanuel d'Astier de la Vigerie ; puis il est membre du comité directeur de « Libération-Nord ». En avril 1942, il fonde un réseau d'action directe et de sabotage : arrêté en août 1943, il est fusillé en février 1944. Philosophe-mathématicien, il est devenu philosophe-terroriste parce que le nazisme est inacceptable et que la Résistance est une logique. Etienne Saintenac est lui aussi post-fédératif et professeur de philosophie au lycée de Nîmes ; chef départemental de la Résistance du Gard, il est arrêté le 28 mars 1944, déporté à Neuengamme, et meurt le 3 mai 1945. « Huguenote » de conviction, Bertie Albrecht est depuis mars 1941 la collaboratrice d'Henri Frenay et la cheville ouvrière de « Combat » ; elle est arrêtée par la Gestapo le 26 mai 1943 à Mâcon et le surlendemain, à la prison de Fresnes, elle se donne la mort, par pendaison, pour ne pas parler...

Plusieurs pasteurs paient de leur vie une prédication fidèle et l'asile offert dans leur presbytère : Marcel Heuzé, de Marseille, est dénoncé et arrêté en février 1943 ; il est déporté à Dora et meurt à Ravensbrück le 26 avril 1945. Son collègue Charles Roux, président du conseil régional, est déporté à Buchenwald dont il ne revient pas ; Madame Roux, sa femme, arrive à surmonter les souffrances de Ravensbrück. Yann Roullet, pasteur à Mougon (Deux-Sèvres), est arrêté par la Gestapo le 9 mars 1944 pour avoir donné l'hospitalité à un résistant. Son grand-père, l'armateur Léonce Vieljeux, maire de La Rochelle, — qui avait été suspendu de ses fonctions —, est arrêté pour la même raison. Ils sont déportés ensemble au camp de Schirmeck et exécutés au Struthof le 1ᵉʳ septembre 1944. Le pasteur de Saint-Brieuc, Yves Crespin, accueille des déserteurs alsaciens de la Wehrmacht et ne recule pas devant une action clandestine : il est déporté et meurt à Dora le 16 mars 1944. Certes, la liste pourrait s'allonger, néanmoins ces hommes et ces femmes ne forment qu'une « minorité de minorité ». Leur enfermement dans les prisons et les camps de concentration peut être mieux connu à travers le *Journal de cellule* de Roland de Pury, — arrêté au pied de sa chaire le 30 mai 1943 et emprisonné au Fort Montluc durant cinq mois —, et le témoignage du pasteur Aimé Bonifas, *Détenu 20801* : secrétaire des U.C.J.G., membre de « Combat », il est pris dans les Pyrénées en juin 1943, déporté à Buchenwald et libéré le 13 avril 1945.

En août 1944, dans une vingtaine de départements, des pasteurs sont sollicités pour faire partie des comités locaux et départementaux de la Libération, des cours de justice et des comités d'épuration. Cette présence des protestants est nettement marquée dans deux grandes régions : celle de l'Ouest (Vienne, Haute-Vienne, les deux Charentes, la Vendée, l'Ille-et-Vilaine) et une vaste zone qui va du Tarn-et-Garonne aux Hautes-Alpes et qui prend en écharpe les Cévennes et le Languedoc, l'Ardèche, la Drôme et la région lyonnaise. C'est un pasteur, Albert Chaudier, qui préside le Comité de Libération de la Haute-Vienne. Certains pasteurs sont pressentis pour entrer au Front National ou pour siéger à l'Assemblée consultative. Le conseil national de l'E.R.F. accepte que les pasteurs assument, provisoirement, des fonctions politiques, mais estime qu'il leur est impossible de faire partie d'une cour de justice. Durant la période qui s'achève, les protestants ont été présents à Alger dans le Comité français de Libération Nationale avec André Philip, commissaire à l'Intérieur, et Maurice Couve de Murville, commissaire aux Finances.

Aux lendemains de la Libération, de nombreux protestants se trouvent, avec la minorité résistante, parmi ceux qui espèrent un « monde nouveau » ; et les Eglises découvrent que leurs prises de parole durant les années d'épreuve ont dépassé les murs des temples et les limites du « petit troupeau » et qu'elles suscitent maintenant un vif intérêt dans l'ensemble de la nation.

Certes, les Eglises luthériennes ou celles à tendance piétiste (E.R. E.I., Baptistes) continuent, en général, à s'abstenir de toute intervention dans le domaine politique ; mais elles se trouvent engagées par les déclarations de la Fédération protestante qui, avec l'Eglise réformée, multiplie pendant 30 ans les prises de position. Un intervalle où les Eglises sont surtout préoccupées de problèmes intérieurs (1964 à 1970) sépare deux grandes périodes d'interventions sur des problèmes politiques et sociaux.

« Décolonisation » (1947-1964)

Durant ce premier espace de près de vingt ans (1947-1964), certains thèmes bien connus du protestantisme français, la laïcité et l'objection de conscience, apparaissent à nouveau. La laïcité « ouverte » ou « de confrontation » est pour beaucoup de protestants « la garantie même de la liberté religieuse » (Marc Boegner). Ils ont été irrités par les lois Marie et Barangé en 1951, ils sont bien souvent opposés à la loi Debré en 1959. La Fédération protestante de l'enseignement apporte son soutien au « Comité national d'action laïque » (C.N.A.L.) et participe activement à la pétition nationale. Plusieurs synodes régionaux prennent la même position — en particulier dans la région Poitou-Charentes et dans l'Ardèche — et la déclaration du conseil national de l'E.R.F. qui réaffirme le 29 mars 1960 son attachement au principe de la laïcité scolaire et sa confiance à l'enseignement public, est approuvée par le Synode national du mois de juin suivant. Un statut des objecteurs de conscience est réclamé par six Synodes nationaux, et plusieurs inter-

ventions sont faites auprès des gouvernements de la IVᵉ et de la Vᵉ
République par le président Boegner, mais sans succès. Ce n'est
qu'après la fin de la guerre d'Algérie qu'intervient en décembre 1963
le vote du Parlement.

Le problème algérien tient une place étonnante dans les préoccupations du protestantisme français qui apporte une attention soutenue
aux soubresauts de la décolonisation. Mais, toutefois, les remous soulevés par la guerre d'Indochine et l'affaire malgache ont été plus
discrets. Certes, à l'automne 1947, quelques synodes régionaux — ceux
de la région Cévennes et Bas-Languedoc et de la région Alpes-Rhône
en particulier — demandent que « l'Eglise ne garde pas le silence sur
la question coloniale ». Sans doute est-ce là une réponse à l'article
clairvoyant de Michel Philibert, professeur de philosophie, qui s'écrie
avec indignation « Nous refusons les méthodes nazies » (*Foi et Vie*,
sept.-oct. 1947). Il dénonce « le silence long et pénible » des assemblées
d'Eglise et des journaux protestants sur la guerre d'Indochine, sur
les « événements » de Madagascar et les incidents sanglants d'Afrique
du Nord : « Si nos chambres de torture en Indochine, à Madagascar,
si nos camps de concentration d'Indochine ou du Sud algérien sont
moins nombreux que n'étaient ceux des Allemands, en sont-ils moins
abominables à Dieu et en scandale aux hommes ? ». Ces appels trouvent
un écho auprès du pasteur Boegner, angoissé par les débuts de la
« guerre froide » et par « l'effritement continu de la notion chrétienne
de la personne », et le Synode national de Grenoble, en 1948, prend
position « devant les conflits qui se poursuivent dans les territoires
de l'Union Française, conflits dont nous sommes solidairement responsables » ; il demande « au gouvernement de veiller aux moyens qu'il
emploie et de prendre les risques d'une politique généreuse ». En 1952,
le Synode de Paris souhaite des négociations et le 14 juin 1954 celui
du Havre exprime en même temps son « angoisse de l'interminable
guerre en Indochine » et son espoir d'une solution de paix à la
conférence de Genève. Le même jour, il prend aussi position, à
l'unanimité, en faveur de la grâce des internés politiques malgaches.

Plus que les assemblées d'Eglise, ce sont quelques revues qui
rompent le silence dès novembre 1947 — *le Semeur, Foi et Vie, Christianisme social, Cahiers de la Réconciliation* (pacifistes) — et qui multiplient les informations, les articles, les numéros spéciaux. Des pasteurs
et des laïcs, des groupes d'étudiants, des post-fédératifs et des « chrétiens sociaux » organisent des conférences, des réunions de travail,
lancent des pétitions comme celle du mouvement du « Christianisme
social » en décembre 1948 pour que « le procès de Tananarive soit cassé

et repris en métropole ». Cette action est d'ailleurs conduite ici et là avec des catholiques, soit dans des groupes œcuméniques, tel celui des « Chrétiens dans la cité » à Grenoble, soit avec des militants d' « Esprit », de « Témoignage Chrétien » ou de « Vie Nouvelle », et elle se traduit par la lettre au président de la République de décembre 1948 sur le procès de Madagascar, ou par la résolution d'Issy-les-Moulineaux sur le Viet Nam en février 1950. Mais une grande partie du protestantisme se contente des articles de l'hebdomadaire *Réforme* qui reste très circonspect vis-à-vis des « affaires » coloniales, peu audacieux dans ses commentaires, victime semble-t-il d'une information uniquement « métropolitaine » et d'une vision traditionnelle de la souveraineté française à travers les perspectives modérées de l'Union Française.

Les protestants et la guerre d'Algérie.

La guerre d'Algérie, par contre, provoque en huit ans la publication de près de 25 textes par les différentes instances du protestantisme français : conseil de la Fédération et Assemblées du Protestantisme (à Montpellier en 1955, à Montbéliard en 1960), conseil national de l'E.R.F., Synodes nationaux, sans compter les nombreux vœux des synodes régionaux.

Cinq mois avant le début de la guerre, en juin 1954, le Synode national engageait les protestants d'Afrique du Nord à agir pour que les haines soient surmontées et que « tous les hommes aient part à une vie normale ». En 1955, et pendant quatre années, les vœux, déclarations, messages, peuvent se résumer en une protestation contre les méthodes policières et les représailles collectives, la généralisation de la torture et les exécutions sommaires. Par ailleurs, ces différentes méthodes de « pacification » provoquent un « climat d'angoisse et de désarroi » pour les soldats du contingent, appelés ou rappelés. La protestation solennelle faite le 12 mars 1957 par le conseil de la F.P.F. est reprise le 23 mars 1958 : « Il adjure une fois de plus les pouvoirs publics de mettre un terme aux agissements qui portent à la France un préjudice incalculable tant auprès de ses propres enfants qu'auprès de l'opinion mondiale et des populations locales ». Le pasteur Boegner et le cardinal Feltin lancent en mai 1959 un appel en faveur d'un million de personnes « regroupées ». Peu de jours après, un pas de plus est franchi et le problème de la guerre et de son issue est nettement posé par le Synode national de Paris qui assure au gouvernement « que toutes les initiatives prises pour exaucer l'immense attente d'une paix juste et fraternelle rencontreraient l'adhésion du peuple protestant et la ferveur de ses prières ». Un an plus tard, en juin 1960, la situation est analysée avec lucidité par le Synode national de Toulouse qui déclare : « Actuellement, le drame algérien pèse sur notre peuple, il sape son moral, ébranle l'autorité de l'Etat, menace l'unité du pays ». Les fidèles sont « mobilisés » pour rechercher les solutions possibles à ce conflit et un *Plan d'étude sur l'Eglise et le problème algérien* — véritable livre blanc — est mis à la disposition des paroisses. En novembre suivant, l'Assemblée de Montbéliard vote à une majorité de 81 % une déclaration vigoureuse qui affirme que « la poursuite de cette guerre accélère inexorablement la détérioration morale et juridique de l'Etat » et estime indispensable une démarche pressante des différentes autorités religieuses auprès du chef de l'Etat ; elle pose le triptyque « trêve-négociations-médiation », et aborde tranquillement trois attitudes difficiles : l'insoumission, le refus légitime de la torture et l'objection de conscience. L'importance de cette déclaration et son retentissement dans l'opinion publique, en France et à l'étranger, éclipsent les autres initiatives prises jusqu'à l'indépendance de l'Algérie (3 juillet 1962), si ce n'est celles concernant l'accueil des rapatriés parmi les 6 à 7 000 protestants qui vivaient dans ce pays en 1960.

Il est vrai que les prises de position des conseils et des assemblées d'Eglise rencontrent une très large adhésion dans le peuple protestant. Mais cet ensemble de textes et de déclarations qui paraît homogène laisse mal deviner les efforts patients et tenaces de tous ceux qui, pendant huit ans, ont voulu bousculer l'immobilisme de « l'institution » afin que l'Eglise ne soit pas comme un « chien muet » et qu'elle puisse indiquer aux fidèles comme à l'Etat le sens de leur responsabilité. Les membres de la « Post-Fédé » et du « Christianisme social » sont les premiers sensibilisés et, à Pâques 1957, ce sont eux qui alertent tous les pasteurs et les paroisses au sujet de la torture et des méthodes de pacification. Au même moment, André Philip, Paul Ricœur, Daniel Parker participent avec des catholiques (Henri Marrou, J.-M. Domenach, etc.) à la création du comité « Résistance spirituelle ». La plupart des synodes régionaux, dès l'automne de la même année, émettent des vœux concernant la guerre ; les paroisses réformées soutiennent l'action de la « Cimade » dont les équipiers sont implantés depuis janvier 1957 à Alger — au Clos-Salambier —, à Médéa ainsi que dans les centres de regroupement, et, à la suite de l'appel Feltin-Boegner, elles envoient pour les « regroupés » 35 millions d'A.F. Pour attirer l'attention sur les conséquences de cette guerre, quatre régions ecclésiastiques (dans le Gard, l'Ardèche, Alpes-Rhône, Lorraine et Franche-Comté) décident d'observer une journée de jeûne le Vendredi saint 1960, renouant ainsi avec une pratique des XVIe et XVIIe siècles. A la suite de la publication du « livre blanc », 8 000 exemplaires sont répartis dans les consistoires et les paroisses, et permettent une étude et une réflexion en commun ; mais le dialogue est par endroits difficile et les affrontements aboutissent à des démissions qui ne concernent en fait qu'une frange très limitée. Dans le même état d'esprit, quelques rédacteurs nationalistes abandonnent *Réforme*, jugé trop « libéral », et lancent un mensuel, *Tant qu'il fait jour*, favorable à l' « Algérie française ». Des lettres d'insulte sont envoyées au pasteur Boegner lorsqu'il effectue, avec les autorités religieuses, la démarche commune demandée par l'Assemblée de Montbéliard. Par ailleurs, les protestants d'Algérie ont l'impression d'être mis en accusation et le synode d'Oran, en novembre 1960, réagit abruptement et demande au Synode national que « les assemblées d'Eglise évitent de rédiger à toute occasion des motions sur l'Algérie ». Pour certains protestants métropolitains, leur engagement les amène jusqu'à l'aide au F.L.N., tel le pasteur Etienne Mathiot de Belfort qui passe en jugement en mars 1958 pour avoir porté secours au responsable de la willaya Nord-Est. Parmi les 3 000 insoumis du printemps 1960, nombreux sont les jeunes protestants qui refusent de faire leur service militaire en Algérie. L'étude de la « guerre révolutionnaire » a été décidé en 1959 ; mais la clairvoyance et l'impatience de quelques laïcs se heurtent à la prudence ecclésiastique de certains conseils qui, pour ne pas compromettre l'unité de l'Eglise et des paroisses, reculent devant un sujet qui leur paraît dangereux. Aussi le rapport sur « Action psychologique et guerre subversive » n'est-il présenté au Synode national qu'en 1963... Et c'est à un synode extraordinaire de la IIIe région de l'E.R.F. (Paris et la région parisienne) que revient le courage d'aborder de front l'escalade de la violence et des terrorismes : le 27 janvier 1962, il rappelle que « le domaine de l'Etat et des choses publiques est un des secteurs de la nécessaire mission de l'Eglise », et il déclare : « Tout en comprenant le sentiment douloureux que certains peuvent avoir d'être abandonnés, nous pensons devoir avertir nos frères tentés de participer aux violences de l'O.A.S. qu'ils sont dans l'erreur ».

Pacifisme et menace atomique

Ainsi le thème de la « décolonisation » pourrait résumer cette première période s'il n'était inséparable de celui de la guerre et de la paix qui ponctue dès 1948 les débats des Synodes nationaux de l'E.R.F. : les délégués réclament un désarmement progressif (1950) puis contrôlé (1954), soulignent le danger de l'usage pacifique de l'énergie atomique et les menaces dues à l'accroissement des armements nucléaires (juin 1958). Ils demandent au gouvernement du général de Gaulle de renoncer à la constitution d'une force de frappe nucléaire (1963). Il est vrai que durant cette période, de plus en plus de protestants sont sensibles aux informations et débats sur le pacifisme et la non-violence chrétienne, la menace atomique et le non-sens des conflits — aussi bien la guerre de Corée (1950-53) que l'expédition hasardeuse de Suez (1956) — ainsi qu'aux articles et interventions des militants du « Christianisme social » (les professeurs Gustave Malécot et Etienne Trocmé, le pasteur J.-M. Hornus, etc.) ou du « Mouvement international de la Réconciliation » (les pasteurs Henri Roser, André Trocmé, René Cruse, etc.). Après avoir participé au sauvetage des juifs pendant la guerre, il n'est pas étonnant que des protestants soient émus par le conflit palestinien de 1948, par la renaissance de l'anti-sémitisme comme par « le douloureux scandale de l'affaire Finaly » et la condamnation des époux Rosenberg (1953). La discrimination raciale est à nouveau condamnée par le conseil de la F.P.F. et par le Synode national de 1964 à propos de « l'apartheid » sud-africain.

A côté de ces interventions traditionnelles des Eglises, il survient un thème nouveau que connaissent déjà les communautés protestantes des pays anglo-saxons : la limitation des naissances. Après avoir pris connaissance du rapport de la commission médicale qu'il avait chargée en 1955 d'étudier ce problème, le conseil national de l'E.R.F. publie le 16 octobre 1956 une déclaration où « il admet la légitimité d'un certain contrôle des naissances ». Il la reprend le 6 décembre 1964 en « admettant la légitimité de méthodes contraceptives » et en recom-mandant « au couple de recourir aux éléments d'information actuelle-ment offerts » — c'est-à-dire aux centres de « planning familial » — ; et le Synode national de Nantes approuve cette initiative à une très forte majorité (mai 1965). Cette prise de conscience, fondée sur une théologie biblique de la sexualité et des relations de l'homme et de la femme, est inséparable de l'information et de la formation que le protestantisme français reçoit du mouvement « Jeunes Femmes ». Créé en 1949, ce mouvements d'adultes, très dynamique, prend rapidement sous la présidence de Suzette Duflo une très grande influence, et joue un rôle fondamental dans la promotion de la femme, en premier lieu à l'intérieur du protestantisme mais aussi dans la société française. Ses congrès rassemblent de plus en plus de participantes (730 en 1965) et deviennent des moments importants d'une recherche originale qui est suivie avec attention par une grande partie du peuple protestant. Ce mouvement est « une des entreprises les plus sérieuses, les mieux conduites, les plus efficaces, ayant pris naissance depuis la dernière guerre » (Marc Boegner à l'Assemblée de Montbéliard) et son extension est rapide : 280 groupes en 1967 en plus de 5 000 membres. La revue *Jeunes Femmes* apporte des informations sur la limitation des naissances (1956), un numéro spécial sur le contrôle des naissances (1961) et un dossier sur le planning familial (1963). Il n'est donc pas étonnant que plusieurs « jeunes femmes » participent en mai 1956 à la création de l'association « la Maternité heureuse », — qui deviendra rapidement le « Mouvement français pour le planning familial » —, et la sociologue Evelyne Sullerot en est la secrétaire générale. Le premier centre de planning familial qui s'ouvre en France est créé à Grenoble le 10 juin 1961 à l'initiative d'humanistes laïques, — médecins et enseignants —, et de protestants engagés : « jeunes femmes », enseignant, pasteur et médecin. Le même phénomène se reproduit quelques mois plus tard à Paris et dans d'autres villes de province. En 1965, André Dumas, théologien du couple, contribue à l'information par son ouvrage *Le contrôle des naissances, opinions protestantes*, et dresse le bilan de ces années de réflexion et d'engagement.

A cette première période où les interventions se précipitent, succède un intervalle de quelques années (1964-1970) marqué en même temps par les crises et contestations internes et par deux événements extérieurs : la conférence « Eglise et Société » et la « révolution » de 1968.

La conférence « Eglise et Société » se tient à Genève du 12 au 26 juillet 1966 ; elle est organisée par le Conseil Œcuménique des Eglises et rassemble 400 participants dont deux tiers de laïcs. Elle a été préparée pour répondre au défi du « tiers-monde » dont les représentants forment la moitié de l'assemblée. Parmi les animateurs de la conférence, plusieurs sont français, soit comme coprésidents de l'assemblée, — André Philip —, ou de section — André Dumas — ; soit comme conférenciers : Roger Mehl, professeur de théologie éthique à Strasbourg, et Jacques Ellul, laïc théologien, professeur de droit à Bordeaux, ou comme expert, tel Claude Gruson, directeur de l'I.N.S.E.E. Au cours de cette conférence franche, voire même brutale, les chrétiens d'Europe occidentale découvrent la vitalité des Eglises sud-américaines, l'impossibilité où ils sont de ne pas examiner le problème théologique de « la révolution » qui se révèle comme un des grands thèmes de ces débats, et l'opposition entre une éthique « normative » et une éthique « de situation » préconisée par la majorité des participants. Certes, les délégués français sont partagés sur les conclusions de cette conférence : les uns sont déçus par la superficialité et la banalité de ces travaux, — c'est le cas de Jacques Ellul — ; d'autres, tels André Dumas et Claude Gruson, se refusent au dénigrement facile et soulignent l'originalité et l'espérance que représente cette rencontre œcuménique. Les échos de cette conférence sont largement diffusés dans le protestantisme français aussi bien par *Réforme* et *l'Illustré protestant* que par *Foi et Vie, Christianisme social* ou *Cité Nouvelle*, journal populaire fondé en 1945 qui a pris la suite de *l'Avant-Garde*. Et plusieurs se souviendront de ces messages deux ans plus tard.

Alors que le Synode national de Royan (1ᵉʳ-4 mai 1968) apportait une solution à la grève des étudiants en théologie qui, pour la première fois, étaient autorisés à prendre la parole dans une telle assemblée et à faire entendre leurs revendications, les premiers « événements » de ce mois de mai éclataient à Nanterre et à la Sorbonne.

Durant ces quelques semaines, les protestants multiplient les appels et les communications, les analyses, les discussions et les rencontres. Le 11 mai, le bureau du conseil de la F.P.F. lance un appel au calme et souhaite une reprise du dialogue : ce document est transmis au premier ministre et le pasteur Westphal téléphone à l'Elysée. Le même jour, quatre professeurs et 42 étudiants de la Faculté de Théologie de Paris expriment leur solidarité avec les contestataires. La déclaration du 25 mai commune à la F.P.F. et au conseil national de l'E.R.F. est plus incisive : elle « adjure le gouvernement de rompre l'engrenage de la violence » ; elle reconnaît implicitement que la révolte doit permettre « une transformation radicale de la société ». Le président de la commission permanente des E.R.E.I., le lendemain, l'inspecteur luthérien du pays de Montbéliard, le jour de Pentecôte, prennent la parole à leur tour avec une modération toute spirituelle. Jour après jour, les textes s'ajoutent aux textes : Equipe ouvrière protestante, conseil régional et groupe de réflexion de la région parisienne (5 juin) ; groupes œcuméniques de pasteurs et de prêtres qui, avec vigueur, appellent tous les chrétiens « à participer ou à donner leur soutien aux mouvements étudiant et ouvrier » (21 mai), et qui expriment leur solidarité avec les mouvements révolutionnaires dissous (18 juin) ; les membres du Foyer de Grenelle (Mission Populaire) ne mâchent pas leurs mots : ces jeunes révoltés qui « vomissent » la société « ne sont pas la pègre ! » (26 mai). Le 17 juin, Jacques Maury, nouveau président du conseil national de l'E.R.F., rédige une longue lettre pastorale qui, publiée trop tard, est éclipsée par deux épisodes dont le retentissement est considérable : le 19 mai, la prédication radiodiffusée du professeur Casalis, de la Faculté de Théologie de Paris, et l'eucharistie commune

de Pentecôte (2 juin). Georges Casalis commence son sermon en citant
des slogans écrits sur les murs, se déclare solidaire « de tous ceux qui
luttent pour un monde nouveau » et encourage « notre participation
active à la lutte pour une société régie par la justice ». Les passions
se déchaînent et, malgré la grève des P. et T., les lettres de protestation
(70 environ) arrivent à la Fédération, à la Radio, au *Christianisme au
XXe siècle* ou directement à l'intéressé. Elles proviennent essentiellement de protestants pratiquants parisiens, membres de professions
libérales ou femmes sans profession. Les 97 approbations sont surtout
envoyées par des hommes de la province, cadres moyens et enseignants,
chrétiens « marginaux » ou athées. Le dimanche de Pentecôte, 61 chrétiens catholiques et protestants, laïcs, prêtres et pasteurs, — parmi
lesquels Jacques Beaumont (de la Cimade), Georges Casalis, Janine
Grière (de Jeunes Femmes), Jacques Lochard et Paul Ricœur (du
Christianisme social), etc. —, prennent ensemble la sainte Cène et en
avertissent Mgr Marty et le pasteur Westphal : « Nous avons été
poussés à célébrer par un signe commun nos nombreuses rencontres
au milieu du peuple des ouvriers et des étudiants luttant pour sa
liberté ».

Les réactions du peuple protestant à ces nombreux appels et déclarations sont diverses et laissent apercevoir des attitudes contrastées.
Il semble qu'une forte majorité des pasteurs se soit trouvée en accord
avec le « mouvement », ainsi qu'une solide minorité de fidèles convaincus
(étudiants, enseignants, militants de Jeunes Femmes ou du Christianisme social, etc.). Dans de nombreuses paroisses de la région parisienne comme de la province, ce sont eux qui ont organisé des rencontres d'information, des « carrefours », des débats. Par contre, les
conseils presbytéraux se montrent souvent réservés, ou même défavorables, en particulier dans la région parisienne, et ils freinent les
initiatives. Des clivages se produisent et les oppositions sont catégo-
riques à l'intérieur de quelques paroisses ou entre certains journaux :
par exemple entre *Christianisme social* ou *Cité nouvelle* qui déchiffrent
dans les rues le message révolutionnaire de l'Evangile et *Tant qu'il
fait jour* qui n'aperçoit qu' « une poignée de primates aussi tactiquement astucieux qu'intellectuellement débiles » (n° de mai). *Réforme*
n'a pas boudé cette aventure et son expression a cherché à rester
lucide pour expliquer « une situation insaisissable ». Il a sauvegardé
sa parution, même avec un numéro ronéotypé, celui du 25 mai. Mais
les trois pages de ce n° 1210 ne sont pas acceptées par de nombreux
abonnés qui y voient « une incitation des chrétiens à la révolte et à
l'anarchie » et qui accusent le journal « de répandre davantage de

trouble, de division et de haine » ; certains y voient l'ombre du P.S.U., d'autres celle de Moscou ou de Pékin... Comme le dit quelques mois plus tard son directeur, Albert Finet, « la fête étant passée, il a fallu payer. La note est lourde ». En effet, de mai à décembre, le journal a perdu plus de mille abonnés, chiffre énorme pour un tirage de 15 000 exemplaires. Est-ce là une confirmation de ce glissement à droite que certains observateurs avaient pu déceler entre 1945 et 1962 dans les attitudes politiques du protestantisme ? Mais les élections législatives de juin 1968 apportent un démenti à cette hypothèse (Cf. le mémoire de Richard Sogno-Bezza, *Le protestantisme devant les événements de mai-juin* 1968). Les cantons protestants de l'Ouest, du Languedoc et des Cévennes, de l'Ardèche et du pays de Montbéliard maintiennent leur vote traditionnel et semblent même avoir redécouvert une nouvelle signification de leur tendance « à gauche » à travers les « événements » de Mai.

La troisième période s'organise autour de trois textes diffusés par la Fédération Protestante de France et consacrés à trois interpellations de la société contemporaine : le pouvoir politique, la bombe et le sexe.

« Eglise et Pouvoirs », un événement

A Grenoble, en 1969, l'Assemblée du Protestantisme se posait la question « Quel développement et pour quel homme ? ». A la suite d'interventions de représentants du « Tiers-monde », elle adoptait la recommandation « que la Fédération protestante encourage les Eglises à s'interroger sur les rapports de fait qu'elles entretiennent avec les pouvoirs économiques et politiques en place, et qu'elles se demandent quelles relations correspondraient réellement à leur mission ». Un groupe de travail de six personnes — réformée, luthérienne et membre de la « Mission Populaire » —, était mis sur pied avec quatre pasteurs et théologiens (dont Georges Casalis et Jacques Lochard) et deux laïcs, Claude Gruson et Pierre Bruneton, P.D.G. de l'Air-Liquide. En novembre 1971, leur rapport *Eglise et Pouvoirs* est « pris en considération » par le conseil de la F.P.F. et envoyé « pour étude » aux Eglises, Œuvres et Mouvements. La grande presse s'empare de cette « bombe », ou de ce « brûlot », dont il est question dans tous les journaux français. La parution de ce texte dans diverses revues permet d'en diffuser 65 000 exemplaires environ et par ailleurs 8 200 autres sont commandés au C.P.E.D. (Centre protestant d'études et de documentation). Des traductions en sont faites en allemand, en anglais et même en japonais. Jamais un document protestant de ce genre n'a eu une telle diffusion et n'a suscité un tel intérêt en dehors du cercle étroit des « habitués ». De plus, en quelques mois, la presse protestante lui consacre 200 articles. La parution d'*Eglise et Pouvoirs* est sans aucun doute un événement, et le gouvernement lui-même n'y est pas indifférent.

Les chapitres sur l'alternative réformisme ou révolution retiennent l'attention, ainsi que celui sur la situation présente, et quelques phrases sont épinglées : « le système et l'idéologie qui structurent la société dans laquelle nous vivons sont inacceptables dans leur état actuel (...) et appellent (...) soit une attitude de critique orientée vers un réformisme hardi, soit une contestation révolutionnaire ». Quant aux Eglises, « elles sont largement conformistes à l'égard du pouvoir (...) et ne prêtent qu'une oreille paresseuse au Dieu de la justice. (...) Nous avons à retrouver le nerf de l'Evangile ». Ce texte provoquant, chargé de passion, provoque un débat passionné : pendant neuf mois, les réactions se succèdent et se multiplient ; 96 personnes écrivent à la F.P.F., les journaux reçoivent un courrier abondant (surtout *le Christianisme au XX*ᵉ *siècle*), plus de 150 groupes organisent des débats. L'analyse d'une partie de ces documents par le Centre de sociologie du protestantisme, sous la direction de Francis Andrieux, permet de constater que 60 % des réactions sont défavorables. Elles proviennent pour la plupart des protestants pratiquants, urbains pour les 4/5 et surtout parisiens, issus pour la moitié de couches sociales supérieures et pour le reste des classes moyennes, avec un âge moyen assez prononcé. Certaines critiques sont violentes : ce texte « n'est ni chrétien, ni protestant, ni honnête » (*Fraternité évangélique*, journal luthérien de Paris) ; « les auteurs parlent gauchiste » (*Foi et Vie*)... Quelques-uns soupçonnent une opération politique qui tendrait à faire prêcher la révolution au nom de l'Evangile et plusieurs redoutent un schisme. Certains reprochent l'absence de théologie, mais pour d'autres il s'agit bien là de la compréhension de l'Evangile lui-même... Ce texte a donc le mérite de révéler les contradictions internes du protestantisme ; il a contribué à mettre les conflits à jour, à faire apparaître les vrais clivages : l'intégrisme d'un certain nombre de fondamentalistes et de plusieurs luthériens ; la tradition prudente de quelques grands bourgeois libéraux ; le conservatisme de *Foi et Vie* et les attitudes très engagées à gauche et à l'extrême-gauche de *Parole et Société* — nouveau titre de la revue *Christianisme social* depuis janvier 1972. Peut-on dire que les réactions à *Eglise et Pouvoirs* sont à l'image du visage politique du protestantisme français : un « centrisme » théologique et politique, ouvert sur les réformes, mais refusant la violence et la voie révolutionnaire ? Peut-être...

Lorsque s'ouvre l'Assemblée de Caen (novembre 1972), plusieurs soulignent la convergence dans les préoccupations dans l'Assemblée de l'Episcopat réunie à Lourdes, quinze jours auparavant, autour du thème « Politique, Eglise et Foi ». Mais nombreux sont ceux qui redoutent une épreuve mortelle pour la Fédération ! En fait, l'Assemblée adopte par 103 voix contre 15 et 11 abstentions, un texte qui reconnaît qu'une question vitale a été posée avec *Eglise et Pouvoirs* et que la réflexion doit être poursuivie ; il insiste sur la notion du pluralisme qui ne peut être ni un alibi, ni un masque commode : il ne s'agit pas d'éliminer les conflits, mais de les assumer. Certes, ce texte est un compromis, mais il a permis à l'Assemblée de franchir une étape en acceptant ce qui avait été un « brûlot » au sein du protestantisme.

Commerce des armes et force de frappe

Les protestants ne sortent pas de la politique avec le deuxième texte de cette période : une *Note de réflexion sur le commerce des armes* est publiée conjointement par le conseil de la F.P.F. et le conseil permanent de l'Episcopat français le 13 avril 1973. Elle dénonce « l'engrenage diabolique du commerce des armes dans lequel la France est prise », les fournitures d'armes françaises qui contribuent à l'alimentation des « guerres limitées ». Elle rappelle avec le prophète Ezéchiel que les Eglises sont appelées à jouer « le rôle de sentinelles pour les nations au milieu desquelles elles vivent et dont elles se sentent solidaires ». (...) « Le commerce des armes nous paraît l'une des plaies collectives sur lesquelles il nous faut aujourd'hui alerter notre pays ». Depuis plusieurs années, des synodes régionaux s'étaient scandalisés de ce commerce des armes — ainsi en 1971, dans la région du Sud-ouest et dans celle des Cévennes-Languedoc —, en même temps d'ailleurs que la politique d'armement mise en œuvre par le gouvernement et de l'extension du camp du Larzac. Plusieurs revues et journaux expriment les mêmes opinions et *Parole et Société* consacre un dossier à cette question (1972, n° 1). Cette « guerre à la guerre » n'est pas une attitude nouvelle : après l'opposition aux guerres coloniales, puis à celle du Vietnam, c'est maintenant la condamnation de l'utilisation militaire de l'énergie nucléaire. Le Synode national de 1973 approuve la *Note de réflexion*, et demande à nouveau au gouvernement de renoncer à la force de frappe nucléaire. Quelques semaines plus tard, le bureau du conseil de la F.P.F. et la commission Justice et Paix de l'Episcopat font une déclaration commune à propos des essais nucléaires et proclament tout net que « cette course aux armements est une folie ». L' « incident » entre Mgr Riobé et l'amiral de Joybert offre l'occasion à Jacques Maury de poser la question de l'attitude de l'Eglise face à l'ordre établi (*Réforme*, 21 juillet). Au même moment, trois protestants — dont le pasteur Georges Richard-Molard et le député Anne-Marie Fritsch — sont à bord du « Fri » pour protester contre les essais de Mururoa. Sans nul doute, les relations Eglise/Etat sont de plus en plus détériorées par la « contestation » des protestants ; et elles ne sont pas améliorées par l'expulsion du pasteur suisse Berthier Perregaux, équipier de la Cimade, et du pasteur britannique Andrew Parker de la Mission Populaire (septembre 1973), pas plus que par la condamnation du pasteur René Cruse, en octobre, pour avoir divulgué le « statut de l'objection de conscience ». Les prises de position se succèdent concernant la construction des centrales nucléaires et la sécurité des populations (Synode national de 1975), l'installation des fusées atomiques « Pluton » au camp de Fougerais (Synode de l'Eglise luthérienne de Montbéliard, avril 1975) ou la vente par la France de deux centrales nucléaires à l'Afrique du Sud que le conseil de la F.P.F. désapprouve le 30 mai 1976 pour deux raisons : la dissémination de l'armement atomique et l'aide apportée à un régime qui repose sur la discrimination raciale. Ce dernier argument s'inscrit dans le prolongement de la session du Comité central du Conseil Œcuménique (janvier 1971) qui, dans un programme de lutte contre le racisme, avait demandé aux Eglises de France membres du C.O.E. d'intervenir auprès du président de la République pour que la France cesse toute livraison d'armes à l'Afrique du Sud. Mais la lutte contre le racisme, c'est aussi le problème des travailleurs migrants qui est pris en charge par la Cimade, service œcuménique d'entraide, dont les interventions multiples, l'audace et la compétence font aujourd'hui un des meilleurs spécialistes des questions posées par le développement.

Ethique sexuelle

Le texte sur *La sexualité, pour une réflexion chrétienne* (mars 1975) a été préparé à la demande de la F.P.F. par un groupe composé à parts égales d'hommes et de femmes — théologiens, médecins, enseignants, conseillers conjugaux — qui, à la différence d'*Eglise et Pouvoirs*, garde l'anonymat. Ce document d'une centaine de pages — dont c'est ici la huitième version — est suivie de quatre lettres dont les appréciations sont aussi diverses que leurs auteurs... Il ne cherche pas à présenter une « nouvelle éthique » et il ne représente pas une « doc-

trine ». Il s'inscrit dans cette recherche qui a commencé aux lendemains de la deuxième guerre mondiale et qui se poursuit, plus ou
moins cahotante, à travers les pesanteurs des institutions ecclésiastiques, l'imagination des mouvements et des groupes et l'ouverture
d'esprit de certains théologiens, dont Georges Crespy, professeur à
la Faculté de Montpellier. Et ce n'est pas un hasard si, dix ans
après le Synode national de 1967 qui étudiait « le mariage », celui
de 1977 — précédé par les réflexions des synodes régionaux de
l'automne 1976 — consacre ses travaux à l'« Ethique sexuelle et familiale ». Entre ces deux dates, les prises de position se succèdent :
lors de la publication des décrets d'application de la loi Neuwirth,
la commission d'éthique sexuelle et familiale de la F.P.F. « se réjouit
de la fin d'une politique d'obscurantisme et d'interdiction » (17 février
1969) ; le conseil de la F.P.F. souhaite « la libéralisation de l'avortement dans des cas limités » (26 mars 1971) et, à l'occasion du
débat sur la contraception à l'Assemblée Nationale, demande que
ces avortements soient pris en charge par la Sécurité Sociale et
qu'intervienne une libéralisation de la loi (27 mai 1973) ; enfin, il
approuve la loi sur « l'interruption volontaire de la grossesse » du
29 novembre 1974.

Les « Jeunes Femmes » qui, depuis 1969 sont devenues un mouvement d'éducation permanente totalement indépendant des Eglises,
poursuivent leur action de transformation des mentalités et des structures, ainsi que de remise en question des rôles masculin et féminin.
A l'issue du congrès de juin 1973, elles protestent contre le projet
de loi sur l'avortement qu'elles jugent « dépassé et trop restrictif »,
et « se déclarent solidaires de tous ceux qui sont déjà engagés dans
la lutte pour la généralisation de la contraception et la libération de
l'avortement ». Ainsi le texte sur *La sexualité* prend sa place dans
cette chronologie. Certes, il peut apparaître moins « progressiste » que
certaines prises de position de « Jeunes Femmes » ou de « Parole et
Société », et pour quelques-uns son idéal éthique n'est que peu différent
de celui des milieux petit-bourgeois... Pour d'autres, il apparaît comme
« audacieux » par ses remarques sur la contraception et l'avortement ;
il serait même dangereux en exprimant une certaine compréhension
pour les relations préconjugales. Dans tous les cas, il abandonne délibérément une attitude puritaine et répressive qui a été commune dans
le protestantisme français.

La « politique » et le « sexe » ne suscitent pas plus d'unanimité
parmi les protestants que parmi le reste de la nation. Il apparaît à des
observateurs extérieurs que « sur tous les grands problèmes du siècle,

les protestants pressent le pas ». Certes..., mais ils ne vont pas du
même pas, et certains refusent d'avancer ! Des « évangéliques » prennent
la défense de la vie et affirment que « la libération de l'avortement est
un encouragement à la corruption » (Fédération Evangélique de France,
juillet 1973) ; des Baptistes et des Réformés déclarent adhérer à l'association « Laissez-les-vivre » ; des pasteurs de l'E.R.F. estiment que
« l'avortement reste un meurtre » et refusent les termes de la déclaration
de la F.P.F. du 27 mai 1973. Quant à l'association « Ancre », elle accuse
les autorités ecclésiastiques de démissionner devant l'opinion publique
et elle affirme que « le pluralisme doctrinal conduit inévitablement au
désordre dans les mœurs ». D'autres rappellent qu'ils sont patriotes et
ils n'admettent pas les attaques contre la politique militaire du pays :
« Pour un Français, la Patrie est notre mère. Si vous êtes contre les
essais nucléaires, gardez-le pour vous. Ne prenez pas ouvertement le parti
de ceux qui ne sont pas Français ». L'Assemblée du Protestantisme de
Paris recueille, en novembre 1975, ces deux réactions contradictoires :
« La politisation de l'Eglise est une dangereuse erreur » (professeur
Jacques Robert) et, à l'opposé, celle du pasteur Jean Valette : « La
vocation de l'Eglise est d'appeler ses fidèles à un vrai engagement dans
la Cité qui ne peut être que politique, plus exactement qui ne peut
pas faire l'économie de la politique. La volonté des pouvoirs de refuser
ce droit à l'Eglise me paraît strictement une volonté de lier l'Evangile ».

8

Traumatismes politiques et vitalité spirituelle des protestants alsaciens (XIXᵉ-XXᵉ siècles)

Libéralisme et vitalité diaconale, 1800-1870

La réorganisation ecclésiastique sous Bonaparte

En 1801, la volonté de Bonaparte de reconnaître les Eglises crée une grande effervescence des esprits ; en fait, seuls quelques notables colmariens et strasbourgeois présidés par le célèbre juriste Koch dressent un plan d'organisation libéral, autorisant chaque paroisse à choisir son pasteur et ses conseillers. Mais c'est l'élaboration finale, hâtive et limitée à quelques personnalités parisiennes, dont le député colmarien protestant Metzger, qui aboutit aux Articles Organiques promulgués en 1802. Ils créent une structure à trois étages : les 27 Eglises consistoriales, les 6 inspections, enfin un Consistoire général de dix membres coiffé par un Directoire de cinq membres dont trois sont nommés par le gouvernement. Le président est toujours un laïc, et le siège est fixé à Strasbourg. Ceci contredit deux principes protestants : la paroisse est remplacée par une Eglise consistoriale de 6 000 âmes (nous avons vu pourquoi), et le recrutement des membres du consistoire est limité aux notables, c'est-à-dire aux plus forts imposés. Par contre, les paroisses réformées forment une organisation à part, qui regroupe les cinq consistoires autonomes de Strasbourg, Bischwiller, Sainte-Marie-aux-Mines, Mulhouse et Metz.

Malgré ses défectuosités, la loi est bien accueillie, et la nomination du juge Kern, beau-frère de Koch, connu pour ses vues larges, comme président du Directoire, favorise le ralliement même du pays de Hanau, traditionaliste. Cependant la mise en place des consistoires suscite peu d'enthousiasme : la création factice des nouvelles unités administratives rompt les habitudes séculaires. Le Bas-Rhin compte 23 consistoires regroupés en cinq inspections, et le Haut-Rhin quatre qui constituent l'inspection de Colmar, alors que le pays de Montbéliard forme une inspection autonome.

La réorganisation a en particulier le mérite d'assainir la situation matérielle, devenue précaire, du corps pastoral. Elle favorise aussi une cohésion et une solidarité qui marqueront profondément les luthériens jusque là trop enclins à restreindre leur horizon à leur seul clocher : ils pourront créer des œuvres communes d'instruction, de propagande, de mission et de charité. Mais la concentration de l'autorité ecclésiastique, aux mains d'un Directoire dépendant du pouvoir politique, déplaît ; ses directives, financières en particulier, sont parfois mal reçues. D'où des tensions qui persisteront jusqu'en 1852.

Fidélité politique à l'Etat français.

En dépit de la reconnaissance des Articles Organiques, la Restauration suscite des inquiétudes allant jusqu'à la consternation. Le Jubilé de la Réforme, fêté en 1817 avec éclat, malgré l'interdiction des solennités extérieures, renforce la cohésion des protestants face à la propagande catholique. Phénomène nouveau, ils apparaissent solidaires de leurs coreligionnaires de « l'intérieur ». Une tension des esprits, attisée par les rumeurs et l'excitation de quelques catholiques, les amène à saluer avec enthousiasme la chute des Bourbons.

La Monarchie de Juillet obtient le ralliement de la grande bourgeoisie protestante, que le système censitaire favorise, et qui exprime sa conception libérale dans un journal de qualité, fort apprécié jusqu'en 1870, le *Courrier du Bas-Rhin*. Les protestants saluent avec enthousiasme la loi Guizot de 1833, qui transforme les écoles paroissiales, entretenues jusqu'ici par des fonds d'Eglise, en écoles communales, dont l'enseignement religieux reste surveillé par les ecclésiastiques. En 1845, l'Etat fonde et prend en charge une Ecole Normale destinée à former les institutrices protestantes pour le Bas-Rhin. Malgré tout, les esprits libéraux se détournent progressivement d'un régime immobiliste, et jugé vers la fin trop favorable aux catholiques par rapport à la situation réelle. Les démêlés confessionnels, avivés par des incidents dans les églises mixtes, suscitent une guerre de libelles. Mais, face au monolithisme catholique, les élites protestantes sont divisées, à la fois sur les plans politique et religieux, entre un noyau assez compact de familles de la haute bourgeoisie plus conservatrice et la moyenne bourgeoisie plus libérale.

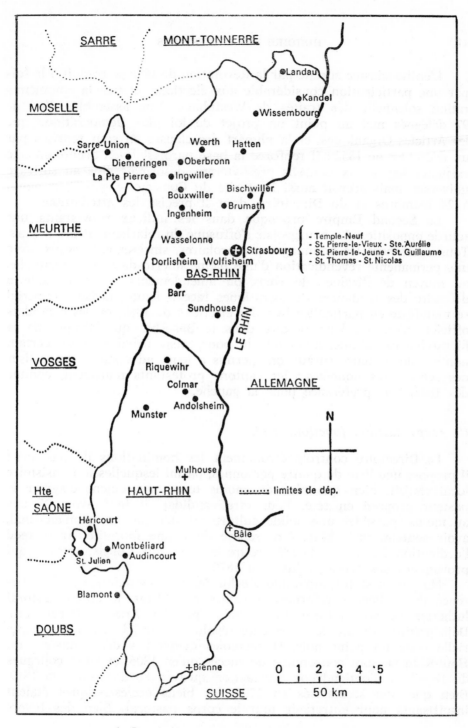

SARRE

MONT-TONNERRE

● Landau

● Kandel

MOSELLE

● Wissembourg

Sarre-Union ●

● Wœrth

Hatten

Diemeringen ●

● Oberbronn

La Pte Pierre ●

● Ingwiller

Bouxwiller ●

Bischwiller ●

● Brumath

Ingenheim ●

MEURTHE

Wasselonne ●

✚ Strasbourg

- Temple-Neuf
- St. Pierre-le-Vieux - Ste. Aurélie
- St. Pierre-le-Jeune - St. Guillaume
- St. Thomas - St. Nicolas

Dorlisheim ● Wolfisheim ●

BAS-RHIN

Barr ●

Sundhouse ●

LE RHIN

VOSGES

Riquewihr ●

Colmar ●

ALLEMAGNE

Andolsheim ●

Munster ●

N

Mulhouse
✚

.... limites de dép.

Hte
SAÔNE

HAUT-RHIN

Héricourt ●

✚ Bâle

● Montbéliard

St. Julien ● Audincourt

Blamont ●

DOUBS

0 1 2 3 4 5

✚ Bienne

50 km

SUISSE

6. LES ÉGLISES CONSISTORIALES D'ALSACE EN 1810.

L'enthousiasme suscité par la Révolution de 1848 se traduit à la fois par une participation considérable aux élections, et par la commémoration solennelle des traités de Westphalie. Une assemblée élue de 97 délégués met au point un projet de loi plus démocratique que les Articles Organiques, et la plupart des clauses en sont reprises par un décret-loi de 1852 : il renforce la base paroissiale en accordant une existence légale aux Conseils presbytéraux désormais élus au suffrage universel, mais accroît aussi l'autorité du Consistoire supérieur élargi à 24 membres et du Directoire, dont il précise les attributions.

Le Second Empire provoque dans les milieux protestants une sourde opposition. La bourgeoisie s'offusque du relâchement des mœurs. Tous combinent les hommages protocolaires, sincèrement loyaux, avec une permanente revendication d'une pleine liberté de la vie spirituelle, au moyen de dizaines de vœux ou amendements. Cette ténacité à défendre des tendances démocratiques face à l'autoritarisme impérial se manifeste en particulier lors des élections de 1869, où les candidats officiels n'ont dû leur victoire dans le Bas-Rhin qu'à l'appui de la hiérarchie catholique, alors que la bourgeoisie urbaine et un certain nombre de pasteurs ruraux ont permis à leurs adversaires de réaliser des scores très honnêtes : les cantons protestants marquent, comme dès 1848, leur préférence pour la gauche.

Un corps pastoral fonctionnarisé.

Le Directoire contrôle étroitement les nominations de pasteurs : il propose une liste de quatre personnes, parmi lesquelles le Consistoire local choisit, bien que plus ou moins tenu moralement d'agréer le pasteur proposé en tête. Pour être candidat, il faut avoir 25 ans au moins, posséder une solide culture attestée par un examen final, avoir soutenu une thèse, être réputé de bonne moralité, avoir reçu l'ordination. Le décret de 1852 retire le choix aux Consistoires, ce qui provoquera des tensions jusqu'en 1870.

Malgré un statut apparenté à celui des fonctionnaires, et à la différence des collègues réformés rétribués par l'Etat, le corps pastoral luthérien se voit refuser tout salaire par les Articles Organiques. Déjà précaire durant la tourmente révolutionnaire, la condition matérielle reste un point noir. De pénibles démarches des ministres du Haut-Rhin ne sont couronnées de succès qu'en 1806, et leurs collègues du Bas-Rhin n'obtiendront satisfaction qu'avec l'ordonnance de 1819. Bien que non sécularisés en 1791, les biens ecclésiastiques étaient insuffisants pour entretenir tout le corps pastoral. Bien des foyers pastoraux connaissent une situation matérielle dramatique, qui empire à mesure que les contributions volontaires suivent une courbe descendante.

Ces incertitudes financières ont entraîné un tarissement des vocations pastorales durant quelque vingt ans, et provoqué de sérieuses inquiétudes à l'époque de la Restauration, car le recrutement change sur le plan social : aux fils de la bourgeoisie artisanale urbaine succèdent des « fils de famille pauvres ou très médiocrement fortunés ». De plus, le nouveau tracé de la frontière en 1814, coupant l'Alsace des Eglises de rive gauche, provoque durant plusieurs années une pénurie de théologiens qualifiés. Vers 1830 pourtant un meilleur équilibre semble s'instaurer entre milieux bourgeois urbains et la campagne, dont sort désormais une proportion appréciable de théologiens, ce qui confirme la vitalité du protestantisme rural, qui a maintenant un meilleur accès à la culture classique des lycées. Sur 284 candidats ayant passé par le Séminaire de 1827 à 1851, on compte trois fils de médecins, cinq de notaires, sept de fonctionnaires supérieurs, dix de propriétaires, 38 de fabricants ou négociants, cinq de professeurs, 85 de pasteurs, 13 d'instituteurs et 118 d'agriculteurs.

La Faculté de Théologie n'est définitivement organisée qu'en 1819, bien qu'une Académie ait remplacé dès 1803 l'ancienne Université. Privée de tout contact extérieur, elle débute médiocrement. Après 1830, le niveau s'améliore, grâce à une nouvelle génération dominée par Bruch, Reuss, Schmidt et Baum, mais qui a le tort de négliger la pastorale. Les étudiants semblent avoir donné satisfaction, et leur nombre dépasse celui des vacances de postes, de sorte que beaucoup doivent accepter provisoirement un poste de précepteur ou d'instituteur, avant d'occuper un modeste presbytère rural. Malgré la médiocrité des traitements, l'assistance à la Faculté croît lentement jusqu'à un maximum vers 1870, en raison du prestige conquis par la science théologique strasbourgeoise. La considération sociale attachée à la fonction demeure intacte. Le pasteur se distingue du commun par sa tenue sévère, la dignité de sa personne, et même par un idiome professionnel solennel et un peu vieillot, le *pfarrerdeitsch*, différent du dialecte des gens du peuple. Malgré ses soucis matériels, il n'est pas dénué de spiritualité.

Leur originalité sociale incite les pasteurs à constituer en 1834 une rencontre annuelle, la Conférence pastorale. Bien qu'officieuse, elle a joué depuis plus d'un siècle un rôle considérable par ses vœux et ses avertissements. Faisant office de recyclage pour informer le corps pastoral des nouveaux courants théologiques ou philosophiques, elle

acquit une autorité morale qui lui permit de rassembler tous les
courants spirituels, sauf les luthériens intransigeants. Elle a publié
deux recueils de cantiques, deux catéchismes, un livre de chorals et
un de prières, qui ont contribué à unifier liturgie et catéchisme.
Réunissant une bonne centaine de participants, elle a traité de sujets
très variés.

Diversité de la spiritualité protestante

Entre 1800 et 1870, la spiritualité protestante alsacienne s'est distinguée tant de l'Allemagne que des réformés français. L'ère révolutionnaire a précipité l'évolution vers un rationalisme propre, dont le règne
a duré plus longtemps qu'ailleurs, sous l'influence de Blessig et de
Haffner. Le premier, professeur de théologie, pasteur, membre du
Directoire et remarquable prédicateur, a su unir l'idéologie rationaliste
et une piété ferme et sereine. Partisan d'une religion révélée dans le
sens le plus strict, il a été un organisateur infatigable d'activités
charitables ; son influence en a fait un « véritable dictateur moral de
l'Eglise luthérienne ». Son successeur Haffner, penseur peu original,
surtout remarquable enseignant, diffuse sous la Restauration un rationalisme moralisant assez dépourvu de chaleur spirituelle. Ce rationalisme tend vers une piété un peu anémiée, qui ne va pas sans
utilitarisme : même aux grandes fêtes, on prêche des bienfaits de
la vaccination ou de la culture de la pomme de terre ! La diffusion de
cet état d'esprit est assurée par un catéchisme de grande qualité,
plus orienté vers l'exaltation des valeurs morales que vers une présentation approfondie des dogmes luthériens, et par un recueil de
cantiques dont l'indigence a d'ailleurs été de plus en plus ressentie.
Les « livres d'amitié » de la jeunesse d'alors contiennent surtout des
recommandations rimées de pratiquer la vertu, fidèle alliée du bonheur,
et les sentences bibliques n'interrompent que rarement leur monotonie.

Cependant le ministère pastoral est réalisé dans toute sa plénitude
par Oberlin, dont les nombreux enfants, tous pasteurs ou femmes de
pasteurs, perpétueront l'apostolat. De nombreux visiteurs viennent aussi
« oberliner » à Waldersbach ; les jeunes filles envoyées au Ban-de-la-
Roche pour y apprendre le français transmettent sa piété à leurs
familles. La famille Legrand y transfère des ateliers de tissage pour
améliorer les conditions d'existence des ouvriers, et cela dans l'intérêt
même de leur vie spirituelle. Ce centre de vie chrétienne suscitera
pendant tout le XIXᵉ siècle des personnalités d'envergure, qui animeront
le monde protestant alsacien et français. En sa longue existence, Oberlin

incarne bien des aspects du protestantisme ; en 1817, il organise la lutte contre la disette. Par la place centrale donnée à la Bible et à la conscience, il est un homme du Réveil.

Le piétisme contribue aussi à la naissance de celui-ci. Le Réveil, né après 1815 dans les Eglises réformées de Suisse romande et de France, est diffusé en Alsace vers 1820 par le missionnaire Ami Bost, qui cependant rencontre l'hostilité du Directoire et se fait expulser. Malgré tout, des groupes piétistes se constituent en bien des lieux, à Mulhouse, Guebwiller (parmi les ouvriers de fabrique), Bischwiller et Strasbourg. Une certaine différenciation de la piété se manifeste dans l'Eglise des notables : « les groupes populaires subissent l'influence d'inspirés ou de Moraves ; d'autres, bourgeois, ouverts à l'humanitarisme, se retrouvent dans les loges maçonniques » (Leuillot) — ce qui est le cas de presque tous les manufacturiers et négociants de Mulhouse. Ce n'est qu'après 1830 que la prédominance du rationalisme va être contestée par le réveil piétiste et le luthéranisme orthodoxe : jusqu'à la fin du siècle, les Eglises protestantes sont déchirées par la lutte entre ces trois courants, qui ont tous des attaches à l'extérieur : Réveil de l'Eglise réformée de France, orthodoxie allemande, contacts aussi bien à Paris qu'à Heidelberg pour le libéralisme.

Le Réveil piétiste est l'œuvre de Franz Haerter, pasteur au Temple-Neuf, qui à partir de 1831 en devient l'âme pour plus de quarante ans grâce à une prédication simple et profondément convaincue. En 1834, il fonde la Société évangélique, dont le succès croissant est dû à la vigueur spirituelle des réunions de prières qui groupent plusieurs centaines de personnes. Evitant de justesse le séparatisme, la Société, qu'animent de fortes personnalités comme le professeur Cuvier, ou Boegner qui enseigne au gymnase, travaille toujours moins directement au service des Eglises organisées que des œuvres. Elle anime une foule d'entreprises charitables, publie des traités édifiants, organise une bibliothèque de prêt et le colportage à la campagne. A Rothau, deux industriels, Steinheil et Dieterlen, constituent un véritable cercle pionnier du christianisme social, que le gendre du premier, Tommy Fallot, va diffuser dans toute la France. Mais de petites communautés d'esprit piétiste se créent aussi en nombre de lieux, où elles subsisteront jusqu'à nos jours en marge des Eglises officielles.

D'autres pasteurs se préoccupent surtout de fidélité doctrinale. La lecture des œuvres de Luther est une vraie révélation pour Frédéric Horning, qui rompt avec les piétistes auxquels il reproche leur mièvrerie. Devenu pasteur de Saint-Pierre-le-Jeune en 1846, il lutte pour rétablir le luthéranisme de majesté à l'image de son modèle Marbach. Minoritaire, il s'oppose à la fois à la Société évangélique et à la Conférence pastorale. Grâce à la précision de son programme et au dynamisme spirituel de sa personnalité, il crée un parti actif qui draîne chaque année un grand nombre de ruraux à la Fête des Missions de Rothbach, qui exerce une influence considérable sur la spiritualité du pays de Hanau. Celle de 1851 réunit un millier de personnes accourues de trente localités. Des scissions durables se produisent dans nombre de paroisses. En dépit de ses outrances verbales, Horning a eu le mérite d'avoir le premier rappelé la richesse hymnologique du luthéranisme, d'avoir revigoré spirituellement une Eglise appauvrie en la remettant en contact avec l'âme de Luther, et d'avoir « pressenti que l'individualisme protestant avait besoin de redécouvrir la « maternité » de l'Eglise » (Strohl).

Ainsi battu en brèche, le vieux courant rationaliste se renouvelle pour devenir le libéralisme, sous l'influence de Bruch — doyen pendant 38 ans, dignitaire solennel et respecté — et de l'historien Baum, dont le nom est repris par l'association des pasteurs libéraux, le « Baumkränzel ». Leur prédication gagne en profondeur grâce à des hommes de haute spiritualité comme Riff, auteur d'une foule de brochures populaires qui associent la tradition libérale à une piété biblique authentique. Ce courant est à l'origine du renouveau théologique qu'assument en particulier des historiens de l'Eglise créateurs de l'Ecole de Strasbourg, et surtout Reuss, personnage le plus marquant du protestantisme alsacien au XIXᵉ siècle, à la fois lucide et dynamique. Plusieurs remaniements dans le corps enseignant vont donner un lustre inégalé à la Faculté devenue un bastion du libéralisme théologique.

Vie paroissiale et vitalité diaconale

Le comportement religieux des protestants dépend pour une large part de la personnalité, des talents oratoires, de la profondeur des convictions du pasteur ; les laïcs pieux le jugent plus d'après sa dignité extérieure que selon ses idées théologiques. Après 1795 le rétablissement des cérémonies paraît avoir provoqué un regain de zèle religieux ; à Strasbourg au moins, le dimanche, matin et après-midi, les églises sont pleines de fidèles, alors même qu'ont disparu les anciennes ordonnances qui faisaient de la fréquentation du culte une obligation. Le modèle proposé par les prédications rationalistes consiste en une piété peu dévote, dégagée de toute contrainte dogmatique, qui préconise une confiance à la fois ingénue et révérencieuse en la Providence.

L'érosion de la pratique affecte d'abord les réformés mulhousiens. « Les protestants, note le sous-préfet d'Altkirch, sont livrés entièrement aux spéculations commerciales et aux travaux des fabriques, le zèle religieux les tourmente peu. » Ce détachement semble atteindre également les luthériens au cours du siècle. Une enquête ordonnée vers 1850 par le ministre des Cultes révèle que le pourcentage des présents au culte ne dépasse 50 % dans aucun consistoire. La cause principale de cette sécularisation est, comme le remarque fort justement un pasteur en 1851, « l'instruction défectueuse que la génération actuellement mûre a reçue dans sa jeunesse, et en particulier le boursouflage du rationalisme qui, partout, a fait tant de mal à l'Eglise protestante ». Le moralisme et la fadeur théologique expliquent aussi le succès des partisans de Horning dans bon nombre de paroisses.

Au moins sous la Restauration, l'état matériel des temples, parfois trop petits, ou exigeant des réparations urgentes, pose de sérieux problèmes. Or les subventions gouvernementales sont insuffisantes, et les paroissiens rechignent à supporter de gros sacrifices. Les réformés obtiennent quelques secours de Suisse (1 800 francs en 1819) ou de Hollande (2 000 francs en 1828).

La cohésion protestante se manifeste dans les villages mixtes, où le *simultaneum* provoque de nombreux incidents jusqu'au milieu du siècle, notamment dans l'arrondissement de Wissembourg. Cependant parfois, surtout dans les villes (au moins en paroles), la tolérance des habitants contraste avec le fanatisme des curés.

La piété des fidèles se nourrit de la lecture biblique, qui connaît une nouvelle impulsion grâce à la fondation de la Société biblique, qui fait distribuer 10 000 Bibles dans les paroisses en 1819 et en 1828. La médiocrité du recueil des cantiques de 1808, trop rationaliste, incite la Conférence pastorale à composer un nouveau recueil plus vigoureux, qui est introduit dans la majorité des paroisses en 1851 ; Horning en publie un autre en 1863, qui remet à jour les trésors hymnologiques des XVIe et XVIIe siècles, et qui devient le livre de piété de tous les luthériens orthodoxes.

En dépit de toutes leurs divergences doctrinales, tous les courants se retrouvent autour de l'idée diaconale. La période 1815-1870 se caractérise par le dynamisme et la qualité des œuvres et institutions protestantes en Alsace. Oberlin est l'initiateur de la diffusion des Bibles ; en 1804 il se met en rapport avec la Société Biblique de Londres. Mais c'est surtout après 1815 que la Bible connaît, même chez les rationalistes comme Haffner, un renouveau incontestable, incitant en 1815 à la création d'une Société Biblique à Strasbourg, présidée par

Blessig. Elle entretient des liaisons avec des sociétés analogues à Paris, Bâle et Londres, et met en place un réseau dense de filiales à travers l'Alsace, parvenant même à pénétrer dans les milieux ouvriers comme les tisserands de Ribeauvillé. Jusqu'en 1870 la section de Strasbourg a diffusé près de 100 000 Bibles et celle de Colmar environ 40 000.

La Mission fut également un thème privilégié d'Oberlin, qui engageait ses paroissiens à y consacrer une part fixe de leurs ressources. Après 1815, les Eglises du Ban-de-la-Roche nouent des relations étroites avec les Sociétés des Missions de Bâle et de Paris. Le pasteur Krafft crée à Strasbourg un comité qui recrute pour les deux sociétés. Pour éviter la dispersion des efforts, la Conférence pastorale met au point une Société ecclésiastique des Missions chargée de procurer des ressources financières et de former des missionnaires. Les comités paroissiaux se multiplient rapidement. Après une période prospère jusqu'en 1848, la division intérieure du protestantisme alsacien paralyse son essor pendant plus de deux décennies. Néanmoins, au cours des XIXe et XXe siècles, bon nombre d'Alsaciens s'enrôlent parmi les envoyés des Missions de Bâle et de Paris, tandis que les luthériens orthodoxes s'intéressent aux Sociétés de Leipzig et de Hermannsburg.

Si les Missions sont plutôt dues à des cercles piétistes, les rationalistes ont créé de préférence des œuvres d'ordre social et philanthropique comme les bibliothèques paroissiales ou populaires, la Société des pauvres honteux, l'Orphelinat du Neuhof, à quoi il faut ajouter un grand effort pédagogique, surtout en faveur de l'enseignement mutuel. En 1842, l'animateur des groupes piétistes Haerter fonde la Maison des Diaconesses : le nombre de celles-ci passe de cinq à cent en dix ans, pour atteindre son maximum en 1916 (250 sœurs). Cette création, la troisième en Europe, permet à des jeunes filles de jouer un rôle actif auprès des vieillards, des malades et des jeunes. En dépit de la réserve du Directoire, la ruche essaime rapidement. De nombreuses paroisses sollicitent des sœurs pour les œuvres sociales ou les hôpitaux. Quelques sœurs travaillent même en Suisse. Partout elles exercent une action religieuse par leur dévouement et leur sérénité rayonnante.

Face aux mutations économiques et au problème linguistique.

Dans la révolution agricole qui atteint l'Alsace entre 1780 et 1830, les villages protestants ont joué un rôle pionnier. Ainsi dans le Kochersberg on peut opposer une structure plus égalitaire avec un nombre assez important de grosses fermes, face aux villages catholiques plus

XXIX. QUATRE PASTEURS ET LAICS MORTS DANS LA RESISTANCE

n haut à gauche, le pasteur Yann Roullet, né le 13 février 1915, mort le 2 septembre 1944 au truthof (Photo Fachetti, Paris, frontispice à l'ouvrage de Yann Roullet, *Lettres*, Delachaux et iestlé, 1947). A droite, le pasteur Marcel Heuzé, né le 16 décembre 1897, mort le 26 avril 1945 à Ravensbrück (Photo d'amateur)

n bas à gauche, le professeur Jacques Monod, né le 18 août 1903, mort le 20 juin 1944 dans un aquis du Cantal (Photo prise par le Tchèque Hœnig). A droite, le professeur Jean Cavaillès, né en 1903, fusillé à Arras en février 1944 (Photo d'amateur).

XXX. QUATRE THEOLOGIENS

En haut, Suzanne de Diétrich, née en 1891, et Pierre Maury, 1890-1956, (Photos B.I.P.)
En bas à gauche, Jean Bosc, 1910-1969 (Photo *Réforme*) et à droite, Henry Bruston, 1904-1975
(Photo d'amateur)

contrastés. Leur réussite s'explique par l'achat de terres lors de la Révolution, l'adoption de techniques nouvelles, l'apparition d'importantes dynasties. Mais cette politique est après 1830 en partie responsable du surpeuplement et de l'émigration.

Les mutations industrielles se limitent avant 1870 à la Haute-Alsace, en fait au patriciat calviniste qui transforme Mulhouse en pôle de développement du département. Il fait apparaître un nouveau type de bourgeois, « laborieux et austère... pratiquant l'ascèse du travail ». La vitalité de la tradition familiale s'allie à la sensibilité aux devoirs sociaux. L'œuvre sociale se traduit par l'introduction des méthodes pédagogiques plus modernes de Pestalozzi qu'a connues une génération d'industriels élevés en Suisse, et par les œuvres sociales du Réveil dans la bourgeoisie, désireuse de moraliser et d'éduquer la classe ouvrière. A partir de 1825 se multiplient les œuvres dues à quelques personnalités qui ont eu à vaincre l'indifférence de la Société industrielle de Mulhouse, expression de la « fabricantocratie ». Les réalisations, destinées à combattre l'immoralité et l'imprévoyance, consistent dans la création de caisses de secours mutuels en cas de maladie, de caisses de retraite, d'une maison de vieillesse, et la construction d'une cité ouvrière de plus de mille maisons. Mais, si généreux et sincères que furent ces efforts, ils n'ont pas empêché de mêler l'âpreté du producteur à la bonne volonté paternaliste et puritaine. Le travail nocturne et celui des enfants à partir de dix ans demeurent largement utilisés. Seule une élite ouvrière bénéficie de ces œuvres. Par contre les problèmes sociaux ont attiré les diaconesses, pour lesquelles Mulhouse devient un champ d'activité d'élection, grâce au service à l'hôpital et à la direction des dispensaires installés dans tous les quartiers. Les ouvriers se détachent peu à peu de l'Eglise dans l'ensemble du Haut-Rhin, les plus indigents manquant même de vêtements convenables pour se rendre au culte.

Enfin les progrès de l'unité nationale posent le problème linguistique. Les luthériens sont en effet des défenseurs de la langue allemande, langue de prédication, et surtout langue des cantiques et des livres d'édification. De plus la connaissance de la littérature théologique germanique, en raison de sa vitalité, demeure indispensable au corps pastoral. L'enseignement du français progresse tant au gymnase protestant qu'à la Faculté, favorisé par les divers régimes, tous soucieux d'intégration, mais les nécessités pastorales incitent le Directoire et la Faculté à maintenir une partie de l'enseignement en allemand. Le bilinguisme constitue ainsi une source de richesse qui explique pour une bonne part le renom scientifique de l'école théologique de

Strasbourg. Sous le Second Empire toutefois la réduction de l'enseignement de l'allemand à la portion congrue et la tendance de la jeunesse à se tourner exclusivement vers les lettres françaises commencent à poser un problème sérieux.

Les protestants alsaciens, en dépit de la division en trois partis à tous les niveaux : corps pastoral, œuvres caritatives, assemblées consistoriales et presbytérales que domine l'empreinte bourgeoise, conservent une vitalité et une conscience confessionnelle incontestables, même si la pratique religieuse a nettement reculé. La masse du peuple conserve avec le dialecte une « part considérable de la culture spirituelle allemande traditionnelle », mais quelque peu archaïque. Les élites par contre possèdent une culture mixte qui associe une culture française à une mentalité germanique.

Le poids des traumatismes politiques, 1870-1945

Très forte encore en 1870, la vitalité protestante sera profondément affectée par les quatre changements de nationalité qui se produiront en 75 ans. Il s'ensuivra une certaine passivité politique, qui pourra faire dire que « l'Alsacien est lâche » ! (Hoffet). Mais le clivage confessionnel se maintient sur le plan politique : alors que les catholiques se regroupent en général sous un parti confessionnel centriste, les protestants, unis seulement par leur volonté de ne pas rallier le parti catholique, dispersent leurs voix selon leur situation socio-économique.

Sous l'annexion allemande, 1871-1918

Douloureusement déchirés par l'annexion, et bien que sceptiques à l'égard d'un hypothétique libéralisme allemand, beaucoup de protestants hésitent à opter pour une France cléricale en voie de retourner à la monarchie. Pour eux les impératifs religieux et politiques priment les considérations nationales. Les 125 000 départs (8,5 % de la population) se répartissent également entre jeunes de 17 à 20 ans (qui refusent le service militaire allemand), notables et cadres souvent francisés (dont la plupart des professeurs de la Faculté de Théologie), artisans et ouvriers ; mais très peu d'agriculteurs s'en vont. Ils affectent avant tout les catholiques, même à Bischwiller dominé par les réformés plus tournés vers la France (12 % des réformés contre 19 % des catholiques). Ils provoquent néanmoins une hémorragie du corps social protestant, notamment à Mulhouse, à Wissembourg (39 des 40 familles dirigeantes), au Ban-de-la-Roche. L'Alsace a enrichi la France de sa substance, à tous égards.

La rupture avec la France coupe de Strasbourg l'inspection luthérienne de Montbéliard, restée très vivante, qui forme avec celle de Paris l'Eglise évangélique luthérienne de France. Elle comprend alors 37 paroisses, 56 annexes et 40 pasteurs. L'afflux d'une main-d'œuvre catholique attirée par le dynamisme du patronat protestant va cependant menacer le pays de submersion. De leur côté les réformés d'Alsace s'unissent en 1895 dans l'Eglise réformée d'Alsace et de Lorraine (E.R.A.L.), reconnue officiellement en 1905, et qui fait désormais pendant à l'Eglise de la Confession d'Augsbourg d'Alsace et de Lorraine (E.C.A.A.L.).

Grâce à l'immigration allemande (surtout des fonctionnaires, magistrats, enseignants et militaires), le nombre des protestants passe entre 1870 et 1910 de 237 000 à 300 000. Admis au compte-gouttes dans l'administration et l'enseignement supérieur, les Alsaciens conservent le contrôle des industries textiles et du commerce, les carrières libérales, et demeurent nombreux dans l'enseignement primaire et secondaire. Mais, compte tenu des immigrés, près de la moitié des fonctionnaires de l'Etat ou des communes sont protestants. La solidarité religieuse et linguistique avec le vigoureux luthéranisme allemand favorise une reconnaissance progressive du nouveau statut politique. Sauf les ouvriers, qui votent en faveur des socialistes (en partie par réflexe anti-allemand), les protestants ruraux, une partie de la bourgeoisie et les immigrés portent leurs voix jusqu'en 1914 aux libéraux et démocrates. De nombreux libéraux sont influencés par Naumann, pasteur saxon, et son parti à tendances sociales, qui constitue un vrai « pont entre les immigrés et le protestantisme alsacien ». Cependant, face au puissant parti catholique, la majorité des protestants n'a jamais éprouvé le besoin de se regrouper de même, d'où une faiblesse relative dans l'organisation scolaire, l'action culturelle, la presse, et l'influence sur l'opinion.

Le contexte politique favorise les protestants sur le plan local. Le taux d'augmentation des exploitations agricoles est trois fois plus grand chez les protestants que chez les catholiques entre 1870 et 1907. L'aisance protestante est liée au plus grand soin apporté aux gens et aux choses, au souci de modernisation et de rendement. La société protestante villageoise, plus égalitaire, aux familles peu nombreuses, constitue un type bien individualisé. La prépondérance de quelques coqs de village y est tempérée par la majorité des petits exploitants associés au pouvoir, alors que, dans les communes catholiques, le curé exerce un véritable pouvoir occulte. Dans les communes mixtes, l'élément catholique, moins fortuné, se trouve souvent relégué dans des emplois subalternes — ce qui s'explique en partie par la faiblesse de son instruction. En 1913, à l'Université de Strasbourg, les étudiants protestants sont, relativement à la population totale, plus nombreux (895 sur 2 000).

Sur le plan ecclésiastique, les Alsaciens ont conservé les responsabilités ; les immigrés ne tiennent ni à siéger dans les Conseils presbytéraux ni à participer à la gestion des œuvres. Ils n'apprécient guère le rationalisme alsacien et sa piété affadie, tandis que les luthériens confessants se méfient de coreligionnaires souvent issus d'Eglises unies (luthériens et calvinistes).

Malgré l'atténuation de leurs divergences, les trois partis religieux subsistent, sans grande envergure. Le parti libéral, le plus nombreux, dirigé par Gérold, pasteur à Saint-Nicolas, avec l'appui du « Baumkränzel » et du bon journal *Kirchenbote*, vit un certain approfondissement spirituel ; mais sa prédication se réduit trop souvent à une rhétorique et à une pédagogie morale. Les paroisses libérales s'intéressent également aux œuvres charitables des milieux piétistes, ce qui favorise une meilleure entente dans le corps pastoral, comme à Colmar et Mulhouse. Le piétisme devient moins austère, sous l'impulsion de pasteurs distingués qui publient le *Sonntagsblatt* très répandu. Le parti confessionnel, animé par le fils de Horning, gagne de nouveaux adhérents soucieux de précision doctrinale et de discipline. Vers 1910 apparaissent les premières feuilles paroissiales, qui contribuent à une réelle cohésion. Les relations entre luthériens et réformés deviennent plus fraternelles, et plusieurs pasteurs, qui ont suivi les mêmes cours à la Faculté, passent d'une Eglise à l'autre. Cet assoupissement des tensions internes a pour rançon un fléchissement des vocations pastorales, même au sein de pépinières de théologiens comme Bischwiller et le pays de Hanau : de 1888 à 1908, le nombre d'étudiants de théologie diminue de moitié.

Par contre la ferveur chrétienne subsiste sur le plan diaconal. A Strasbourg est fondée (1871) l'Ecole supérieure de jeunes filles, qui prendra plus tard le nom de sa première directrice, Lucie Berger ; elle compte 500 élèves en 1892, et dispensera jusqu'à nos jours un enseignement de qualité. Grâce au soutien des amis de la Maison des Diaconesses, celle-ci peut agrandir ses stations extérieures et construire des hôpitaux à Mulhouse, Brumath, Ribeauvillé, Guebwiller et Munster. Fondée à Ingwiller en 1877, la Maison du Neuenberg devient l'hôpital principal et la maison de retraite pour le pays de Hanau. La Société évangélique se consacre après 1881 à la Mission intérieure en installant des salles dans les quartiers populeux et les faubourgs, ce qui maintient la foi protestante chez les anciens villageois établis à la périphérie de la ville. En 1894 commence la série des grandes constructions : Cercle évangélique, Hôtel de la Croix-Bleue, Librairie évangélique, Colonie de vacances de Salm dans les Vosges. Le Consistoire de Bischwiller crée l'asile du Sonnenhof pour faibles d'esprit. Une Maison d'Illzach aide à l'insertion des aveugles dans la vie sociale, une autre de celle des sourds-muets. Les Unions chrétiennes de jeunes gens et de jeunes filles essaiment dans de multiples paroisses, et se rencontrent dans des foyers. Dans la banlieue de Strasbourg, l'inspecteur Metzger transforme le faubourg de Neudorf, très peuplé et plutôt indifférent, en une paroisse solide et dynamique, grâce aux fêtes paroissiales mensuelles. En Moselle, le développement industriel, qui attire des ouvriers alsaciens et allemands, incite la Société d'évangélisation à fusionner avec les sections mosellanes du « Gustav-Adolf-Verein ». Les groupes les plus nombreux peuvent se construire églises et presbytères. De 1870 à 1910, le nombre des protestants passe de 13 000 à 74 000. Mais les éléments allemands et luthériens l'emportent, non seulement dans le bassin houiller rattaché au Consistoire de Sarreguemines, mais également dans les nouvelles paroisses de la vallée mosellane et du Sud dépendant du Consistoire réformé de Metz.

L'essor de la musique religieuse est prodigieux. Certains chœurs d'églises la pratiquaient depuis longtemps. En 1884, Ernest Munch, organiste de Saint-Guillaume, crée le célèbre chœur, qui donne des auditions des Cantates et des Passions de Bach à un public croissant, et se maintiendra jusqu'à nos jours. Organistes et dirigeants de nouvelles chorales viennent chercher une inspiration dans ce haut-lieu, doublé de cours de perfectionnement, ce qui favorise le développement de la musique religieuse (et pas seulement de Bach) dans toute l'Alsace. Le renouveau se manifeste également dans le chant liturgique, qu'une enquête de 1887 dépeignait comme monotone, assoupissant dans les villes, bruyant à la campagne. Une réforme hymnologique est entreprise sous l'impulsion des paroisses luthériennes confessantes, du corps des instituteurs, et de l'hymnologue Spitta qui publie en 1899 un bon recueil de cantiques. Les chorales se multiplient. Des poètes protestants mettent leurs dons au service de l'Eglise.

En 1914, lumières et ombres alternent certes. Le corps pastoral vieillit, la classe ouvrière a quitté l'Eglise, de plus en plus limitée aux bourgeois et aux paysans. Les protestants des villes professent en général un « sentiment de piété » envers la France, mais les ruraux sont attirés progressivement dans l'orbite allemande par la majorité du corps pastoral formé à l'Université allemande de Strasbourg, que confirme souvent un séjour dans une autre Université allemande. Très attachés à l'autonomie et à la personnalité alsacienne, la majorité des Alsaciens protestants ne conçoivent l'avenir que dans le cadre allemand. Après 1914, le nationalisme antifrançais des journaux est sans doute influencé par la censure militaire et l'exacerbation des passions.

Problèmes politiques
et rayonnement diaconal dans l'Entre-Deux-Guerres

Le sobre loyalisme d'août 1914 est profondément ébranlé par la guerre, la germanisation à outrance, les perquisitions domiciliaires et les mises en résidence surveillée pratiquées par les autorités militaires, le rationnement. Aussi l'entrée de l'armée française suscite-t-elle un enthousiasme accompagné de festivités. Mais les difficultés surgissent rapidement. Au retour de la guerre, où les Alsaciens étaient engagés dans les deux camps, les hommes ne retrouvent pas facilement le chemin de l'église. Beaucoup ont le sentiment que le christianisme a fait faillite pour n'avoir pas su empêcher une telle horreur.

Le corps pastoral a subi une saignée de l'ordre du tiers. Bien intégrés dans l'espace culturel germanique, les survivants vivent dans leur majorité un drame de conscience. La plupart sont peu familiarisés avec la langue française, ignorent le protestantisme de « l'intérieur », et redoutent de devenir une « génération sacrifiée ». Une circulaire maladroite du nouveau Directoire, destinée à éliminer les éléments les plus germanophiles, provoque en fait le départ de 41 pasteurs alsaciens. Tous ces vides, joints à un effondrement des vocations, qu'explique un si violent traumatisme, laissent vacant un poste sur trois ; un surcroît de travail en résulte pour les pasteurs restants. Le départ des protestants allemands, en dehors de certaines paroisses strasbourgeoises, affaiblit surtout les Consistoires réformés de Mulhouse et de Metz. Le nombre des réformés, de 1910 à 1926, diminue de 78 000 à 49 000, mais toutes les paroisses survivent à cet exode.

L'épineuse question linguistique est aggravée comme à plaisir par le jacobinisme des fonctionnaires et leur incompréhension des réalités locales. Ce sont les cantons ruraux du Nord, regroupant la grande masse protestante, qui parlent le moins le français. Or l'enseignement de l'allemand est ramené à trois heures hebdomadaires en dehors du catéchisme, que le Directoire suggère bientôt d'enseigner également en français. Les résultats de cette politique sont catastrophiques. En 1926 le pasteur Birmelé de Soultzeren lance un véritable cri de détresse : baisse du niveau scolaire, méconnaissance des deux langues, recul de la lecture et de la conception spirituelle. L'éducation religieuse de la population rurale devient impossible, ce qui décourage bien des vocations.

Ce problème linguistique, renforcé par la politique jacobine d'Herriot, qui envisageait la suppression de la législation ecclésiastique particulière, explique pour une bonne part l'intérêt éveillé dans de nombreux milieux protestants à partir de 1925 par le mouvement autonomiste. Plusieurs pasteurs signent le manifeste du « Heimatbund », qui réclame pour l'Alsace une large autonomie dans le cadre français. Lors des élections, les protestants s'abstiennent plus que les catholiques, et refusent de voter pour des candidats, même protestants, apparentés au parti clérical de l'Union Républicaine Populaire. Les pasteurs, fidèles à la doctrine des deux règnes, plus réservés que les curés, n'appuient guère le vain effort de grands bourgeois protestants libéraux pour regrouper l'électorat protestant sous l'égide du parti démocratique. En 1928 les protestants votent en général pour des candidats opposés à une assimilation trop rapide, et distincts des forces catholiques. En 1932 on constate que, plus un canton est protestant et germanophone, plus l'autonomisme y trouve d'audience. Cette corrélation est aggravée par l'exaspération que provoque dans quelques milieux luthériens « l'impérialisme réformé » des protestants de « l'intérieur ». Mais à partir de 1933 la presse relate avec tristesse les vicissitudes des coreligionnaires allemands soumis au nazisme, ce qui détourne peu à peu les électeurs du parti autonomiste. Dans les villes, le fait social estompe le fait religieux : la grande bourgeoisie possédante, souvent protestante, favorise l'intégration complète à la France de « l'intérieur », au point de se voir accuser de « trahison » (Hoffet).

Sur le plan spirituel, le désarroi de 1919 est assez rapidement surmonté dans la plupart des paroisses. Si la participation religieuse reste faible dans le Kochersberg, si l'assistance à Saint-Nicolas de Strasbourg se limite à une dizaine de personnes, à Saint-Pierre-le-Jeune, de tendance luthérienne orthodoxe, toutes les places assises sont occupées une demi-heure avant le début du culte. De nombreuses églises du Nord demeurent également bien remplies jusqu'en 1939. La spiritualité du monde paysan est nourrie par les hebdomadaires, et par les réunions d'adolescents tenues le dimanche après-midi. Dans quelques paroisses réformées, les anciens continuent d'encadrer étroitement les fidèles. Mais si autrefois l'instituteur restait un auxiliaire apprécié, qui tenait les orgues et animait le chant lors des cérémonies, les nouvelles promotions issues de l'Ecole Normale après 1925 manifestent parfois un esprit laïque et rationaliste qui les met en marge de la communauté religieuse. Par contre cette période assiste à un remarquable essor des mouvements de jeunesse. Le mouvement des Eclaireurs s'implante dans de nombreuses paroisses, surtout il est vrai en milieu aisé. Les Unions chrétiennes de Jeunes Gens et de Jeunes Filles forment de fortes personnalités, en dépit d'un bagage scolaire parfois léger. Des mouvements féminins sont à l'origine d'une importante volée de diaconesses. Depuis 1924, des journées de Jeunesse rassemblent des milliers de personnes ; retraites et camps de formation de responsables se multiplient. Les vocations pastorales reprennent leur croissance depuis 1926, surtout dans les villes grâce aux mouvements lycéens. La musique garde toute son influence : le chœur de Saint-Guillaume étend son répertoire, la représentation du *Roi David* de Honegger (1924 et 1926) constitue une véritable révolution ; le chœur est invité à Paris.

Le corps pastoral, dans la vie duquel la Conférence pastorale annuelle apporte le grand élément de réflexion, connaît de réelles mutations. L'ancienne division tend à s'estomper par le fléchissement des courants libéral et piétiste au profit du courant luthérien orthodoxe ; surtout la nouvelle génération, qui émerge vers 1930, s'efforce de dépasser les anciens clivages et recherche une plus grande fraternité, ce qui explique la naissance de confréries, limitées en fait aux théologiens. Leur visée communautaire est favorisée par de fréquentes retraites, qui sont également l'occasion d'études théologiques.

Cette nouvelle ouverture est à l'origine d'un grand mouvement d'évangélisation. En 1938, le Jubilé du quatrième centenaire de la Haute-Ecole de Strasbourg est l'occasion d'imposantes cérémonies. La Mission intérieure continue son œuvre par des cultes pour les isolés, les écoles du dimanche, et parfois de grandes soirées d'évangélisation, ainsi à Neudorf. De larges ventes annuelles, de substantielles collectes dans certaines paroisses rurales permettent d'entretenir l'effort missionnaire. Dès 1925 la Société des Missions de Paris reçoit des dons de 224 paroisses, mais celles de Bâle et de Hermannsburg ne sont pas oubliées pour autant. Enfin de nombreuses paroisses libérales subventionnent l'hôpital de Lambaréné (Gabon), dirigé depuis 1913 par Albert Schweitzer, le plus célèbre de tous les protestants alsaciens du XXᵉ siècle, si diversement doué — théologien, médecin, philosophe, écrivain et musicien.

Enfin les protestants commencent à s'ouvrir au grand large. Certes l'intégration à la Fédération protestante (qui a tenu avec un certain éclat son assemblée générale à Strasbourg en 1924) ne va pas sans problème, pour des raisons de langue comme d'opposition à la mentalité calviniste, au point qu'une bonne vingtaine de paroisses, très luthériennes et situées dans le Nord, refusent de verser leur cotisation. Par contre les Eglises alsaciennes sont représentées aux grandes conférences œcuméniques. Cependant certains protestants préfèrent vivre en marge des Eglises concordataires. Sept paroisses se groupent en 1927 en une Eglise luthérienne libre que soutient l'Eglise du Missouri (Etats-Unis). D'autres préfèrent suivre les appels de sectes diverses comme le mouvement Chrischona, dont l'échec de la prédiction annonçant la fin du monde pour 1925 réduit l'influence.

Les épreuves sous l'occupation nazie, 1940-1945.

Bien plus que la première, la seconde guerre mondiale a causé de profondes souffrances. La déclaration de guerre a entraîné l'évacuation des populations frontalières dans le Sud-Ouest, où le culte dominical reste pour les ruraux le dernier lien avec la petite patrie (d'où un renouveau de ferveur), tandis qu'il est dans les villes l'occasion de contacts avec la piété réformée. De nombreux étudiants ont rejoint l'Université repliée à Clermont-Ferrand où, malgré des épisodes dramatiques, elle fonctionnera jusqu'en 1945. Après la défaite de 1940, la majorité des évacués rentre ; quelques-uns, dont plusieurs étudiants en théologie, se fixent définitivement dans « l'intérieur », nouvelle ponction sur l'élite protestante déjà bien affaiblie.

En Alsace occupée, l'instauration du régime nazi a d'abord été accueillie avec résignation. Une importante minorité de pasteurs a été sensible au rétablissement de l'enseignement de l'allemand, ce qui confirme la gravité de la question linguistique. Une bonne fraction des luthériens, par fidélité biblique, a continué de respecter le pouvoir civil en place. Maurer, président de l'Eglise, tout en favorisant la composante germanique et en nommant les pasteurs de façon autoritaire, a su faire preuve de prudence et de sagesse ; tandis que son homologue réformé, Bartholmé, en dépit de sa francophilie, a été maintenu en fonction en 1940 ; jusqu'à la Libération, il remplira tous les dimanches l'église du Bouclier de Strasbourg. Les protestants mosellans sont rattachés à l'Eglise palatine, qui leur envoie une dizaine de pasteurs jusqu'en 1944.

Assez vite toutefois se développe un esprit de résistance, discret et opiniâtre, à l'idéologie nazie : refus d'embaucher des pasteurs allemands malgré l'importance des demandes et la pénurie de pasteurs alsaciens — les seules exceptions sont faites en faveur de pasteurs révoqués ailleurs pour motif politique —, complicités et rencontres semi-clandestines avec le président de l'Eglise wurtembergeoise, antinazi notoire. Maurer sut habilement empêcher le rattachement à l'Eglise Evangélique d'Allemagne, tandis que des pasteurs étaient emprisonnés pour avoir célébré le culte de l'Ascension, fête interdite. La séparation de l'Eglise et de l'Etat, imposée dès 1940 par l'occupant, servit l'Eglise, qui connut alors une situation matérielle prospère, d'où la création de fonds de réserve et l'augmentation substantielle des traitements pastoraux grâce à une fiscalité autonome simple et efficace.

L'incorporation des jeunes Alsaciens dans la Wehrmacht en 1942 détourna définitivement le peuple protestant de l'Allemagne. Dès lors l'Eglise, devenue refuge et consolation dans la détresse, fut chargée de soutenir le moral de tous, malgré la situation délicate des pasteurs, dont les sermons étaient espionnés et les lettres ouvertes par la Gestapo. Bon nombre de laïcs suivirent assidûment les cours de formation au lectorat, et permirent ainsi d'assurer un plus grand nombre de cultes.

Les mutations contemporaines

Les difficultés de la reconstruction

Le tableau est sombre au lendemain de la Libération : les combats, acharnés pendant l'hiver 1944-45, ont détruit la plupart des villages de la région colmarienne et de l'Alsace du Nord ; une fraction importante des classes d'hommes nés entre 1908 et 1926 (40 000 disparus, 30 000 blessés), enrôlées de force dans l'armée nazie, a souffert des pertes durables ; au cours de la vague d'épuration, une certaine agitation antiprotestante est entretenue dans les villages mixtes. Plus d'un déporté soupçonne tel ou tel voisin de l'avoir dénoncé. L'effondrement de la desserte pastorale est moins dû à l'épuration (quatre suspensions, sept départs volontaires, quelques interdictions de prêcher, sans compter quelques Allemands repartis chez eux) qu'au tarissement des vocations dans cette période troublée ; en 1947, dans l'E.C.A.A.L., seuls 174 postes sont occupés sur 237 (moins de 75 %). Sur 327 églises, 20 sont détruites et 178 endommagées (60 %), sur 224 presbytères, respectivement 11 et 98 (48 %). Malgré l'effort de solidarité organisé par l'Union d'Entraide créée après 1945, beaucoup de fidèles, souvent eux-mêmes sinistrés, doivent consentir de lourds sacrifices pour la reconstruction.

L'Alsace protestante mesure alors la profondeur de la solidarité de ses coreligionnaires suisses, qui généreusement offrent des baraques préfabriquées, d'importants lots de livres, qui accueillent des enfants affaiblis, et envoient une dizaine de jeunes théologiens pendant près d'une décennie.

Enfin la lente amélioration des conditions matérielles provoque un fléchissement de la vitalité religieuse, la jeunesse éprouve une soif de défoulement joyeux et de plaisirs (bals, football, etc.). Mais la raison profonde de la désaffection est interne : en raison d'une prédication conventionnelle, le culte subit un certain discrédit, favorisant les progrès de l'indifférence.

Tradition et mutations sociologiques

Depuis 1945, les protestants alsaciens, en dépit de leur particularisme, sont affrontés aux grandes mutations de la civilisation. Leur vitalité risque de devenir marginale, comme dans le pays de Montbéliard, où ils sont devenus minoritaires vers 1930 ; le pays a perdu son « réservoir rural », la proportion des vieux et des inactifs augmente, la majorité est ouvrière ; la vitalité spirituelle et diaconale ne faiblit pourtant pas.

En Alsace, malgré la stabilité numérique (en 1975, environ 230 000 membres pour l'E.C.A.A.L., près de 50 000 pour l'E.R.A.L.), la sociologie s'est beaucoup modifiée. Apparemment, la géographie protestante a peu varié depuis le XVIIᵉ siècle : selon le recensement de 1962, le dernier à préciser la confession, 26 % de la population dans le Bas-Rhin, 10 % dans le Haut-Rhin, 4 % en Moselle. Les protestants constituent plus de la majorité dans l'arrondissement de Saverne, et forment des noyaux compacts dans le Nord, ainsi qu'au nord-ouest de Strasbourg. Dans l'agglomération même, ils représentent environ le quart de la population. Ailleurs, des groupes plus modestes se disséminent autour de Barr, dans le Ban-de-la-Roche, le Ried rhénan, autour de Colmar, et dans les vallées de Munster et de Sainte-Marie-aux-Mines. A Mulhouse, submergé au XIX⁰ siècle par l'exode rural du très catholique Sundgau, les protestants ne constituent plus qu'un dixième de la population. Partout ailleurs, il ne s'agit que d'une diaspora, mais qui a formé des communautés dans toutes les villes, même les anciens bastions catholiques comme Saverne, Haguenau, Sélestat ou Guebwiller. Depuis plus de vingt ans, le protestantisme est devenu en majorité citadin. Cependant les campagnes restent un réservoir de vitalité, et en partie le vivier du recrutement pastoral ; elles pourvoient les ventes des Missions en denrées alimentaires.

Ces mutations suscitent cependant de profonds changements. L'exode rural s'accompagne de la concentration en une dizaine de grosses exploitations par village. Les fils d'agriculteurs restent sur place, mais vont travailler à Strasbourg, en Allemagne ou dans les villes proches, comme ouvriers, employés ou petits fonctionnaires. Très souvent l'abandon de la terre va de pair avec celui de la religion. La réunion au café le dimanche matin et le tiercé deviennent des institutions villageoises concurrentes de l'église. L'E.C.A.A.L. demeure en effet composée en très grande partie de petites gens : 22 % d'agriculteurs, 33 % d'ouvriers, 15 % d'ouvriers qualifiés, 8 % d'artisans, 12 % d'employés en 1963.

La faible natalité favorise l'implantation de catholiques et de travailleurs immigrés dans les bourgades et certains villages jusque-là homogènes, sans compter la dispersion dans les ensembles résidentiels à la périphérie de Strasbourg. La cohésion communautaire n'est plus favorisée par une relative identité entre paroisse et commune. Les grands ensembles nécessitent de nouvelles formes de présence de l'Eglise auprès de familles fréquemment issues de la campagne. A l'inverse, les centres urbains et leurs paroisses se vident.

C'est surtout l'E.R.A.L. réformée qui souffre de cette hétérogénéité et de cette dispersion. Cadres moyens et classes aisées y constituent en général un facteur de vitalité, notamment dans les communautés d'élection plus actives que les paroisses territoriales. A partir de 1955 le Synode a réussi à fortifier l'unité par une solidarité financière qui existait encore peu.

Le protestantisme lorrain, partagé entre luthériens à l'est et réformés à l'ouest et au sud, constitué surtout d'ouvriers alsaciens, de réfugiés de l'Est installés vers 1946 et de fonctionnaires d'origine allemande avant 1918, s'est organisé dans une totale autonomie des diverses paroisses. La conscience de l'appartenance à un corps plus vaste est bien obscurcie, d'où une très faible participation à l'offrande synodale annuelle.

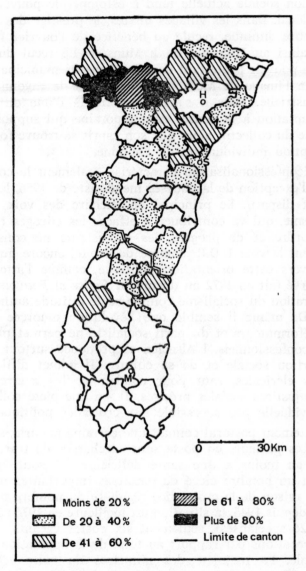

7. Pourcentage des protestants dans la population alsacienne
(1936).

L'évolution sociale actuelle tend à estomper le pouvoir protestant sur le plan local. Dans les villages mixtes, le prestige des agriculteurs, dont le nombre diminue, recule au bénéfice de l'ouvrier fréquemment catholique, ainsi au Hohwald ou à Munster. Le recul du patrimoine foncier et du pouvoir protestant dans les Conseils municipaux s'accélère après 1945, à l'image de Mulhouse où diminue le rayonnement de la Société industrielle. Mais il s'agit peut-être là d'une difficulté parti-culière d'adaptation à la pensée contemporaine qui suppose une prise de conscience du collectif, alors que son esprit se trouve formé d'abord d'une conception individualiste de l'homme.

Cette déconfessionalisation caractérise également le comportement politique. A l'exception de la poussée mendésiste de 1956, le radicalisme a totalement disparu. Le principal bénéficiaire des voix protestantes est le gaullisme, qui va contribuer à effacer les clivages traditionnels. Hommes d'ordre et de progrès, les protestants ne considèrent pas nécessairement le vote U.D.R. comme de droite, encore qu'ils évoluent peu à peu vers cette orientation politique, comme l'atteste l'accueil souvent réservé fait en 1972 au document *Eglise et Pouvoirs* qui préco-nise l'instauration du socialisme comme seule attitude authentiquement chrétienne. De même il semble que l'évolution amorcée en 1973 au profit des réformateurs et du parti socialiste ne permet plus de saisir de clivages confessionnels. L'Alsacien se prononce surtout en fonction de son insertion sociale et de sa culture. Il admet difficilement les interventions cléricales, sauf pour condamner les guerres ou lutter contre des injustices sociales précises. Il « a une piété collective, mais une foi individuelle peu accessible aux croisades politiques » (Appel).

Le recrutement pastoral connaît une certaine pénurie, surtout pour l'E.C.A.A.L. Les pasteurs en poste sont surchargés de travail : en 1967 une dizaine au moins a une santé déficiente, 14 sont âgés de plus de 65 ans, et un nombre élevé de paroisses importantes manquent de pasteurs. En raison de la croissance régulière du nombre des étudiants en théologie depuis 1945, la situation est meilleure en 1976 : 224 pasteurs actifs (plus 26 spécialisés), seulement six postes vacants. Il reste que le taux des vocations par rapport au total de la population protestante est très faible. La majorité des ministres du culte est désormais constituée de fils des classes moyennes (employés, ouvriers et fonction-naires) des trois grandes villes et des villes secondaires alsaciennes. Le recrutement rural ne subsiste que dans le Nord de l'Alsace et la vallée de Munster, régions de forte vitalité religieuse ; le pays de Hanau n'apparaît plus qu'épisodiquement. La Moselle n'a presque jamais fourni de jeunes théologiens, et les Alsaciens ne parviennent en général pas à s'y enraciner. L'âge moyen du corps pastoral est assez élevé : dans l'E.R.A.L. il a passé de 46 ans en 1960 à 49 en 1967, seul un tiers des pasteurs en exercice en 1975 a moins de 40 ans ; dans l'E.C.A.A.L. la pyramide des âges est un peu plus satisfaisante, 40 % des pasteurs ont moins de 40 ans, seuls 35 % dépassent 50 ans. Le traitement pastoral est analogue à celui d'un professeur de C.E.S. S'il a cessé d'être dans les villages membre avec le maire et l'instituteur du trio des honorabilités, le pasteur reste une autorité cultuelle. Les abandons de ministère demeurent très rares. Les Eglises locales ne parviennent que difficilement à se défaire du schéma traditionnel où le pasteur est l'homme à tout faire (« Pfarrerkirche »). Par contre, certains clivages théologiques se sont effacés, ce qui favorise une certaine cohésion pastorale.

Beaucoup de pasteurs restent sensibles au problème linguistique, surtout dans les campagnes. En 1945 l'allemand a été supprimé des programmes dans les écoles primaires, et le Directoire de l'E.C.A.A.L. a poussé les pasteurs à dispenser l'instruction religieuse en français. Les résultats ne sont guère moins désastreux qu'après 1919 : dans les campagnes, la population continue de s'exprimer en alsacien, et la jeune génération n'est plus initiée à l'allemand, langue des trésors spirituels (Bible de Luther, recueils de prières et de cantiques). Les conseils presbytéraux y répugnent à l'introduction de cultes en français : en 1963, on comptait dans l'E.C.A.A.L. 76 % de cultes allemands, 14 % de français, 10 % de bilingues (40, 50 et 10 % respectivement dans l'E.R.A.L. en 1975). L'allemand de Luther tend un peu à jouer le rôle du latin dans l'Eglise catholique. Le bilinguisme provoque une scission entre les générations comme dans l'individu lui-même ; dans les paroisses où existe à la fois le culte en allemand et en français, les dialectophones se sentent rejetés dans une catégorie sociale inférieure. Cette situation dramatique aboutit dans le petit peuple à un état d'« alinguisme », puisqu'il ignore l'allemand, et oublie peu à peu le français, une fois sorti de l'école : d'où une baisse sensible du niveau culturel, qui va de pair avec le niveau religieux. Aussi, en 1976, 72 pasteurs, de concert avec 108 prêtres, viennent de publier un dossier qui préconise le respect de la communauté linguistique allemande par les Eglises. Dans les grands ensembles et les cités, il semble également que la participation à la vie d'une communauté nécessite l'assimilation d'une foi liée à une culture à laquelle beaucoup de personnes ont de la peine à accéder.

Apparition de symptômes de dilution

Cette faiblesse culturelle contribue à expliquer le rétrécissement du rôle de l'Eglise dans la vie quotidienne. Selon des enquêtes récentes, la foi individuelle intériorisée, voire réduite à un vague sentiment humanitaire, s'exprime, surtout chez les jeunes, les étudiants et les cadres, par un comportement dit chrétien, dégagé de toute institution, voire de l'enseignement catéchétique. D'où le net recul du repos dominical dans les campagnes. La distorsion s'accroît entre les formulations doctrinales et le vécu quotidien, entre morale chrétienne et religion de Mammon, dans notre société de consommation qui surévalue les valeurs matérialistes. Assez souvent, surtout en ville, l'Eglise se réduit au rôle de dispensatrice de rites. Les mariages civils demeurent rares, mais dans le mariage religieux ce sont la raison sentimentale et la beauté de la fête qui prédominent. Le baptême des enfants, dont l'utilité commence à être contestée dans une partie des paroisses urbaines et du corps pastoral, demeure un rite indispensable à la campagne. L'enterrement religieux est considéré comme un service public que l'Eglise doit à tous, même aux protestants totalement détachés ; l'annonce du Salut à tous les hommes tend à s'estomper.

Celle-ci n'est pas favorisée non plus par l'instruction religieuse qui, en raison du maintien de la loi Falloux, continue d'être dispensée dans les écoles, souvent à contre-cœur, sans unité de doctrine ni de méthodes pédagogiques, ce qui aboutit tantôt à détourner les enfants de la religion, tantôt à les saturer. La majorité des enseignants protestants renonce à animer la vie musicale paroissiale (orgues, chœur), et ne fournit plus de témoignage chrétien aux élèves, ce qui aboutit à une déchristianisation de fait. Les Conseils presbytéraux (comme celui de Mulhouse-Saint-Jean en 1961), en ont ressenti un malaise et en ont débattu. En 1974 un décret remplace enfin l'obligation par le volontariat : l'instituteur se déclare volontaire pour assurer l'enseignement religieux, sinon c'est un catéchète plus convaincu qui s'en charge, ce qui peut laisser augurer une légère amélioration. En 1976, environ 200 catéchètes assurent ce rôle dans l'enseignement primaire et secondaire, où une partie du corps pastoral les épaule.

La jeunesse pose en effet un problème considérable pour la transmission de l'Evangile. Des efforts sérieux ont été entrepris : journées de jeunesse à la campagne, qui ont connu un réel succès jusque vers 1960, développement rapide des écoles du dimanche, essor des mouvements de jeunesse, dont les résultats varient depuis quelques années, et qui n'atteignent plus qu'un faible pourcentage de jeunes (20 % dans l'E.R.A.L. en 1963). Les études bibliques du dimanche soir pour les jeunes aînés ont lentement périclité. Dans la confirmation à 14 ans, la plupart des jeunes voient un simple rite de passage, dont ils ne perçoivent plus clairement la réalité doctrinale. Après 16 ans, une faible minorité demeure dans les mouvements protestants ou les activités paroissiales. Ce problème est aggravé par l'attitude des parents qui, ayant souvent rompu eux-mêmes avec certaines traditions, n'ont plus l'autorité intérieure nécessaire pour vraiment éduquer leurs enfants. « Les protestants vivent dans leurs propres familles la dissolution de leur protestantisme » (Mehl).

Celui-ci est également menacé dans sa substance démographique. Depuis 1880, la chute de la natalité a plus nettement affecté les milieux protestants que les catholiques. Dans le Kochersberg, en 1910, le taux de natalité s'élève à 23‰ chez les premiers contre 26‰ chez les seconds. En 1953, en Alsace bossue, un seul enfant est de règle chez les paysans aisés. En 1956, à Mulhausen, pour une population de 336 habitants, vingt fermes sont sans enfant. En 1962, à Bischwiller, la moyenne des enfants s'élève à 2,38 chez les protestants contre 3,08 chez les catholiques. Malgré l'atténuation des différences confessionnelles, le « refus de la vie » (Chaunu) se renforce dans certains milieux sociaux de considérations morales et même théologiques : santé de la femme, parenté responsable, raisons économiques, mais surtout obsession de la démographie galopante du Tiers-Monde. Il n'est pas étonnant que les animateurs régionaux du Planning Familial soient en majorité des protestants. Ce comportement démographique tend à devenir leur seul trait original.

Le réservoir des campagnes, déjà en partie affaibli par le refus de la vie, est également menacé par les mariages mixtes, que favorisent la mobilité croissante, le déclin du sentiment confessionnel, et les progrès de l'œcuménisme. Dans l'E.R.A.L., dès 1963, le pourcentage des ménages mixtes atteint 55 %, et 63 % dans les consistoires de Metz et de Mulhouse, soit dans des zones urbanisées ou industrielles à forte majorité catholique. Moins dramatique, la situation commence à devenir préoccupante dans l'E.C.A.A.L. : en 1969, un quart des ménages est mixte, mais 45 % dans les villes contre 20 % dans les campagnes ; en 1974, 56 % des mariages célébrés dans des temples sont mixtes. Or souvent l'indifférence religieuse permet à ces époux de ne pas aborder un sujet délicat, pour l'éducation des enfants comme pour l'insertion dans la vie paroissiale. Mais parfois, surtout en milieu urbain, c'est un sang neuf qui anime les paroisses.

Spécificité et directions nouvelles

Les protestants alsaciens demeurent sous le régime des Articles Organiques. L'E.C.A.A.L. est actuellement composée de 211 paroisses, de 40 consistoires répartis en sept inspections, et dirigée par un Consistoire supérieur de 25 personnes et un Directoire de cinq membres, dont trois nommés par le gouvernement. La tutelle de l'Etat n'est pas très contraignante ; en 1974, pour la première fois, il a même consulté le Consistoire supérieur pour la nomination du nouveau président, et entériné le choix proposé. On peut seulement regretter qu'il laisse dans les cartons un projet accordant plus de responsabilités aux paroissiens, adopté en 1972 après une large consultation préalable des paroisses. L'E.R.A.L., moins hiérarchisée, comprend 55 paroisses réparties en quatre consistoires, qui depuis 1905 sont unis par un Synode annuel et un Conseil synodal permanent qu'anime un président. L'Etat prend à sa charge les traitements pastoraux, les communes doivent entretenir les bâtiments cultuels.

En dépit de nuances régionales, et d'une ouverture aux courants français et allemands, la personnalité alsacienne confère une certaine unité au peuple protestant. Sa piété est faite de pondération, de tolérance, de solidité, de sobriété. Le souci d'édifier et de pratiquer demeure depuis Bucer une constante du protestantisme alsacien, peu tourné vers les spéculations intellectuelles, plus intéressé à traduire sa foi concrètement par la diaconie. Cette prudence naturelle s'est révélée une appréciable vertu sous l'oppression nazie. La prédication est le plus souvent pratique, peu marquée par les grands courants théologiques. Le profil luthérien continue de souligner les bases scripturaires de la foi, tout en s'efforçant de ne pas s'enfermer dans une doctrine stérile. Le luthérien alsacien reste marqué par un héritage musical très riche, une tradition de prières et une sensibilité affective originale, dont les composantes sont le christocentrisme, la lecture de la Bible, le mystère des sacrements, le goût des cantiques qui expriment la certitude de la foi et du réconfort. Mais c'est une piété individuelle qui répugne à toute vie communautaire paroissiale, surtout dans les campagnes : la communauté du culte suffit aux fidèles. La piété rurale, très sobre, s'exprime par la confiance en Dieu et l'acceptation silencieuse de la mort qui, à la différence des villes, demeure très présente.

Pourtant on constate une absence de maturité spirituelle, renforcée par la rareté de la cure d'âmes, qu'explique assez souvent la surcharge des pasteurs. Le protestant lit moins l'Ecriture, ce qui est grave pour une religion du Livre. L'Eglise est perçue avant tout à travers le culte dominical considéré comme le rendez-vous avec Dieu et avec sa Parole — moins manifestation communautaire et festive d'adoration que groupement en quête de sécurité et de Salut personnel. Il reste boudé par 50 à 90 % des protestants : son langage, son lieu, son horaire, son environnement esthétique et sa portée sociale paraissent de plus en plus en porte-à-faux avec le vécu quotidien. Ajoutons-y la persistance de la conception libérale du XIXe siècle selon laquelle « le protestant n'a pas besoin d'aller au culte ». Aussi beaucoup se considèrent comme de bons protestants tout en ne recourant au pasteur que pour les casuels.

La pratique religieuse, si stable durant près d'un siècle, subit actuellement une érosion, en particulier avec l'absence de la génération de 16 à 35 ans. On peut distinguer trois types religieux différents. La sécularisation concerne les grandes villes, des zones rurales plus ou moins industrialisées (vallée de la Bruche) ou les régions viticoles (consistoires de Barr et de Riquewihr). Le taux de participation au culte y est inférieur à 10 % (5 % à Strasbourg), et le taux des communiants le Vendredi-Saint n'atteint pas 30 %. Ce sont « les petits fonctionnaires et les braves artisans (qui) y viennent chercher le pain de vie. Quelques intellectuels se joignent à eux » (Will). Le protestantisme de tradition concerne la plus grande partie des zones rurales : 15 à 25 % des confirmés participent au culte et près de la moitié viennent communier le Vendredi-Saint. Enfin les zones de fidélité se limitent à quelques paroisses situées près de Wissembourg et en Alsace bossue : les proportions y sont d'environ 30 et 60 %. Depuis quelques années, on assiste à une chute sensible de l'assistance cultuelle dans les campagnes, à une disparition de la clientèle des grandes journées de fête en ville, où elle est cependant en partie compensée par une participation plus active des jeunes à la Cène. Le culte du Vendredi-Saint est pour beaucoup de protestants, les hommes notamment, le seul office annuel, d'où la persistance du caractère férié de ce jour dans la législation locale. La Cène est en effet considérée comme un acte rituel sacré régénérant l'homme pour une nouvelle année.

Sur le plan paroissial, les conseillers presbytéraux commencent à devenir des auxiliaires responsables des pasteurs, tout en freinant parfois le renouvellement spirituel de la paroisse. Les femmes demeurent peu nombreuses dans les Conseils (19 % dans l'E.R.A.L. en 1969), un certain ostracisme se faisant encore sentir aux élections. Dans le pays de Hanau on compte de nombreux commerçants, artisans, petits fonctionnaires et employés prêts à se dévouer. Très souvent le noyau paroissial manifeste un engagement plus total et plus conscient, même si certaines dépenses vont à des travaux d'embellissement que motivent uniquement des considérations de prestige. Les réunions hebdomadaires tenues en semaine éprouvent souvent des difficultés à intégrer les jeunes dans les ouvroirs, les études bibliques, les réunions de prière et les nombreuses chorales — cependant de grande qualité. La présence assez fréquente d'un foyer paroissial, « antenne de la paroisse vers l'extérieur », favorise des rencontres. Il faut y ajouter le rôle non négligeable de la feuille paroissiale et de la vente annuelle (qui assure des ressources substantielles). Les calendriers comportent une méditation quotidienne qui permet, surtout dans le Nord, le maintien d'un culte familial. Le *Messager Evangélique*, répandu dans la plupart des familles rurales, garde le plus fort tirage de la presse protestante française (19 000 exemplaires). Deux impressionnants rassemblements ont réuni à Strasbourg 50 000 personnes en 1956, et 20 000 en 1961 ; ils ont permis un approfondissement spirituel. En 1966 cinq rassemblements régionaux ont été également bien fréquentés.

La force des besoins spirituels explique aussi le succès du mouvement charismatique à l'intérieur des Eglises depuis quelques années, et l'attrait de sectes faisant appel à l'émotivité, à laquelle les protestants sont plus perméables que les catholiques, peut-être en raison de l'absence de caractère absolu du message de l'Eglise. Certaines sectes (une dizaine pour Strasbourg) se séparent nettement des Eglises officielles, comme les mennonites bien implantés autour de Colmar. D'autres restent en lisière, comme la Société Chrischona de Bâle qui a créé de multiples communautés rassemblant souvent les éléments actifs des paroisses, ainsi dans le pays de Hanau et dans le Nord. Il subsiste plusieurs communautés luthériennes fondamentalistes apparentées à l'Eglise du Synode du Missouri ; trop arc-boutées sur l'orthodoxie doctrinale, elles s'étiolent.

Toutes ces communautés libres témoignent d'une générosité nettement supérieure à celle des membres des Eglises officielles. Il faut tenir compte de l'inertie des protestants sociologiques, qui ne consentent de sacrifice qu'au profit de l'église villageoise. Dans l'E.R.A.L. la cible budgétaire fixée par le synode n'a été atteinte qu'une fois entre 1965 et 1972, et l'indice n'a pas suivi celui du coût de la vie. Les deux tiers des offrandes vont aux besoins locaux, le reste à la construction de sanctuaires, de foyers, à l'œuvre missionnaire, à l'aide au Tiers-Monde.

En 1974, l'effort par famille a atteint 32,29 F, surtout grâce à **Strasbourg**, contre 5,89 dans l'E.C.A.A.L. — et une moyenne par fidèle
comprise entre 100 et 150 F par an pour l'inspection luthérienne de
Paris en 1967.

Cette faiblesse est due au fait que la plupart des protestants ne
ressentent pas la nécessité d'un effort de solidarité en dehors de la
paroisse, dont le pasteur est appointé par l'Etat. Ceci freine aussi
le financement des œuvres et mouvements autonomes : crèches, orphelinats, maisons de rééducation, de sourds-muets, d'aveugles, de handi-
capés, colonies et maisons de vacances, etc.

L'effort missionnaire, alimenté par des collectes et des fêtes
spéciales, reste assez modeste : en 1975 la moyenne par fidèle se limite
à 3 F dans l'E.C.A.A.L., contre 7,40 dans l'E.R.A.L. Certaines régions,
le pays de Hanau, les inspections de Wissembourg et de Colmar, sont
plus généreuses. La répartition par œuvres est très variable : tandis
que le Haut-Rhin quête surtout pour le Defap (ex-Missions de Paris),
les paroisses rurales bas-rhinoises affectent leurs recettes aux Missions
luthériennes et à celle de Hermannsburg. L'Action chrétienne en Orient,
alsacienne à l'origine (1922), consacrée au travail auprès des Musulmans
du Proche-Orient et de l'Algérie, reçoit environ 30 % des recettes de
l'E.C.A.A.L. et 12 % de celles de l'E.R.A.L. Les Missions de Bâle ont vu
leur audience se restreindre. Beaucoup d'Alsaciens continuent à soutenir
l'œuvre de Schweitzer, dont le rayonnement mondial, consacré par
l'attribution du prix Nobel de la Paix (1952), se maintient bien après
sa mort en 1965. On peut y ajouter des dons substantiels pour des
actions ponctuelles de la Cimade dans le Tiers-Monde. Enfin la Mission
intérieure joue un rôle important, ainsi que la Société de Secours pour
les protestants disséminés, qu'épaule la Société Gustave-Adolphe. Malgré
la relative parcimonie des efforts financiers, l'esprit missionnaire reste
vif et associé à des objectifs plus diversifiés que pour les protestants
de « l'intérieur ».

Dans le domaine de l'enseignement, le gymnase Jean-Sturm (750
élèves) et le collège Lucie-Berger (720 élèves) à Strasbourg continuent
de dispenser une formation de qualité, dans un esprit chrétien, à de
jeunes protestants issus de la bourgeoisie et des milieux croyants.
Cette action pédagogique est prolongée chez les adultes par les deux
centres de rencontres du Liebfrauenberg et de Storckensohn qui, dans
les sessions de formation de groupes ecclésiaux, professionnels ou de
destin commun, s'efforcent de promouvoir l'idée de responsabilité,
d'engagement et de vie communautaire dans le monde. Le mouvement
d'Action rurale protestante contribue à la formation professionnelle,

culturelle et spirituelle dans les campagnes, par des sessions de rencontre et d'information, en particulier au Foyer de Neuwiller. Depuis une quinzaine d'années enfin, le Centre d'Etudes de Pédagogie Pratique ouvre aux méthodes nouvelles catéchètes et instituteurs volontaires. Il faut y ajouter le travail biblique d'une soixantaine de groupes de femmes, les ministères spécialisés (radio, presse...), ainsi que le dialogue ouvert par la Faculté de Théologie avec certaines paroisses.

Parmi les nombreux bénéficiaires de ce renouveau pédagogique émerge une sensibilité à des problèmes jusque-là peu ressentis. Ce n'est pas un hasard si dans les mouvements régionalistes, chez les partisans de médecines parallèles (homéopathie, acupuncture...), comme de l'agrobiologie, de la défense des sites menacés et de la lutte contre les centrales nucléaires, on remarque des leaders et des militants protestants de valeur. L'écologie constitue un thème privilégié des sessions du Liebfrauenberg, et une commission théologique a entrepris une réflexion approfondie.

La collaboration active entre les deux Eglises alsaciennes s'est fortement accrue et diversifiée au cours des dix dernières années, au point qu'on peut parler d'une véritable symbiose, approuvée par les fidèles. Les relations avec les catholiques se sont progressivement détendues, malgré les méfiances protestantes (qui subsistent dans certaines paroisses rurales) et l'intransigeance catholique sur les mariages mixtes. Assez souvent, grâce à des célébrations œcuméniques, à un approfondissement théologique, par suite aussi de l'indifférence croissante, on est passé de la coexistence pacifique et des querelles de clocher à la bonne entente.

Cette volonté d'ouverture est accentuée par l'action du nouveau président de l'E.C.A.A.L., soucieux de sensibiliser les Alsaciens trop particularistes aux problèmes des Eglises dispersées à travers le monde. C'est surtout dans l'hexagone que se renforce le poids du protestantisme alsacien, qui constitue désormais près de 40 % des effectifs de la Fédération Protestante de France. Les relations avec celle-ci n'ont pas été sans nuages : beaucoup de paroisses saisissent mal le bien-fondé de cette organisation, dont certains membres suscitent la méfiance en raison de leur orientation spirituelle, sociologique et politique jugée gauchiste, à quoi s'ajoute la suspicion à l'égard de leur manière trop « parisienne » de voir les choses. Le document *Eglise et Pouvoirs* et l'assemblée de Caen (1972) ont provoqué un malaise qui n'a pu être dissipé qu'à l'assemblée de Paris (1975), où les délégués alsaciens ont joué un rôle appréciable, alors que jusqu'ici ils se sentaient méprisés, le complexe alsacien face à Paris aidant, comme le Tiers-Etat par l'aristocratie huguenote.

Les protestants alsaciens offrent en 1976 un tableau très contrasté. Le rapport moral présenté au synode d'Hayange de l'E.R.A.L. (1975) évoque le pluralisme des théologies et des engagements, la labilité et la stabilité de l'Eglise, considérée plus comme un service public et un conservateur de bâtiments que comme une Eglise missionnaire ; elle voit s'essouffler la spiritualité, la générosité et la disponibilité, tandis que la communion et la collégialité ont quelque peine à être vécues. Plus optimiste, le président de l'E.C.A.A.L. évoque le « volume de travail impressionnant, mais pas toujours utilisé à bon escient » de l'Eglise, qui « dispose d'un capital de disponibilité » chez les pasteurs et les laïcs. Les multiples commissions d'Eglise accomplissent un travail considérable, mais très souvent ignoré ou incompris de la base. Profondément marqué par la tradition, le protestantisme alsacien constitue une composante de poids de l'originalité alsacienne, de la Réforme à nos jours. Si dans l'Histoire il a tenu une place supérieure à son volume numérique, il se voit confronté de nos jours à des problèmes sérieux posés par la privatisation du fait religieux et le passage de l'Eglise de multitude à une Eglise de confessants fortement minoritaire. Les deux Eglises cessent également d'être des Eglises cléricales, où le pasteur assume presque toutes les tâches. Elles souffrent surtout de l'« individualisme qui ne voit plus le prochain », et d'un « manque de personnalités vraiment chrétiennes » ; en même temps perce le risque d'un clivage entre une élite consciente de ses responsabilités et orientée vers de nouvelles directions, et la masse des chrétiens, traditionalistes fervents, dévoués, mais opposés aux innovations. Mais, en dépit de multiples difficultés, les forces de renouveau sont à l'œuvre, dans lesquelles le croyant voit le souffle du Saint Esprit qui n'abandonne pas le petit troupeau. D'ailleurs le fait d'être une minorité peut être vécu non comme un malheur, mais comme une vocation qui permet à l'Eglise d'affirmer ou de redécouvrir son identité et sa mission.

Postface

Au terme de cette longue et parfois dramatique histoire des protestants français, est-il possible de conclure, d'établir par exemple un bilan de la place de cette communauté religieuse dans l'ensemble national, ou de faire un portrait du protestant français ? L'entreprise a été heureusement tentée et réussie, il y a vingt-quatre ans, par Emile Léonard et avant lui dans un ouvrage collectif (*Protestantisme français*, 1945). Etait-il utile de reprendre ce qui a déjà été excellemment dit ? Nous avons préféré plus modestement rappeler quelques-uns des traits qui nous paraissent constitutifs de la personnalité protestante française sans négliger les nombreuses nuances que le groupe a su sauvegarder.

Un livre bien superficiel qui se veut pamphlet affirmait récemment que demain, « nous serons tous protestants ». Belle réussite pour un groupe qui n'atteint pas 2 % de la population française ! Mais ce mythe de la toute puissance du protestantisme français, qui s'inscrit dans la longue durée, témoigne d'une réalité évidente : le poids des huguenots dans la vie nationale dépasse encore largement leur nombre, au point que l'on a constamment surestimé celui-ci. Interrogez aujourd'hui un homme même cultivé sur les dimensions de la minorité réformée, il vous répondra couramment : « Deux à trois millions ». Le premier problème que doit aborder cette postface est de réfléchir sur les raisons d'un tel succès. Nous serions tentés d'affirmer que le fait minoritaire, loin d'être un handicap, a été une force.

Parce qu'il ne fait pas peur, le protestant français a souvent occupé la place d'un interlocuteur privilégié. Pour les « laïques » et plus largement pour tous ceux qu'inquiétait le monolithisme romain, il fut longtemps celui qui pouvait concilier christianisme et même religion et République. Depuis Vatican II, le monde catholique y voit celui qui l'aide à découvrir le christianisme comme diversité et non plus uniformité, et cette boutade plusieurs fois entendue traduit ce sentiment : « Si le protestantisme n'existait pas, il faudrait l'inventer ».

Mais la force principale du huguenot est de faire de son appartenance « au petit troupeau » un signe d'aristocratie. Même quand il est d'origine modeste, il se rattache à une lignée, la lignée de ceux qui n'ont pas cédé. Il se sent ainsi entouré « d'une nuée de témoins » invisibles dont il peut percevoir la présence grâce à la mémoire familiale ; cette mémoire lui raconte l'exploit de l'ancêtre qui a assuré la descendance dans la religion, ou les souffrances du galérien dont elle va reconnaître le nom sur le mur du Mémorial, quand il visite le Musée du Désert à Mialet près d'Anduze.

Même quand il a rompu le lien religieux, le protestant français conserve l'orgueil d'un passé qu'il assume entièrement. Nous songeons ici à ce militant communiste de l'Uzège gardois ; né dans une famille de libre-penseurs socialistes au début du siècle, il n'avait pas été baptisé ; il se déclarait pourtant meilleur protestant que beaucoup de piliers de temple, et il évoquait avec émotion la mort du chef camisard Roland, non loin de là. Sans aller jusqu'à ce cas extrême, combien de fois des pasteurs ont-il entendu de la bouche d'hommes peu pratiquants : « Certes, je ne vais pas souvent au temple, mais si « on » voulait le fermer, je prendrais les armes pour le défendre » ! Ce genre d'hommes est d'ailleurs beaucoup plus réservé vis-à-vis du rapprochement œcuménique avec les catholiques que le pratiquant régulier (la remarque pourrait être aussi faite de l'autre côté).

D'autres que l'on ne voit jamais dans les cultes traditionnels ne manquent pas une de ces assemblées de plein air qui commémorent celles du Désert. Et chaque année, le premier dimanche de septembre, dix à quinze mille personnes se rendent au Mas Soubeyran. Occasion de retrouvailles familiales, où l'on se donne rendez-vous d'une année sur l'autre, mais aussi pour une fois manifestation de masse. Le protestant habituellement individualiste et peu sensible à la magie du nombre se découvre innombrable et peuple huguenot.

Cet attachement au passé qui peut ainsi tenir lieu de foi, agace maints pasteurs et, parmi les jeunes générations, la tentation d'oublier l'histoire est grande, d'autant plus que ces dernières n'ont la plupart du temps rencontré en fait de récit historique qu'une pâle hagiographie occultant toute faiblesse et toute hétérogénéité dans le comportement ou gommant tout ce qui peut contredire l'image idéale du « bon protestant », qu'il s'agisse du prophétisme populaire du Midi de la France, ou du « double jeu » peureux des grands négociants (pour ne pas dire leur ralliement pur et simple au conformisme dominant). Le film d'Allio, *Les Camisards*, a suscité plus d'une réaction hostile en milieu réformé, à cause de sa présentation de l'inspiration, pourtant bien en deçà de la réalité.

Peut-on aussi lier au complexe de minorité, à la volonté de compenser une infériorité, l'étonnant niveau culturel du petit peuple protestant ? « Ici, Monsieur, les livres, on ne les jette pas », disait un vieux paysan cévenol qui n'avait pas dû dépasser le certificat d'études, s'il l'avait atteint. Des ouvrages d'histoire, parfois même d'érudition, ont été lus dans les campagnes protestantes les plus reculées : tel paysan n'hésite pas à emprunter à son voisin de la ville *Les Nouvelles littéraires* ou *Le Monde*, tel berger se plaignait du format du *Docteur Jivago*, « difficile à emporter » lorsqu'il gardait son troupeau. Nous verrions plutôt dans cet intérêt pour l'écrit le prolongement d'une culture biblique. Ajoutons que dans les pays de langue d'Oc, les réformés ont pris l'habitude, avant leurs compatriotes catholiques, de comprendre, puis de parler le français, puisqu'il n'existe pas de Bible en occitan et que les cultes se sont toujours déroulés en français. Aussi n'est-il pas surprenant de voir les ascensions sociales protestantes brûler une ou deux étapes. Non seulement les zones huguenotes fournirent un gros contingent d'instituteurs, ainsi l'Ecole Normale de Mende fut essentiellement alimentée par les Cévenols, ce qui n'était pas sans poser quelques problèmes, lorsque ceux-ci se retrouvaient dans le Nord du département très catholique : l'antagonisme religieux renforçait le clivage école publique - école libre. Mais il arrive que, dès la première génération, un fils de paysan aille beaucoup plus haut. Curieuse rencontre aujourd'hui dans les temples des bastions ruraux huguenots pendant l'été : il n'est pas rare qu'un ambassadeur y cotoie un modeste agriculteur, ou un grand financier le petit commerçant du cru. Il semble aussi que la promotion de la femme ait été plus précoce en milieu réformé, comme en témoignent les premières listes d'agrégées ou de directrices d'Ecoles Normales. Mais ici, il faut invoquer peut-être l'héritage historique autant que le niveau culturel : une partie de la résistance huguenote a été prise en main, nous l'avons vu, par les femmes, aussi bien au sein de la famille que de la communauté paroissiale, au temps du prophétisme en particulier. De ce point de vue, les « sectes » qui, à certains égards, peuvent paraître plus directement les héritières de ces mouvements d'inspirés, réservent toujours à leurs adhérentes une place plus importante dans l'animation du groupe que les Eglises « plus officielles ».

Cet héritage historique est indéniable pour expliquer la conscience internationale qu'a spontanément le protestant français quel que soit son niveau social. Ce dernier se sent en effet à l'échelle de l'Europe et même du monde. Souvenir évident du temps où le Désert était en relation suivie avec le Refuge, où les colporteurs apportaient des brochures de Genève ou d'Amsterdam, où les prédicants allaient se former au pastorat à Lausanne. Mais le XIXe siècle n'a pas interrompu ces liens. Tout Réveil anglo-saxon cherchait son prolongement dans le protestantisme français, tout fondateur de secte espérait trouver des disciples dans le Vivarais ou les Cévennes, et inversement les revivalistes français s'appuyaient sur les mouvements plus vastes outre-Manche et outre-Atlantique. Qu'il suffise ici de rappeler la prédication d'un Cook dans le Bas-Languedoc ou d'un Félix Neff dans les Alpes. La base des bibliothèques paroissiales créées au XIX° siècle se compose d'ouvrages anglo-saxons traduits. Et longtemps les milieux du protestantisme libéral du Midi de la France ont préféré envoyer leurs étudiants de théologie à Genève plutôt qu'à l'orthodoxe Faculté de Montauban. En contrepartie, les paroisses protestantes ont toujours accepté sans hésiter des pasteurs suisses, l'affinité théologique leur paraissant plus importante que l'identité de nationalité. Les mouvements de jeunesse réformés sont aussi inspirés du monde anglo-saxon, qu'il s'agisse des Unions chrétiennes de jeunes gens et de jeunes filles, des éclaireurs unionistes, des groupes bibliques universitaires.

La forme la plus concrète de ces liens avec l'Europe est la multiplication des alliances matrimoniales. Le fait est bien connu pour les grandes familles de banquiers ou de négociants, où le mariage est un élément de la stratégie économique et financière : on sait que la grande banque protestante est entre les mains de familles autant helvétiques que françaises. Charles Carrière a bien noté pour la Marseille du XVIII° siècle « l'intermariage assez fréquent » entre le groupe des négociants français et celui des Suisses. Un exemple précis montre l'ampleur du phénomène : les Say présentent pour nous l'avantage d'offrir deux branches ; la première, descendante de l'économiste Jean-Baptiste Say, est restée à quelques exceptions près protestante ; la seconde, issue de son frère Louis, fondateur de la sucrerie célèbre, est catholique. Grâce à l'étude généalogique très minutieuse de J. Valynselle (*Les Say et leurs alliances*, Paris, 1971), nous avons établi une petite statistique des mariages de l'une et l'autre branche ; la comparaison est frappante : alors que les mariages internationaux sont exceptionnels dans la descendance catholique de Louis Say, ils sont monnaie courante de l'autre côté (4 sur 6 parmi les petits-enfants de Jean-Baptiste Say, 9 sur 18 parmi ses arrière-petits-enfants, et encore 12 sur 37 et 23 sur 97 aux deux générations suivantes, les deux groupes les plus représentés étant les Anglo-Saxons et les Suisses). A un stade social plus modeste, les familles pastorales connaissent le même internationalisme, mais le plus surprenant est de rencontrer parfois ce type de mariage dans une paroisse rurale, surtout lorsque l'appartenance à une confession plus minoritaire particularise les familles, par exemple dans la petite bourgade gardoise de Congeniès chez les quakers ou les méthodistes.

Le dimanche des Missions que chaque Eglise chrétienne occidentale organise depuis le XIX° siècle revêt une importance beaucoup plus grande chez les protestants, accentuant leur ouverture au monde. L'effort qu'a consenti la communauté réformée française est en effet proportionnellement plus considérable que son homologue catholique : certaines paroisses vont jusqu'à donner 10 % de leur budget, et l'effectif missionnaire représente plus du quart des pasteurs en poste en France. « L'oncle missionnaire », bien lointain chez le catholique et souvent mythique, est ici plus proche parce que dans cette famille élargie que constitue tout groupe huguenot, il existe toujours un cousin, un fils ou une fille d'ami parti comme pasteur, prédicateur laïque, infirmière ou instituteur. Et la curiosité intellectuelle comme la solidarité conduit à se renseigner sur le pays où travaillent des connaissances. Rappelons que la Mission n'a jamais renvoyé automatiquement au drapeau national contrairement au catholicisme français : il ne fut pas rare de voir les protestants français soutenir une évangélisation dans un pays sous domination anglaise : spectacle étonnant lorsqu'on entend un agriculteur du Massif Central parler du Lessouto comme s'il s'agissait de la Belgique ou même de l'Alsace !

C'est cet internationalisme naturel qui a alimenté l'accusation d'être un parti de l'étranger, lancée au XIX° siècle contre les protestants français par la droite royaliste et catholique, accusation bien injuste car ce sentiment n'a jamais été incompatible avec le patriotisme (comme en a témoigné encore récemment, nous l'avons vu, la place importante des huguenots dans la Résistance) ni même avec le maintien du caractère spécifiquement national. Bien plus, ce phénomène contribue indéniablement au rayonnement français à l'étranger. La famille royale hollandaise ne manque pas une occasion de rappeler sa filiation avec l'amiral de Coligny, et nombre de pasteurs français animent les Eglises des Pays-Bas issues du Refuge que l'on appelle Wallonnes et où l'on célèbre encore le culte en français. Les grands éditeurs protestants suisses de langue française comme Payot, Delachaux-Niestlé ou Droz publient et diffusent les auteurs de notre pays et dans le mouvement œcuménique international, le protestantisme français joue un rôle bien supérieur à son poids numérique. Les hauts-lieux de notre Huguenotisme, le Musée du Désert, la tour de Constance, la maison de Marie Durand, le musée de Poët-Laval, attirent de plus en plus les protestants étrangers, amorce d'un véritable tourisme religieux. Certains d'entre eux, descendants de Réfugiés pour la Foi, se mettent même à rechercher leurs racines françaises, ils se découvrent parfois des cousins restés au pays et souvent d'origine beaucoup plus modeste ; alors, fait surprenant, il arrive que de petits paysans du Sud de la France traversent pour la première fois la frontière pour rendre la politesse à la famille hollandaise venue renouer avec ce lointain passé, mais cette rencontre paraît tout à fait naturelle à des gens élevés spontanément dans l'idée d'une communauté religieuse qui ne s'arrête pas aux frontières nationales.

« Homme d'une attente », selon la belle expression de Léonard, le protestant français vit dans l'espoir du « Réveil ». Plus qu'un autre il est sensible à la dégradation toujours possible de l'institution ecclésiastique dont il se méfie spontanément ; et inversement la mystique du « petit troupeau » ne lui fait pas redouter de se retrouver marginal par rapport aux organisations réformées classiques, d'où la tendance permanente à l'émiettement qui serait pour le catholique le scandale majeur alors que le phénomène ne le choque pas. Rares sont les vieux bastions huguenots qui ne possèdent pas la « chapelle » face au temple et parfois la dispersion est encore plus grande. A Saint-Jean-du-Gard, les protestants se partagent entre six à sept groupes religieux. Chaque Réveil a laissé sa trace visible, car dans ces zones rurales, comme au temps du culte interdit, la fidélité religieuse est d'abord familiale, et les prédicateurs réussissent toujours à convaincre quelques familles de l'affadissement spirituel du temple. Aujourd'hui encore, dans la petite ville cévenole déjà citée, les piliers de l'Eglise libre sont les descendants de ceux qui l'ont fondée il y a plus d'un siècle. Ajoutons qu'en milieu protestant le terme de secte n'a pas la même valeur péjorative que chez les catholiques et qu'inversement le centralisme et la hiérarchie même consentie ont toujours mauvaise presse, même chez ceux qui l'acceptent par raison. C'est dire qu'au delà d'une sensibilité et d'un fonds culturel communs, la diversité est l'un des caractères constitutifs du protestantisme français, diversité qui apparaît même actuellement dans un domaine où l'on n'avait pas l'habitude de la trouver, le choix politique.

Un protestantisme « en nuances » dans la vie politique ? Affirmation qui demande à être explicitée. Certes, la presse d'inspiration protestante donne une étonnante variété de couleurs : du double intégrisme religieux et politique de *Tant qu'il fait jour* jusqu'à l'extrême gauche affirmée de *Parole et Société*, en passant par le « centre gauche » de *Réforme*. Bien entendu, la presse « paroissiale » essaie — sans d'ailleurs toujours y réussir — de se dégager de la politique, mais elle se considère comme plus ou moins liée par les décisions synodales des Eglises ou par celles de la Fédération protestante, ce qui lui vaut parfois des lettres indignées ou enthousiastes de lecteurs, notamment lorsqu'il s'agit des problèmes du « Tiers Monde », du document sur « Eglise et Pouvoir », ou encore, comme en 1975-1976, sur la sexualité. D'ailleurs, dès que la théologie débouche sur des positions éthiques, la division est profonde, et il est bien connu que, sur le plan de la contraception et de l'avortement, le libéralisme (qui n'est d'ailleurs point laxiste) d'André Dumas s'oppose au traditionalisme de Pierre Chaunu, animateur de « Laissez-les vivre » — et pourtant tous deux sont de formation barthienne !

Jusqu'avant 1939 (voir Siegfried), les positions majoritairement « à gauche » des protestants n'étaient mises en doute par personne et la formation républicaine des élites réformées explique que le régime de Vichy y ait été reçu sans enthousiasme et que sa coloration cléricale, réactionnaire et anti-anglaise ait été vivement ressentie et souvent sévèrement jugée, une fois dissipée l'illusion de la première heure. L'échec de la IV° République et la montée du gaullisme ont-ils modifié cet état d'esprit, et dans quelle mesure ? Et le reflux dudit gaullisme et l'actuelle remontée du Parti Socialiste (nous écrivons ces lignes en mars 1977) n'ont-ils pas modifié une fois encore la carte politique du protestantisme ?

Stuart Schram (1954) et F.G. Dreyfus (1965) sont, dans l'ensemble, tombés d'accord : de 1936 date un recul de l'influence de la gauche en pays protestant, qui s'accentue en 1956 (poujadisme) et surtout en 1962 (poussée de l'U.N.R. à la suite du référendum institutionnel). Des circonscriptions entières, jusque-là acquises à la gauche (Valence, Niort, Alès), passent au gaullisme et la grande masse des luthériens alsaciens fait confiance aux partisans du général. « Il faut bien constater, écrit F.G. Dreyfus, que le processus d'abandon partiel de la gauche est lié à l'essor du gaullisme qui, aux yeux de beaucoup, est un mouvement neuf et de progrès tout en étant un parti d'ordre, et qui passe pour être beaucoup moins clérical que les partis de la droite traditionnelle ou le M.R.P. ». D'ailleurs, cette constatation ne fait que recouvrir partiellement une constante générale de la politique française dans les années 1960 : une partie de l'électorat traditionnellement « à gauche », radical, socialiste et même communiste, a, en 1962, puis en 1968, voté pour les gaullistes. Le « score » de la « gauche non communiste » est tombé en dix ans de 22 à 12 %, et pas seulement dans les régions protestantes qui auraient plutôt mieux « tenu » que d'autres. Dans la Drôme et dans l'Ardèche, sous la V° République, dans les communes ayant plus de 50 % de protestants, le vote à gauche a toujours été majoritaire, quelles que soient les consultations électorales.

Essayons donc de « rajeunir » les constatations de F.G. Dreyfus à la lumière des dernières consultations : législatives de 1973, présidentielles de 1974 et cantonales de 1976. En tenant compte du rôle des personnalités et du fait que les circonscriptions où le poids électoral des protestants est important sont, somme toute, rares : Saverne et Wissembourg en Alsace, Montbéliard (Doubs), Niort-Melle (Deux-Sèvres), Alès II-Le Vigan, Uzès-Beaucaire (Gard), Valence-Die (Drôme), Castres (Tarn) — le groupe protestant de l'Ardèche, numériquement important, ayant été divisé entre les trois circonscriptions de ce département. Si on tient compte d'une répartition cantonale, on pourrait ajouter quelques cantons du Sud-Ouest (Montalbanais, Néracais, pays orthézien), des Charentes, de la vallée de la Dordogne, des deux autres circonscriptions du Gard, de la Lozère, de la Haute-Loire.

Que constatons-nous ? La gauche a sensiblement progressé en Alsace, sous la forme du Parti socialiste. Est-ce un fait protestant ? C'est discutable car, mis à part un canton de Strasbourg où un pasteur a bénéficié d'une élection triangulaire, la poussée s'est surtout fait sentir dans le Haut-Rhin (Cernay, Mulhouse, Colmar, Wittelsheim) à large majorité catholique. Le retour de la gauche à une situation relativement plus normale — car l'illogique était tout de même que dans une région fortement industrialisée comme l'Alsace, la gauche plafonnât à 8 ou 9 % des voix ! — est probablement interconfessionnel. Encore faut-il mentionner que le député « indépendant » de Saverne, protestant, vote assez souvent avec l'opposition.

Au pays de Montbéliard, la situation est différente. La gauche non communiste, qui n'avait eu que 11 % des voix en 1962, s'est depuis 1965 affirmée avec force grâce à la puissante personnalité de M. Boulloche (32 % des voix en 1973). Ses succès relativement faciles — ils contrastent avec l'impossibilité du Parti socialiste, maître de Besançon-ville depuis la Libération, à s'imposer dans l'ensemble de la circonscription, à cause des communes rurales, fortement catholiques — sont évidemment facilités par le fait que, dans leur ensemble, les communes rurales à majorité luthérienne lui sont favorables, mais aussi que la maison Peugeot garde, dans son ensemble, confiance en son action municipale et parlementaire.

Le Parti socialiste a récupéré deux sièges sur trois dans la Drôme (Romans et Montélimar) et le seul qui reste à l'U.D.R. est celui de Valence, circonscription minoritairement protestante dans le Diois. Ici,

XXXI. L'ASSEMBLÉE DU MUSÉE DU DÉSERT EN SEPTEMBRE 1951

Photo Paris-Match, P. Jarnoux

XXXII. LE CONCILE DES JEUNES A TAIZE, LE 1er SEPTEMBRE 1974

Quelques-uns des participants autour du pasteur Schutz

évidemment, une micro-géographie politique serait nécessaire. Les cantons du Diois restent certes majoritairement « à gauche », tout comme celui de Mens (Isère), seul de son département à posséder une masse réformée autochtone importante. Même fait dans l'Ardèche où la gauche, qui avait perdu Lamastie, l'a récupéré aux élections cantonales de 1976.

Arrivons-en à la grande masse protestante du Gard, où la gauche possède maintenant quatre députés (1 socialiste et 3 communistes), mais où la droite, gaulliste ou « centriste », conserve encore de fortes positions. L'existence d'un très fort parti communiste vient ici brouiller les cartes. On peut dire avec une relative exactitude que, dans la plaine, la masse du parti communiste est formée de catholiques au moins nominaux, tandis que la masse réformée, y compris souvent les notables, est socialiste, subsidiairement radicale, non sans que certains de ses militants aient, dans les années 1960, fait un petit tour vers le P.S.U. qui fut très fort dans cette région. L'élection législative de 1973, au cours de laquelle le socialiste Dr Bastide enleva son siège au « centriste majoritaire » Poudevigne dans la circonscription d'Uzès-Beaucaire, témoigne de la variété de ces paramètres. Ajoutons que ledit Dr Bastide, socialiste et protestant, est régulièrement battu aux élections cantonales d'Aigues-Mortes par un communiste d'extraction catholique...

Ajoutons pour simplifier le tableau qu'à Nîmes le seul élu protestant au Conseil général est un « centriste » élu sur le Quai de la Fontaine, tandis que l'excellent M. Brugeirolles, innamovible élu socialiste de « la Placette », a dû, en 1973, céder sa place à un communiste avant d'aller se faire « repêcher » par les électeurs de Saint-André-de-Valborgne en Cévennes — en battant notamment Paul Béchard...

En Cévennes (IIe circonscription d'Alès et Sud de la Lozère), les protestants répugnent moins à adhérer au Parti Communiste et même à y militer. Ces fils des héros de Chabrol sont communistes, non par attachement à l'orthodoxie marxiste, mais pour être le plus à gauche. Ici, être rouge, c'est ne pas être blanc. Bien entendu, cette évolution a laissé du monde sur place : si la campagne reste unanime dans son orientation « à gauche », les petits bourgeois et les commerçants des bourgades sont plus nuancés. Saint-Jean-du-Gard a ainsi, depuis plusieurs années, une municipalité plus ou moins gouvernementale, alors que l'ensemble du canton continue à donner une nette majorité à l'extrême gauche. La résurrection du Parti socialiste peut amener une nouvelle évolution : bien que nettement battu par le communiste, Robert Verdier a fait un très bon score en Cévennes.

Nous retrouvons assez bien le même phénomène dans la montagne tarnaise. Alors que le groupe protestant avait été, de tous temps, hostile au baron Reille, une partie des notables a quelque faiblesse pour M. Limouzy qui, comme eux, est un ancien élève du Collège Jean-Jaurès. Auraient-ils ces faiblesses si le député-maire de Castres avait été élevé à l' « école Barral » ?

Le protestantisme tarn-et-garonnais rural est dans son ensemble (Caussade, Négrepelisse, canton Est de Castelsarrasin, canton Ouest de Montauban), franchement fidèle au M.R.G. avec une tentation socialiste chez les plus jeunes. Quant au protestantisme montalbanais, il est politiquement disloqué, et ce depuis l'avant-guerre où une forte partie des familles bourgeoises avait franchement viré à l'extrême droite ligueuse, et depuis la Libération il y a toujours eu « des protestants » sur toutes les listes, même celle du M.R.P. (ce qui est plutôt rare). Il est difficile d'analyser les positions politiques des protestants du Sud-Ouest qui ont eu leur député U.D.R. (Caillaux à Nérac-Agen battu en 1973). Que les grandes familles des Chartrons soient « chabanistes » n'étonnera personne, pas plus que la coloration socialiste de Sainte-Foy-la-Grande. Mais l'échec cantonal à La Force de M. Rey-Lescure (M.R.G.) devant un « gouvernemental » est-il plus qu'un simple accident ?

Que les « bourgeoisies » — ou du moins ce qui en reste — de La Rochelle, Nantes ou Le Havre, soient, tout comme les Chartrons, au centre ou à droite ne surprendra pas, pas plus que l'option M.R.G. des paysans ou même des ostréiculteurs de la Charente-Maritime. Dans le pays mellois (Deux-Sèvres), l'électorat protestant a connu une curieuse évolution : radical avant 1940, il a, au moins partiellement, viré au socialisme à la Libération, pour devenir, après 1958, une clientèle relativement fidèle de Mme d'Ayme de la Chevallière, plus ou moins gaulliste. Celle-ci s'étant retirée de la politique active, cet électorat est revenu à ses anciennes amours en assurant, en 1973, le succès de M. Gaillard, socialiste, enseignant, laïc traditionnel et maire de Niort...

Le protestantisme « du Nord » est trop minoritaire pour compter électoralement. On peut penser que les réformés (ou les luthériens dispersés de la Moselle, ou les baptistes et méthodistes du Nord) suivent, plus facilement que dans les zones de force du protestantisme, les circonstances locales ou les incitations du milieu social. Que les paroissiens de la « Fraternité » de Rouen soient de fidèles lecteurs de l'*Humanité* ou que les baptistes lensois votent socialiste — peut-être en souvenir de leurs coreligionnaires Basly et le Dr Shappfer — paraît logique. De même que, dans les arrondissements bourgeois de Paris, le vote des membres de la H.S.P. n'est sans doute pas structuralement différent de celui de l'aristocratie catholique ou de la haute bourgeoisie israëlite.

On le voit : il y a autant de protestantismes que de régions, et, bien entendu, on n'aurait garde d'oublier les facteurs sociaux ni le rôle des personnalités. Dans l'ensemble, le « peuple protestant » a connu les mêmes vicissitudes que la masse des Français : à la poussée « à gauche » de la Libération a correspondu un affaiblissement, plus ou moins sensible selon les milieux, de cette même gauche, lequel atteint sans doute son maximum, soit en 1962-65 (entre les « élections gaullistes » et la première élection présidentielle), soit en 1968-69 (« élections de la peur » et éparpillement de la gauche à la seconde élection présidentielle). La balance a actuellement tendance à s'équilibrer. La gauche a donc baissé en milieu protestant comme ailleurs, mais très probablement, sauf en Alsace, elle l'a fait avec moins de netteté que dans les cantons catholiques ou indifférents. La comparaison entre cantons du Gard, celle entre le pays bisontin et celui de Montbéliard, la Montagne tarnaise protestante et les communes catholiques de la même région sont indiscutables. Partout, même si elle recule, la gauche garde de très fortes positions et les scrutins nationaux (particulièrement l'élection présidentielle de 1965 où M. Mitterrand arrive en tête — sauf en Alsace — dans les zones d'implantation protestante) témoignent de cette persistance. Bien entendu, la reprise de la gauche depuis 1970 n'est pas un fait uniquement protestant, mais elle touche aussi les milieux réformés — dont, cette fois-ci, l'Alsace.

L'homme politique protestant est-il facilement un « partisan » ? Il est difficilement, semble-t-il, un « homme d'appareil » et, sauf M. Poujade, aucun dirigeant d'aucun des grands partis politiques français n'a été huguenot. Il aura, au contraire, facilement tendance à prendre ses distances, souvent pour des raisons de conscience hautement honorables, même si on ne les partage pas — comme successivement Louis Vallon, Debu-Bridel et J. Soustelle à l'égard de l'U.D.R. ou de la politique gaulliste. Au Parti socialiste, les protestants ne sont jamais des gens faciles : Robert Verdier, feu André Philip, Michel Rocard l'ont quitté en 1958, tandis que G. Defferre et F. Leenhardt se rangeaient dans l'opposition à Guy Mollet. Probablement sont-ils plus à l'aise dans de « petits groupes » peu hiérarchisés — d'où sans doute, à une époque, la grande participation réformée aux « comités radicaux », unis entre eux par de vagues liens fédéraux — d'où aussi leur activité importante au P.S.A. — puis au P.S.U., mais elle y est peut-être moins importante par suite de l'arrivée, par le canal de l'U.G.S., de militants catholiques. Qu'un des départements d'élection du P.S.U. ait été le Gard n'a, dans ces conditions, rien d'étonnant.

Certes, les événements de 1968 n'ont en rien été une œuvre protestante, mais bien des protestants s'y sont rapidement trouvés à l'aise et sont passés sans gros problèmes de la « chapelle évangélique » à la « chapelle gauchiste », désespérant leurs aînés. Ce n'est pas gratuitement que « la Révolution » a été particulièrement vigoureuse dans les Facultés de Théologie protestante, même à Strasbourg, au grand dam des autorités ecclésiastiques. L'affaire du *Semeur* — qui a finalement abouti à la disparition de cette revue et à la pratique mise en sommeil de la « Fédé » — témoigne largement d'un état d'esprit qui tient peut-être du mimétisme politico-religieux et qui est une sécularisation de la dogmatique du « petit troupeau ».

D'où peut-être aussi l'attrait des protestants pour la Maçonnerie. Après une assez longue interruption due au caractère antireligieux que prit après 1890 le Grand Orient de France, pasteurs et fidèles commencent à retrouver le chemin du Temple dans lequel ils assurent un heureux équilibre entre les différentes tendances de l'Ordre. Ajoutons que des théologiens réformés — et notamment André Dumas — sont des habitués du vieil hôtel du prince Murat à l'occasion de rencontres et de colloques. Pourrait-on parler également de la « présence protestante » dans divers clubs, colloques, symposia où la voix des Eglises de la Réforme est toujours écoutée, sinon entendue ?

Abandonnons le plan strict de la politique pour analyser un autre type de nuances, celle des variétés socio-régionales des Eglises. On a, là aussi, l'impression d'une coexistence de plusieurs formes de protestantisme. On pourrait faire les distinctions suivantes. Ici et là, surtout dans les grandes villes, subsiste, parfois très vigoureux, un protestantisme de « notables » héritier du XVIII° siècle et peut-être surtout de l'orléanisme. Un groupe de familles, lié par de multiples affinités sociales, pratiquant souvent une véritable endogamie, aérée quelquefois par des contacts suisses, hollandais ou anglo-saxons. C'est le protestantisme des Chartrons de Bordeaux, de la Fontaine à Nîmes ou de la rue de Grignan à Marseille, partiellement à Paris, celui de l'Etoile, du Saint-Esprit ou de Pantemont. Nous ne le pensons pas en voie de dislocation, en tous cas immédiate : la H.S.P. n'est peut-être pas ce que l'on a affirmé, elle n'est toutefois pas un mythe. Cependant, cette société réformée (subsidiairement luthérienne à Strasbourg et à Mont-

béliard) a perdu beaucoup de son influence religieuse, et toute l'évolution spirituelle du protestantisme français s'est faite sans ou parfois
contre elle. Elle n'en continue pas moins à jouer un rôle intellectuel
de premier plan, fournit son contingent de pasteurs et surtout de
responsables d'œuvres, encore que celles-ci aient cessé depuis longtemps d'avoir l'importance qui était la leur sous Louis-Philippe.

Ce premier faciès protestant vient interférer sur le problème de
l' « Eglise d'élection », c'est-à-dire de l'option en faveur de telle ou telle
paroisse. Dans les grandes villes, elle peut être purement géographique
(cas de Toulouse), mais peut avoir un sens plus profond. La « clientèle » de l'Oratoire, celle de l'Etoile ou celle du « Foyer de l'Ame »
sont spirituellement différentes. Très souvent, en province, malgré
l' « union » de 1938, et bien que les causes profondes des ruptures
théologiques du XIXᵉ siècle aient été oubliées, des nuances se maintiennent entre les diverses paroisses ainsi fusionnées (Nîmes, Mazamet,
Castres...). Là où subsistent des Eglises d'obédiences différentes, la
distinction est encore plus nette ; en Cévennes ou à Montpellier, on
est « du Temple » ou « de la Chapelle », à Montauban « des Carmes »
ou « de la Faculté ». Mais ces divergences ne sont sensibles qu'en pays
de protestantisme autochtone et enraciné et, souvent, les distinctions
constituent davantage un héritage qu'un choix.

Le protestantisme a été rural pendant la majeure partie de son
histoire et son urbanisation est en fait récente. Cette urbanisation a
créé bien des problèmes que les synodes ont essayé avec des succès
variés de régler. Le premier effet en a été, comme d'ailleurs dans le
catholicisme contemporain, la dislocation des structures paroissiales
rurales, souvent si accentuée que non seulement leur regroupement
a été indispensable sous des formules variées (« secteurs paroissiaux »,
« Eglises consistoriales »), mais on a pu craindre que l'hémorragie
démographique n'atteignît un point de « non retour ». La réponse
était ici, non du domaine de la théologie, mais de l'économie. De
nouveaux cadres paysans appartenant aux Eglises — tant réformée
que catholique — ont tenté et souvent avec succès une politique de
« ré-enracinement » dans le terroir qui, notamment dans la Drôme
— tel Edouard Vachier à Arnayon — et l'Ardèche commence à donner
des résultats. Le « repeuplement huguenot » de la Haute-Loire (Le
Chambon) et des Cévennes est en voie de réalisation et R. Beauvais
parle avec un peu d'exagération du « sionisme cévenol ». Restructuration en cours également dans le Béarn et l'Ouest saintongeais, tandis
que les protestants du Bas-Languedoc gardois s'efforcent d'améliorer
la qualité de leurs vins pour pouvoir continuer à « viure al païs ».

Il n'empêche que, de nos jours, le protestantisme français a tendance à devenir un protestantisme urbain, formé de « déracinés » de types d'ailleurs différents. Si ce déracinement se fait à courte distance, les protestants peuvent conserver pendant une ou deux générations des relations avec leur ancienne Eglise (cas de Bordeaux, Toulouse, mais aussi Valence et Grenoble), mais c'est le plus souvent impossible. Alors, et cela a commencé depuis le début du XIXᵉ siècle, mais s'est accentué depuis, se créent des paroisses nouvelles, dans les villes ou les grandes banlieues, sans fond autochtone, sans référence au passé, groupant des réformés (et même des luthériens, vu l'absence pratique, sauf à Paris et à Lyon, d'Eglises luthériennes en dehors de l'Alsace et du pays de Montbéliard) de toute origine, de toute tradition, de toute option politique et théologique, et parfois de prosélytes dont certains jouent un rôle important, notamment les « recrues universitaires » comme Viallaneix à Clermont ou Chaunu à Caen.

Eglises dites jadis « de fonctionnaires », ce qui n'est plus tout à fait exact de nos jours, car la « fonction publique » attire peut-être moins les protestants qu'autrefois, mais aussi parce que beaucoup de familles, venues dans une ville au hasard d'une nomination, s'y sont définitivement enracinées. C'est le cas bien connu des Alsaciens de 1870 en Lorraine et au Havre, des gens de Meyrueis à Millau, des horlogers d'origine suisse à Besançon, des employés d'autobus ariégeois à Toulouse, des cheminots de la Montagne Noire à Béziers ou Narbonne, des « Parisiens » à Grenoble. De telles paroisses finissent par avoir une composition « sociologique » peu différente de l'ensemble de la population française, avec une mince frange franchement « bourgeoise », une forte « classe moyenne » et une proportion importante d'ouvriers.

Car il existe beaucoup d'ouvriers protestants. Dans le vieux terroir cévenol, l'Eglise réformée de Tamaris, longuement étudiée, en est un bon exemple. Paroisse où les conseillers presbytéraux sont aussi des syndicalistes de la C.G.T. et parfois même du Parti communiste, tenant à l'autonomie de leur Eglise en face de celles d'Alès aimablement qualifiées de « bourgeoises » (ce qui, au demeurant, n'est pas non plus exact). On pourrait citer Oullins, dans la banlieue lyonnaise, Le Chambon-Feugerolles et moins nettement Firminy dans le bassin houiller de Saint-Etienne, formés d'Ardéchois et de gens de Haute-Loire. Ajoutons les paroisses nées des Fraternités de la Mission Populaire (Roubaix, Rouen, Saint-Etienne) ou celles, surtout dans le Nord/Pas-de-Calais, créées au XIXᵉ siècle par les Sociétés d'évangélisation, notamment les baptistes.

Ce n'est pas que les « ouvriers » ou « employés » manquent dans les paroisses traditionnelles. Grenoble, Valence ont une proportion d'ouvriers considérable — et il en est de même de Castres, Mazamet, Montpellier. Très souvent, les U.C.J.G. (moins nettement peut-être les U.C.J.F.) regroupent la jeunesse populaire de la paroisse, le scoutisme étant nettement plus « bourgeois », mais ce n'est évidemment pas la règle. Par contre, il est évident que, sauf cas exceptionnels, mais non rarissimes, l'élément purement « prolétarien » entre peu dans les cadres de l' « administration » ecclésiastique et fournit assez peu de vocations pastorales, davantage peut-être de vocations tardives. Effectivement, sans qu'elle soit absolument recherchée comme au XIXᵉ siècle, la « surface sociale », mais aussi la culture, jouent un rôle important au niveau du recrutement des Conseils presbytéraux, et a fortiori des organes directeurs des Eglises. En 1967, la XIIᵉ région E.R.F. (Alpes-Rhône) possédait 796 conseillers presbytéraux dont 547 hommes et 249 femmes. La répartition professionnelle était la suivante : ouvriers (6 %), cadres moyens et employés (14 %), ingénieurs et cadres supérieurs (12 %), industriels (1,38 %), professions libérales (1,13 %), médecins (5 %), enseignants (7 %), police et armée (1,38 %), artisans et commerçants (6 %), agriculteurs, (22 %), sans profession (16 %), retraités (9 %). Ce n'est pas seulement pour leur piété que M. Couve de Murville est conseiller presbytéral, que M. Courvoisier a été président de la F.P.F., ou que M. Allier préside le Comité de la Société de l'Histoire du Protestantisme français dans lequel figure, à côté de M. André Chamson, l'ambassadeur Seydoux de Clausonne. On aime, aujourd'hui comme autrefois, avoir des consistoires « bien composés »... Cette sélection accentue évidemment l'aspect « bourgeois » du protestantisme, au moins vu de l'extérieur, et occulte dans une grande mesure son caractère populaire. Ce gauchissement du système presbytérien synodal explique qu'il n'y ait pas toujours une parfaite harmonie entre ses composantes.

Cette diversité sociale du protestantisme ne peut plus être masquée par une uniformité théologique. Le barthisme n'est plus « la » théologie dominante qu'il a été jusqu'en 1960. Certes, il a uni la rigueur de la dogmatique à la vigueur de l'engagement politique et libre dans la vie du monde. Mais cette vitalité dogmatique a été doublement atteinte, de l'extérieur par ceux qui redoutaient qu'elle ne fasse une économie trop peu critique des questions posées par l'exégèse de Bultmann, et de l'intérieur par ceux qui se contentaient de répéter Barth, comme s'il était devenu une scolastique ayant réponse à tout. Alors commence la période de l'herméneutique et la rencontre des « maîtres du soupçon » (Marx, Nietzsche, Freud) autour du philosophe et théologien Paul Ricœur : l'exégèse reprend le pas sur la dogmatique. « Comment aller des textes bibliques à la morale, à la théologie, à la prédication, quand les sciences humaines nous apprennent combien nous n'avons pas à faire directement à un Dieu qui parle, mais toujours à des textes littéraires et à des langages d'hommes ? » (André Dumas). Aux herméneutes viennent se joindre les charismatiques et les politiques. Les premiers redécouvrent, après les Pentecôtistes, quelquefois avec eux, le plus souvent à côté d'eux, le pouvoir du saint Esprit, le « parler en langues », le don de guérison et aussi la chaleur de petites communautés fraternelles qui retrouvent la liberté et le partage de l'Eglise primitive. A la suite de Bonhœffer qui, avec la justesse de son intuition, opère une distinction entre religion et foi, les « politiques » redécouvrent la nécessité de l'engagement des chrétiens à l'intérieur des luttes humaines pour la liberté, la justice, la paix. Ils forment des communautés de base, des groupes de foyers, des équipes de réflexion ou d'action politique ou sociale, participent à des centres de rencontres comme celui de Celles-sur-Belle (Centre protestant de l'Ouest), « lieu de libre parole, ouvert à tous, sans discrimination idéologique, confessionnelle ou politique ». Ce sont le plus souvent des urbains, des hommes et des femmes de 35 à 50 ans, — professeurs et cadres moyens —, qui sont sensibles à cette « théologie de la Libération » inductive et populaire, et qui forment des petits groupes de « chrétiens critiques », de « chrétiens marxistes » ou de « chrétiens pour le socialisme ». Comme les charismatiques, ces « politiques » situent de plus en plus leur contestation à l'intérieur de leur paroisse et ne cherchent pas à rompre avec leur Eglise d'origine. Mais ces « politiques » ne sont pas tous à gauche. Certains, au nom de la liberté, défendent la libre-entreprise et refusent le collectivisme ; ils lancent des appels contre les persécutions en U.R.S.S. ; ils condamnent le pluralisme dans l'Eglise lorsqu'il sert d'alibi à toutes sortes d'idéologies non-bibliques (marxisme, gauchisme, freudisme, etc.).

Face à cette « théologie éclatée » (Roby Bois), les « confessionnels » sonnent l'alerte (Cf. la « Lettre aux Eglises » de François Bluche et Pierre Chaunu), essaient de freiner la « débandade », condamnent l'hérésie et les déviations éthiques, affirment une nouvelle orthodoxie calviniste : ils s'attachent à la confession de foi de La Rochelle, ils maintiennent la liturgie traditionnelle de Luther ou celle de l'Eglise réformée et récitent le « Décalogue » et la « confession des péchés » ; ils supportent difficilement que les jeunes pasteurs mettent en question leur consécration et leur « mise à part » cléricale et qu'ils souhaitent redevenir des laïcs théologiens ; ils s'inquiètent de la crise qui traverse les paroisses.

Les mouvements migratoires qui perturbent la vie des protestants depuis 30 ans (exode rural et urbanisation) ont entraîné une remise en question de la notion traditionnelle de la paroisse et de l'équation « un pasteur = un conseil presbytéral = une paroisse ». Des paroisses rurales partagent un pasteur avec d'autres associations cultuelles ; des paroisses citadines ont été « concassées » par le développement urbain ; et elles peuvent aussi avoir plusieurs pasteurs. Le modèle de la paroisse de campagne ou de petites villes a été disloqué par les mutations du peuple protestant. Cette vie de relations de famille à famille, où « tout le monde se connaît », dans une atmosphère « chaude » et accueillante, était celle des petites communautés comme celles de Bourdeaux dans la Drôme, des Olliéres dans l'Ardèche, de La Tremblade en Charente-Maritime, comme à Albi ou à Orthez. Mais ce n'est plus qu'une image d'un passé qui provoque nostalgie et amertume...

En fait, deux types d'ecclésiologie coexistent aujourd'hui : l'un, plus classique, qui favorise la permanence ou la formation de communautés spécifiques et significatives, et garde pour base théologique la visée d'une Eglise rassemblée autour de la Parole et des sacrements ; l'autre qui favorise la naissance de groupes divers à l'intérieur d'un tissu urbain, donne la priorité à la réflexion et à l'action de l'Eglise dans la cité ; le ministère pastoral devient spécialisé et collégial, et il est au service de l'édification d'une Eglise de « laïcs », d'une Eglise « dispersée » dans la ville. Cette réflexion sur les structures des Eglises de ville s'est faite aussi bien à Toulouse qu'à Marseille, à Lyon qu'à Rouen ou Montpellier, stimulée par les expériences menées à Grenoble, véritable « laboratoire » d'entreprises originales, autour de Paul Keller, pasteur et guide de haute montagne.

Cet « éclatement » des paroissiens n'a été admis par plusieurs que si le culte pouvait rester le rassemblement de la communauté après la dispersion. Les études de sociologie religieuse permettent d'avoir quelques informations sur l'assistance aux cultes du dimanche. En 1958, la participation au culte à Grenoble représentait 16 % des paroissiens et 10 % à Strasbourg. Mais depuis 15 ans, ces chiffres ont subi une érosion certaine : d'une manière générale, la « pratique » du dimanche a tendance à diminuer et aussi à vieillir... Mais, par ailleurs, sa signification n'a-t-elle pas évolué, avec la juxtaposition de services cultuels en semaine, de cultes de jeunes qui ont su retrouver la joie de la Résurrection, ainsi que des cultes « festifs » à Noël et à Pâques qui rassemblent cinq ou six fois plus de fidèles qu'un dimanche ordinaire ? Une enquête lancée dans la région Alpes-Rhône au printemps 1968, et consacrée au « Jour du Seigneur », provoque 1 900 réponses et confirme que le culte du dimanche est un sujet d'actualité. Les prises de position divergentes illustrent le malaise existant et le clivage des générations : les plus de 45 ans accordent la priorité à la prédication et à la liturgie ; pour les plus jeunes, c'est la sainte Cène l'essentiel, ainsi que la prière d'intercession. Les oppositions au changement rassemblent 45 % des réponses, et très particulièrement parmi les femmes les plus âgées. Il n'est pas étonnant que ceux qui sont favorables au changement soient les plus nombreux parmi les jeunes, mais aussi parmi les 25-45 ans, et très particulièrement parmi les « jeunes femmes » des villes grandes et moyennes. Est-il possible de concilier la tradition et le changement ? d'éviter une cassure brutale dans l'Eglise ? Cette diverté peut-elle être considérée comme une possibilité d'enrichissement mutuel ? Diversité et unité sont-elles conciliables ?

Au terme de ce long parcours à travers l'Histoire des protestants en France, une simple question pourrait être posée : mais qu'est-ce qu'un protestant ? Michel Philibert nous propose une réponse : « Le protestant français est minoritaire. Il diffère, si peu que ce soit, des gens de son pays, de sa classe, de son temps. Il a d'autres références. Il est perçu, il se perçoit, même s'il ne sait pas en quoi ni jusqu'où, comme différent. Il n'est parfaitement intégré, ni parfaitement conforme, à ceux parmi lesquels il vit. Il campe dans la nation, comme le prolétaire selon Marx, comme le Juif parmi les Gentils. Sa situation de minoritaire et de passant répond à celle du Christ. Elle exprime la situation des chrétiens dans le monde ; elle répond à la vocation du chrétien, étranger et voyageur sur la terre. Le protestant français n'est chez lui nulle part, il est chez soi partout (...). Placé sous le signe de la réforme, voire de la résistance, plutôt que sous celui du conformisme, soucieux de restaurer plus que de conserver ou de prolonger, sa familiarité avec un imaginaire archaïque et lointain lui donne des capacités de démenti et de rénovation. Nomade de l'espace et de l'histoire, s'il recule souvent, c'est parfois pour mieux sauter. Scribe ingénu, cherchant dans son trésor des choses anciennes, il en tire aussi de nouvelles. »

Orientation bibliographique

Nous citerons en premier lieu le *Bulletin de la Société d'Histoire du Protestantisme français* qui, depuis 1852, fournit des études historiques, des éditions de documents, une chronique et des comptes rendus (cité ci-après : *BSHPF*). Et, si l'on ne peut ici dresser un tableau des sources de l'histoire des protestants français, — ce qui exigerait un volume plus gros que celui-ci, pour cette tâche seule, — on peut signaler : E. Thomas, « Sources de l'histoire du protestantisme aux Archives Nationales » (*BSHPF*, 1949). Ajoutons qu'il y a encore lieu de recourir, malgré leurs dates déjà anciennes (1846-1859), aux 10 volumes de *La France protestante, ou Vies des protestants français qui se sont fait un nom dans l'histoire...*, d'Eugène et Emile Haag (*reprint* Genève 1966), œuvre de piété et d'érudition qui reste irremplaçable, ainsi qu'aux 13 volumes (1877-1891) de l'*Encyclopédie des Sciences religieuses* dirigée par le pasteur Lichtenberger.

Après ces quelques lignes, il serait injuste de ne pas citer immédiatement les œuvres générales d'Emile G. Léonard, depuis sa « Bibliographie du protestantisme français » (*Revue Historique*, tomes CCX-CCXI-CCXII, 1954) — en passant par son étude sur *Le protestant français* (Paris, 1955) — pour en arriver à son *Histoire générale du protestantisme*, tomes I, *La Réformation*, II, *L'établissement*, et III, *Déclin et Renouveau* (*XVIIe-XXe siècles*) (Paris, 1955-1961-1964). Ces volumes contiennent des bibliographies abondantes, auxquelles nous renvoyons. Bien entendu, observons qu'ils ne se limitaient pas à la France, ni même à l'Europe. En revanche, l'excellent *Problèmes et expériences du protestantisme français* (Paris, 1940) se consacre à la France.

L'historiographie (c'est-à-dire l'histoire de l'Histoire) est encore un domaine négligé en France. Cependant, l'historiographie de la Réforme a déjà été largement étudiée au cours d'un colloque tenu à Aix-en-Provence en 1972 ; les actes en ont été publiés en 1976 sous la direction de Ph. Joutard (Paris, 2 vol.). L'intérêt de ce colloque réside d'abord dans le choix de la longue durée, du XVIIe au XXe siècle, de Duplessis Mornay à Lucien Febvre ou à la lecture marxiste de l'événement. Mais l'examen des diverses expressions historiques n'est pas moins significative : non seulement Bayle, Saint-Simon ou Voltaire, mais la presse, le roman et même le modeste manuel, Lavisse ou Malet-Isaac, sans oublier l'iconographie. A travers ces images successives de la Réforme, on mesure la place considérable tenue par le protestantisme dans l'Histoire idéologique, culturelle et politique de la France.

Citons encore quelques ouvrages généraux de première qualité : *Les Eglises réformées en France, Tableaux et cartes* (Paris, 1958), de S. Mours, est un instrument de travail irremplaçable. *2 000 ans de Christianisme*, ouvrage collectif en cinq volumes (Paris, 1975-76) contient de très précieux dossiers. Enfin, on ne saurait se passer de Jean-Claude Groshens, *Les institutions et le régime juridique des cultes protestants* (Paris, 1957).

Il existe évidemment de nombreuses études consacrées à l'histoire des protestants d'une région ou d'une localité. Nous serons amenés à en citer un certain nombre dans les pages qui suivent. Sans vouloir être complets, signalons tout de même déjà les suivantes : Ph. Corbière, *Histoire de l'Eglise Réformée de Montpellier* (Paris, 1861) ; A. Arnaud, *Histoire du Protestantisme en Dauphiné* (Paris, 3 vol., 1886), *... en Provence* (Paris, 1887), *... en Vivarais-Velay* (Paris, 1889). Ce dernier travail est renouvelé par S. Mours, *Le protestantisme en Vivarais et en Velay des origines à nos jours* (Valence, 1949). *Les protestants du Mas-d'Azil* en Ariège ont trouvé leur historien en la personne de Mme A. Wemyss (Toulouse, 1961).

Chapitre I. — Pourquoi se réformer ?

Donnons ici les principales références en suivant la ligne de la démonstration ; il est toutefois entendu que certaines œuvres une fois citées peuvent venir encore à l'appui de développements ultérieurs.

L'article de Lucien Febvre, « Une question mal posée : les origines de la Réforme française et le problème général des causes de la Réforme » *Revue Historique*, CLXI, 1929), repris dans *Au cœur religieux du XVIᵉ siècle* (Paris, 1957), n'a pas vieilli, et ses hypothèses de recherche conservent leur valeur. Une irremplaçable reconstitution des climats intellectuels parisiens dans lesquels la Réforme a pris son essor est fournie par Augustin Renaudet, *Préréforme et Humanisme à Paris pendant les premières guerres d'Italie* (Paris, 1916 ; rééd. revue et corr., 1953).

La seule synthèse valable actuellement en langue française sur le mouvement hussite du XVᵉ au XXᵉ siècle est celle de Josef Macek, *Jean Hus et les traditions hussites* (Paris, 1973). Armand Danet a fourni du *Malleus maleficarum* de Henry Institoris et Jacques Sprenger, sous le titre *Le marteau des sorcières* (Paris, 1973), l'unique traduction française, qu'il a fait précéder d'une remarquable introduction. On se reportera à la première partie de l'ouvrage de Robert Mandrou, *Magistrats et sorciers en France au XVIIᵉ siècle* (Paris, 1968). *L'apparition du livre* de L. Febvre et H.J. Martin (Paris, 1958 ; rééd. en format de poche, 1971) est une excellente mise au point concernant les débuts de l'imprimerie en Europe aux XVᵉ et XVIᵉ siècles. Robert Mandrou a récemment (Paris, 1973) publié : *Des humanistes aux hommes de science*.

L'automne du Moyen Age de J. Huizinga (Nlle éd., Paris, 1975) est une remarquable synthèse qui n'a pas vieilli. La thèse de J. Jacquart, *La crise rurale en Ile-de-France*, 1550-1670 (Paris, 1974), minutieuse, est solidement informée sur le Hurepoix et la zone méridionale. Celle de G. Fourquin, *Les campagnes de la région parisienne à la fin du Moyen Age*, plus ancienne (Paris, 1964), a une visée plus large.

La monographie consacrée par A. Renaudet au *Concile gallican de Pise-Milan* (Paris, 1932) est indispensable pour comprendre les continuités gallicanes. A. Godin, *Spiritualité franciscaine en Flandre au XVIᵉ siècle : l'homéliaire de Jean Vitrier* (Genève, 1971), est un ouvrage tout à fait original, qui comporte l'identification d'un manuscrit non attribué jusqu'alors, conservé à la Bibliothèque Municipale de Saint-Omer, et une remarquable étude de spiritualité franciscaine. L'édition Allen de la *Correspondance* d'Erasme — cette source inépuisable — est en cours de traduction française par les soins de l'Académie Royale de Belgique.

L. Poliakov, *Les banchieri juifs et le Saint Siège du XIIIᵉ au XVIIᵉ siècle* (Paris, 1965), situe avec précision la place des financiers juifs dans la Rome de la Renaissance. L'ouvrage de L. Febvre, *Martin Luther* (Paris, 1928 ; dern. rééd. 1968) n'a pas vieilli ; il demeure la meilleure introduction en français à l'œuvre du réformateur allemand. H. Strohl — *Luther jusqu'en 1520* (2ᵉ éd. revue et corr., Paris, 1962) — est un théologien doué d'un remarquable sens de l'Histoire. *Les rois thaumaturges, Etude sur le caractère surnaturel attribué à la puissance royale* (Strasbourg, 1924 ; 2ᵉ éd. Paris, 1961) est un des plus admirables ouvrages de Marc Bloch, le grand médiéviste co-fondateur des *Annales*. La plus belle étude consacrée par un historien à Marguerite de Navarre est celle de L. Febvre, *Autour de l'Heptaméron, amour sacré, amour profane* (Paris, 1944 ; éd. de poche, 1971).

La traduction fondamentale pour comprendre la genèse de la Réforme proprement française est celle de Lefèvre d'Etaples, *La Saincte Bible en Françoys, translatée selon la pure et entière traduction de Sainct Hierosme* (Anvers 1530). A. Renaudet, *Etudes érasmiennes* (Paris, 1939), rassemble les articles consacrés par lui à son auteur de prédilection. J. Huizinga, *Erasme* (Paris, 1955), remarquable petite synthèse, présente un profil profondément humain du prince des humanistes.

L'Histoire de l'Eglise de Meaux (Paris, 1731) de Dom Toussaint du Plessis mérite encore lecture pour la compréhension de ce que fut le groupe de Meaux. *L'Histoire du calvinisme* de Maimbourg, s.j. (Paris, 1686), est partiale, mais intelligente et utile.

W. Moore, *La Réforme allemande et la littérature française*, *Recherches sur la notoriété de Luther en France* (Strasbourg, 1930), est une étude tout à fait convaincante d'un disciple de L. Febvre durant son séjour à Strasbourg. Josse Clichtove, *Antilutherus Jud. Clichtovei Neoportuensis, tres libros complectens...* (Paris, 1524, fol.) est un de ces livres anciens qu'il faut toujours avoir sous la main pour comprendre les polémiques du temps. L'œuvre collective intitulée *Guillaume Farel*, 1489-1565 (Neuchâtel-Paris, 1930), d'initiative helvétique, est la seule présentation d'ensemble consacrée à Farel. A.L. Herminjard, *Correspondance des réformateurs dans les pays de langue française* (Genève, 1866-1897, 9 vol.) est un travail inachevé (il ne va que jusqu'en 1544), mais qui fait toujours autorité, parce que la présentation et le commentaire des textes sont impeccables.

Chapitre II. — Vers une nouvelle religion ?

La bibliographie serait ici considérable, et nous devons nous limiter à l'essentiel. Pour la documentation elle-même, bornons-nous à citer F. Deltheil, « L'enquête sur les documents concernant les débuts de la Réformation » (*BSHPF*, t. 105, 1959), ainsi que *Les Réformés à la fin du XVIe siècle, Relevés de documents dans les fonds d'archives* (Paris, SHPF, 1972), et E. Droz, *Chemins de l'hérésie*, t. I, *Textes et documents* (*reprint* Genève, 1970).

Mentionnons quelques ouvrages généraux, dont la consultation est indispensable : R. Mandrou, *Introduction à la France moderne, Essai de psychologie historique*, 1500-1640 (Paris, 1961) ; J. Delumeau, *Naissance et affirmation de la Réforme* (Paris, 1965), et *Le catholicisme entre Luther et Voltaire* (Paris, 1971) ; P. Chaunu, *Le temps des Réformes, La crise de la Chrétienté : l'éclatement*, 1250-1550 (Paris, 1975).

L'étude de l'évolution intellectuelle et spirituelle qui accompagna les débuts de la Réforme a suscité de nombreuses études, parmi lesquelles nous citerons à des titres divers : E. Eisenstein, « L'avènement de l'imprimerie et la Réforme » (*Annales ESC*, 1971) ; A.A. Dufourc, « Humanisme et Réformation » (*XIIe Congrès Intern. Sc. Hist.*, Vienne, 1965) ; P. Chaunu, « Niveaux de culture et Réforme » (*BSHPF*, t. 118, 1972). Les Actes de deux colloques peuvent être signalés ici : ceux du colloque d'Histoire religieuse de Lyon de 1963, *La vie religieuse dans les pays français et germaniques à la fin du XVe et à la fin du XVIe siècle, Etude comparée ;* et ceux du 3e colloque du Centre d'Histoire de la Réforme et du Protestantisme de Montpellier, *La Réforme et l'éducation* (Toulouse, 1974). Enfin J. Pineaux a consacré un ouvrage à *La poésie des protestants de langue française*, 1559-1598 (Paris, 1971).

Il ne peut être question de donner une bibliographie complète de Calvin. Contentons-nous donc de signaler : A. Bieler, *La Pensée économique et sociale de Calvin* (Genève, 1959), et L. Arenilla, « Le calvinisme et le droit de résistance à l'Etat » (*Annales ESC*, 1967). Et venons en à l'influence de Genève, de laquelle traitent quatre volumes de la collection « Travaux d'Humanisme et de Renaissance » publiée à Genève : les tomes XXVI et LVI sont l'édition par P.F. Geisendorf du *Livre des habitants de Genève*, I, 1549-1560, et II, 1572-1574 et 1585-1587 (1957, 1963) ; après le tome XXII, publié dès 1956, *Geneva and the coming of the Wars of Religion in France* (1555-1563), R.M. Kingdon a été l'auteur du tome XCII, en 1967, *Geneva and the consolidation of the French Protestant Movement* (1564-1572), *A contribution to the History of Congregationalism, Presbyterianism and Calvinist Resistance Theory.* — Riche d'indications est d'autre part l'article de R. Mandrou, « Les Français hors de France aux XVIe et XVIIe siècles » (*Annales ESC*, 1959).

Sur les guerres de religion, en dehors de l'utile synthèse de G. Livet, *Les guerres de religion* (Paris, Que sais-je ? n° 1016, 1962), on signalera l'importante bibliographie des libelles qui accompagnèrent les troubles : M. Yardéni, *La conscience nationale en France pendant les guerres de religion*, 1559-1598 (Paris, 1971). Natalie Z. Davis a étudié « The rites of violence : religious riot in 16th Century France » (*Past and Present*, 1973). L'épisode de la Saint-Barthélemy a suscité : J. Estèbe, *La saison des Saint-Barthélemy*

(Paris, 1968) et, tout récemment (Neuchâtel, 1976), Ph. Joutard, J. Estèbe, El. Labrousse et J. Lecuir, *La Saint-Barthélemy ou les résonances d'un massacre.*

Parmi les nombreuses monographies locales, certaines des plus récentes sont : P. France, « Les protestants à Grenoble au xvıᵉ siècle » (*Cahiers d'Histoire*, VII, 1962) ; J. Fromental, *La Réforme en Bourgogne aux XVIᵉ et XVIIᵉ siècles* (Paris, 1968) ; H. Venard, « Les protestants du Comtat Venaissin au temps des premières guerres de religion » (*Colloque Coligny et son temps*, Paris, 1972).

Nous passons aux études proprement sociales avec J. Estèbe et B. Vogler, « La genèse d'une société protestante : étude comparée de quelques registres consistoriaux méridionaux et palatins vers 1600 » (*Annales ESC*, 1976). P. Bels a analysé *Le mariage des protestants français jusqu'en 1685* (Paris, 1968). Le rôle des femmes a été examiné surtout par des historiennes d'Outre-Atlantique, Nancy Roelker, « Le rôle des femmes de la noblesse dans la Réforme française au xvıᵉ siècle » (*Colloque Coligny et son temps*, 1972) ; et Natalie Z. Davis, « City women and religious change » (*Society and Culture in Early Modern France*, Stanford, Calif., 1975).

Chapitre III. — La peau de chagrin.

Les textes essentiels sont les précieuses publications de L. Anquez, *Histoire des Assemblées politiques des réformés de France* (Paris, 1859), et surtout du bon annaliste Elie Benoît, *Histoire de l'Edit de Nantes* (Delft, 1965, 5 vol.).

On pourra se reporter aux monographies locales et régionales déjà citées. Y ajouter R. Garrisson, *Essai sur l'histoire du protestantisme dans la Généralité de Montauban* (Musée du Désert, 1935), J. Pannier, *L'Eglise réformée de Paris sous Louis XIII* (Paris, 3 vol., 1922-1932), le P.L. Perouas, *Le diocèse de La Rochelle de 1648 à 1724* (Paris, 1964), E. Goguel-Labrousse, « L'Eglise réformée du Carla en 1672-1673 » (*BSHPF*, 1961), P. Bolle, « Une paroisse réformée du Dauphiné à la veille de la Révocation » (*ibid.*, 1965).

Sur la population protestante : J. Orcibal, *Etat présent des recherches sur la répartition géographique des « Nouveaux Catholiques » à la fin du XVIIᵉ siècle* (Paris, 1948), et surtout S. Mours, *Essai sommaire de géographie du protestantisme réformé français au XVIIᵉ siècle* (Paris, 1966).

Sur les problèmes politiques et les relations des Eglises et de l'Etat : Fr. Garrisson, *Essai sur les commissions d'application de l'Edit de Nantes*, tome I (seul paru), *Règne de Henri IV* (Paris-Montpellier, 1950), résume bien les difficultés d'application de l'Edit, et les solutions (souvent de bon sens) qui furent appliquées. Sur les dernières guerres de religion, on se reportera aux travaux de G. Serr, *Henri de Rohan, son rôle dans le Parti protestant*, 1610-1616 et 1617-1621 (2 vol., Paris, 1946-1975). Le livre de l'abbé J. Dedieu, *Le rôle politique des protestants français*, 1685-1715 (Paris, 1920), est maintenant dépassé, notamment par les travaux de J. Orcibal, *Louis XIV et les protestants*, *La « cabale des accommodeurs de religion »*, *La Caisse des Conversions*, *La Révocation de l'Edit de Nantes* (Paris, 1951).

L'étude de la pensée religieuse et de la théologie au xvıɪᵉ siècle a été renouvelée depuis une vingtaine d'années : se reporter à l'abbé F. Laplanche, *Orthodoxie et prédication, L'œuvre d'Amyrault et la querelle de la Grâce universelle* (Paris, 1965) ; à L. Rimbault, *Pierre du Moulin, 1568-1658, Un pasteur classique à l'âge classique* (Paris, 1966) ; à R. Mazauric, *Le pasteur Ferry, messin, interlocuteur de Bossuet et historien* (Metz, 1964) ; à R. Stauffer, *Moïse Amyrault* (Paris, 1952) ; à R. Voetzel, *Vraie et fausse Eglise selon les théologiens protestants français du XVIIᵉ siècle* (Paris-Strasbourg, 1955).

Sur Bossuet, les protestants et la Révocation, le livre de Mazauric cité ci-dessus, et celui du chanoine A.G. Martimort, *Le gallicanisme de Bossuet* (Paris, 1953), rendent caducs les travaux plus anciens.

On consultera également la revue *XVIIᵉ siècle*, et notamment son nᵒ spécial 76 de 1967, consacré au protestantisme, mais axé surtout sur la Révocation et le Refuge.

Sur les rapports entre capitalisme et protestantisme au xvıɪᵉ siècle, les pages 300 et suiv. de J. Delumeau, *Naissance et affirmation de la Réforme* (ouvr. cité), présentent un bon état de la question, ainsi que l'Introduction au tome I de H. Luthy, *La banque protestante en France de la Révocation de l'Edit de Nantes à la Révolution* (2 vol., Paris, 1959-1961) ; B. Dulong, *Banquier du roi, Barthélemy Herwarth,* 1606-1676 (Paris, 1953), et A. Th. Van Deursen, *Professions et métiers interdits* (Groningue, 1960).

Chapitre V. — Les Déserts.

Pour l'ensemble du sujet, le livre le plus récent et le plus complet est celui de Samuel Mours et Daniel Robert, *Le protestantisme en France du XVIIIe siècle à nos jours* (1685-1970) (Paris, 1972). L'article déjà ancien de E.G. Léonard, « Le protestantisme français de la Révocation à la Révolution » (*Information Historique,* 1950), donne encore des suggestions très utiles, en particulier sur la chronologie des « deux Déserts » et leur sociologie diverse. Il n'y a malheureusement aucun ouvrage d'ensemble récent sur le Refuge : il faut donc toujours se reporter à Ch. Weiss, *Histoire des réfugiés protestants de France* (2 vol., Paris, 1853). Une évaluation statistique de l'émigration, province par province, a été très heureusement tentée par S. Mours, « Essai d'évaluation de la population réformée aux XVIIe et XVIIIe siècles » (*BSHPF,* 1958).

La période 1683-1700 dans le Sud de la France a été étudiée par Ch. Bost, *Les prédicants protestants des Cévennes et du Bas-Languedoc,* 1684-1700 (2 vol., Paris, 1912), livre ancien et malheureusement épuisé, mais irremplaçable comme celui de E. Hugues, *Histoire de la restauration du protestantisme en France au XVIIIe siècle* (2 vol., Paris, 1875). Du même Ch. Bost, il faut aussi consulter la belle édition des *Mémoires inédits d'Abraham Mazel et d'Elie Marion* (Paris, 1931), qui donne de multiples renseignements sur la personnalité et les origines des combattants camisards, ainsi que sur les destinées du prophétisme.

Il est difficile de citer tous les articles parus sur la résistance protestante. A lui seul, le *BSHPF* en a publié plusieurs dizaines, qu'il est facile de retrouver grâce à ses excellentes tables analytiques. Les plus importants sont signalés dans les ouvrages cités plus haut. Contentons-nous d'en indiquer trois qui apportent des vues neuves sur la question : I.L. Mazoyer, « Les origines du prophétisme cévenol » (*Revue Historique,* 1947), un des rares essais tentés pour établir les rapports entre réalités économiques et religieuses ; S. Deyon, « La résistance protestante et la symbolique du Désert » (*Revue d'Histoire mod. et contemp.,* 1971), qui montre parfaitement le lien entre la prédication des prédicants et celle des prophètes ; enfin S. Mours, déjà plusieurs fois cité, dont l'article sur « Les Galériens protestants (1683-1775) » (*BSHPF,* 1971) a été ensuite publié sous forme de brochure. Avec beaucoup de modernité, cet érudit très remarquable, qui s'était formé lui-même, introduit l'histoire quantitative dans un secteur qui n'a peu connu jusqu'à présent.

Ph. Joutard vient de publier une série de documents dans un volume de la collection « Archives » intitulé *Les Camisards* (Paris, 1976) ; il s'agit en réalité de textes portant sur l'ensemble de la période, et choisis pour replacer les Camisards dans la longue durée de la résistance des protestants méridionaux. En collaboration avec le pasteur Henri Manen, il a présenté un exemple de résistance d'un petit groupe de protestants du Vivarais, intitulé *Une foi enracinée, la Pervenche* (Valence, 1972). La thèse de H. Bosc, *La Guerre des Cévennes,* 1705-1710 (reproduct. Lille III, diffusion H. Champion), toute récente, fournit une chronique minutieuse de la dernière phase de cette guerre, qui relève au moins autant de la politique internationale que de l'histoire religieuse interne.

Le destin des protestants au XVIIIe siècle est éclairé par David D. Bien, *The Calas affair, Persecution, Toleration and Heresy in 18th Century Toulouse* (Princeton, 1961), et par John D. Woodbridge, *L'influence des philosophes français sur les pasteurs réformés du Languedoc pendant la seconde moitié du XVIIIe siècle* (thèse dactyl., Toulouse, 1969).

Périmé est le vieux livre de Ch. Durand, *Histoire du protestantisme français pendant la Révolution et l'Empire* (Paris, 1902). On se reportera à l'analyse de l'historien américain B.C. Poland, *French protestantism and the French Revolution* (Princeton, 1957), ou aux recensions données de ce livre par Alice Wemyss, « Les protestants du Midi pendant la Révolution » (*Annales du Midi*, 1957) et D. Ligou, « A propos du protestantisme révolutionnaire » (*BSHPF*, 1958).

La plupart des études régionales consacrées au protestantisme font une place plus ou moins grande à la période révolutionnaire. D. Ligou a consacré tout un ouvrage à *Montauban à la fin de l'Ancien Régime et aux débuts de la Révolution* (Paris, 1958). Les monographies biographiques, nombreuses, restent dominées par la grande thèse de L. Lévy-Schneider, *Le Conventionnel Jeanbon-Saint-André* (Paris, 1901). On peut y ajouter : J.J. Chevallier, *Barnave...* (Paris, 1936) ; A. Dupont, *Rabaut-Saint-Etienne...* (Strasbourg, 1946), la meilleure sans doute des monographies consacrées à ce personnage ; A. Lods, *Le pasteur Rabaut-Pommier* (Paris, 1893) ; C. Rabaut, *Lasource...* (Paris, 1889).

Sur divers points, citons enfin : L. Mazoyer, « La question protestante dans les Cahiers des Etats Généraux » (*BSHPF*, 1931), à compléter par Béatrice Hyslop, *A Guide to the General Cahiers of 1789* (New York, 1936) ; l'ouvrage de J. Godechot, *Les institutions de la France sous la Révolution et l'Empire* (Paris, 1951), contient un bon chapitre sur les problèmes de l'égalité civile : sur les conflits religieux et politiques de 1790-1791, en plus des titres déjà cités, E. Daudet, *Histoire des conspirations royalistes...* (Paris, 1881), l'abbé J. Dedieu, *Histoire politique des protestants français...* (tome II, Paris, 1925), F. Rouvière, *Les religionnaires des diocèses de Nîmes, Alais et Uzès et la Révolution française* (Paris, 1889), et L. Lévy-Schneider, « Les protestants et la Révolution dans le Sud-Ouest » (*Révolution française*, 1900). Sur la Terreur et la déchristianisation, on devra se contenter, outre les ouvrages cités de Rouvière et de Woodbridge, de R. Cobb, *Les armées révolutionnaires* (Paris, 1962). Enfin, pour la Reconstruction, voir A. Lods, *Traité de l'Administration des cultes protestants* (Paris, 1896).

Chapitres IV et VIII. — En Alsace.

Dans l'importante bibliographie traditionnelle, on retiendra un classique, H. Strohl, *Le protestantisme en Alsace* (Strasbourg, 1950), et les ouvrages plus anciens de J. Adam, *Evangelische Kirchengeschichte der Stadt Strassburg bis zur Revolution* (Strasbourg, 1922), et *Evangelische Kirchengeschichte der elsässischen Territorien bis zur Französischen Revolution* (Strasbourg, 1928). On y ajoutera pour le cadre alsacien en général *Histoire de l'Alsace* publiée sous la direction de Ph. Dollinger (Toulouse, 1970).

Pour la période de la Réforme, on complétera avec M. Usher-Chrisman, *Strasbourg and the Reform* (New Haven-Londres, 1967), Ph. Mieg, *La Réforme à Mulhouse* (Strasbourg, 1948), F. Wendel, *Bucer* (Strasbourg, 1951), B. Vogler, « Le recrutement et la carrière des pasteurs strasbourgeois au XVIᵉ siècle » (*Revue d'Histoire et de Philosophie Religieuses*, ou RHPR, 1968), J. Rott, « Les visites pastorales strasbourgeoises aux XVIᵉ et XVIIᵉ siècles » (*Sensibilité religieuse et discipline ecclésiastique*, Strasbourg, 1975), ainsi que le volume des Actes du colloque, « *Strasbourg au cœur religieux du XVIᵉ siècle* » (Strasbourg, 1976).

Pour les XVIIᵉ et XVIIIᵉ siècles, la recherche a été largement renouvelée par les travaux de G. Livet, en particulier *L'intendance d'Alsace sous Louis XIV, 1648-1715* (Strasbourg, 1956), et les chapitres de l'*Histoire d'Alsace*. Divers travaux d'histoire agraire et démographique apportent des éclairages intéressants : E. Juillard, *La vie rurale dans la plaine de Basse Alsace, Essai de géographie sociale* (Strasbourg, 1953), J.M. Boehler, *Démographie et vie rurale en Basse-Alsace : l'exemple du Kochersberg (1648-1836)* (Strasbourg, 1973, dact.), S. Dreyer-Roos, *La population strasbourgeoise sous l'Ancien Régime* (Strasbourg, 1969). Dans le recueil *Gœthe et l'Alsace* (Strasbourg, 1973), on peut relever en particulier F. Dreyfus « L'Université protestante de Strasbourg dans la seconde moitié du XVIIIe siècle », et B. Vogler, « Le presbytère protestant en Alsace ». Sur la question délicate du *simultaneum*, O. Meyer, *Le Simultaneum en Alsace* (Saverne, 1961). Plusieurs mémoires de maîtrise apportent également des éléments intéressants : G. Schildberg, *La vie du protestantisme en Alsace après* 1685 (1971), G. Braeuner, *La vie religieuse dans la paroisse protestante de Saint-Thomas au XVIIIe siècle* (1971), A. Muller, *Bischwiller à la veille de la Révolution* (1972), Ch. Fromager, *Histoire économique et sociale de Nordheim à travers les archives d'une famille* (1975), M. Pierron, *Etude des testaments passés chez le notaire Zimmer* (1760-1790) (1975).

Pour la période révolutionnaire et l'Empire, le travail de R. Reuss, *Les Eglises protestantes d'Alsace pendant la Révolution* (Paris, 1906) a été profondément renouvelé par R. Marx, *Recherches sur la vie politique de l'Alsace prérévolutionnaire et révolutionnaire* (Strasbourg, 1966), et surtout par le remarquable travail de M. Scheidhauer, *Les Eglises luthériennes en France* 1800-1815, *Alsace-Montbéliard-Paris* (Strasbourg, 1975). Quant à la vie religieuse, on peut consulter les deux articles de R. Will, « Les Eglises protestantes de Strasbourg pendant la Révolution française », et « L'Eglise protestante de Strasbourg pendant le Consulat et l'Empire » (*R.H.P.R.*, 1939 *et* 1941).

Le protestantisme contemporain a suscité la curiosité de P. Leuillot et de F. Dreyfus, pour le premier en particulier *L'Alsace au début du XIXe siècle*, t. III : *Religions et culture* (Paris, 1960). Parmi les nombreux travaux de F. Dreyfus, citons *La vie politique en Alsace*, 1919-1936 (Paris, 1969), « La sécularisation dans le protestantisme alsacien depuis le XIXe siècle » (*R.H.P.R.*, 1965) et « Le protestantisme alsacien » (*Archives de Sociologie des Religions*, 1957). Plusieurs articles sont dus à la plume avisée de R. Will : « L'Eglise protestante de Strasbourg sous la Restauration » (*R.H.P.R.*, 1942), « Les Eglises... sous la Monarchie de juillet » (*R.H.P.R.*, 1944), « L'Eglise... sous la Seconde République » (*R.H.P.R.*, 1946), « Les Eglises... sous le Second Empire » (*R.H.P.R.*, 1947 et 1948), « L'Eglise protestante de Strasbourg, Eglise et culture 1870-1914 » (*R.H.P.R.*, 1952), « La piété protestante alsacienne » (*Etudes Alsaciennes*, Strasbourg, 1947). Des précisions intéressantes également dans F. Hordern, *L'évolution de la condition individuelle et collective des travailleurs en Alsace au XIXe siècle* (1800-1870) (Paris, 1970, dact.). Pour la période 1871-1918, des indications sont à glaner dans J.M. Mayeur, *Autonomie et politique en Alsace. La constitution de 1911* (Paris, 1970) et A. Wahl, *L'option et l'émigration des Alsaciens-Lorrains* (1871-1872) (Paris, 1917), et « Patrimoine, confession et pouvoir dans les campagnes d'Alsace (1850-1940) » (Communication présentée au congrès des ruralistes français). Documenté, mais très germanophile, O. Michaelis, *Grenzlandkirche. Eine Evangelische Kirchengeschichte Elsass-Lothringens* 1870-1918 (Strasbourg, 1934). Pour la période 1914-1919, des éléments dans Ch. Baechler, *L'Alsace entre la guerre et la paix : Recherches sur l'opinion publique* (1917-1918) (3 vol., Strasbourg, 1969, dact.). D. Robert nous a communiqué plusieurs dossiers relatifs à la période 1918-1939.

Enfin, pour la période 1945-1976, la collection complète du *Recueil officiel des Actes du Consistoire Supérieur* de l'ECAAL et de la *Feuille Synodale* de l'ERAL nous a été très précieuse. R. Mehl nous a ouvert les riches dossiers amassés au Centre de Sociologie du Protestantisme, où nous avons pu consulter également divers travaux restés manuscrits : F. Andrieux, *L'Eglise Réformée d'Alsace et de Lorraine telle qu'elle apparaît dans la vie des différentes communautés qui la composent* (1963), J.P. Boilloux, *Le recrutement du corps pastoral dans les Eglises protestantes d'Alsace et de Lorraine de 1918 à 1957* (1958), C. Haberland, *Approche sociologique de l'Eglise de la Confession d'Augsbourg d'Alsace et de Lorraine* (1970), J. Demange, *Caractéristiques démographiques selon la Religion à Bischwiller* (1973), G. Krieger et E. Zurcher, *Enquête sur l'image de l'Eglise dans les paroisses de Bischwiller et de Sarre-Union* (1974).

Pour la Moselle, l'histoire du protestantisme messin à l'époque moderne a été profondément renouvelée par H. Tribout de Morembert, *La Réforme à Metz*, I : *Le Luthéranisme*, 1519-1552, II : *Le Calvinisme* (1553-1685) (Nancy, 1969 et 1971). Pour la période contemporaine, ajouter aux différents travaux cités pour l'Alsace : G.E. Reutenauer, *Histoire de la paroisse protestante de Forbach* (dact., Forbach, 1969). Enfin, pour Montbéliard, les classiques de B. Mériot, *L'Eglise luthérienne au XVIIe siècle dans le Pays de Montbéliard* (Montbéliard, 1904), et de J. Viénot, *Histoire de la Réforme* *dans le Pays de Montbéliard depuis ses origines jusqu'à la mort de Pierre Toussain,* 1524-1573 (Montbéliard, 1900), et *La vie ecclésiastique et religieuse dans la Principauté de Montbéliard au XVIII⁰ siècle* (Paris, 1895), sont en voie d'être remplacés par les recherches de J.M. Debard sur *Démographie et Société dans la Principauté de Montbéliard, milieu XVI⁰ siècle-1793.*

Chapitres VI et VII. — XIX⁰ et XX⁰ siècles.

Signalons en premier lieu que, dans *L'histoire religieuse de la France, XIX⁰-XX⁰ siècles, problèmes et méthodes,* ouvrage collectif dirigé par J.M. Mayeur (Paris, 1975), A. Encrevé et J. Baubérot ont rédigé les textes consacrés au protestantisme.

Les travaux concernant le XIX⁰ siècle sont assez peu nombreux. Parmi les ouvrages contemporains — que l'on peut aussi considérer comme des sources — citons : le recueil d'Ami Bost, *Mémoires pouvant servir à l'histoire du Réveil religieux des Eglises protestantes de la France et de la Suisse...* (Paris, 1854-1855, 3 vol.), qui offre un tableau intéressant des débuts du Réveil ; les deux livres du professeur Jules Pédézert, *Souvenirs et Etudes* (Paris, 1888), et *Cinquante ans de souvenirs religieux et ecclésiastiques* (Paris, 1896) sont une mine de renseignements divers, mais ils sont parfois difficiles à utiliser, en raison du caractère allusif du texte ; la thèse du pasteur Léon Maury, *Le Réveil religieux dans l'Eglise Réformée à Genève et en France,* 1810-1850 (Paris, 1892), est encore utile, mais l'auteur, qui ne cache pas ses sympathies orthodoxes, a travaillé essentiellement à l'aide de sources imprimées ; du pasteur Samuel Vincent, chef de file de la tendance « pré-libérale » (et qui a été, jusqu'ici, assez peu étudié), on peut lire l'essai intitulé *Du protestantisme en France* (Paris, 1829, réédité par Prévost-Paradol en 1860 sous le titre *Vues sur le protestantisme,* Paris, 2 vol.).

Parmi les études récentes, la thèse de Daniel Robert, *Les Eglises réformées en France,* 1800-1830 (Paris, 1961), sa thèse secondaire, *Genève et les Eglises réformées de France de la « Réunion » aux environs de 1830* (Genève-Paris, 1961), et ses *Textes et Documents relatifs à l'Histoire des Eglises réformées en France (période 1800-1830)* (Genève-Paris, 1962), rendront les plus utiles services pour les débuts du XIX⁰ siècle ; dans ce même cadre chronologique, il convient de se reporter, pour les Eglises luthériennes, au livre de Marcel Scheidhauer, *Les Eglises luthériennes en France,* 1800-1815 ; *Alsace, Montbéliard, Paris* (Strasbourg, 1975). Le meilleur essai de synthèse (bref et provisoire cependant) est offert, pour l'ensemble du XIX⁰ siècle, par l'ouvrage déjà cité de Samuel Mours et Daniel Robert, *Le protestantisme en France du XVIII⁰ siècle à nos jours* (Paris, 1972). La Terreur Blanche de 1815 est encore insuffisamment connue ; E. Le Gallo, *Les Cent Jours* (Paris, 1924), et surtout G. de Bertier de Sauvigny, *Le Comte Ferdinand de Bertier...* (Paris, 1948), donnent une idée du cadre général ; deux articles se révèlent très importants : Alice Wemyss, « L'Angleterre et la Terreur Blanche de 1815 dans le Midi » (*Annales du Midi,* 1961), et Gwynn Lewis (placé à tort sous le nom de Gwynn), « La Terreur Blanche et l'Application de la Loi Decazes dans le Gard » (*Annales Historiques de la Révolution Française,* 1964) ; des textes sont reproduits dans la thèse (*op. cit.*) et dans les *Textes et Documents...* (*op. cit.*) de Daniel Robert (voir aussi dans le *BSHPF,* 1964, pp. 60-61, et 1965, pp. 63-68). Pour l'évangélisation, le livre de Samuel Mours, *Un siècle d'évangélisation en France* (Flavion, Belgique, 1963, 2 vol.) présente, d'après la presse, un panorama assez complet ; pour les « sociétés religieuses » la monographie, très riche en textes, de Jean Bianquis, *Les origines de la Société des missions évangéliques* (Paris, 1930-1935, 3 vol.) est utile ; la thèse de doctorat de troisième cycle de Jean Baubérot, *... La Société évangélique [de France] de 1833 à 1883* (Paris, 1966, ronéog.) est fort intéressante, mais, non éditée, elle est d'un accès difficile (on peut la consulter à la Bibliothèque de la Société de l'Histoire du Protestantisme français, 54, rue des Saints-Pères, 75007 Paris).

Il faut, cependant, se reporter assez souvent à des articles de revues qui, naturellement, n'examinent que certains points précis. Notons, parmi les plus importants : la série d'articles rédigés par Pierre Genevray et publiés dans le *BSHPF* : « L'Etat français et la propagation du Réveil » (1946) ; « L'Etat et les protestants du Réveil, la réaction conservatrice et la liberté religieuse sous la République de 1848 » (1948) ; « La Paix chrétienne », l'harmonie des cultes et les protestants du Sud-Ouest sous la Monarchie constitutionnelle, 1814-1848 » (1950) ; « Le gouvernement de Napoléon III et l'évangélisation protestante sous le régime autoritaire » (1953). L'article de Francis Hordern, « Les Moraves en France sous l'Empire... » (*BSHPF*, 1966) fait le point sur cette question pour le début du XIXᵉ siècle. L'article, très suggestif, d'Henri Dubief, « Réflexions sur quelques aspects du premier Réveil et sur le milieu où il se forma » (*BSHPF*, 1968) offre des vues neuves sur cette question. On peut aussi consulter certains articles d'André Encrevé : « Une paroisse protestante de Paris, l'Oratoire de 1850 à 1860 » (*BSHPF*, 1969) ; « Les milieux dirigeants du protestantisme français et les problèmes sociaux sous la Deuxième République » (*Revue d'Histoire Moderne et Contemporaine*, 1972) ; « Protestantisme et politique au milieu du XIXᵉ siècle : les protestants français en décembre 1851 » (dans *Christianisme et Pouvoirs politiques de Napoléon à Adenauer*, Lille, 1974) ; « Le rôle de Guizot dans les questions protestantes sous le Second Empire » (dans *Actes du Colloque François Guizot*, Paris, 1976).

L'étude d'Alain Sabatier, *Religion et politique au XIXᵉ siècle, Le canton de Vernoux-en-Vivarais* (Vernoux, 1975), bien que locale, est intéressante : ce canton est le seul de France à avoir voté « non » en décembre 1851, ce qui ne peut s'expliquer que par une structure religieuse originale.

Les théologies de la fin du XIXᵉ et du début du XXᵉ siècle n'ont guère été étudiées. Un ouvrage de Bernard Reymond sur *Auguste Sabatier, le procès théologique de l'autorité* (préf. d'E. Poulat) vient de paraître à Lausanne (1976) ; c'est heureux, car la biographie d'*Auguste Sabatier* entreprise par J. Vienot est restée inachevée (Paris, 1927). Pour connaître les grandes lignes du symbolo-fidéisme, il faut consulter la préface de G. Marchal à la réédition du livre de Sabatier, *Les religions d'autorité et la religion de l'esprit* (Paris, 1956), et, en allemand, G. Lasch, *Die Theologie der Pariser Schule, Charakteristik und Kritik des Symbolo-Fideismus* (Berlin, 1901). Un chapitre est consacré à G. Frommel dans A. Berchtold, *La Suisse romande au cap du XXᵉ siècle* (Paris, 1963). On doit à M. Bœgner un ouvrage sur *La vie et la pensée de T. Fallot* (Paris, 2 vol., 1914 et 1926). D'une manière générale, les problèmes théologiques et pratiques que posaient les chrétiens sociaux ont été abordés par la *Revue du Christianisme social* dans un numéro consacré à l'historique du mouvement (1971, 11-12), et par J. Baubérot, « Evangélisation protestante et classe ouvrière » (dans *Christianisme et monde ouvrier*, 1975).

Les difficultés ecclésiastiques qui se sont produites à la fin du XIXᵉ siècle et lors de la Séparation ont été traitées par D. Robert dans son ouvrage déjà cité, *Le protestantisme du XVIIIᵉ siècle à nos jours*. Consulter aussi l'article de J. Baubérot paru dans les *Etudes théologiques et religieuses* (1972, 3), « Problèmes du protestantisme français face à la Séparation ».

Une étude générale de l'évolution théologique et œcuménique dans la première moitié du XXᵉ siècle a été faite par J. Bosc et D. Robert, « Aspects de l'évolution du protestantisme au XXᵉ siècle » (*Cahiers d'Histoire mondiale*, 1964, 3). A. Lecerf attend encore son biographe ; en attendant, consulter les quelques pages d'introduction d'A. Schlemmer au recueil posthume *Etudes calvinistes* (Neuchâtel, 1949). Les études sur Karl Barth sont, par contre, nombreuses. Les plus faciles d'accès pour un lecteur français sont la biographie de G. Casalis, *Portrait de K. Barth* (Genève, 1960), l'importante thèse en 3 volumes de H. Bouillard, *Karl Barth* (Paris, 1957), et le livre de H. Zahrndt, *Aux prises avec Dieu, la théologie protestante au XXᵉ siècle* qui donne le contexte théologique et culturel (Paris, 1969).

La reconstitution de l'Eglise réformée de France en 1938 fera prochainement l'objet d'un ouvrage collectif. En attendant, consulter P. Lestringant, *Visage du protestantisme français, la vie des Eglises du Concordat à nos jours* (Tournon, 1959, pp. 137-157), et M. Longeiret, « Les Eglises réformées en France de 1920 à 1938 » (*Etudes Evangéliques*, 1963, 2). *Les protestants de la vallée de la Drôme* (1923-38), dir. Pierre Bolle et Pierre

Petit (Actes du Colloque de Montpellier, 1974) (Paris, 1977) : il y est question d'une seule région, mais particulièrement dense.

On manque de travaux sur l'orientation politique des protestants à la fin du XIXᵉ et au début du XXᵉ siècle. On trouvera quelques éléments dans S.R. Schram, *Protestantism and Politics in France* (Alençon, 1954), et P. Poujol, *Notes pour une histoire sociale des protestants depuis 1870* (3 brochures, Paris, 1960-1961). La biographie de D. Ligou, *Frédéric Desmons et la Franc-Maçonnerie sous la IIIᵉ République* (Paris, 1966) donne l'exemple d'un itinéraire personnel. J. Baubérot, de son côté, a étudié « L'antiprotestantisme politique à la fin du XIXᵉ siècle » (*Revue d'Histoire et de Philosophie religieuse*, 1972, 4, et 1973, 2).

Les modifications de la législation amenées par la loi de Séparation se trouvent dans A. Lods, *La nouvelle législation des cultes protestants en France*, 1905-1913 (Paris, 1914). D. Robert (*ouvr. cité*, pp. 347-360) indique le rôle joué par les protestants pour que cette loi respecte la liberté religieuse. Le même auteur a donné une étude sur « Les protestants français et la guerre de 1914-1918 » (*Francia*, 1974, 2). La biographie de B. Sundkler, *N. Söderblom, his life and work* (Uppsala, 1968), parle à plusieurs reprises des rapports de l'archevêque et des protestants français.

Les protestants socialisants ou socialistes ont été étudiés par J. Baubérot, « Libération sociale et royaume de Dieu, l'exemple des socialistes chrétiens français, 1882-1939 » (dans *Idéologie de libération et message du Salut*, Strasbourg, 1973), et *Un christianisme profane ? Royaume de Dieu, socialisme et modernité culturelle dans le périodique chrétien-social* L'Avant-Garde (1899-1911) (Paris, 1977). Deux articles concernant la Droite protestante sont sous presse, V. Nguyen, « L'Action Française et la Réforme » (dans *Historiographie de la Réforme*, Neuchâtel), et Mme G. Davie, « La Droite protestante devant la condamnation de l'Action Française » (dans *Actes du Colloque Maurras*, 1976). La thèse de doctorat d'E. Fouilloux fera prochainement le point sur les rapports entre protestants et catholiques. Dès maintenant on peut trouver des indications sur les collaborateurs protestants de la revue *Esprit* dans M. Winock, *Histoire politique de la revue « Esprit »*, 1930-1950 (Paris, 1975). Il manque une étude sur l'attitude politique des protestants dans les années précédant la guerre.

Parvenus à cette dernière étape de notre revue, ouverte sur l'avenir, il nous sera utile de reprendre une vue générale du monde protestant. Y aideront les ouvrages de Franck Delteil, Roger Mehl, Georges Richard-Molard, Daniel Robert, *Le protestantisme. Hier. Demain* (Paris, 1974) ; de Georges Casalis, *Protestantisme* (Paris, 1976) ; ainsi que ceux de Jean Séguy, *Les sectes protestantes dans la France contemporaine* (Paris, 1956), et de Gérard Dagon, *Petites Eglises de France* (Amneville, 5 fasc., 1967-73). Il y a beaucoup à puiser dans deux numéros d'*Unité des Chrétiens*, « On les appelle Sectes » (avril 1973), et « Protestantisme un et divers » (janv. 1974).

Un certain nombre d'écrits peuvent être aujourd'hui considérés comme de véritables « bilans » dressés à divers moments : en 1945 chez les Jésuites (Coll. Présences), *Protestantisme français*, et en 1946 chez les Dominicains (Coll. Rencontres), *Positions protestantes*, tous deux œuvres collectives ; en 1959, pour le 4ᵉ Centenaire des Eglises réformées en France, le pasteur Paul Conord a dirigé *Le protestantisme français d'aujourd'hui* ; en 1962, François-G. Dreyfus a présenté une « Esquisse de bilan sociologique » dans *Christianisme social* (sept.-oct.) ; en 1975, la XVᵉ Assemblée générale de la F.P.F. a donné lieu à un dossier préparatoire (*Rencontre*, 1975, nº 216), une enquête (*C.P.E.D.*, 1975, nºˢ 201-202), des Actes (*ibid.*, fév. 1976), et à deux articles de Jean-Marc Saint (*Etudes théologiques et religieuses*, 1975, nº 3 ; et 1976, nº 2). C'est un véritable pamphlet que *L'évolution de l'Eglise réformée de France* (1938-1975), de François Gonin (Aix-en-Provence, 1975). Et ne peut-on considérer aussi comme un bilan ce magnifique roman d'Henri Hatzfeld, *La flamme et le vent* (Paris, 1952), qui analyse de déchirante façon la vie quotidienne d'un pasteur et d'une paroisse ?

Avec Léonard (cité plus haut), le pasteur Pierre Lestringant a été le premier sociologue du protestantisme français ; c'est une réussite que son *Visage du protestantisme français, La vie des Eglises du Concordat à nos jours* (Tournon, 1959). On recourra aussi avec profit au *Traité de sociologie du protestantisme* du pasteur Roger

Mehl (Neuchâtel, 1965). Avec eux, Fr.-G. Dreyfus, « Premiers résultats d'une sociologie du protestantisme en France » (*Archives de sociologie des religions*, 1959, n° 8), et Pierre Bolle, « Vers de nouvelles structures des Eglises urbaines » (*Vers une Eglise pour les autres*, Genève, 1966), ont participé à la Commission de sociologie de la F.P.F. L'article de Pierre Poujol et Stuart R. Schram, « Le protestantisme rural : traditions, structures et tendances politiques » (*Les paysans et la politique dans la France contemporaine*, dir. J. Fauvet et H. Mendras, Paris, 1958) est indispensable à la compréhension de ce sujet. Philippe Cheminée a écrit la première thèse de sociologie religieuse protestante, *Le Gard protestant, mythe ou réalité ?* (Paris, 1967).

Dans le domaine théologique, l'ouvrage de Roland de Pury, *Qu'est-ce que le protestantisme ?* (Paris, 1962) est devenu un classique. Les deux livres de Suzanne de Diétrich, *Le renouveau biblique*, et *Le dessein de Dieu, itinéraire biblique* (Neuchâtel, 1945) ont connu une large diffusion. « La théologie protestante d'aujourd'hui », n° d'avril-mai 1962 du *Semeur*, et les travaux d'André Gounelle, en dernier lieu *Après la mort de Dieu* (1974) permettent de discerner les différentes tendances de la théologie. *Foi et Vie* (1960, n° 6 ; et 1966, n° 6) a publié les rapports de Georges Casalis et Paul Keller aux Xe et XIIe Assemblées générales du protestantisme français. Mentionnons encore : le « Dossier Eglise-Monde » (*C.P.E.D.*, mai 1965) ; Georges Crespy, *Les ministères de la réforme et la réforme des ministères* (Genève, 1968) ; et Georges Richard-Molard, « Orientations pastorales du protestantisme français » (*Réponses chrétiennes*, fév. 1971).

Plusieurs ouvrages permettent de situer la place des protestants français dans l'aventure œcuménique. Ce sont, dans l'ordre chronologique : Paul Conord, *Brève histoire de l'œcuménisme* (Paris, 1958) ; Madeleine Barot, *Le mouvement œcuménique* (Paris, Que sais-je ?, 1967) ; Marc Bœgner, *L'exigence œcuménique, Souvenirs et perspectives* (Paris, 1968) ; W.A. Visser' t Hooft, *Le temps du rassemblement, Mémoires* (Paris, 1975). Le n° spécial de *Foi et Vie*, mai-juin 1960, « Cinquante ans d'œcuménisme », permet un bilan, et le dernier écrit de Jean Bosc, *Situation de l'œcuménisme en perspective réformée* (Paris, 1969), alimente une réflexion théologique, tout en portant un diagnostic lucide.

Les Actes de l'Assemblée du protestantisme de 1945, *Les Eglises protestantes pendant la guerre et l'occupation* (F.P.F., 1946), avec les rapports de Marc Bœgner et d'A.N. Bertrand, sont devenus un document irremplaçable. Henri Clavier, *Résistance chrétienne* (1940-1944) (Valence, 1945), et Roland de Pury, « Notes sur l'Eglise et la Résistance » (*Positions protestantes*, 1946) apportent des témoignages sur la résistance chrétienne et en marquent aussi les limites. Sur Jean Cavaillès, on lira les écrits de Gabrielle Ferrières (Paris, 1950) et Georges Canguilhem (1976) ; sur Léonce Vieljeux celui de Pierre Blanchon et Philippe David (La Rochelle, 1948). Divers modes de résistance sont illustrés par Pierre Pujol, « Le maquis au pays des Camisards » (*BSHPF*, 1944), et Louis-Frédéric Ducros, *Montagnes ardéchoises dans la guerre*, I, *Genèse* (Valence, 1974). Sobrement émouvants sont le *Journal de cellule* de Roland de Pury (Paris, 1944), et le récit de déportation d'Aimé Bonifas, *Détenu 20801* (Neuchâtel, 1946 ; 2e éd., 1968). Pierre Bolle présente un bilan de la Résistance chrétienne dans les Actes du Colloque *Les Eglises et les chrétiens pendant la 2e Guerre mondiale dans la région Rhône-Alpes*, Grenoble, 1976 (Lyon, 1977). L'autobiographie de Pierre Emmanuel, *Qui est cet homme ?* (Paris, 1947) apporte un témoignage étonnant sur Dieulefit, lieu de refuge et Université libre.

En politique comme pour les autres thèmes, la consultation des *Actes des Synodes nationaux* est indispensable pour suivre l'évolution de l'E.R.F. ; il faut aussi être attentif aux délibérations et aux vœux des synodes régionaux qui donnent un meilleur aperçu des réactions du « peuple » des paroisses. Il faut également tenir compte des travaux des Synodes des autres Eglises (E.R.E.I., Luthériens, etc.). L'ouvrage d'Aline Coutrot et Fr.-G. Dreyfus, *Les forces religieuses dans la société française* (Paris, 1966) permet de distinguer les différentes attitudes politiques à l'intérieur du protestantisme. Mais la consultation de journaux aussi différents que *Réforme, Tant qu'il fait jour* ou *Cité Nouvelle* (qui disparaît en déc. 1974 en tant qu'expression du Christianisme social pour devenir le journal des « chrétiens-marxistes »), de revues comme *Le Semeur, Foi et Vie* ou *Christianisme social* (qui devient *Parole et Société* en janv. 1972), d'un mensuel tel que *L'Illustré protestant* (qui devient *Horizons protestants* en déc. 1971, et disparaît quatre ans plus tard), ou du bulletin ronéoté des « Equipes ouvrières protestantes » — toute cette consultation permet d'apporter des nuances et de mieux saisir la pluralité des attitudes.

« Les éléments permanents d'une éthique sociale chrétienne » (*Bulletin d'information E.R.F.*, mars 1963), représentant une réflexion assez conventionnelle, sont restés un document de bureau. En revanche, la conférence « Eglises et Société » a fourni l'occasion de nombreux articles de journaux, en particulier *Le Monde* (27 juill. 1966) et *Réforme* (2 et 16 juill., 27 août, 24 sept. et 1er oct. 1966). Sur la question de la limitation des naissances, on consultera : le n° 27-28 de *Jeunes Femmes* (mai-juin 1956), qui contient une série d'articles ; le n° 74 de la même revue, « Le Planning familial » (mai-juin 1963) ; André Dumas, *Le contrôle des naissances : opinions protestantes* (Paris, 1965) ; *La sexualité, pour une réflexion chrétienne* (F.P.F., Paris, 1975) ; et le n° 6 de *Parole et Société*, « Liberté et contrainte sexuelle » (1975).

Pour une période aussi récente, il faut bien entendu, en dehors des écrits, souligner l'importance des interviews ; que ce nous soit une occasion de reconnaître la bonne volonté avec laquelle nos interlocuteurs s'y sont prêtés, ou ont ouvert leurs archives privées.

Les grandes dates
de l'histoire des protestants en France

1516	Conclusion du Concordat de Bologne entre François Ier et le pape.
1517	Publication des 95 thèses de Luther à Wittenberg.
1524	Introduction officielle de la Réforme à Strasbourg.
1525	Guerre des Paysans dans l'Empire (et en Alsace en particulier).
1530	Confession d'Augsbourg et Tétrapolitaine.
1534 (oct.)	Affaire des Placards.
1536	1re édition latine de l'*Institution de la Religion Chrétienne*, et 1er séjour de Calvin à Genève.
1541	Début du 2e séjour de Calvin à Genève ; les Ordonnances ecclésiastiques.
1547	Création de la Chambre Ardente.
1548	Intérim menaçant la Réforme en Alsace.
1555	Paix d'Augsbourg, qui remet aux détenteurs du pouvoir le soin de déterminer la religion de leurs sujets.
1557	L'Eglise réformée de Paris est « dressée ».
1559	1er Synode national des Eglises réformées françaises ; vote de la « Discipline ».
1560	Tumulte d'Amboise.
1562 (mars)	Massacre de Wassy.
1569	Batailles de Jarnac et Moncontour.
1572 (24 août)	La Saint-Barthélemy de Paris, suivie par celles des provinces.
1587	Combat de Coutras, où Henri de Navarre remporte la seule bataille rangée gagnée par les protestants.
1589	Assassinat de Henri III.
1593	Henri IV abjure le protestantisme.
1598 (mai)	Edit de Nantes.
—	Triomphe de l'orthodoxie en Alsace ; publication de l'Ordonnance ecclésiastique à Strasbourg.
1628	Chute de La Rochelle.
1629 (juin)	Edit d'Alès.
1648	Traités de Westphalie ; charte des protestants alsaciens.
1669	« Second Edit de Nantes ».
1681	Annexion de Strasbourg à la France.
—	Dragonnade de Marillac.

1684	Introduction du *simultaneum* et début de la politique de conversions en Alsace.
1685 (oct.)	Edit de Fontainebleau (révocation de l'Edit de Nantes).
1686 (janv.-fév.)	Apparition des premiers prédicants en Cévennes.
1688 (fév.)	Début du prophétisme en Vivarais.
—	Bossuet, *Histoire des variations des Eglises protestantes*.
1692 (fév.)	Mort de Vivens, chef des prédicants du Languedoc et des Cévennes ; Brousson se convertit à l'idée d'une résistance non violente.
1698-99	Exécution de Brousson et dispersion des derniers prédicants des Cévennes et du Bas-Languedoc.
1700	Irruption du prophétisme dans les Cévennes et le Bas-Languedoc.
1702 (24 juill.)	Meurtre de l'abbé du Chaila, à Pont-de-Montvert, dans les Hautes Cévennes.
— (août)	Début des troubles dans la plaine, près de Nîmes.
1703 (12 janv.)	Les révoltés — désormais appelés Camisards — battent le comte de Broglie, commandant les troupes du Languedoc.
— (sept.)	Echec d'une tentative d'extension de la révolte dans le Rouergue ; les autorités décident « le brûlement » des Cévennes.
1704 (15 mars)	Un garçon-boulanger, Cavalier, détruit entièrement un régiment de marine en plaine, entre Nîmes et Alès.
— (avril)	Le maréchal de Montrevel, successeur du comte de Broglie, avant d'être lui même remplacé par Villars, inflige une défaite à Cavalier.
— (mai)	Négociations entre les autorités et Cavalier, désavoué ensuite par les autres chefs camisards.
— (13 août)	Rolland, l'autre grand chef camisard, tué dans un château près d'Uzès.
— (oct.)	Reddition des derniers groupes camisards.
1705 (avril)	Complot dit « des enfants de Dieu ».
1709-10	Tentatives de soulèvement dans le Vivarais.
1715 (25 août)	1er synode en Basses Cévennes, réuni par Antoine Court.
1724	Déclaration royale codifiant les mesures contre les protestants.
1726	1er synode national, dans le Vivarais.
1727	En Alsace, instructions du ministre Le Blanc, et exclusion des pasteurs non régnicoles.
1740	1er synode de la province de Haut-Languedoc/Guyenne.
1744	1er synode du Poitou.
1750-52	Dernières persécutions systématiques.
1751	Enterrement du maréchal de Saxe à Strasbourg.
1759	1er synode de Saintonge, Angoumois et Périgord.
1762	Dernière exécution d'un pasteur ; dernières condamnations aux galères ; Calas roué vif.

1765	Réhabilitation de Calas.
1768	Libération des dernières prisonnières de la tour de Constance.
1775	Libération des deux derniers galériens condamnés pour la foi.
1787 (nov.)	Edit de tolérance.
1789 (22 août)	Vote de l'article X de la Déclaration des Droits proclamant la liberté religieuse.
1790 (10 mai)	Troubles religieux à Montauban.
— (15 juin)	Troubles religieux à Nîmes.
1791 (22 mai)	Célébration du culte à Saint-Louis du Louvre à Paris.
1793 (23 nov.)	Fermeture du temple de Paris.
1795	Début du rétablissement des Eglises.
1802 (avril)	Articles organiques des cultes protestants.
1810	Ouverture de la Faculté de Théologie de Montauban.
1815	« Terreur Blanche » dans le Midi.
1829	Premières conférences pastorales à Nîmes.
1830 (oct.)	Ouverture à Paris de la « chapelle Taitbout ».
1832	Révocation du pasteur Adolphe Monod.
1833	Loi Guizot sur l'enseignement primaire ; fondation de la Société Evangélique de France ; premières conférences pastorales à Paris.
1834	Création de la conférence pastorale et de la Société Evangélique en Alsace.
1835	Fondation de la Société chrétienne protestante de Bordeaux.
1836	Nomination du pasteur Adolphe Monod comme professeur à la Faculté de Théologie protestante de Montauban.
1842	Création de la Maison des Diaconesses en Alsace.
1844 (fév.)	Circulaire du ministre Martin du Nord rappelant aux préfets que « le principe de la liberté des cultes doit être largement entendu ».
1847	Fondation de la Société centrale protestante de France.
1848 (sept.)	Assemblée générale du protestantisme français.
1850 (15 mars)	Adoption par l'Assemblée Nationale de la « loi Falloux » sur l'enseignement (jugée défavorable par les protestants).
1852 (25 mars)	Décret restreignant fortement la liberté de réunion (religieuse notamment).
— (26 mars)	Décret réorganisant les Eglises réformées et luthériennes.
1853	Fermetures de temples et écoles protestants.
1856 (mai)	Réouverture des temples en Haute-Vienne.
1859 (19 mars)	Décret attribuant au Conseil d'Etat le droit d'autoriser l'ouverture de nouveaux lieux du culte.
1861	Fondation de l'Union protestante libérale.
1864	Scission à l'intérieur des Conférences pastorales du Gard.

1866	Scission à l'intérieur des Conférences pastorales de Paris.
1871 (mai)	Annexion de l'Alsace à l'Empire allemand.
— (19 nov.)	Convocation du synode général de l'Eglise réformée.
1872 (juin-juill.)	Première session du synode général de l'Eglise réformée (à laquelle participent les libéraux) ; adoption majoritaire de la Déclaration de foi rédigée par Ch. Bois.
— (juill.)	Réunion du synode général luthérien à Paris.
1873 (nov.-déc.)	Seconde session du synode général de l'Eglise réformée (les libéraux refusent d'y participer).
1874 (28 fév.)	Autorisation officielle de publication de la Déclaration de foi adoptée par le synode de l'Eglise réformée.
— (oct.-déc.)	Cassation par le ministre des Cultes des élections presbytérales non synodales.
1875	Echec des tentatives de réconciliation entre les orthodoxes et les libéraux dans l'Eglise réformée.
1879	Ministère Waddington comprenant une majorité de ministres protestants (cinq sur neuf). Premier synode officieux de la « tendance orthodoxe » de l'Eglise réformée, qui consacre la division de cette Eglise en deux organisations séparées. Ratification par l'Etat de la réorganisation de l'Eglise luthérienne (après la perte de l'Alsace-Lorraine).
1882	Loi instituant l'enseignement primaire obligatoire et laïc ; plusieurs collaborateurs de J. Ferry sont protestants.
1884	Création du chœur de Saint-Guillaume à Strasbourg.
1888	Fondation de l'Association protestante pour l'Etude pratique des Questions sociales.
1894-1904	Période d'antiprotestantisme assez virulent.
1894-1908	Existence du quotidien protestant *Le Signal*.
1896-99	Deux conférences fraternelles entre réformés à Lyon.
1897	Publication de l'*Esquisse d'une philosophie de la religion* d'A. Sabatier. — Intervention de Scheurer-Kestner en faveur de Dreyfus.
1905-06	Loi de séparation des Eglises et de l'Etat ; les protestants forment sept Unions ecclésiastiques, dont trois réformées.
1908	Fondation de l'Union des Socialistes Chrétiens par P. Passy.
1909	Première Assemblée de la Fédération protestante de France (F.P.F.).
1918-19	Refus par la F.P.F. de la tenue d'une Assemblée religieuse groupant les protestants des pays belligérants.
1918 (nov.)	Retour de l'Alsace et de la Moselle à la France.
1919	Maintien du Concordat pour les luthériens et les réformés d'Alsace-Lorraine. — Création de deux Unions ecclésiastiques qui entrent à la F.P.F.
1920	Fondation de « La Cause » par F. Durrleman.

1922	Création de la Fédération du Christianisme Social par E. Gounelle.
1925	Conférence œcuménique de Stockholm (Life and Work).
1927	Conférence œcuménique de Lausanne (Faith and Order).
1930	Fondation de l'Association Sully, groupant des protestants royalistes.
1931-34	Développement de l'influence du barthisme en France.
1937	Conférences œcuméniques d'Oxford et d'Edimbourg.
1938	Réunification de l'Eglise réformée de France. — Constitution de l'Union des Eglises réformées évangéliques indépendantes.
1939	Création de la « Cimade » (oct.). — Karl Barth, *Lettre aux protestants de France*.
1940-44	Occupation nazie de l'Alsace.
1941	Lettre de M. Bœgner au Grand Rabbin (26 mars). — Thèses de Pomeyrol (17 sept.).
1943	Message contre la relève du Conseil de la F.P.F. (22 avril).
1944	Début de la généralisation de la Semaine de prière pour l'Unité.
1945	1er numéro de *Réforme* (mars). — Suzanne de Dietrich, *Le renouveau biblique* (oct.).
1949	Constitution de l'Alliance libérale française. — Création du mouvement « Jeunes Femmes ». — Entrée de sept frères à la Communauté de Taizé.
1950	Début de la Communauté de Pomeyrol.
1956 et 1961	Rassemblements protestants en Alsace.
1960	Xe Assemblée du Protestantisme à Montbéliard (29 oct.), aboutissant à la mise en place des « Quatre Bureaux ». Déclaration sur l'Algérie (1er nov.). — M. Bœgner abandonne la présidence de l'E.R.F.
1961	Création des Equipes de recherche biblique.
1962	Inauguration de l'église de la Réconciliation à Taizé (août). — Ouverture du Concile de Vatican II (oct.).
1966	Conférence « Eglise et Société » à Genève (juill.). — XIIe Assemblée du Protestantisme à Colmar, rapport Keller (nov.).
1971	Synode National créant les huit grandes régions. Document *Eglise et Pouvoirs* (nov.).
1974	Décret sur le volontariat de l'instruction religieuse en Alsace. — Concile des Jeunes à Taizé (30 août-2 sept.). — Inauguration de la Faculté de Théologie d'Aix-en-Provence (14 oct.).
1975	Traduction œcuménique de la Bible (T.O.B.) en français.

Index

Pour éviter un grossissement excessif de l'index, un choix a été fait, délibérément en faveur des protestants et des Français ; les autres références ont été éliminées, à moins qu'elles ne reviennent plusieurs fois. Les noms de lieux sont imprimés en italique, suivis de la mention (en général abrégée) du département. Principales autres abréviations : ch. mil. = chef militaire ; écr. = écrivain ; éve = évêque ; fr. m. = franc-maçon ; hist. = historien ; h.p. = homme politique ; jur. = juriste ; mag. = magistrat ; md. = marchand ; pr. = pasteur ; phil. = philosophe ; prof. = professeur ; réf = réformateur ; théol. = théologien. Nous avons fréquemment donné les dates de naissance et de mort des personnalités citées. — P.W.

TABLE DES CARTES ET ILLUSTRATIONS

HORS-TEXTE

IN-TEXTE

TABLE DES MATIERES

Univers de la France
et des pays francophones

Collection publiée sous la direction de Philippe Wolff
de l'Institut

SÉRIE : HISTOIRE DES PROVINCES

Volumes parus :

Histoire du Languedoc (Direction Ph. Wolff)
Histoire de la Bretagne (Direction J. Delumeau)
Histoire de la Provence (Direction E. Baratier)
Documents de l'Histoire du Languedoc (Direction Ph. Wolff)
Histoire de la Normandie (Dir. M. de Boüard)
Histoire de l'Alsace (Direction Ph. Dollinger)
Documents de l'Histoire de la Provence (Direction E. Baratier)
Histoire de l'Ile-de-France et de Paris (Direction M. Mollat)
Histoire de l'Aquitaine (Direction Ch. Higounet)
Histoire de la Corse (Direction Paul Arrighi)
Documents de l'Histoire de la Bretagne (Direction J. Delumeau)
Documents de l'Histoire de l'Alsace (Direction Ph. Dollinger)
Histoire des Pays-Bas Français (Dir. L. Trenard)
Histoire des Pays de la Loire (Dir. F. Lebrun)
Documents de l'Histoire de la Normandie (Dir. M. de Boüard)
Documents de l'Histoire de l'Aquitaine (Direction Ch. Higounet)
Histoire de la Savoie (Direction P. Guichonnet)
Histoire de la Wallonie (Direction L. Genicot)
Histoire du Dauphiné (Direction B. Bligny)
Histoire de la Picardie (Direction R. Fossier)
Histoire de l'Auvergne (Direction A.-G. Manry)
Histoire des Pays-Bas Français - Documents (Dir. L. Trenard)
Histoire de la Champagne (Dir. M. Crubellier)
Histoire du Québec (Direction Jean Hamelin)
Histoire du Poitou, du Limousin et des Pays Charentais
(Direction E.-R. Labande)

A paraître :

Histoire de la Lorraine (Direction M. Parisse)
Histoire de la Franche-Comté (Dir. R. Fiéter)

Voir à la page suivante les volumes parus ou à paraître dans la série
« Histoire des Villes ».

Univers de la France
et des pays francophones

Collection publiée sous la direction de Philippe Wolff
de l'Institut

Pour connaître le programme complet de la collection et être averti de
la parution des différents volumes, il vous suffira de donner votre adresse
aux Editions Edouard Privat, 14, rue des Arts, 31000 Toulouse.

Univers de la France
et des pays francophones

Collection publiée sous la direction de Philippe Wolff
et J. Bastier

SÉRIE Histoire des villes

Volumes parus :

Histoire de Rennes (Direction J. Meyer)
Histoire de Marseille (Direction E. Baratier)
Histoire de Toulouse (Direction Ph. Wolff)
Histoire de Genève (Direction P. Guichonnet)
Histoire d'Angers (Direction F. Lebrun)
Histoire de Lyon et du Lyonnais
  (Direction A. Latreille et R. Gascon)
Histoire de Nîmes (Direction F. Dargie)
Histoire de Bordeaux (Direction M. Marcou)
Histoire de Brest (Direction Y. Le Gallo)
Histoire de Nice (Direction Maurice Bordes)
Histoire de Grenoble (Direction V. Chomel)
Histoire Pau, métropole... Lille... Roubaix...
  Tourcoing (Direction L. Trenard)

A paraître :

Histoire de Nancy (Direction Bois)

CET OUVRAGE A ÉTÉ ACHEVÉ D'IMPRIMER
SUR LES PRESSES DE L'IMPRIMERIE LUS-
SAUD A FONTENAY-LE-COMTE, LE 30 AVRIL
1977. LES CLICHÉS D'ILLUSTRATION EN
NOIR, AINSI QUE LA QUADRICHROMIE DE
COUVERTURE, ONT ÉTÉ GRAVÉS PAR LA
PHOTOGRAVURE SABOUL.
LA CONCEPTION D'ENSEMBLE EST DUE AUX
SERVICES TECHNIQUES DE L'ÉDITEUR.

DATE DUE

GAYLORD			PRINTED IN U S.A

Boisseau excud auec Priuilege du Roy.

LE PERE.

Chers Enfans ayez soing de bien vous conformer
Au saint vouloir de Dieu en banissant le vice
Et de ses mandementz tousiours vous informer
Il vous randra jdoyne et propre a son seruice.

Cherre Espouse tachez de bien orner vos filles
De chastete sur tout puis de vertus vtilles
Leur col entortillez de pure saintete
Duisez les au trauail fuiant oysiuete.

LA BENE
Grace et honneur a
Qui bening nous
Qui ces biens be
Au Perre comme